PSYCHOTIC REACTIONS
& AUTRES CARBURATEURS FLINGUÉS

DU MÊME AUTEUR

Fêtes sanglantes & mauvais goût
Introduction de John Morthland
Traduction par Jean-Paul Mourlon, 2005

AINSI QUE

Lester Bangs : mégatonnique rock critic
Biographie par Jim DeRogatis
Traduction par Jean-Paul Mourlon, 2006

Lester Bangs

PSYCHOTIC REACTIONS
& AUTRES
CARBURATEURS FLINGUÉS

Introduction de Greil Marcus

Traduction de l'américain
par Jean-Paul Mourlon

2ᵉ édition, septembre 2006

TRISTRAM

Les éditeurs et le traducteur
remercient vivement Philippe Manœuvre
qui a relu cette traduction ligne à ligne
comme il le fera ultérieurement pour
Fêtes sanglantes & mauvais goût

Édition originale :
Alfred A. Knopf, Inc., octobre 1987, New York

© Estate of Lester Bangs, 1987 (titre original du texte : *Psychotic Reactions and Carburetor Dung*)

De nombreux textes repris dans ce volume ont été initialement publiés dans le magazine *Creem*. Reproduits avec l'autorisation de *Creem*. © 1970, 1971, 1972, 1973, 1974, 1975, 1976

© Greil Marcus, 1987, pour l'introduction

© Éditions Tristram, 1996, pour la traduction française

Du petit nuage de Lester Bangs

Marsh –

Tu connais la vieille blague : « S'il y a un paradis rock, ils doivent avoir un groupe d'enfer » ? N'y crois surtout pas, mon gars.

Tous les gens de talent sont allés tout droit en Enfer. Tous. Les gros trucs ici, c'est Jim Croce, Karen Carpenter, Cass Elliot et tout particulièrement Bobby Bloom ! C'est un cauchemar ! Si je dois entendre encore une fois ce foutu « Montego Bay » je vais me suici… (ah merde, j'oublie tout le temps).

Enfin, je demande tous les six mois à être envoyé en Enfer, mais ils refusent toujours, affirmant – écoute ça : j'ai trop bon cœur ! Écris-leur pour leur dire la vérité, veux-tu ? Dis-leur quel emmerdeur je peux être quand j'en ai envie. Dis à Uhelszki de faire pareil. Et à Marcus. (À propos, fais-lui savoir à quel point j'apprécie de le voir fouiller dans mes vieux escripts.)

J'ai rencontré Dieu en arrivant ici. Je lui ai demandé pourquoi. Tu vois, 33 ans et tout ça. Il s'est borné à répondre « M.T.V. » Il ne veut pas que j'en fasse l'expérience, quoi que ça puisse être.

Il faut que je me barre. Littéralement. Un autre troupeau de tâcherons transcendants se dirige vers ici. En jouant le « Stairway » du Zep, bien sûr. C'est l'hymne national dans ce foutu bled. Je ne peux pas croire que personne ici connaisse autre chose.

C'est moi qui te le dis, Dave. Le paradis, c'était Détroit, Michigan. Qui l'aurait cru ?

Éternellement à toi,

Bangs

Lettre reçue par Dave Marsh, janvier 1986

Introduction et remerciements

par Greil Marcus

« BIO : Lester Bangs est né à Escondido, Californie, en 1948.
Il a grandi à El Cajon, Californie, qui signifie "La Boîte" en espagnol, et où il a fait des choses telles que laver des assiettes, vendre
des chaussures de femmes, et travailler comme assistant pour
une équipe – mari et femme – d'arrangements floraux artificiels,
tout en rédigeant des critiques de disques en pigiste, feignant
d'aller en fac jusqu'en 1971, quand il partit à Détroit travailler
pour le magazine *Creem*. Au cours des cinq ans passés là-bas
comme directeur de la rédaction, et à travers diverses responsa-
bilités éditoriales, il définit un style de journalisme critique, basé
sur le son et le langage du rock, qui finit par influencer toute une
génération de journalistes, et peut-être de musiciens, plus jeunes.
En 1976, il quitta *Creem* pour redevenir pigiste à New York.
Depuis lors, il a également animé deux groupes de rock sur la
scène des clubs de Manhattan, et commencé à enregistrer des
compositions rock originales (il écrit les paroles, chante et joue
de l'harmonica, reconnaissant que "toutes mes mélodies sont la
même, et c'est un blues"), dont les premières, « Let It Blurt/Live »,
sont sorties début 79 sur le label Spy. Actuellement, il prépare
un album... »

Voilà ce qu'écrivait Lester Bangs un an ou deux avant sa mort
en 1982. Son décès exige une biographie plus précise : il est né le
13 décembre 1948 ; il est mort accidentellement le 30 avril 1982,
suite à des complications respiratoires et pulmonaires consécu-
tives à la grippe et à des ingestions de Darvon. Le nom de la
boutique où il vendit des chaussures était Streicher's Shoes,

centre commercial de Mission Valley ; son album sortit en 1981 sur le label Live Wire, sous le titre *Jook Savages on the Brazos*, par Lester Bangs and the Delinquents, bien qu'il eût également pensé à l'appeler *Jehovah's Witness* – sa mère était devenue Témoin de Jéhovah après la mort en 1955 du père de Lester. Comme Frances Pelzman me l'écrivit alors que commençaient les travaux sur ce livre, « Lester disait que ça expliquait son approche de rock critic, parce qu'il s'efforçait toujours de faire des convertis. » Qu'il soit mort provoque également des spéculations oiseuses : de tous les détails qu'il aurait pu inclure dans une autobiographie d'un paragraphe, pourquoi Lester signalait-il que El Cajon signifie « La Boîte » ? Est-ce parce que c'est un vieux terme d'argot hip pour désigner un tourne-disque, ou parce que ce nom exprimait un emprisonnement auquel il pensait ne jamais pouvoir échapper ?

Il n'est pas facile d'écrire sur un ami mort sans verser dans le mélodrame ou la sensiblerie ; la mélancolie serait sans doute le ton le plus honnête, mais c'est aussi le plus difficile à prendre. Je devrais défendre l'importance de l'œuvre de Lester Bangs, expliquer précisément pourquoi ceux qui l'ignorent devraient la lire, pourquoi elle enrichira la vie de quiconque voudra l'aborder ne serait-ce qu'à mi-chemin de ses propres termes, mais si je crois que c'est exactement ce que feront ses écrits, je n'ai pas le cœur à l'ouvrage. Cela semble condescendant, aussi bien envers le lecteur qu'envers les textes ; je suis peiné que Lester ait jugé nécessaire de vanter l'influence de son œuvre, aussi réelle et même écrasante qu'elle ait pu être, plutôt que sa valeur propre. Voici donc un autre autoportrait, à peu près de la même époque que le premier : « J'étais de toute évidence brillant, un artiste doué, un mâle sensible qui n'avait pas peur de montrer ses faiblesses, l'une des rares personnes comprenant réellement ce qui n'allait pas dans notre culture, et pourquoi il était impossible qu'elle ait le moindre avenir (sujet sur lequel je parlais/donnais des leçons gratuites improvisées sans arrêt, surtout quand j'étais ivre, ce qui arrivait fréquemment, bien que pas tous les soirs), un empaffé avenant, bon au lit bien que, évidemment, je sois à ce point béni d'une sagesse bien au-delà de mon âge et de mon sexe que je savais que cela n'avait aucune importance. J'étais drôle, j'avais un sens de l'humour féroce, j'étais un individu vraiment unique et imprévisible, un artiste rock, j'avais mon propre groupe, j'étais peut-être candidat – sinon aujourd'hui, du moins demain – au titre de meilleur écrivain d'Amérique (qui était meilleur ? Bukowski ? Burroughs ? *Hunter Thompson ?* Laissez tomber. J'étais le meilleur. Je n'écrivais pratiquement que des critiques de rock, et encore, pas tant que ça… » Il ne plaisante qu'à demi avant l'ouverture de la parenthèse (qu'il n'a jamais refermée) ; puis il dit la vérité. Peut-être ce livre exige-t-il du lecteur la volonté d'accepter que le meilleur écrivain d'Amérique n'ait écrit pratiquement que des critiques de disques.

Que dire des affirmations qui précèdent la parenthèse ? Comme des milliers de gens, je connaissais surtout Lester par ses écrits. Nous étions peut-être de grands amis, mais sans jamais avoir été proches. En 1969, j'ai été son premier rédacteur en chef à *Rolling Stone* ; après qu'il eut quitté la Californie pour Détroit et New York, nous nous sommes vus cinq ou six fois, avons discuté deux fois plus au téléphone, et correspondu quatre fois plus. Nous parlions souvent de la possibilité que j'édite un livre de ses travaux ; d'où celui-ci.

La première bio citée ci-dessus est extraite du manuscrit d'un recueil d'articles sur le rock publiés par Lester, recueil qu'il prépara en 1980 ou 1981. Il n'avait réussi à le faire accepter que par un éditeur allemand, pour une publication en allemand, le titre de travail étant *Psychotic Reactions and Carburetor Dung.* Il ne parut jamais, et ce n'est pas le présent ouvrage, bien que le titre soit le même, que la dédicace soit celle de Lester, qu'on ait conservé presque tous ses choix, et certains de ses titres de sections ; on y a ajouté énormément de matériel, dont une bonne part inédite. Le livre de Lester entendait simplement résumer une période de ce qui devait être une longue et imprévisible carrière (quand il mourut, il allait se rendre au Mexique pour écrire un roman intitulé *Tous mes amis sont des ermites,* bien que je ne croie pas un instant, comme l'ont dit des gens bien plus proches de lui que je ne le fus, qu'il aurait cessé d'écrire sur la musique). L'ouvrage n'entendait pas définir un héritage, ce que doit faire celui-ci.

Lester acheta son premier disque (*TV Action Jazz*, par Mundell Lowe and His All-Stars, RCA Camden) en 1958 ; à partir de cette date, il se mit à dévorer tout morceau de plastique porteur de son qu'il pouvait trouver. C'est lui qui écrivit un jour : « Mon fantasme enfantin le plus mémorable était d'avoir une demeure sous laquelle se trouvaient des *catacombes* contenant, classés par ordre alphabétique en d'interminables rangées sentant le renfermé, tortueuses, mal éclairées, tous les disques jamais sortis. » C'est à peu près à la même époque qu'il devint un lecteur avide, puis, peu de temps après, un beatnik adolescent. Jack Kerouac et William Burroughs furent ses héros et ses maîtres ; il crut à tous leurs mythes – dissipation, rédemption, dope, satori. Leurs livres, et les disques de tout le monde, firent de lui un écrivain.

Le premier texte publié de Lester Bangs, si l'on néglige des poèmes parus dans les magazines littéraires de lycée, fut un compte rendu du *Kick Out the Jams* du MC5, qui parut le 5 avril 1969 dans *Rolling Stone*. Il arriva comme une pierre dans la fenêtre, attaque brutale, irréfutable, parce que, fan de rock, Lester avait cru à la hype, acheté le disque, s'était senti dupé, voire manipulé, et avait riposté : ce qui est un bon début pour un critique (plus tard, il en vint à adorer le disque et le groupe, mais c'était typique : « Je me contredis tout le temps », déclarat-il lors d'une interview avec Jim DeRogatis, qui lui avait demandé si son approche du rock reposait sur la conviction que le rock n'était pas de l'art : « On peut parler de l'esthétique trash, tout ça… Bien sûr que c'est de l'art. ») En juin 1969, Lester et moi commençâmes à travailler ensemble ; dans l'une des premières lettres qu'il m'ait écrites (couvrant les cinq, dix, quinze comptes rendus qui arrivaient chaque semaine), il disait : « En bref, j'aimerais tout foutre en l'air et recommencer à zéro. » Et c'est ce qu'il fit.

Lester publia plus de cent cinquante critiques dans *Rolling Stone* (de 1969 à 1973, quand Jann Wenner, le rédacteur en chef, l'interdit de séjour pour manque de respect envers les musiciens ; et en 1979, quand Paul Nelson, le responsable de la section disques, demanda son retour) ; mais ce ne fut jamais l'endroit où il se sentit le plus libre. *Creem*, le magazine rock issu du milieu entourant le White Panther Party et (ironiquement) le MC5 de John Sinclair, fut ce lieu, au moins pendant un temps : il ouvrit à Lester un espace où donner libre cours à l'invective, au mépris, à la fantaisie, la fureur et l'allégresse. D'abord comme collaborateur, puis comme chef de rubrique, il en fit un courant subversif dans le flot commercial inexorable du rock business ; avec Dave Marsh, le rédacteur en chef, il découvrit, inventa, nourrit et promut une esthétique de joyeux dédain, un amour de ce qui pouvait passer pour du déchet, et un mépris de toutes les prétentions, qui en 1976 et 1977, avec les Ramones et le CBGB à New York, et les Sex Pistols à Londres, prendrait le nom qu'il lui avait trouvé : *punk*. Il avait aussi un boulot ; couvrant la scène, ramassant tout ce qu'on y trouvait : entre 1970 et 1976, *Creem* signifia pour lui plus de cent soixante-dix comptes rendus, soixante-dix articles, d'innombrables légendes de photos (secteur où l'on trouve une part du meilleur de son œuvre, cette démystification assidue des superstars qui mena aussi directement aux Ramones et aux Sex Pistols que ses articles et ses comptes rendus), d'innombrables réponses aux lettres de lecteurs, bref il se chargeait de tout.

Lester devint une figure dans le monde du rock : et, dans ses limites, une célébrité. Se défonçant et buvant, lanceur de vannes et insultant, cruel, toujours en représentation, toujours prêt à rire, il devint le sauvage fondamental du rock, une frénésie d'abandon, d'excès, de sagesse, de satire, de parodie à lui tout seul – la mauvaise conscience, mise en acte ou par écrit, de chaque groupe qu'il interviewa ou critiqua. Il se rendait à une interview prêt à provoquer tous ceux qui passaient en ville – et chaque groupe qui passait en ville tentait de le provoquer. C'est ainsi que quand il alla s'installer à New York – pour y trouver une scène punk en plein mûrissement, qui semblait sur le point de combler tous ses espoirs et ses jérémiades –, il était devenu quelqu'un à fréquenter : un homme à qui on pouvait se dire fier d'avoir offert à boire, ou filé de la dope.

Lester avait passé sa dernière année de lycée sur un régime bizarre de belladone et de Romilar (un sirop pour la toux). Quand un médecin lui dit qu'il flirtait avec la mort, il passa au speed. Il devint, pour de bon, un alcoolique : des années après, il pouvait empester une pièce. Il resta à distance de ce qu'on pouvait trouver dans la rue (LSD, cocaïne, n'importe quoi), et ne recourut jamais à l'héroïne. Pour autant, il fut longtemps un junkie, à sa manière. La dernière année, il décrocha : pratiquement plus de drogue, pas grand-chose de plus qu'une bière, ce qui provoquait souvent un paroxysme de haine de soi. Il rejoignit les Alcooliques Anonymes ; il avait du travail à faire. J'ai toujours pensé que la violence de ses efforts en vue de changer sa vie avait ébranlé son corps, désormais vulnérable à la plus minime anomalie, qu'il s'agisse d'un virus commun ou d'une dose ordinaire d'un analgésique banal ; qu'il avait de force poussé son système vers la santé, et que c'est ce qui l'a tué.

À Détroit, et surtout à New York, Lester avait une image à défendre : parfois il essayait de s'en montrer digne, parfois il la combattait. Il changea d'avis plus d'une fois. Mais le changement de ton dans ses écrits est patent. À Détroit, il publia essentiellement des premiers jets, qui devaient beaucoup au principe d'écriture automatique chère aux Beats ; à New York, il se mit à travailler plus lentement, réécrivant sans cesse chaque texte, poursuivant un thème sur cinq ou dix fois la longueur publiable, puis taillant dans le tout ou recommençant à zéro. Le moralisme, au meilleur sens du terme – tentative de comprendre ce qui est important, et de communiquer cette compréhension aux autres sous une forme qui, d'une certaine façon, s'impose au lecteur autant qu'elle le distrait –, fit surface à la fin de son séjour à *Creem*, et à New York trouva un terrain au *Village Voice*. Il publiait en même temps dans des fanzines obscurs, dans des quotidiens et des magazines grand public, mais sa voix restait étouffée, enfermée : c'était un rock critic, alors qu'était-ce donc que tout le reste, toutes ces pages sur le sexe, l'amour, les gens dans la rue, la philosophie, la mort, la romance ? S'étant vu confier une critique de disque qui devait faire 750 mots, il s'asseyait devant sa machine à écrire et travaillait la nuit entière, puis le lendemain, jusqu'à ce qu'il eût des milliers de mots que jamais il n'osa montrer à ses rédacteurs en chef – dont certains se seraient peut-être battus pour trouver un moyen de les publier. Parfois certains textes, rejetés par la grande presse, se retrouvaient dans des fanzines, parfois l'inverse ; parfois ils furent perdus pour de bon.

Au cours des dernières années de sa vie, Lester s'efforça d'écrire sur tout. Début 1976, dans une lettre combative, sarcastique, où il se livrait à nu, à feu Barry Kramer, son patron et némésis, l'éditeur de *Creem*, Lester jura loyauté et soumission éternelles à la revue – qui était alors sa création autant que celle de quiconque –, exigeant, sur sept mille mots, et suppliant presque, que le magazine lui verse les 179 dollars et 7 cents qu'il lui devait. Il parla de ce qu'il voulait faire, promettant qu'à aucun moment ses projets et ses ambitions n'interféreraient avec ses obligations salariées d'éditer, d'écrire des critiques, des articles, des légendes, de répondre à des lettres de lecteurs, de s'occuper de tout : il prévoyait un recueil de ses textes parus dans *Creem*, puis « un commentaire culturel follement ambitieux qui liera et expliquera des phénomènes aussi disparates que la disco, les *snuff movies*, Roxy Music, Ben Edmonds, Elton John, le sado-maso, *Barry Lyndon*, la popularité du synthétiseur et autres instruments musicaux synthétiques, la scène des *swinging singles*[1] et divers autres genres actuellement populaires de sexe dépersonnalisé, le désir des êtres humains de se transformer en machines, *Metal Machine Music*, *Shampoo*, *The Passenger*, Donald Barthelme, le caractère inévitable de la totale conquête du monde par le Middle of the Road, la dégénérescence du langage, l'absence de tout sens de l'Histoire ou de la culture ayant précédé les New York Dolls de la part de la génération JoAnn Uhelszki, toute l'étendue de la littérature, des cours d'amélioration du moi et de formation de la sensibilité, Vaincre Par Intimidation, la brutalisation considérée comme forme de distraction, l'obsolescence du concept d'avant-garde, la désexualisation progressive de toute une génération, y compris ce phénomène des gens qui préfèrent logiquement les drogues au sexe, le besoin compulsif et irréfléchi de danser toute la nuit qui balaie New York en ce moment, un mouvement de masse (actuellement en cours) spontané et non planifié, de la part des êtres humains d'Occident, pour se débarrasser d'autant d'émotions que possible, la déification de l'engourdissement et/ou de l'abrutissement doucereux, la fin possible de la civilisation telle que nous l'avons connue, et parfois chérie, depuis les derniers millénaires, la guerre invisible, qui commence en ce moment même, et qui peut fendre en deux la totalité de notre culture, y compris des instructions pour savoir de quel côté vous vous retrouverez (vu que probablement ce ne sera pas par choix, car la plupart des gens ne comprendront pas ce qu'ils deviennent avant qu'il ne soit trop tard), et comment situer la filiale la plus proche de la Cinquième colonne dont j'espère devenir un des dirigeants. »

Non que cela interférerait avec les clichés à légender : « J'ai déjà beaucoup trop de travail en ce moment, ici même, pour me lancer vraiment sérieusement dans ce projet – à supposer qu'en définitive je puisse y arriver. Je ne suis pas sûr du tout que rédiger des critiques sur les Allman Brothers constitue une bonne formation pour un futur Spengler. »

Voici quelques-uns des autres livres que Lester comptait publier :

Psychotic Reactions and Carburetor Dung : Lester Bangs' Greatest Hits ;

Tout ce que vous pourriez faire aujourd'hui si votre mère était la femme d'Iggy Pop – un livre de bobards et de vérités, par Lester Bangs ;

Le Rock à travers le miroir – un livre de fantasmes ;

Une bio fantasmatique des Rolling Stones, inspirée du *Paperback Writer* de Mark Shipper (réclamée par un éditeur, qui cessa de s'y intéresser après que deux cents pages en eurent été rédigées) ;

Génération perdue : paroles de kids américains d'aujourd'hui ;

Guide raisonnable pour horrible bruit ;

Tous mes amis sont des ermites (d'abord essai, puis roman) ;

Un livre de fantasmes sur Elvis Presley, par divers auteurs ;

Une version rock du *Four Lives in the Bebop Business* de A.B.
Spellman, centrée sur Brian Eno (deux cents pages rédi-
gées), Marianne Faithfull, Lydia Lunch, Screamin' Jay
Hawkins, ou Robbie Robertson, ou Danny Fields ;

Ils l'ont inventé (vous l'avez accepté), un livre sur les Beatles
(également intitulé *The Firstest with the Mostest*) ;

*La Gomorrhe du rock – les scandaleux mensonges sur la
Woodstock Nation* (en collaboration avec Michael Ochs,
terminé, jamais publié) ;

Un livre sur la vie quotidienne des prostituées, dont une
bonne part a été écrite ;

*Les femmes au sommet : dix modèles de rôles post-Lib pour les
années 80* ;

Un livre sur Lou Reed et le Velvet Underground ;

*Vivez comme un milliardaire sans aucun revenu – je le fais tout
le temps et ce livre vous explique comment.*

Il est certain que personne ne voudrait lire la majorité de ces
titres, et encore moins le tout, et s'il avait vécu Lester n'en aurait
écrit qu'un ou deux (plus de nombreux autres), mais l'un d'entre
eux aurait été *Tous mes amis sont des ermites*, version finale de
l'œuvre spenglérienne qu'il avait esquissée pour la première fois
pendant sa dernière année à *Creem*, et qui aurait été un vrai livre.
Il en existe des centaines de pages, sous des dizaines de formes,
sous de nombreuses rubriques : seule une partie a trouvé sa place
dans le présent ouvrage, et encore, pas sous ce titre.

Ce livre est ma version de l'œuvre que Lester Bangs a laissée
derrière lui. Ce n'en est pas un résumé, ni une sélection repré-
sentative, mais une tentative de donner une image d'un homme
créant une vision du monde, la mettant à l'épreuve, affrontant
ses conséquences, et s'efforçant d'avancer. Il ne comporte pas le
premier texte publié de Lester (le compte rendu du MC5 mentionné précédemment), ni son dernier (*If Oi Were A Carpenter*,
paru dans le *Village Voice* du 27 avril 1982). En fait, il ne comprend
rien de ce qu'il a écrit pour *Rolling Stone*, ou sur certains artistes

qui étaient pour lui des obsessions, des avatars, des talismans (les Rolling Stones, Captain Beefheart, Miles Davis, Charlie Mingus, les Ramones) ; il en néglige d'autres qui, pendant les longues années de sécheresse de *Creem* (de sécheresse pour le rock, pas pour Lester en tant qu'écrivain) lui parurent autant de signes de vie : Black Sabbath, Wet Willie, Roxy Music, Mott the Hoople, les New York Dolls, Patti Smith. Placé devant un artiste dont il adorait et respectait l'œuvre, Lester écrivait souvent médiocrement, passivement : il avait souvent recours à des trucs, citant les paroles plutôt que de dire ce qu'il pensait, remplaçant les idées par des adjectifs. Le présent ouvrage ne reprend rien de son *Blondie*, bio scabreuse, pétillante, qu'il rédigea en quelques jours en 1980 ; à peu près rien des six cents pages de brouillons écrits pour *Rod Stewart*, autre fan-bio qu'il publia en 1981 avec Paul Nelson. Il ne reprend aucun de ses centaines de poèmes, de ses dizaines de chansons. En fait, il omet la plus grande part des trois, quatre, cinq millions de mots réunis pour la préparation de cet ouvrage. Mais celui-ci n'est pas un relevé de ce que Lester Bangs a écrit ; de ma part c'est, en définitive, une tentative de rappeler de quoi parlait ce qu'il écrivait, et quelle en était la valeur.

Ce livre est un projet collectif. Ben Catching, le neveu de Lester (dont il est plusieurs fois question dans les pages qui suivent), est l'exécuteur testamentaire de son oncle (la mère bien-aimée de Lester est morte quelques mois avant lui), et c'est lui qui a rendu possible cet ouvrage. John Morthland et Billy Altman sont les exécuteurs littéraires de Lester ; avec RJ Smith et Georgia Christgau, ils ont fouillé ses archives et les ont cataloguées. John Morthland a accompli la plus grosse part du travail, indexant, collationnant des pages ramassées dans tous les coins de l'appartement de Lester pendant toutes les années de sa vie d'écrivain : il est la conscience de ce livre.

Ed Ward a partagé une semaine avec moi à passer au crible une cantine pleine de manuscrits et de coupures de presse, à faire les premières sélections, à commencer le travail d'édition. Je n'aurais pas eu la force de m'y mettre sans son aide. Plus tard,

Michael et Joan Goodwin ont pris part aux choix définitifs. Jim Miller a donné des conseils cruciaux à un moment difficile.

Bill Holdship a réuni, copié et indexé tout ce que Lester a écrit pour *Creem*, jusqu'à la plus minime réponse à la plus minime lettre de lecteur. Tom Carson et RJ Smith ont fait de même pour ses contributions (plus d'une centaine) au *Village Voice*, et Cynthia Rose pour ses nombreux textes dispersés dans le *New Musical Express*. Robert Hull a rassemblé de nombreux essais et notes de pochette obscurs.

Ont également apporté leur aide : Roger Anderson, Cathy McConnell Ardans, Adam Block, Paul Bresnick, Bart Bull, Bob Chatham, Robert Christgau qui a édité la plupart des travaux de Lester pour le *Village Voice*, Diana Clapton, Jean-Charles Costa, Brian S. Curley, Jim DeRogatis, Michael Goldberg, James Grauerholz, Niko Hansen, Klaus Humann, Jimmy Isaacs, Lenny Kaye, Dave Laing, Gary Lucas, Cecily Marcus, Dave Marsh qui a édité une bonne part des textes de Lester à *Creem* et qui a apporté un soutien et des éclaircissements essentiels, Richard Meltzer, Joyce Millman, Phil Milstein, Karen Moline, Glenn Morrow, Herve Muller, Paul Nelson, Michael Ochs, Christina Patoski, Fred « Phast Phreddie » Patterson, Abe Peck, John Peck, Frances Pelzman, Kit Rachlis, Andy Schwartz, Gene Sculatti, Bob Seger, Greg Shaw qui a édité et publié « James Taylor doit mourir » alors qu'un tel article aurait été impensable dans une publication commerciale hier comme aujourd'hui, Mark Shipper, Doug Simmons, Bill Stephen, Ariel Swartley, Ken Tucker, Steve Wasserman, Steve Weitzman et Michael Weldon.

Des remerciements particuliers sont dus à Nancy Laleau qui a réalisé un travail héroïque de dactylographie à partir de manuscrits parfois à la limite de la lisibilité, et à Patrick Dillon qui a fait de même à partir de tapuscrits, ainsi qu'à Robert Gottlieb, sollicité pour ce projet alors qu'il était occupé, et qui répondit brièvement : « Bien sûr. »

Écrivain, ayant souvent fantasmé ma propre mort, j'imagine que tous mes confrères font de même. J'imagine qu'ils attendent moins les louanges et les regrets qui pourraient suivre leur mort prématurée, qu'ils ne pleurent leurs orphelins : tous leurs textes, leurs pages, leurs paragraphes fugitifs, toutes ces choses mises de côté, et même classifiées selon un système compliqué que personne ne pourra comprendre. Contemplant mes propres rayonnages, certainement beaucoup mieux rangés que ceux de Lester ont jamais pu l'être, je frissonne à l'idée de toutes les critiques non corrigées, tous les cuirs enfouis, toutes les erreurs qui attendent quiconque pourrait essayer d'en faire quelque chose. Lester doit avoir eu les mêmes pensées, et ce que j'ai fait est différent de ce qu'il aurait fait s'il avait su qu'il mourrait le 30 avril 1982, ce qui n'était pas le cas.

Ce que j'ai fait, c'est essayer de découvrir une œuvre qui, à la fois, tienne debout toute seule, et raconte une histoire. On peut lire ce livre comme une anthologie, sautant d'ici à là et retour, mais ce qu'il est pour moi, c'est une histoire : celle, en définitive, d'un homme s'efforçant d'affronter son dégoût du monde, son amour pour lui, et de comprendre ce qu'il y a découvert, comme en lui-même. Que l'histoire ait été interrompue brusquement, voilà qui n'en fait pas moins une histoire, et non un conte appauvri. Pendant que je travaillais sur les textes de mon ami, j'ai été pendant longtemps si captivé par la vie qu'on y trouvait que pour moi, il n'était pas vraiment mort ; pendant que j'approchais de la fin du livre, que j'étais au supplice sur une formulation ou des choix entre un article et un autre, le besoin de simplement lui téléphoner pour lui demander quoi faire était vraiment physique. En de tels moments, il était moins mort que jamais, et plus mort qu'il ne le sera jamais.

Greil Marcus
Berkeley, 7 juin 1986

À Nancy, avec tout l'amour du monde
L.B., 1982

DEUX TESTAMENTS

Psychotic Reactions *et* Carburetor Dung :
prose pour cette période, 1971

Astral Weeks, 1979

Psychotic Reactions *et* Carburetor Dung :
prose pour cette période

Accourez, mes petits-nenfants aux cheveux filasses, et laissez le blaireau vous faire sauter sur ses genoux. *Pendant que vous me reconnaissez encore, bande de petits cinglés.* Vous le savez, le gong a sonné, c'est à nouveau la saison. Maintenant, laissez ruminer ma vieille cervelle, ah, quel conte alambiqué de ces jours d'autrefois vous narrerai-je aujourd'hui ?

« Qu'est-ce que c'est ce bazar sur les Yardbirds ? »

Ah, les Yardbirds. Oui, assurément, c'était le bon temps. 1965, j'étais un jeune merdeux impétueux, je venais juste de tomber amoureux, elle repoussait toujours ma main en reniflant : « J'aimerais bien, Lester, mais je ne veux pas devenir ce genre de fille. » Les nanas étaient vraiment comme ça à cette...

« Ah, laisse tomber la bavasserie sénile et reviens-en à ta foutue archéologie ou sinon on va se casser de tes genoux et aller chercher un peu d'action ailleurs ! *Vieux déchet !* »

D'accord, kids, d'accord, soyez patients avec moi ; pas de quoi fouetter un chat... comme je le disais, c'était la glorieuse époque de 65 ; et j'avais faim de sons qui pourraient me pourrir un peu la tête. Voyez-vous, il n'y avait pas grand-chose, sauf peut-être « I am Henry VIII, I am[2] »... – non, je ne le sortirai pas, je sais que ça sonne bien, mais croyez-moi... nous étions pris dans une de ces récessions musicales que nous subissions toujours de temps en temps, avant qu'ils imaginent ces voyages organisés à travers le système solaire... Je me souviens d'un autre féroce moment de déprime au début des années 70... sauf que celui-là a duré si longtemps que nous avons bien failli nous dessécher et boycotter définitivement les disques jusqu'à ce que Barky Dildo and the Bozo Huns ne se pointent pour sauver nos âmes...

« 'Tain, mec, comment vous avez pu aimer ces mecs-là ? Le truc le plus réac et le plus chiant de l'Histoire ! Qu'est-ce qu'il y a d'extraordinaire à jouer du violon-tronçonneuse et des braille-tubas de boyau ? Jammer, c'est net, mais ces mecs allaient jusqu'à jouer en 4/4 et à changer d'accords ! Pépé, je te demande un peu, qu'est-ce que c'est que cette merde ? »

D'accord, d'accord, je sais que je n'aurais pas dû digresser, une fois de plus ! À partir de dorénavant, je m'en tiendrai aux simples faits, et si vous autres impertinents têtards m'interrompez encore une fois, je claque le beignet à l'un d'entre vous !

« Lequel ? »

Au hasard, ô semence de ma semence, au hasard, comme tout le reste de ce foutu asile de fous qui vous sert de monde, et auquel je serai bientôt heureux de tirer ma révérence.

« D'accord, vas-y et bousille-toi les jointures, que tu puisses les tremper dans la bière chaude, mais viens pas dire qu'on t'a pas prévenu ! Tu devrais savoir que t'es le seul vieil enfoiré des environs que Riri, Vivit et Louloub supportent... et tirer sa révérence... qu'est-ce que c'est que ces conneries ? Qui peut avoir envie d'être mort ? »

Ah, à dire vrai, à un moment il y a eu tout un tas de mecs qui en avaient envie. Mais c'est une autre histoire. Je vais en revenir à la saga des Yardbirds, sinon on va tous digresser jusqu'à la couche d'ozone. Alors écoutez, écoutez bien, et posez pas de questions avant la fin.

Comme je l'ai dit, les Yardbirds étaient incroyables. Ils sont arrivés à fond la gamelle et ont balayé tout le monde sur leur passage. Si foutrement bons, en fait, que dix ans plus tard il y avait encore des gens pour les imiter, et j'ajouterai en s'enrichissant au passage, parce que le groupe de génies d'origine n'a pas duré si longtemps que ça. Évidemment, aucun de leurs bâtards n'était moitié aussi bon, et ils se sont montrés de plus en plus prétentieux et gonflants jusqu'à ce que, vers 1973, une bande de pédales émaciées nommée Led Zeppelin donne son dernier concert, quand un camé à la strychnine a descendu le guitariste au zipgun alors qu'il en était à la cinquante-huitième minute de son célèbre solo virtuose de deux heures sur une seule note de basse. Après, ils ont chopé le chanteur, de toute façon si défoncé à la datura qu'il ne pouvait plus guère que toussoter des paroles du genre « Gleep gleep gug jargaroona fizzlefuck », lui ont coupé les cheveux, ont piétiné son harmonica, lui ont filé des vêtements civils (un ensemble trop grand de Lifetime Chainmail Bodyjeans, je crois), et l'ont chassé de la ville après l'avoir passé au goudron et aux plumes. La dernière fois qu'on a entendu parler de lui, il s'efforçait de chanter « Whole Lotta Love » devant une bande de vieux fumeurs de hasch sentimentaux dans un club de Pétaouchnock. Pleurnichard, comme d'habitude.

Mais les Yardbirds, vous savez, même s'ils ont tout mis sens dessus dessous, n'ont guère duré que deux ans. Et ils avaient de ces imitateurs ! J'éclatais de rire rien qu'à regarder tous ces disques, mec ! Comme quand ils ont fait « I'm a Man » et sont rentrés dans le Top Ten avec un mélange de Bo Diddley (si, c'est ce vieux ringard qui avait trouvé ce célèbre *shuffle beat*... Je crois qu'il était déjà dépassé avant même que vous soyez nés. Ouais, en fait, quand on a finalement renoncé entièrement à l'idée d'un rythme d'arrière-plan bien marqué, je crois que vous étiez trop jeunes pour vous souvenir de la guerre civile culturelle que ça a provoqué, Jagger tombant sur le poil de Zagnose en pleine rue, Beefheart filant se planquer dans les collines du Costa Rica jusqu'à ce que les choses se calment...) et de feed-back, tout le monde a sorti son pognon et s'est allongé, parce que tous ces trucs électro-distordus qui vous endormaient quand vous fumiez vos premiers pétards dans vos berceaux étaient alors inconnus, c'était un vrai tremblement de terre, un lavage de cerveau. Il y en avait des qui trouvaient ça vaguement indécent, comme l'insolence nue d'un excité rayonnant follement vers eux, mais nous autres mectons à la coule étions prêts dès le début à ce bouleversement culturel. Nous attendions juste que quelqu'un arrive et vienne nous arsouiller la tête, ouais m'sieur !... oh, cette phrase ? Ouais, ah, encore une. Oui, je sais qu'elle sonne pas mal, hein ? Vous allez encore rire, mais quand j'étais môme on avait un sacré patois – des trucs bien sentis du genre « Tu l'as dit bouffi ! » ou

« Paix, mon frère ! » … pas comme cette merde télégraphique et simplette qui passe aujourd'hui pour de la communication parmi vous autres mioches à la gomme. Ah, je me souviens quand j'étais au lycée (oh, je vous ai pas dit – c'était un endroit où ils vous mettaient quand ils ne savaient pas quoi faire de vous – quand vous étiez trop grand pour la maternelle, et trop jeune pour sortir assumer ce que nous appelions l'Âge Adulte, ce qui impliquait d'aller tous les jours à la même heure dans un bâtiment bizarre pour faire je ne sais quelle connerie parfaitement inutile pendant des heures, de façon à avoir un peu de blé et l'estime générale) – quand j'étais au lycée, on avait un argot géant. Par exemple, si quelqu'un faisait quelque chose de vraiment débile, on disait : « Ben quoi, t'as de la merde dans la cervelle ? » Une autre pas mal, c'était quand on en avait après quelqu'un, on lui disait : « Sac de merde pourri ! » Ou bien une bande de voyous dans votre genre partait en bagnole chez le marchand de vin s'acheter des cocas et des chips, celui qui était à la place du mort – plus tard, plus tard – grognait : « Dans le clapoir ! », ce qui voulait dire manger, évidemment. Quelques années plus tard, des gens vraiment imaginatifs se sont mis à appeler la bouffe « la jaffe », mais ça n'a pas duré longtemps.

Et des années auparavant, on avait une incantation des plus mystérieuse : « Je fais pas de la merde comme toi, je la brûle ! » On disait ça et les gens normaux n'y piquaient plus rien. Du moins les mômes, en tout cas. J'ai oublié ce que ça signifiait – je crois que c'était une sorte de kôan zen, de telle sorte que quand vous aviez une discussion avec quelqu'un, vous lui balanciez ça, et il en faisait une analyse qui conduisait à la paix ou à une bonne bigorne.

Mais je digresse encore. Merde, vous avez raison, les mômes, je tourne vieille chèvre au regard glauque. Avec de la merde dans la cervelle. Dès que nous aurons terminé cette séance d'anecdotes, je vais me mettre sous les Morphones et apaiser une heure ou deux mon cerveau enfiévré. J'ai rendez-vous avec Delilah Kooch ce soir, et va falloir que je sois frais si je veux encore tirer quand le coq chantera, Organoil ou pas… Quatre-vingt-dix piges, c'est le temps de la modération. Mais comme je le racontais avant d'errer sur des chemins de traverse poilus, les Yardbirds eux-mêmes n'ont pas tenu bien des lunes, et quand ils ont décroché la timbale avec « I'm a Man », ils avaient déjà commencé à se faire chourer (un de ces jours je vous parlerai de Paul Revere and the Raiders, ah, vous ne me croirez jamais…) par des groupes adolescents qui en enregistraient des versions définitives pour leur premier album, des groupes comme les Royal Guardsmen qui ont eu deux n° 1 avec je ne sais plus quel clébard appelé Snoopy qui descendait des Allemands dans de vieux coucous, je jure que c'est vrai, et puis des groupes ont commencé à sortir de tous les garages ; ils écrivaient leurs chansons eux-mêmes mais piquaient le son des Yardbirds et le réduisaient à cette espèce de boucan débile et distordu… oh, c'était super, pur folklore, la vieille Amérique, et parfois je pense que c'est la meilleure époque qu'on ait jamais eue.

Non, je ne le pense pas, je sais que c'était vrai, ayant eu ce sentiment depuis 1970 environ, quand tout s'est mis à virer en eau de boudin, en un tas de ménestrels errants et de bardes balladiques, des merdes de ce genre, déjà désuets même à l'époque. Ah les mecs, je me réveillais le matin en 65 et 66 et j'adorais le simple fait d'allumer la radio, il y avait tant de bons trucs. Comme par exemple ce titre, « Hey Joe », que littéralement tout le monde et son père non seulement enregistrait, mais jurait avoir écrit, bien que manifestement ce soit la mutation psychédélique d'une vieille folk-song chenue qui parlait de tuer quelqu'un par amour, comme 90 pour cent des vieilles folk-songs chenues. Un groupe appelé les Leaves a cassé la baraque avec (encore une formule que vous devriez ajouter à votre petit vocabulaire), et a complètement disparu après un ou deux albums bizarres, bien qu'ils aient eu encore un autre gros tube, « Doctor Stone » ça s'appelait, une vraie chanson sur la dope avec des doubles sens lourdingues. Pendant près d'un an, tous ces foutus disques ont été bourrés de mots de code pour parler défonce parce que les gens venaient juste de s'y mettre en masse et que c'était le grand frisson en loucedé, mais l'État était trop débile pour saisir, CIA et FBI pareil, jusqu'à ce que, quatre ou cinq ans plus tard, ils se pointent avec cet exposé pédant, ce mec qui avait l'air d'un croisement entre un petit employé et l'aigle américain, avec une voix incroyable, et qui est parti vers ce lieu de villégiature pour vieillards dans le désert, où les gens allaient pour le plaisir de foutre leur pognon en l'air, il a parlé de là-bas et a balancé cette pesante oraison qui visait à mettre le pays dans le secret : drogue et musique étaient liées – alors que tout le monde le savait déjà, et tout le machin était hilarant, parce que les titres qu'il citait en exemple étaient vieux comme Hérode, et tout le monde était tellement défoncé à l'époque qu'il n'y avait certes plus besoin de faire la sérénade aux gens pour qu'ils montent plus haut.

Mais pour moi, et des tas d'autres, ce moment – quand personne ne faisait plus attention, parce que tout le monde avait été converti – marque précisément l'instant où les choses ont commencé à partir en couille. Au lieu de chanter qu'on avait pris le thé avec Mary Jane, qu'on frappait du machin à la porte de cette vieille Annie, c'était Dieu Aide-Moi J'Ignore Le Sens De La Vie ou Je Crois Que L'Amour Guérira Le Cancer Et Le Psoriasis Et Je Vais Le Dire Au Bon Peuple De 285 Façons Différentes Que Ça Vous Plaise Ou Non. Et : Pourquoi Y A-T-Il La Guerre Ah Demandez-Le Aux Enfants Ils Savent Tout Ce Qu'Il Nous Faut Savoir, ou : Ouais J'Aime Les Noirs Bien Que Mes Parents Soient D'Un Avis Différent, et il s'en est suivi d'interminables inondations vinyliques de gadoue du même tonneau. À ce moment, j'ai laissé tomber et en suis revenu à mon bon vieux rock débile et gerbeux de 66. J'ai ressorti des trucs comme *96 Tears* de Question Mark and the Mysterians, vraiment mystérieux, en effet, et j'ai de nouveau poussé des hurlements sur des gloussements vaudous du genre « Woolly Bully », indescriptible et enregistré par une bande de types qui se baladaient en corbillard avec des turbans sur la tête.

C'est aussi à cette époque que je me suis replongé en grand dans ces imitations juvéniles et bidon des Yardbirds. Comme *Back Door Men* par les Shadows of Knight ; un groupe impeccable dès qu'il s'agissait de piquer les riffs des Yards et de les retravailler, ou *Psychotic Reaction* par les Count Five, moins doués là-dessus, mais qui leur avaient chouré tous leurs plans avec tant de couilles pourries que c'était vraiment eux que j'aimais le plus !

C'était une bandede jeunes gratouilleux sortis d'une quelconque banlieue californienne, et quelques mois après que « I'm a Man » eut quitté les charts, ils y sont entrés avec cette imitation débile qui s'appelait « Psychotic Reaction ». Et c'était un gros tube, plus gros encore que « I'm a Man », je crois, ce qui m'a gonflé à l'époque mais qui en fait était cool, maintenant que j'y pense, ouais, parfaitement justifié. Ce titre était pur jus de cabanon complètement niaiseux. Ils commençaient par un riff piqué à un hit de Johnny Rivers dont le titre m'échappe – c'était celui juste avant « Secret Agent Man » –, puis se lançaient dans des paroles qui comptent parmi les plus idiotes de tous les temps. C'était, voyons voir, un baratin du genre : « I feel depressed, I feel so bad / 'Cause you're the best girl that I've ever had / I can't get yer love, I can't get affection / Aouw, little girl's psychotic reaction... / An' it feels like this ! » Après quoi ils balançaient un truc entièrement pompé sur « I'm a Man ». De la dynamite pure. Je l'ai d'abord détesté, mais un jour je roulais en bagnole bien défoncé, c'est passé à la radio et je me suis frappé la tronche : « Hé merde, qu'est-ce que je croyais ! C'est un truc super ! »

L'album (Double DSM 1001) avait une pochette d'enfer – la photo était prise du fond d'une tombe, autour de laquelle se tenaient les membres du groupe, vous regardant tout droit dans le sépulcre avec une malveillance aux yeux exorbités. Vraiment surnaturel, à part qu'ils portaient tous des chemises indiennes et des futes à carreaux de Prisunic. C'était moins fantastique, mais plutôt bien à long terme. Et les couleurs et le lettrage étaient sympa.

Au dos, quatre photos d'eux : les Count Five plutôt mal à l'aise dans des capes à la Bela Lugosi sur une pelouse devant une vieille demeure, s'efforçant de prendre l'air sinistre ; les Count Five lors d'un concert à L.A., se sortant les tripes tandis qu'une foule de jeunes boutonneux, sans doute empêchés d'approcher leurs idoles, poussaient avec enthousiasme depuis la droite de la photo ; les Count Five dans un studio télé ; et les Count Five chargeant leurs bagages dans le coffre d'une voiture, avec les visages maussades de rigueur, se préparant à la Grande Tournée, comme le doivent toutes les pop stars (ils ont probablement passé la leur dans la caravane de la femme du manager).

Contrairement aux nombreuses pochettes niaisement obscurantistes des années suivantes, quand les groupes oublièrent de donner la moindre information au dos de l'album, sauf peut-être les titres des chansons ou une étude d'après nature bidon en Kodachrome, où on les voyait passer près d'un séquoia mourant ou je ne sais quoi, celle de la première éruption des Count Five comportait tous les renseignements essentiels. Noms, surnoms, instruments, et âges de tous les membres du groupe (le plus vieux avait dix-neuf ans). Les titres paraissaient prometteurs aussi; exception faite de deux trucs piqués aux Who, c'étaient tous des originaux, du genre « Double-Decker Bus », « Pretty Big Mouth » et « The World », pour ne citer que les trois premiers, et il aurait fallu être sourd pour passer à côté.

Mais, enfants, il m'a fallu bien des semaines de délibération, et bien des heures de sueur, courbé sur un comptoir de disquaire, avant que j'aie l'audace d'acheter cet album, c'est moi qui vous le dis. Pourquoi? Ah, il était si agressivement médiocre que, simultanément, je pouvais à peine y résister, et me sentais plus qu'un peu hésitant, tellement je savais à quel point il serait nul. Ce n'est que bien plus tard, me noyant dans les kitscheries d'Elton John et de James Taylor, que j'ai fini par comprendre que la nullité était le plus authentique critère du rock'n'roll, que plus le boucan était primitif et grossier, plus l'album serait marrant, et plus je l'écouterais longtemps. À cette époque, je me serais volontiers arraché une incisive, rasé la tête, j'aurais fait *tous* les sacrifices, pour acquérir un album de plus de ce bouzin vulgaire, de ce bric-à-brac binaire, de ces hurlements de hyène. Mais il était déjà trop tard.

J'ai essayé plus d'une fois d'acheter *Psychotic Reaction* – j'allais à l'Unimart défoncé à l'herbe, à la noix de muscade, à la vodka, au Romilar, ou sortant, l'œil vitreux, de dix heures dexédrinées à bosser des problèmes de géométrie (j'étais un vrai petit érudit – du moins quand j'avais la médecine magique qui provoque en vous un désir insatiable, maniaque, obsessionnel, de connaissance), j'essayais tous les trucs pour affaiblir ma résistance, mais rien ne marchait. Merde, j'avais vraiment une foutue dissociation de personnalité! Et tout ça pour un album de merde! Peut-être étais-je plus près du cabanon que je ne l'aurais cru! D'un autre côté, qu'est-ce qui aurait pu faire de moi, ou du moindre cinglé de mon groupe d'âge, un parfait schizo, sinon un album de rock minable ? Les filles ? Naaan. C'est direct, simple, non rationalisé. Les drogues ? Sûr, mais ça serait eux contre *moi*, « Tu vas *payer* pour nous avoir provoqués, mon gars ! », ce qui n'était pas l'idée que je me faisais d'un martyre dualiste. Non, rien de plus et rien de moins qu'un *disque* ; seul un album de rock de l'importance approximative de *Psychotic Reaction* (qui pourrait se choper une crise d'aboiements avec une galette des Stones, et encore plus des Beatles ?) réussirait jamais à pulvériser mes lobes cérébraux et à transformer mon plancher en sciure. Et je le sais, parce que j'ai eu un bref accès de désorientation, tout à fait similaire, sur l'album de Question Mark and the Mysterians ! J'étais chez un copain, j'étais défoncé au Romilar et lui à la bière Colt 45, et j'ai dit : « Ouais, j'ai acheté l'album de Question Mark and the Mysterians aujourd'hui » – et tout d'un coup l'équilibre s'est mis à me couler de la tête comme l'eau des oreilles après une plongée en mer, un tourbillon chaotique a commencé à tournoyer autour de mon crâne, de plus en plus vite, bien que je n'aurais pu dire si c'était la brise dehors ou quelque chose entre la chair et l'os. J'ai vu toute ma fichue vie devant mes yeux, et c'est pas des conneries – pas un montage fulgurant de la naissance à cet instant nauséeux de vertige existentiel, mais je me suis vu entrant et sortant d'innombrables boutiques de disques, claquant d'énormes fortunes dans une chaîne infinie de cliquetis de caisses enregistreuses à 3.38 dollars, 3.39, 3.49 et tous les tarifs fixes que je connaissais par cœur, étant sans contestation possible, un Consommateur Compétitif Typiquement Américain, j'ai vu les poubelles où s'entassaient ces sacs dans lesquels les boutiques scellent les disques, que vous ne vous fassiez pas gauler pour vol en courant vers la sortie. Je me suis vu à mille occasions marchant vers ma voiture d'un pas vif et réfléchi, tournant la clé de contact et fonçant, excité comme un pilote de Formule 1, dans l'attente des révélations à venir, à raison de trente-cinq ou quarante minutes de son franchement canon dès que je serais rentré, l'éternelle promesse que, cette fois, les guitares tourneront en gelée comme du TNT, vous enverront des grésillements galvaniques dans la cervelle, « KABLOOIE ! ! ! », et cette fois au moins, enfin, vous feront sauter le caisson jusqu'aux nuages, la cervelle toute luisante au plafond, aussi collante que des stalactites de mastic, tandis que votre corps pris de folie furieuse court et sort en claquant la porte, braillant des onomatopées sous-humaines, sautille en cercles erratiques et profère avec insistance des syllabes incohérentes, comme un monstre de foire en pleine attaque de syndrome de la superstar.

Fantasmes que tout cela ! La vraie vision, le vrai flash flippant, était comme la réalité, simplement en boucle qui repasserait sans fin. La réalité, c'est de rentrer chez soi en toute hâte pour entendre l'apocalypse exploser, franchir la porte d'entrée n'importe comment, niquer l'emballage plastique « pour votre protection », sortir le disque – ah, regardez-moi ces sillons, d'un noir de jais sans encore la moindre tache –, luisant, tout neuf, si foutrement immaculé, et puis la couleur de l'étiquette, est-ce qu'elle rayonne d'auras chargées de subtils commentaires sur les sons qui vont en sortir, ou bien n'est-ce qu'une surface plate, d'un utilitarisme monochrome, comme un mur d'école (ainsi celles de RCA et de Capitol après qu'un crétin quelconque les eut remises au goût du jour – parfait exemple d'authentique régression artistique) ? Et pour finir, vous posez le disque sur la platine, il tourne à vide pendant une seconde parfaite, aussitôt suivie par le moment de vérité : l'aiguille glisse dans le sillon, et vient le son.

Ce qui se produit alors est si souvent décevant qu'il y a de quoi pousser quelqu'un de rationnel dans les profondeurs du désespoir. Bah ! Le monde musical est plein de crétins et de charlatans, avec au milieu un génie ou un cinglé.

J'ai vu tout cela dans les affres de Question Mark and the Mysterians, et plus encore, je me suis vu en vieillard hébété, tenant un exemplaire de *96 Tears*, les yeux perdus dans le vague, la mâchoire pendante, au déclin d'une vie gaspillée. Et l'instant d'après, car il ne s'était écoulé qu'un temps infime, mon ami a dit, avec un étonnement manifeste : « Tu as acheté *Question Mark and the Mysterians* ? »

Je l'ai contemplé d'un air morne. « Bien sûr, ai-je répondu. Pourquoi pas ? »

Je me rends bien compte que tout ça peut paraître plutôt pathologique – bien que je n'y aie jamais pensé avant –, et je crains que les sous-entendus freudiens ne soient un jeu d'enfant. Mais ce que je ne comprends pas, c'est ce que tout cela veut dire. N'allez pas en conclure que pour moi acheter et écouter des disques *per se* ait été toujours marqué par une frénésie et une désorientation de ce type, ou même par quelque degré d'obsession et de compulsion. C'est tout simplement que chez moi la musique a été un fanatisme fluctuant depuis... oh, depuis que j'ai entendu pour la première fois « L'Orage » de l'*Ouverture de Guillaume Tell*, dans un dessin animé, aux environs du cours préparatoire. Rouler en voiture vers l'école quand des chansons comme « There Goes My Baby » passaient à la radio, avoir mon premier tourne-disque en quatrième, découvrir des choses comme John Coltrane, *The Black Saint and the Sinner Lady* de Mingus, les Stones, le feed-back, *Trout Mask Replica*. Tous furent des jalons, chacun me grilla un peu plus la cervelle, surtout l'*expérience* des premières auditions d'un disque si total, qui vous retourne à ce point l'esprit, qu'on peut réellement dire que plus jamais on ne sera tout à fait le même. Pour moi, ce fut le cas de *The Black Saint and the Sinner Lady*, et de quelques rares autres. Ce sont des événements dont vous vous souviendrez toute votre vie, comme de votre premier véritable orgasme. Et l'unique objectif de cette passion absurde, d'une persistance purement mécanique, pour la musique enregistrée, c'est de retrouver ce moment sans prix. Ce n'est pas que les disques puissent vous détraquer la cervelle, mais plutôt que, si quelque chose doit vous faire grimper aux murs, autant que ce soit un disque. Parce que la meilleure musique est forte, elle guide, elle nettoie, elle est la vie même.

C'est pourquoi l'autobiographie la plus authentique que je pourrais écrire, et je sais que c'est vrai pour beaucoup d'autres gens, se déroulerait pour l'essentiel dans les boutiques de disques, près des juke-boxes, à rouler tandis que la radio vous cogne dessus, à être seul sous le casque avec de vastes ponts scéniques et des chœurs d'anges dans la cervelle pendant les nuits d'insomnie, ou à être tranquillement assis, défoncé ou non, sur les genoux bienveillants de l'Amérique, à me battre les flancs et à me sentir bien.

Pour finir, j'ai donc eu le courage de ma folie, et j'ai acheté le Count Five. Je crois que le déclic a été de lire dans une revue d'ados (seul recours, alors, pour un auditeur endurci s'efforçant de savoir ce qui se passe à chaque nouveau déferlement de produits) que les Count Five affirmaient avoir refusé « une tournée d'un million de dollars », parce que cela les aurait obligés à quitter la fac et, disait leur manager, tous les gars du groupe comprenaient qu'avoir une bonne éducation était pour eux la chose la plus importante. Mince ! Ça m'a vraiment plu, aussi la fois d'après où j'ai examiné l'album dans les bacs, j'ai reniflé : « Les gars qui sont retournés à l'école... » Ça ne manquait pas d'une certaine distinction – imaginez Mick Jagger soudain submergé par le remords, en pleine gorgée de champagne dans un club coté de la haute, et l'inéluctable vérité s'en vient le frapper : *Faut que tu t'assures une bonne éducation, mon gars.* T'as peut-être des millions, mais crois-tu que tu seras pop star toute ta vie ? Certainement pas ! Qu'est-ce qu'il te restera au cours de ces longues années d'automne ? Tu veux finir comme Turner dans *Performance,* avec quelqu'un qui vient te faire sauter le caisson parce que tu n'es pas capable de penser à un moyen de faire diversion ? Il n'est pas trop tard ! Retourne à la London School of Economics et décroche ton diplôme ! L'homme doit assumer une forme quelconque de travail constructif, faute de quoi il n'est qu'une ignoble belette dépourvue de sens. Alors Mick siffle ce qu'il lui reste de champagne, se désenchevêtre de la nana à côté de lui, et court s'inscrire. Il finit par obtenir une peau d'âne aux Beaux-Arts, et quand les Stones se séparent, il entreprend d'enseigner à toute une succession de gniards avides l'art de dessiner une ligne droite. Quel exemple ce serait ! Il pourrait même être béni par le Pape, ou invité à la Maison Blanche ! Mais bien entendu, cela ne se produira jamais, parce que Mick Jagger est pétri dans une argile infiniment plus vile que celle des Count Five.

J'ai acheté l'album – le même jour qu'*Happy Jack* des Who. Je suis rentré chez moi à toute allure, j'ai trouvé *Happy Jack* correct, puis gerbé en écoutant *Psychotic Reaction*.

Mais c'est à cet album que je suis revenu sans cesse. Je l'ai passé allègrement, et souvent, pendant près d'un an, jusqu'à ce que des bikers me le tirent, et quand j'ai fini par le retrouver en 1971 chez un disquaire spécialisé dans l'occasion, mon gars, j'ai dansé la gigue. Ensuite, cependant, j'ai fait quelque chose d'étrangement avaricieux et mesquin. Il était dans le bac à 1.98 dollar, avec des trucs comme *Cosmo's Factory* ou *Déjà Vu*, et je ne sais trop pourquoi, ça ne me paraissait pas de bon ton – il aurait dû être dans le bac-foutoir à 89 cents, avec toutes les reliques lessivées du temps jadis, entre *Doin' the Bird* des Rivingtons, que j'ai également acheté, et *96 Tears*, qui était bel et bien là et prouvait la justesse de mes vues, l'employé, cette fois, ayant eu le bon sens de le mettre là où il se sentirait le plus à l'aise (si cette personnalisation vous fatigue, ne vous inquiétez pas ; une fois, alors que j'étais en cinquième, je suis retourné dans la ville où je vivais un an avant, récupérer un exemplaire de *Mr. Lucky* d'Henry Mancini que j'avais prêté à un copain sans pouvoir le reprendre avant de déménager. Quand je suis rentré, je l'ai mis dans la rangée à côté de son alphabétique voisin, *Peter Gunn*. À regarder ces deux-là, je me suis senti heureux pour eux. Je pensais que ces deux vieux amis, parmi les premiers disques que j'aie achetés, devaient être ravis de se revoir après tant de temps. Peut-être même avaient-ils des choses intéressantes à se raconter).

Donc, j'ai pris l'album des Count Five, celui que j'avais tant aimé autrefois, et souhaité tant de fois posséder encore, l'ai levé en l'air, et j'ai dit au patron de la boutique : « Qu'est-ce que ce truc fout dans le bac à 1.98 dollar ? Personne ne paiera 1.98 dollar pour ça ! »

Il l'a regardé un instant, pensif. J'ai saisi l'occasion : « Depuis combien de temps il est là ? Un an ou deux au moins, je parie, tandis que les autres albums allaient et venaient ! Il devrait être là ! 89 cents ! »

« Hmmm, vous devez avoir raison, a-t-il dit. Je crois que ce disque – non, non, tout le groupe – est l'une des plus grosses merdes de l'histoire. Ouais, mettez-le dans le bac à 89 cents. »

« *Vendu !* », ai-je braillé. Je lui ai jeté un dollar et j'ai pris mes jambes à mon cou. Je l'avais ! L'article authentique ! Une tablette de pierre sortie de la tombe de Toutankhamon ! Un joyau long-temps perdu ! Un truc sans prix – *et je l'avais eu pour 89 cents !*

Ah, mes enfants, soyez rassurés. Le temps n'avait en rien terni la grandeur de l'album des Count Five. Et c'est pareil aujourd'hui encore. Il sonne toujours aussi pourri et mal foutu qu'en 1967. Je n'ai pas dû passer *Happy Jack* plus de cinq fois depuis que je l'ai acheté, bien que je ne m'en sois jamais débarrassé (on se dit toujours que ces albums classieux qui ne vous font jamais prendre votre pied révéleront leur valeur et leur intérêt profond un de ces jours – peut-être devez-vous en devenir digne), mais je me défoncerai à jamais avec *Psychotic Reaction*. Le mois qui a suivi le réachat, j'ai dû le passer dix fois, et ça veut tout dire. Une bonne dose de Port ou de Tokay, *Psychotic Reaction* explosant sur les murs, et je brûlais d'une joie sans but tout en sautillant et en tapant du pied autour de la platine, incapable de m'asseoir, même si j'avais voulu.

Titre pour titre, on ne pouvait trouver une meilleure affaire dans un an de production Warner/Reprise. « Double-Decker Bus » et « Peace of Mind » pulvérisaient les Yardbirds en chefs-d'œuvre aussi fondamentaux que le hit qui donnait son titre à l'album, le second parce qu'il est un des plus parfaits exemples de riff rigidement mécanique de toute l'histoire, le premier en raison de ses paroles vraiment cosmiques (« Well just you walk / Down any street / If you don't see one of us / You're sure to see / A double-decker bus ! »)

Mais les vrais classiques du premier album des Count Five, bien qu'ignorés de leur temps, auraient pu avoir de l'influence si davantage de gens avaient été capables de comprendre où le groupe voulait en venir. « Pretty Big Mouth » était une jam tex-mex complètement bousillée, évoquant vaguement une bande de mariachis caucasiens descendus des Montagnes Rouges, qui annonçait les excursions encore plus primitives de leur second album, et on y relevait quelques-unes des paroles les plus grandiosement phallocrates de tous les temps : « I ended up in the deep deep South / Makin' love to the woman with a real big mouth ! »

De façon un peu semblable, « They're Gonna Get You » mettait en scène, sur un rythme sautillant, un quatuor vocal paranoïaque, particulièrement remarquable par des vocaux oscillant de façon délirante entre des lamentations maussades annonçant Iggy, et un falsetto de dessin animé. Mais le vrai sommet était « The World », bouzin dont la monotonie même vous courait sous les pieds, comme ces rampes mobiles dans les châteaux hantés des parcs d'amusement, et dont les paroles se réduisaient à quelques phrases d'un minimalisme spartiate – « I'll tell the world, you're my girl, you're so fine, you are mine » – croassées au milieu d'une série de hurlements et de grincements de dents, et proférées les yeux écarquillés d'allégresse et d'orgueil dément.

Malheureusement, *Psychotic Reaction* fut le seul album des Count Five à connaître une vaste diffusion et à se voir reconnu à l'époque. Double Shot, compagnie à peu près aussi aberrante, dans sa promotion des talents de la Côte Ouest, qu'ESP face aux novateurs new-yorkais tels que les Godz, enterra quasiment leurs deuxième et troisième disques, leur assurant une diffusion et une promotion dont la myopie et l'indifférence égalent celles de Decca face aux Who du début. Toutefois, le groupe eut la chance d'avoir un manager de première bourre, avec l'ampleur de vue nécessaire pour comprendre leur potentiel, et assez de pugnacité et de sens de la publicité pour finir par leur décrocher un contrat avec Columbia, chez qui ils firent deux excellents albums qui, bien qu'ayant reçu la production et la promotion qu'ils méritaient, se ramassèrent encore au niveau des ventes. Des incultes écrivaient toujours d'eux qu'ils n'étaient qu'une pâle copie des Yardbirds, les critiques les ignoraient ou les accablaient de leurs adjectifs les plus méprisants, et cela eut pour triste résultat que les œuvres les plus importantes des Count Five n'ont jamais tout à fait eu droit à l'attention qu'elles auraient méritée.

Assez ironiquement, alors que presse « underground » et arbitres des élégances autoproclamés maintenaient leur conspiration du silence, ce sont les revues corporatives méprisées de l'« establishment » qui reconnurent les premières la réussite des Count Five dans leur initiale floraison. « Évoluant, comme tant d'autres, à partir de débuts grossiers, les Count Five se sont enfin distingués en tant qu'artisans musicaux solides, subtils et raffinés, pour parvenir à l'un des sons les plus frais et les moins discordants de ces derniers temps. » C'est ainsi que le vénérable *Billboard* évoquait leur quatrième album, *Ancient Lace and Wrought-Iron Railings* (Columbia CS 9733).

Dès sa sortie, *Snowflakes Falling on the International Dateline* (Columbia MS 7528) sidéra quiconque avait des *oreilles*, et tous les kids assez libres, assez dégourdis pour dire à la mafia de l'opinion d'aller se faire mettre jusque depuis le bout de la rue. Il comprenait l'inégalé « Schizophrenic Rainbows : A Raga Concerto », que nul ayant écouté l'intégralité de ses 27 minutes ne pourra jamais oublier – en particulier l'impact menaçant de l'entrée brutale, potards à fond, de George Szell et du Grand Orchestre Symphonique de Cleveland (dix-huitième minute). Sur cette seule base, on doit considérer que c'est le chef-d'œuvre de tous leurs albums, bien que le mélancolique « Sidewalks of Calais », qui conclut la face 1, soit également remarquable par la maturité de ses paroles : « Pitting, patting, trying not to step on the cracks / In Europa, where we saw no sharecropper shacks / Reciting our Mallarmé / Those films with Tom Courtenay / And your hand in mine / On the sidewalks of Calais / Oh no, I shan't forget... »

Ce fut malheureusement leur dernier album. Après avoir investi tant d'argent et de technologie dans un projet aussi ambitieux, et s'en être vus récompensés par une indifférence aussi totale que générale, le groupe et Columbia finirent par perdre courage, leur contrat prit fin, et les musiciens se séparèrent pour sombrer dans l'oubli, même si l'un d'entre eux, l'incroyable John « Mouse » Michalski, émigra plus tard en Angleterre, où il forma les légendaires, bien que fugitifs, Stone Prodigies avec d'anciens membres des Bluesbreakers de John Mayall et du Ginger Baker's Air Force. Ce ramassis de titans, chacun s'en souvient, sortit un seul album, *To John Coltrane in Heaven,* puis se lança dans une tournée américaine de dix mois, qui battit tous les records, et fut si éreintante que par la suite tout le groupe fut contraint de se reposer à la maison pour le restant de ses jours.

Entre *Psychotic Reaction* et ce chant du cygne que fut *Snowflakes*, les Count Five sortirent trois autres albums, dont chacun était exceptionnel, marquant un énorme pas en avant sur son prédécesseur. Mon favori a toujours été le troisième,

Cartesian Jetstream (Double Shot DDS 1023). Les Count Five y atteignent leur plein développement de groupe intrinsèquement rock (il suffit de prêter l'oreille aux madrigaux anglo-saxons et au pseudo-flamenco à la Feliciano d'*Ancient Lace and Wrought-Iron Railings* pour comprendre où était leur véritable point fort). Très réussi, très professionnel, et pourtant intensément entraînant, proche du minable (le raffinement, comme l'Histoire, n'a pas de freins), c'était une musique authentiquement enivrante, qu'agitait la pulsation sauvage de la création. Des originaux aussi dynamiques que « Cannonballs for Christmas », « Her Name Is Ianthe » et « Nothing Is True / Everything Is Permitted », m'y ramènent sans cesse, tout comme la présence de Marion Brown, saxo alto, Sun Ra, piano, et Roland Kirk, flageolet basse, sur le dernier titre, « Free All Political Prisoners ! Seize the Time ! Keep the Faith ! Sock It to 'Em ! Shut the Motherfucker Down ! Then Burn It Up ! Then Give the Ashes to the Indians ! All Power to the People ! Right On ! All Power to Woodstock Nation ! And Watch for Falling Rocks ! » C'était là un authentique blitz cérébral, qui pouvait se flatter d'avoir les paroles les plus originales de l'année.

Le seul album des Count Five qui soit un ratage complet est leur deuxième, *Carburetor Dung* (Double Shot DDS 1009). On peut dire qu'ils s'y montrent sous leur aspect le plus nul. À dire vrai, il est à ce point pourri que sur la plupart des titres on peut à peine distinguer quoi que ce soit, sinon une muraille de grincements indifférenciés, ponctuée par intermittence d'éructations glottales vaguement porcines. Je crois que « fuligineux » est le terme qui résumerait le mieux ce disque. Certaines paroles étaient inintelligibles, comme celles-ci, extraites de « The Hermit's Prayer » : « Sunk funk dunk Dog God the goosie Gladstone prod old maids de back seat sprung Louisiana sundown junk an' bunk an' sunken treasures / But oh muh drunken hogbogs / I theenk I smell a skunk ». On n'a pas affaire tous les jours à de tels textes, et même si l'arrière-plan sonore évoquait vaguement une voiture embourbée patinant des quatre roues, on ne peut nier que le titre ait une certaine valeur en tant que prototype archétypal du rock débile-fond de poubelle. D'autres, comme « Sweat Haunch

Woman », « Woody Dicot » ou « Creole Jukebox Pocahontas », se justifiaient en émergeant un peu du bâclage uniforme et mono-dimensionnel du reste.

D'un autre côté, vous feriez peut-être mieux de ne pas me croire sur parole, et d'aller dans ma discothèque pour écouter par vous-mêmes. Dave Marsh l'avait adoré (il a dit : « C'est une réponse à la question de savoir jusqu'où le rock peut aller, le bout d'une route, et c'est là l'un des groupes les plus humaine-ment primitifs que j'aie jamais entendus. Il faut être fou pour faire une musique pareille, et je leur en suis reconnaissant. ») Ed Ward m'a dit qu'il le garderait toujours parce que « c'est l'un des albums les plus drôles de toute l'histoire du rock, avec *Blows Against the Empire* et *Kick Out the Jams*, comment passer à côté d'un truc pareil ? » Pourtant, Jon Landau refusa absolument d'en faire paraître un compte rendu dans *Rolling Stone* : « Écoute, mec, je suis pas dans le circuit avec l'esprit du môme qui se cache dans une allée, tend la jambe, fait un croche-pied au premier qui passe et meurt de rire quand il tombe par terre. Tout ce qui a rapport avec cet album cloche. Pour commencer, il est parfaitement horrible, c'est une des pires monstruosités jamais sorties. En second lieu, le groupe qui l'a enregistré n'est qu'une façade pour des musiciens de studio, je le sais de source sûre. Ne viens pas me dire que le groupe qui a enregistré « Iron Rainbows on the International Dateline », ou je ne sais plus quoi, qui était vraiment beau – prétentieux, sur-arrangé et sur-produit, verbeux, égotiste et gauche, mais beau quand même, le joueur de glockenspiel se cassait le cul pendant vingt-sept minutes – est le même que celui qui a fait ce tas de merde. Sans doute le vrai groupe est-il respon-sable de ce tas de boue… En ce cas, bon débarras. Autre chose, ils sont sur un label ignoble. Qui a jamais entendu parler de Double Shot Records ? Qu'est-ce qu'ils ont côté promotion et publicité ? Nada ! Combien de disques sortent-ils par an ? Per-sonne n'en sait rien ! Leur dernier artiste correct, c'était Brenton Wood, et ça remonte à quatre ans. Cet album ne se vendra pas, je te le garantis. Regarde la pochette : une brouette rouillée, la carcasse d'une vieille Ford sans roues ni moteur, et au fond un fromager. Le soleil s'est presque couché, il fait si sombre qu'on ne peut quasiment rien voir. Et le titre est couleur sang de bœuf! Sang de bœuf! Et voilà que tu viens me voir, que tu me dis qu'il faut faire paraître un compte rendu de l'album dans *Rolling Stone* parce que c'est le seul de son espèce, et que si les gens ne l'achètent pas maintenant, ils n'en auront plus jamais l'occasion. Et tu le compares à Louis Armstrong, Elmore James, Blind Willie Johnson, Albert Ayler, Beefheart et les Stooges! Tout ça pour que les gens l'achètent alors qu'il n'y a aucune raison au monde pour que quiconque s'intéresse à la musique le fasse. Envoie ton article à *Creem*, faites-en l'album de l'année! Merde, j'avais un certain respect pour vous, les gars. Mais je crois maintenant que vous avez tous perdu la boule, ou que vous devenez des ennemis du rock. On en arrive au point où *Creem* ne parlera plus d'un album si ça n'est pas free jazz, ou si foutrement métallique, médiocre et orienté bruit qu'on pourrait aussi bien coller l'oreille contre une tronçonneuse ou une poubelle. Souviens-toi bien, mec : le grand public n'achètera pas ça. Réaction nulle. »

Toutefois, ni Jon ni moi n'avons nourri de ressentiments à ce sujet. Tout simplement, il ne pouvait supporter la stupidité en musique, quelle qu'elle soit, ce qui est parfaitement raisonnable, tandis que j'adore au plus haut point certaines de ses démonstrations les plus scandaleuses! Il se pourrait bien que *Carburetor Dung* ait été l'album le plus nul que j'aie jamais écouté – en ce domaine il était certainement à égalité avec *Amon Düül* ou *Hapshash and the Coloured Coat Featuring the Human Host and the Heavy Metal Kids*. Ouais, garçons, c'est le titre authentique d'un album authentique – je suis parfois porté à en inventer, comme quand je souhaite qu'un certain disque existe, et si ça n'est pas le cas j'improvise, mais celui-là est vrai. *Carburetor Dung* est authentique, lui aussi, mais Double Shot ne lui a assuré aucune promotion, pour diverses raisons (titre, attitude de certains dans la presse comme dans l'industrie, indifférence générale, et aussi le fait que personne à Double Shot n'était désireux d'en parler tant il leur faisait honte). Je crois qu'il a paisiblement disparu, comme l'*Oar* d'Alexander Spence, et tant d'autres albums notables. Et pour ce qui est des Count Five, ils allèrent finalement là où vont tous les bons petits groupes – dans la Grande Station-Service Céleste.

« Ouais, c'est vachement intéressant, ça fait quatre heures que tu nous tiens la jambe à nous raconter la carrière météoritique des Carburetor Dung... »

Non, non, *Count Five! Carburetor Dung* était le...

« OUAIS, OUAIS, D'ACCORD, MAIS QUAND EST-CE QUE TU VAS NOUS PARLER DES YARDBIRDS ? »

Euh, Hrmp-hmmmmm, oui... ah, ce sera pour un autre jour. D'ailleurs, quand on y vient, les Count Five ont sans doute été aussi importants que les Yardbirds, à long terme. C'est tout simplement que certains sont reconnus de leur temps, et d'autres pas.

Creem, juin 1971

Astral Weeks

Astral Weeks, de Van Morrison, est sorti dix ans, presque jour pour jour, avant que j'écrive ceci. Ce fut particulièrement important pour moi, parce que l'automne 68 a été un moment atroce : j'étais, physiquement et mentalement, une épave, nerfs en loques, araignées et fantômes menaçants me squattaient l'esprit. Mes contacts sociaux étaient réduits à presque rien ; la simple présence des autres me rendait nerveux et paranoïaque. Je passais des jours et des nuits dans ma chambre, effondré dans un fauteuil, à lire des magazines, à regarder la télé, à écouter des disques, à regarder interminablement dans le vague. Je n'avais pas la moindre idée de la façon d'améliorer la situation, et même si j'avais su, je n'aurais sans doute rien fait.

Astral Weeks sera le sujet de cet article – le disque de rock qui a eu le plus d'importance dans ma vie –, quels qu'aient été mes sentiments lors de sa sortie. Mais dans l'état où j'étais, il prit à l'époque l'allure d'un phare, d'une lumière sur les lointains rivages obscurs ; plus encore, c'était la preuve qu'il restait quelque chose à exprimer musicalement à côté du nihilisme et de la destruction (mon autre disque favori de l'époque était *White Light/White Heat*). On aurait dit que celui qui avait fait *Astral Weeks* vivait d'atroces souffrances, une douleur que les précédents albums de Van Morrison n'avaient fait que suggérer ; mais, comme dans les albums ultérieurs du Velvet Underground, il y avait dans la noirceur un élément rédempteur, une compassion ultime pour les autres, et comme une traînée de beauté pure et de crainte mystique qui allait droit au cœur de l'œuvre.

Je ne sais pas vraiment s'il pourrait être important que d'autres aient connu des variantes de ma rencontre initiale avec *Astral Weeks*. Ce disque attire-t-il automatiquement ceux qui traversent une période sombre ? Il est bel et bien sorti à une époque où beaucoup de choses dont beaucoup de gens se souciaient passionnément commençaient à se désintégrer, et où le courant autodestructeur qui a toujours accompagné la grande fête des sixties avait fermement dans la gueule énormément de chevilles qu'il tirait tout droit vers le bas. Donc, aussi intemporel qu'il soit finalement, *Astral Weeks* est également le produit d'une époque. Mieux vaut le penser que se demander bêtement de quelle sorte de bled irlandais couvert d'églises Van Morrison peut bien sortir.

Trois émissions télé : la diffusion sur NET en 1970 d'un grand concert au Fillmore East, avec toutes sortes de stars. Les Byrds, Sha Na Na et Elvin Bishop ont déjà fait leur truc respectif. Maintenant, tenez-vous bien, on nous annonce trois ou quatre chansons d'un set de Van Morrison. Le moment le plus fort, comme toujours à l'époque, est « Cyprus Avenue », extrait d'*Astral Weeks*. Après être venu à bout des paroles, il pousse la chanson, l'orchestre et lui-même vers un terme qui est devenu depuis une de ses marques de fabrique, et une fin de concert classique du rock. Avec une dynamique consommée qui lui permet, en un souffle, de sauter d'un phrasé bâclé indescriptiblement excentrique à la passion pure, il fait monter la musique d'un crescendo à l'autre, s'arrêtant, repartant, s'arrêtant, repartant, à n'en plus finir, il impose comme des points d'interrogation géants de longs silences maniaques entre les arrêts et les départs, et domine la salle par la tension pure, pour en arriver à un cri : « It's too late to stop now ! » et alors que vous pensez que ça va encore monter, il s'interrompt net, glacial et mort, au creux d'une explosion assassinée, balance le micro et quitte la scène à pas lents. C'est vraiment une des choses les plus perverses que, de ma vie, j'aie vu faire par un interprète. Et bien entendu, c'est sensationnel : nos tripes sont nouées, nous sommes à moitié fous, nous nous agrippons aux accoudoirs pour en réclamer davantage, mais nous savons fichtrement bien que nous avons vu et ressenti quelque chose.

1974, un concert de rock en soirée sur un réseau télé : Van et son groupe arrivent, jouent quelques accords miroitants, puis pendant près de dix minutes l'Irlandais s'attarde sur les mots « Way over yonder in the clear blue sky / Where flamingos fly » [*Très loin là-bas dans le ciel tout bleu / Où volent les flamants*]. Rien d'autre. Et tout ça sans aucun solo instrumental, je crois. Rien que ces mots, répétés lentement, à n'en plus finir, distendus, permutés, transformés en scat, suspendus dans l'espace puis dispersés aux quatre vents, marmonnés comme un mantra jusqu'à ce qu'ils deviennent des syllabes dépourvues de sens, puis on reprend la même image qui s'envole tandis que le temps semble s'arrêter. Il reste là, immobile, yeux clos, chantant, funèbre, tandis que les membres du groupe, frémissants, se tiennent en équilibre au-dessus de leurs grands golfes bleus.

1977, printemps-été, même genre de spectacle : il chante « Cold Wind in August », tirée de son album récemment sorti *A Period of Transition*, qui comporte également une version considérablement altérée de la chanson sur les flamants. « Cold Wind in August » est une ballade, et Van en donne une lecture superbe, classique. Le seul problème, c'est que tout en chantant il va et vient sur scène, les yeux fermés très fort, son petit corps en bouche d'incendie semble donner des coups de pied en l'air à ce qui doit être une nervosité de purgatoire qui peut-être se communique au cameraman.

Cet article parle d'un ensemble de tics verbaux – bien que nombre d'entre eux soient également corporels – qui nous aideront puissamment dans la définition d'un style. Ils sont dans tout *Astral Weeks* : quatre répétitions précipitées des phrases « you breathe in, you breathe out » et « you turn around » dans « Beside You » ; dans « Cyprus Avenue », douze « way up on », treize « baby » d'affilée qui font penser à quelqu'un courant, dans l'extase, vers son amour ; et la façon, à vous briser le cœur, dont il étire « one by one » dans le troisième vers, et surtout dans « Madame George », où il chante « dry », puis « your eye », vingt fois de suite, en un arc mélodique tourbillonnant si beau qu'il vous en coupe le souffle, puis vient ceci : « And the love that loves the love that loves the love that loves the love that loves to love the love that loves to love the love that loves ».

Van Morrison est passionné, *obsédé*, par ce qu'il peut comprimer d'information musicale ou verbale dans un petit espace et, presque inversement, par ce qu'il peut étirer d'une note, d'un mot, d'un son, d'une image. Pour capturer un instant, que ce soit une caresse ou un sursaut, il répète certaines phrases jusqu'à des extrêmes qui, de la part de n'importe qui d'autre, paraîtraient absolument ridicules, mais voilà, il attend qu'une vision se déploie, en essayant de l'accompagner à coups de coude tout en prenant aussi peu de place que possible. Parfois il vous la donne par le biais du silence, en étouffant la chanson en plein vol : « It's too late to stop now ! »

C'est la grande quête, alimentée par la conviction qu'il est possible d'atteindre l'illumination à travers ces processus musicaux et mentaux. Ou du moins qu'on peut l'entr'apercevoir.

Quand il s'y essaie, il l'obtient d'ordinaire plus par le sentiment que par le Mot Révélé – peut-être une bonne part du premier vient-elle en tendant la main –, mais il y a toujours aussi la sensation du QUE SE PASSERA-T-IL s'il comprend RÉELLEMENT ce Mot ; il y a des moments où celui-ci semble planer tout près, d'autres où nous comprenons qu'il est juste à côté de nous, quand les phrases usées les plus banales sont transformées : je vous citerai « love » dans « Madame George ». Sortant d'un relatif silence, le Mot : « Snow in San Anselmo ». Van dira « C'est là que ça se passe », et il parle sérieusement (les interviews ne sont-elles pas chose *fascinante* ?). Ce qu'il ne dit pas, c'est qu'il est *à l'intérieur* du flocon de neige, isolé par la chanson : « And it's almost Independence Day ».

Vous vous demandez probablement quand je vais me mettre à vous parler d'*Astral Weeks*. À dire vrai, il y a dedans beaucoup de choses dont je ne souhaite pas vous parler du tout. À la fois parce que, que vous l'ayez entendu ou non, il ne serait pas juste que je vous impose mon interprétation d'une imagerie à la subjectivité aussi lapidaire, et parce que, dans bien des cas, je ne sais pas vraiment de quoi Van Morrison parle. Lui non plus, d'ailleurs : « Je ne suis pas surpris que les gens tirent des significations différentes de mes chansons, a-t-il dit à un interviewer de *Rolling Stone*. Mais je ne veux pas donner l'impression que je sais ce que tout ça veut dire, parce que ce n'est pas le cas... Il y a des moments où je suis perplexe. J'examine certains trucs qui viennent, voyez. Et par exemple il y a ça et ça a l'air d'aller, mais je ne suis pas sûr de ce que ça signifie. »

> *There you go*
> *Starin' with a look of avarice*
> *Talkin' to Huddie Ledbetter*
> *Showin' pictures on the walls*
> *And whisperin' in the halls*
> *And pointin' a finger at me*

[*Et te voilà* / *Le regard avaricieux* / *Parlant à Huddie Ledbetter* / *Montrant des tableaux sur les murs* / *Et chuchotant dans les couloirs* / *Et me montrant du doigt*]

Je n'ai pas la moindre idée de ce que ça « veut dire », bien qu'à un certain niveau j'aimerais aborder ce texte d'une manière aussi indirecte et aussi évocatrice que les paroles elles-mêmes. De toute façon, vous courez aux ennuis dès que vous vous asseyez pour expliquer exactement ce que *signifie* un document mystique, ce qu'est exactement *Astral Weeks*. Pour commencer, il signifie le jeu de basse de Richard Davis, qui accompagne les chansons et le chant tout du long avec un lyrisme qui n'est pas simple grand talent de musicien : il comporte quelque chose de plus qu'inspiré, ému, on pénètre là dans le royaume du Miraculeux. Tout l'ensemble – la section de cordes de Larry Fallon, la guitare de Jay Berliner (il a joué sur le *Black Saint and the Sinner Lady*, de Mingus), la batterie de Connie Kay – est de ce tonneau : eux et Van sonnent comme si non seulement ils lisaient mutuellement leurs pensées, mais que de surcroît ils y habitaient. Les faits sont peut-être très différents. À l'époque, John Cale faisait un album dans un studio voisin, et raconte : « Morrison ne pouvait travailler avec personne, alors finalement ils l'ont enfermé tout seul dans le studio. Il a enregistré toutes les chansons avec une simple guitare sèche, et plus tard ils ont fait des overdubs sur tout le reste de la bande. »

Le récit de Cale peut être vrai ou non – mais de toute façon, les faits ne nous seront d'aucune utilité ici. Un fait : Van Morrison avait vingt-deux ans – ou vingt-trois – quand il a enregistré ce disque ; il y a des vies entières derrière. *Astral Weeks* ne parle pas de faits, mais de vérités. *Astral Weeks*, pour autant qu'on puisse le définir, est un album qui parle de gens assommés par la vie, complètement écrasés, enfermés dans leur peau, leur âge et leur moi, paralysés par l'énormité de ce qu'ils peuvent comprendre en un instant visionnaire. C'est un don terrible et précieux, né d'une atroce vérité, parce que ce qu'ils voient est à la fois infiniment beau et horrifiant au possible : la capacité humaine infinie de créer ou de détruire, selon le caprice. Ce n'est pas de la mystique orientale, ni une vision psychédélique ; encore moins une perception baudelairienne de la beauté du sordide et du grotesque. Peut-être cela se réduit-il à la découverte momentanée du miracle de la vie, avec son concomitant inévitable, un aperçu vertigineux de la capacité à souffrir, et d'infliger cette souffrance.

Pétrifié entre l'angoisse et l'extase. Se demandant si peut-être elles ne sont pas la même chose, ou au moins possédées par une relation intime. Dans « T.B. Sheets », son dernier grand récit avant de faire ce disque, Van Morrison voyait mourir de tuberculose une jeune fille qu'il aimait. C'était une chanson étouffante, suffocante, monstrueusement puissante : « innuendos, inadequacies, foreign bodies » [*sous-entendus, inadéquations, corps étrangers*]. Beaucoup de gens ne purent la supporter ; le rédacteur en chef de la présente revue a dit que ça ne valait pas un clou, mais je pense que cette chanson lui donnait envie de vomir. De toute façon, la question est que certains éléments d'*Astral Weeks* – « Madame George », « Cyprus Avenue » – prennent la souffrance de « T.B. Sheets » et y enracinent le monde. Parce que voir mourir celle qu'on aime d'une maladie, si épouvantable que ce puisse être, est une souffrance atroce, mais au moins elle est connue, peut d'une certaine façon être comprise, mesurée, et même considérée comme menant quelque part, parce qu'il y a tout un processus : maladie, déclin, mort, deuil, d'où découle

une certaine convalescence affective. Mais l'horreur superbe de
« Madame George » et de « Cyprus Avenue » tient précisément
à ce que ces deux titres évoquent des gens qui ne meurent pas ;
nous contemplons la vie, dans ce qu'elle a de plus épanoui, et
ces gens ne souffrent pas de maladie, mais de la nature, à moins
bien sûr que la nature ne soit une maladie.

Un homme est assis dans une voiture, dans une rue bordée
d'arbres, suivant des yeux une fillette de quatorze ans qui rentre
de l'école et dont il est follement amoureux. J'ai failli en venir
aux mains avec des amis, en raison de mon insistance à signaler qu'une bonne part des premières œuvres de Van Morrison
comporte un thème pédophile, obsessionnellement réitéré, mais
c'est là quelque chose qui peut à la fois être pris tel quel et bien
au-delà. Il *l'aime*. À cause de cela, il est désemparé. Tremblant.
Paralysé. Poussé vers la folie. Sans espoir. La nature le nargue,
comme seule peut narguer la nature. Mais, pour commencer,
l'amour est-il naturel ? Peu importe. À la fin de la chanson, il
entre dans une sorte d'extase hallucinatoire ; la musique souffre
et soupire tout en roulant vers sa fin. C'est la souffrance suprême :
être emprisonné en tant que simple observateur. Et ce n'est
peut-être pas très loin de « T.B. Sheets », à ceci près qu'il doit
être beaucoup plus romanesquement facile de s'asseoir pour
regarder quelqu'un qu'on aime mourir, que de le voir en pleine
jeunesse, en pleine santé, en sachant que jamais vous ne pourrez
l'avoir, ni même lui parler.

« Madame George » est le sommet de l'album. C'est sans doute
un des morceaux de musique les plus compatissants jamais
écrits, et il nous demande, non, *fait en sorte* que nous voyions la
condition de ce que j'appellerai brutalement un travelo fou
d'amour, avec une empathie si forte que quand le chanteur le
blesse, nous faisons de même (Morrison a déclaré dans au moins
une interview que la chanson n'a rien à voir avec les travestis – du
moins pour autant que *lui* sache, s'empresse-t-il d'ajouter – quelles
conneries). Sa beauté, sa sensibilité, son *caractère sacré*, tiennent
à ce qu'elle n'a rien de sensationnaliste, de clinquant ou d'exploi-
teur : d'une certaine façon, Van a raison de dire qu'elle ne parle
pas d'un travelo, tout comme mes amis avaient raison, et moi tort,

sur la « pédophilie » – elle parle d'un *individu*, comme toutes les plus belles chansons, toute la plus grande littérature.

Le décor est le même que celui de la chanson précédente – Cyprus Avenue, endroit où apparemment les gens dérivent, poussés par le désir, vers des instants de confrontation, qui leur torturent la peau et déforment ce qu'ils voient, avec leur destin. C'est un lieu élémentaire aux jugements sans merci – vent et pluie figurent dans les deux titres – et, ce qui est intéressant, c'est le lieu où les adultes sont jugés, plus cruellement encore, par des *enfants*, dans les deux cas des objets d'amour parfaitement indifférents à l'adulte qui les aime. Les petits garçons de Madame George se montrent franchement méprisants – comme les gamins des rues qui finissent par s'en prendre au cousin homosexuel dans *Soudain l'été dernier* de Tennessee Williams –, ils ne sont que trop heureux de venir tant qu'il y a de la musique, un peu de bon temps, à boire et à fumer gratis, puis de cracher avec allégresse sur les sentiments de George quand tout le reste se révèle, l'hiver ensevelisseur arrivant avec non seulement la pluie et le vent, mais aussi la grêle, les flocons et la neige fondue.

Autre chose qui pourrait paraître des plus étrange, mais qui ne l'est pas, ce sont exactement les détails qui devraient rendre George parfaitement pathétique – âge, ivrognerie, le fait que les gamins prennent son argent et piétinent son amour – qui éveillent quelque chose pour lui dans le cœur du gamin dont c'est la chanson. De toute évidence le môme n'est pas « fallen in love with love » ou quelque chose du même genre, mais plutôt – quoi ? Ah, exactement que ce n'est que plongé dans les plus viles perversions qu'un être humain peut en aimer un autre pour n'importe quoi *d'autre* que son humanité : l'aimer pour sa faiblesse, ses défauts, et peut-être pour finir, sa déchéance. La déchéance est humaine – c'est l'un des messages ultimes, et je n'entends nullement parler de décadence en étirant le vocabulaire. Je veux dire que dans cette chanson, ou tout ce qui a pu l'inspirer, Van Morrison a vu la possibilité absolue d'aimer des êtres humains à la pointe extrême du malheur, et que les implications en sont atroces, bien plus atroces que la simple vue de corps rendus hideux par l'âge, ou l'apparente absurdité d'un homme consacrant sa vie à cet artifice boiteux : essayer d'avoir l'air d'une femme.

On peut dire que pour aimer les questions il faut aimer les réponses qui hâtent la fin de l'amour qui aimait aimer l'atroce inégalité de l'expérience humaine qui aime dire que nous dominons les perdus qui aiment aimer l'amour qu'aurait pu être la liberté, le train de la liberté, mais nous ne partons jamais, nous préférons faire signe de la main généreusement en nous éloignant de ceux qui sont victimes d'eux-mêmes. Oui, mais qui va dire que quelqu'un qui se détruit n'est pas aussi digne d'une totale compassion que le plus misérable des orphelins du tiers-monde dans une pub du *New Yorker*? Non, mieux vaut marcher sur les corps, au moins cela leur donne le respect qu'ils auraient pu mériter. Là où je vis, à New York (sans vouloir en rajouter, ce qui est difficile), tous ceux que je connais marchent sans souffrance sur des corps qui pourraient être morts, ou mourants. Et je me demande dans quel système il a pu à l'origine être pensé qu'une telle action témoigne au déchet humain le plus grand respect qu'il mérite.

Bien entendu, il y a une objection – qu'allez-vous faire d'autre – mais elle se réduit à la crainte de notre impuissance devant la plaine de la vie telle qu'elle est vraiment : une plaine qui s'étend jusqu'à l'infini, au-delà des horizons que nous n'avons fait qu'inventer. Allez, mourez. Pendant que j'écris ceci, je peux lire dans le *Village Voice* le baratin de gens ouvrant à Manhattan des clubs sado-maso hétérosexuels, avec des trucs du genre : « Le SM est simplement une autre forme d'amour, également valable. Pourquoi les gens ne peuvent l'accepter, nous ne le saurons jamais. » Ça vous donne envie de sauter par la fenêtre du cinquième étage plutôt que d'en lire davantage, mais ce n'est pas vraiment la fin du monde ; c'est loin d'être aussi moche que les souffrances qui se prolongent partout, tous les jours, et que nous prenons tous, si négligemment, pour des faits normaux de l'existence normale. Peut-être cela se réduit-il à savoir jusqu'à quel point vous voulez réellement vous soumettre. Si vous acceptez, même pour un instant, l'idée que chaque vie humaine est aussi précieuse et délicate qu'un flocon de neige, puis regardez un poivrot dans un encadrement de porte, vous allez souffrir jusqu'à ce que vous ayez l'impression d'être une éponge pour tous les problèmes des autres connards, jusqu'à ce que vous vous sentiez être un connard vous-même, alors vous tirez toutes les lignes qui s'imposent. Vous cessez de ressentir. Mais vous savez bien que vous commencez à mourir. Alors vous luttez avec vous-même. Combien de cette horreur puis-je réellement me permettre de penser ? Peut-être le nabot le plus engourdi est-il plus sage que quiconque permet à sa sensibilité de le pousser à détruire tout ce qu'il touche – mais il est vrai, pour incliner un peu le chapeau de Madame George, uniquement pour reconnaître que cette personne existe, pour lui toucher la joue puis sans doute expirer (parce qu'en définitive comprendre que vous devez partager le monde avec elle est insupportable), c'est ne faire que les premiers pas. Comprendre qu'on vit est à peu près aussi vil, aussi exalté, aussi insupportable, aussi recherché. S'il vous plaît revenez et laissez-moi tranquille. Mais quand nous sommes seuls ensemble nous pouvons parler tant que nous voulons de l'universalité de cet abysse : ça n'a aucune importance, le plus haut ne rencontre le plus bas que pour une aide mensongère, de l'UNICEF aux parents, alors vous griffez, crachez et jurez, avec une résignation violente, devant le fait brutal qu'il n'y a absolument rien que vous puissiez faire, sinon finir par rejeter quiconque souffre davantage que vous. À un tel moment, tout souffle nouveau est une trahison. C'est pourquoi vous laissez vos causes libérales, et l'humanité souffrante, mourir dans une misère encore pire. Vous avez fait monter leurs espoirs. Ce qui vous rend plus vil que la plus scrofuleuse des charognes. Plus vil que les gamins ignorants qui prendraient Madame George pour une ou deux cigarettes. Parce que vous avez commis le crime de savoir, et que par conséquent vous avez non seulement dépassé, ou marché sur, quelqu'un dont vous saviez qu'il souffrait, mais en plus vous avez violé son intimité, cette dernière possession des dépossédés.

Une telle connaissance est peut-être la pire chose qui puisse arriver à un individu (un individu *chanceux*), aussi n'est-il pas étonnant que le protagoniste de Morrison ait tourné le dos à

Madame George, et fui vers la gare, en essayant de courir aussi loin de ce qu'il avait vu qu'il le pourrait en une vie entière. Et ce n'est pas étonnant non plus que Van Morrison ne se soit jamais plus approché d'aussi près pour regarder la vie bien en face, pas étonnant qu'il en soit venu à *Tupelo Honey*, et même *Hard Nose the Highway*, avec une face entière de chansons sur les feuilles qui tombent. Dans *Astral Weeks*, comme dans « T.B. Sheets », il en a affronté suffisamment pour une vie entière. Bien entendu, s'étant vu offrir ce don incommensurablement émouvant, et tout aussi terrifiant, par Morrison, on peut difficilement se voir reprocher de ne pas beaucoup se préoccuper du Vieux, Vieux Woodstock, et des petites homélies du genre « You've Got to Make It Through This World on Your Own » ou « Take It Where You Find It ».

D'un autre côté, on pourrait aussi faire remarquer que la désolation, la souffrance et l'angoisse ne sont pas les seules choses de l'existence, ou d'*Astral Weeks*. Ce sont, peut-être, celles que nous pouvons le plus aisément saisir et expliquer, ce qui je suppose montre vers quel niveau nos âmes ont évolué. J'ai dit que je ne réduirais pas les autres chansons de cet album en les expliquant, et je n'en ferai rien. Mais cela ne veut pas dire que, toutes choses considérées, une juxtaposition de poètes ne soit pas en situation :

> *If I ventured in the slipstream*
> *Between the viaducts of your dreams*
> *Where the mobile steel rims crack*
> *And the ditch and the backroads stop*
> *Could you find me*
> *Would you kiss my eyes*
> *And lay me down*
> *In silence easy*
> *To be born again*
>
> Van Morrison

[*Si je m'aventurais dans le sillage / Entre les viaducs de tes rêves / Là où craquent les jantes d'acier mobiles / Et le fossé et l'arrêt sur des routes perdues / Pourrais-tu me trouver / Embrasser mes paupières / Et m'aider à m'allonger / Dans un silence aisé / Pour que je renaisse*]

Mon cœur de soie
est plein de lumières,
de cloches perdues,
de lys et d'abeilles.
J'irai très loin,
plus loin que ces collines,
plus loin que les mers,
près des étoiles,
supplier le Christ Notre-Seigneur
de me rendre l'âme que j'avais
autrefois, quand j'étais enfant,
nourri de légendes,
avec un chapeau à plume
Et une épée de bois.

Federico García Lorca

Stranded, 1979

TOUT FAIRE SAUTER

Le Pop, les Tartes, le Pied :
un programme de libération de masse
sous forme de critique d'un disque des Stooges,
ou : Qui est l'imbécile ?, 1970

James Taylor doit mourir, 1971

Les Godz parlent-ils espéranto ?, 1971

Le Pop, les Tartes, le Pied :
un programme de libération de masse
sous forme de critique d'un disque des Stooges,
ou : Qui est l'imbécile ?

Anatomie de la maladie

Comme presque tous les authentiques originaux, les Stooges ont dû endurer plus que leur part d'insultes, de dérision, de condescendance critique, et même de franche hostilité. Leur numéro scénique est toujours de la bonne copie, mais aussi grain à moudre facile pour les descentes en flammes. Au premier abord, leur musique semble si simple qu'apparemment n'importe qui possédant une formation rudimentaire devrait pouvoir la jouer (que ceux qui peuvent bel et bien en donner un fac-similé raisonnable soient si rares, voilà ce qu'on oublie). Si les critiques ont été ravis de créditer John Cale du succès de *The Stooges*, leur premier album (comme je l'ai fait), les reléguant au rang de phénomène adolescent vaguement humoristique, de musique à thème pour lycéens banlieusards défoncés aux mandrax, à la puberté et aux fantasmes d'apocalypse nihilistes, la majorité du public paraît les voir, avec autant de mépris, comme un groupe assourdissant de plus dont le gimmick (Iggy) ne les empêche pas d'être des kilomètres derrière des favoris bandants du rock heavy tels que Grand Funk, dont les chansons, au moins, veulent dire quelque chose, dont le jeu de scène témoigne d'un *véritable* sens du spectacle (entendez : pousse de vastes hordes de freaks bousillés jusqu'à l'extase à charger en direction de la scène tout en agitant ces milliers de mains, dans une démonstration d'unité vaguement politique qui fera chaud au cœur à tout partisan du Mouvement), et qui jamais ne se comportent en imbéciles, comme le fait ce punk Stooge, qui se lacère, bousille le micro à grands coups de pied, saute dans la foule pour se vautrer dans une forêt de jambes, de chevilles et de dieu sait quoi d'autre tout en hurlant ces chansons répugnantes sur l'œil-télé, ou se sentir gadoue et ne pas s'amuser parce que vous êtes un adolescent qui bande, mais névrosé, assis là à vous ennuyer, solitaire, incapable de communiquer avec vous-même comme avec qui que ce soit. Merde. Comment avoir envie de chansons de ce genre, qui émettent tant de mauvaises vibrations ? Nous avons ici une communauté, et peut-être une nation, hip, sympa, superbement insulaire, en plein épanouissement, et notre art est une célébration de nous-mêmes en tant qu'individus libérés et masses du même métal – le Peuple, voyez ? Et l'art antisocial n'y a tout simplement pas sa place, frères et sœurs. De toute façon, qui tient à être déprimé ?

Bon, beaucoup de changements se sont produits depuis que le Hip a pour la première fois frappé le cœur du pays. Une culture nouvelle prend forme, et si c'est très certainement un progrès sur la société répressive qui connaît désormais un vieillissement crispé, il y a dans nos nouvelles institutions amorphes un fort élément de maladie. Le remède comporte des virus bien à lui. Les Stooges, eux aussi, charrient cet élément dans leur musique, une incertitude délirante, un peu bidon, une bêtise erratique, qui reflètent effectivement l'absurdité et le désespoir de l'époque, mais également, je crois, une part très importante du remède, une santé mentale post-délirante. Et je crois que leur musique est plus importante que celle de tout groupe rock en activité, bien que mieux vaille ne pas appeler ce truc de l'Art, parce que vous pourriez bien finir avec une tarte à la crème de luxe en pleine poire. Elle est au contraire ce que le rock, en son fond, a été et sera toujours, sous les distorsions stylistiques de ces dernières années. Les Stooges ne sont pas pour l'éternité – comme rien de ce qui se crée actuellement –, mais, tout à fait aveuglément, pour aujourd'hui et demain, et pour les traditions de deux décennies d'un rythme superbement cogneur, simpliste et irraisonné.

Pour aborder *Fun House*, il nous faut en revenir au début, à toutes les paroles en l'air et à tout l'arbitraire abandonnés dans le sillage de la notoriété et d'un premier album. Parce qu'il y a beaucoup de remugles autour, et il nous faut faire disparaître les ténèbres mondaines d'ignorance et d'incompréhension si nous voulons laisser briller les ténèbres *authentiques*, immaculées, des Stooges dans tous leurs prismes chaotiques, comme ces miroirs des labyrinthes de foire qui vous rendent fous si facilement. Je ne veux pas être contraint d'être leur apologiste. Ça me plairait si nous vivions dans la santé mentale, si chaque œil clair pouvait regarder, si chaque esprit sain pouvait comprendre les Stooges en fonction de leurs évidents mérites (bien que, j'en suis d'accord, ils ne seraient plus nécessaires dans un tel environnement – comme William Burroughs l'a conseillé dans une de ses épigrammes les plus lucides, ils travaillent vraiment à se rendre obsolètes). Cependant, les conditions actuelles étant proches du foutoir irrémédiable, des auditeurs innocents se voient manipulés, baratinés, dupés et dopés, enjoints de ramper devant des Rosbifs efféminés défoncés armés d'une collection de 78 tours de blues et de quelques leçons de guitare, et qui pensent que ça fait d'eux des porteurs de flambeaux ; un public malheureux, finalement, de tendres garçons et filles pavlovisés de façon à saliver des dollars et à se bourrer de mandrax au seul énoncé d'incantations magiques comme « supergroupe » ou « superstar » – bon, est-ce vraiment étonnant que votre pauvre kid moyen, descendant, défoncé, la rue en bagnole, vaguement en quête de cramouille, de valium, ou de kiosques à journaux où il trouvera des magazines rock, ne veuille rien savoir des Stooges ?

Ainsi, pour rendre plus facile la nécessaire libération psychique de masse, il est impératif que nous commencions par l'œil du cyclone, le centre de toute confusion, querelle et franches déblatérations, Iggy Stooge lui-même. Je ne l'ai certes jamais rencontré, mais d'après ce que j'ai cru comprendre en écoutant ses disques, en suivant son jeu de scène et tout ça, c'est fondamentalement un môme américain, gentil et sensible, qui a grandi au milieu de la pire confusion personnelle, interpersonnelle et nationale que nous ayons jamais vue. Entendez : on ne trouverait qu'en Amérique, et nulle part ailleurs, un phénomène comme Iggy Stooge, non ? À un moment, je m'apprêtais à écrire à Malcolm Muggeridge[3], en Angleterre, une lettre où je lui aurais tout raconté sur les Stooges, mais je n'en ai rien fait, ayant finalement décidé qu'il y verrait un symptôme supplémentaire de la décadence de la civilisation occidentale. Ce qui n'est pas le cas. Enfin, pas *définitivement* – peut-être maintenant, dans certains de ses signes extérieurs semi-pathologiques les plus grossiers, mais voyez ce qui en est sorti. Il y a toujours l'espoir que demain sera plus lumineux, parce que la pagaille d'aujourd'hui a donné naissance à de vigoureux croisés en quête de quelque chose de mieux, comme Iggy – et, peut-on présumer, le reste des Stooges.

Ainsi donc, Iggy : un kid intrinsèquement américain, qui chante ce que veut dire grandir en Amérique, être coincé très souvent (et qui ne l'a été ?) par la confusion, le doute, l'incertitude, l'inertie, l'ennui, la noirceur pubère banlieusarde, parce que « I'm not right / To want somethin' / Tonight... » Assis là, trop jeune, Narcisse masochiste, perdu dans les ténèbres, parce qu'on *pourrait* se donner vraiment du bon temps, mais je ne vais pas bien, que ce soit la dope, l'ennui du quotidien ou simplement une franche misanthropie oisive et névrotique, peux pas m'en sortir – « You don't know me / Little Doll / And I don't know you... » –, ah, bon, attends un peu, peut-être qu'une Little Doll à la peau de rose et aux yeux réels viendra et t'épousera et alors t'en auras un peu. Jusque-là, toutefois, sûr que c'est pas le pied, alors fais le malin avec tes potes, frime, reluque les jambes qui passent, secoue-toi le Chinois le soir chez toi en haletant sur des *bunnies* de polyéthylène serrant dans leurs bras des ours en peluche, repars le lendemain te défoncer avec le gang, herbe, speed, mandrax, Romilar, on s'en fout, l'autre connard va nous offrir des bières, et après ça on rentre et on contemple le mur, à se sentir glacé et débile à l'intérieur, et à penser, rien à foutre, rien à foutre. Je me déteste. La même merde l'année dernière, cette année, et ainsi de suite jusqu'à être un vieux con si je vis jusque-là. Je crois que ce soir je vais sauter en levrette ma chatte à fantasmes branlatoires.

Plutôt déprimant, hé? Pure gadoue adolescente. Et banale, en plus. De la musique sur un thème pareil, et puis quoi encore? Qu'est-ce que ça a à voir avec la réalité, avec les nouveaux systèmes sociaux que les Panthers et les Yippies nous préparent, avec le fait que j'ai pris de l'acide il y a quatre jours, et que depuis tout est lisse et sans blocages, comme toujours près d'une semaine après un trip? Je me sens bien, plein de mansuétude. Alors qu'est-ce que toutes ces conneries à la Holden Caulfield[4], sur lesquelles Iggy Stooge est toujours à délirer, ont à voir avec moi? Ou avec l'art, ou le rock, ou quoi que ce soit? Sûr, on sait tous ce que c'est, l'adolescence, pourquoi insister lourdement là-dessus, pourquoi charger l'« art » (ou tout ce que les Stooges entendent par leurs hurlements) de quelque chose qu'il vaut mieux abandonner dans les profondeurs de cervelles immatures, qui finiront elles-mêmes par s'en lasser? Et comment, au nom de ces évidentes réalités logiques, quelqu'un d'intelligent peut-il prendre Iggy Stooge pour autre chose qu'un parfait crétin, si exorbité, en sueur et bruyant qu'il puisse être?

Ah, je vais vous dire pourquoi et comment. J'ai accumulé des tas de questions, de postulats et de fantasmes, si bien que pas un seul nullard lisant ceci, et possédant une pile d'albums « rock » datés et fastidieux, mais pas des Stooges, ne peut manquer de comprendre, ce qui me permettra de passer aux choses sérieuses et de décrire leur nouvel album. Voici donc la charge utile. Maintenant, répondons en premier lieu à la dernière question : parce que la conclusion finale de tous ceux qui les raillent est parfaitement vraie et fondamentale pour les Stooges ; z'avez raison, Iggy Stooge est un parfait débile. Sur scène comme sur vinyle, il se couvre de ridicule bien mieux que tous ceux, ou presque, que j'ai jamais vus sur scène. C'est l'une des facettes essentielles de son génie.

Ce dont nous avons besoin, c'est de « stars » rock prêtes à passer pour des imbéciles, à faire le grand plongeon et si nécessaire à se comporter de telle sorte que leur public ait honte pour elles, aussi longtemps qu'il leur reste le moindre lambeau de dignité ou d'auréole mythique. Parce qu'alors tout le foutu édifice prétentieux de l'industrie rock, si suprêmement ridicule, lancé pour piquer du pognon en arnaquant les kids et en encourageant des fantasmes de puissante « culture jeune », s'effondrerait, et avec lui les carrières des non-entités sans talent qui s'en nourrissent. Pouvez-vous imaginer Led Zeppelin sans Robert Plant entubant l'assistance : « Je vais vous donner chaque millimètre de mon tube d'amour », alors qu'en réalité il ne donne rien, même pas un « Comment ça va » souriant de bonne humeur – ou sans le super froncement de sourcils ennuyé du super musicien Jimmy Page ?

Un ami et moi regardions, défoncés, la diffusion télé du Cincinnati Pop Festival l'autre soir, quand une idée superbe (lisez : inutile) nous vint. Presque tout le truc était chiant, consacré à des groupes comme Grand Funk (interminable version pesante de « Inside Looking Out », avec un chanteur qui se tortillait en aboyant et improvisait des paroles du genre « Ah petite chérie j'ai *tant* besoin de ton amour… allez, donne-le moi… ah, little mama », etc.) et Mountain (Felix Pappalardi moulinant de mornes solos sans fin, plate distillation des éléments les plus fatigués de Cream et de Creedence, tandis que le gras Leslie West, vêtu de daim, cognait sur sa guitare et réagissait au pipi pappalardien par de grandes grimaces pleines d'une souffrance béate, souriant, hochant la tête comme si chaque *note* sortie de la basse de Papa lui faisait exploser la tête comme aucune musique auparavant). Bon, je regardais tout ce cirque avec un œil sur la bibliothèque, en quête d'un livre pour passer le temps en attendant qu'Iggy surgisse à l'écran, et quand il l'a fait c'était vraiment bien – pas aussi bien que de voir loucher Carlos Santana, ou ce crétin de Country Joe épeler « FUCK » dans *Woodstock*, attention, mais un bon moment quand même –, mais ce qui nous a le plus intrigués de tout le concert, c'était pendant que passait Alice Cooper (qui, si son hystérie speedée n'est que cris perçants et discordants, ne peut certainement pas être accusé de se prendre au sérieux – quand viendra la révolution, il ne sera pas liquidé avec Pappalardi, West, George Harrison et tous les autres) – quand Alice, accroupi, a jeté sur sa maigre tignasse sa cape houleuse, comme si c'était un froc de moine, révélant un torse plastifié aux hormones, puis a rampé en faisant la marche du canard, tel un Chuck Berry sorti d'un cauchemar de jusquiame, jusqu'à l'avant-scène, où il a sorti une montre, l'a mise en marche hypnotiquement, et a psalmodié d'un ton très calme, proche de la conversation : « Les corps... ont besoin... de repos. » – répétant la chose sur le même ton jusqu'à ce qu'un petit malin (vraiment malin) à quelques corps de là, dans la foule, ne lance : « Et alors ? » Bonne question. Et si quelqu'un avait posé la même quand Richie Havens s'était lancé dans son vertueux numéro sur « Freedom » ? Bien entendu, c'est une question débile, vu que trois douzaines de fans dévots auraient promptement roué de coups le rustaud à grande gueule, voire l'auraient liquidé complètement (conformément au tempérament de l'époque, auquel cas il aurait ensuite été qualifié de porc). Mais tout le monde se fout de ce que quiconque peut dire à A.C., à commencer par A.C. lui-même, qui a sans doute été déçu de ne pas recevoir plus de huées du poulailler, à ceci près que quelques instants plus tard la réaction de son public est bel et bien venue, quand un tireur d'élite dans la foule a balancé un gâteau (ou peut-être était-ce une tarte – ouais, disons une tarte par souci du fantasme que je m'en vais promulguer) qu'il s'est pris en pleine poire. Alice Cooper, rock star, était donc là, accroupi sur scène, en plein milieu de son numéro, la face couverte de tarte et de crème, avec des caillots qui lui coulaient des oreilles et du menton. Et qu'a-t-il fait ? Comment a-t-il regagné la vénérable dignité sacrée de l'artiste qui fait de la scène *son* champ de force magique grâce auquel il éblouira et *distraira* un public impuissant ? Il s'est pris sur le visage une poignée des restes, et s'en est giflé, s'en barbouillant les pores et les yeux, glissant un petit doigt pour goûter. Il a répété la chose à n'en plus finir, et s'en est maculé pour de bon. Le public n'a pas dit un mot.

L'intention de tout ceci n'est pas de témoigner de la sympathie à Alice Cooper, mais plutôt de faire remarquer qu'en un sens il est meilleur que Richie Havens (et bien que tous deux fassent de la musique ennuyeuse) parce qu'au moins, avec Alice Cooper, on a la prérogative d'exprimer de façon créative les sentiments que nous inspirent son spectacle. Presque toutes les rock stars intimident à ce point leur public que c'en est à vomir.

Quelle justice bénie ce serait si *toutes* devaient affronter ce que A.C. a provoqué, si cela devenait une pratique courante de donner son jugement en balançant régulièrement des tartes dans la tronche des artistes qui paraissent débarquer avec un tas de conneries. Parce que les plus célèbres rockers sont entourés d'une aura mythique, celle de la « superstar », ce qui est une situation fondamentalement malsaine, et en fait c'est le virus même qui bousille le rock – sous-espèce de celui dont j'ai parlé plus haut et qui infeste « notre » culture, des pop stars à la politique (imaginez jeter une tarte au visage d'Eldridge Cleaver ! De Joan Baez !), et auquel s'opposent catégoriquement les Stooges, peloton d'avant-garde dans la guerre prochaine visant à faire disparaître de la Terre les écrans mentaux narcoleptiques et bidon, ce qui finira par nous libérer tous de modes de vie fondamentalement non créatifs, dans lesquels des gens qui n'ont pas la moitié du talent, de la personnalité ou du charisme de vous et moi sont élevés à des positions divines. Pomp and Circumstance.

Vous voyez donc maintenant où je veux en venir, pourquoi les Stooges sont vitaux, outre qu'ils sont de bons musiciens, ce que je démontrerai plus tard tout aussi tangentiellement. Il faut du courage pour se couvrir de ridicule, dire : « Voyez, tout ça est une arnaque, tout le fichu spectacle, tous ces machins-inondés-de-lumière-défoncés-plus-grands-que-nature, et que vous soyez en bas et moi en haut n'a pas la moindre signification. » Parce que *c'est vrai*. Les Stooges ont eu ce courage, mais pas beaucoup d'autres. Jim Morrison, récemment – n'était-il pas revigorant de voir l'ex-Roi Lézard sado-maso byronien au regard atropiné arriver sur scène en trébuchant, un colt 45 en main, pour finir par agiter sa queue devant les larbins adolescents, qui eurent l'occasion de le voir tenir l'arme et le membre d'une seule main, avant de leur donner une production encore plus vivante qui ne communiquait rien de réel, mais *suggérait* tout ce qu'un cerveau pubère fertile pouvait inventer ! Morrison, ça c'est sûr, n'aura pas droit à la tarte en pleine poire ! Il a avoué ! Et même ce bon vieux John Lennon, qui pendant un moment fut bon pour la plus grosse (de quoi les noyer, Yoko et lui, dans une gadoue aussi bidon que celle qu'ils avaient excrétée sur le monde occidental tout entier), s'est lancé, avec une cohérence méthodique, dans une autoparodie si absurde, bien au-delà des besoins de la révolution (comme de dire : « J'ai aussi rendu ma médaille de Member of British Empire parce que « Cold Turkey » descendait dans les charts » – geste sympathique. Nous ne l'oublierons pas, plus tard), qu'il aura droit à un moratoire d'un an de la part des guérillas crémeuses. Mais il y a *tous les autres* – George Harrison (une tarte géante contenant les œuvres complètes de son gourou Manly P. Hall), Paul McCartney, ce snob infernal, et ces porcs capitalistes gauchistes et dilettantes, les Jefferson Airplane (c'est très bien d'être un blanchot, en fait tous les marxistes auront droit aux tartes en priorité, mais se ramasser tout ce blé à chanter qu'on est un hors-la-loi, quand ce que vous faites de plus grossièrement illégal, c'est de voler des paroles à ce pauvre A. A. Milne et à des tâcherons SF... le Comité Crémeux n'approuve pas ça, voisin).

De la même façon, Mick Jagger aura droit aux mêmes attentions en tant que révolutionnaire bidon plein aux as, et plus généralement parce qu'il se fait passer pour plus malin et plus hip, plus arbitre des modes et des cultures, qu'il ne l'est vraiment. Si Jésus avait été à Altamont, ils l'auraient crucifié, mais si une fois de plus Mick Jagger me fait attendre trois quarts d'heure pendant qu'il s'attife, alors, avant d'en rendre responsable un pauvre roadie, la brigade et moi-même allons nous diriger vers la scène en tirant à volonté quand il montrera sa gueule et ses yeux de poisson. Et il est loin d'être le pire – en fait, en tant qu'homme de spectacle, c'est l'un des moins insultants – son show, avec ses regards paillards et ses minauderies, a toujours été scandaleux, débile, absurde, et d'une arrogance transcendante, mais prétentieux uniquement au meilleur sens du terme, une tornade hystérique aux lèvres molles, tourbillonnant d'ici à un million de foufounes fumantes et au-delà en une masse érogène indifférenciée, en même temps spectacle et foutoir. Vous ne surprendrez jamais Mick Jagger perdu dans les grimaces solennelles de l'*angst* artistique, oh que non ! Il est donc réellement presque aussi bon que les Stooges, en fait il les a précédés, mais je préfère ne pas penser à sa fureur si un taré souriant venu de la rue tentait d'accaparer la scène sacrée où lui-même fait encore le con et arnaque toujours la clientèle. En ce sens, tout son show est un anachronisme de plus, bien que remarquablement moins fossilisé que la plupart des autres groupes rock, qui seront noyés dans la crème avant que nous en ayons terminé. Le fait patent est que 99 pour cent des pop stars n'ont pas le charisme, le style ou la stature réels pour tenir leur bastion (Bastille) scénique sans le soutien artificiel dont ils bénéficient traditionnellement. Presque tous, s'ils prenaient une tarte dans la tronche, ou se voyaient confrontés à un public composé des *mêmes* personnes demandant calmement (pas question de grossières conneries militantes) : « Qu'est-ce que tu crois faire, merde ? Qu'est-ce que c'est que cette merde ? » – presque tous vos « phénomènes », « héros » et « artistes » se borneraient à un égarement abasourdi, incapables par tempérament (grâce à la vie d'enfants gâtés débilitante qu'ils mènent, même à supposer qu'au départ ils aient vraiment eu des couilles – l'oppresseur est gras et faible, mes frères !) de faire face, sur une base égalitaire, à leur électorat d'entubés. Ils n'ont pas assez de personnalité, de cervelle ou de tripes, voilà tout, la pop star moyenne n'étant ni très intelligente ni très au fait de ce qui se passe hors de son substratum à paillettes, à demi logé dans le fantasme, continuum où une vanité et un ego pétaradants, surnourris, lui corrodent la substance comme un régime constant de cocaïne.

Mais les Stooges sont un groupe qui a bel et bien la force d'affronter, à ses propres conditions, n'importe quel public, et peu importe quelles diaboliques conneries ce dernier peut imaginer (bien qu'en général il soit trop intimidé par l'autorité psychiquement pugnace de l'Ig pour faire autre chose que rester bouche bée et se ratatiner, hennissant plus tard en rentrant à la maison). Iggy est comme un matador provoquant la grande hydre noire assise devant lui – il entre fréquemment dans le public pour voir ce qu'il en est, et même de la scène ses yeux fouillent dans la salle, balayant l'endroit et repérant des inconnus stupéfaits qui sont rarement capables de lui faire baisser le regard. C'est votre scène aussi bien que la sienne, et si vous pouvez la lui prendre, ah, bon courage. Mais le Roi de la Montagne doit maintenir le rythme, et l'autorité, et rares sont ceux qui y parviennent. Ig est une vraie star, de l'espèce la plus rare – il a gagné cette scène, et rien ne lui en donne le droit que la force de sa propre présence.

Voici donc ce public post-hippie suffisant, censément si libéré, vertueux et affamé, la terreur anarchiste des insomnies de l'Amérique profonde. Voilà les gars qui répètent toujours : « Un de ces jours, quelqu'un va péter la tronche de ce punk bousillé ! » Et combien de fois avez-vous entendu des gens dire de groupes : « Mec, quelle arnaque ! Il y a de quoi se lever pour mettre un terme à cette merde ! »

Eh bien, voici votre chance. Le numéro des Stooges est grand ouvert. Livre-toi au pire, ô Peuple, réfute Iggy et les Stooges, à grands coups de pieds et de poings. C'est ton quart d'heure !

Pas de candidats. Ils sont là assis, pousseurs de « wow ! » végétatifs aux yeux écarquillés, ou moroses sous une carapace de Cool, effrayés ou incapables de réagir, de sortir dans cette arène qui n'est rien d'autre que la vie, et même souvent trop trouillards pour lancer vers la scène une huée dérisoire. Et c'est pourquoi presque tous les groupes de rock sont si soporifiquement fainéants ces temps-ci, et aussi pourquoi les Stooges, ou tout groupe qui défie son public, sont la réponse. Le pouvoir ne va pas aux gens, il vient d'eux, et quand ils sont devenus passifs à ce point, rien, sinon un électrochoc et un exorcisme personnel, ne pourra les secouer et encore moins les forcer à quelque interaction saine.

Alice Cooper se livre à des expériences un peu comparables, mais ses routines sont en fait aussi vieillottes que celles de tout le monde. Balancer des poulets morts et transbahuter des accessoires de toutes tailles et de toutes formes, utiliser des déluges fracassés de feed-back hurlant (Velvet Underground, 1965) pour attaquer le système nerveux de la partie censément crispée du public, tout en violant sa libido par un déferlement choquant d'identités sexuelles et de « perversions » changeantes – tout ça n'est jamais que le vieux riff *épatons la bourgeoisie*, et en dépit de tous les discours sur Artaud et les publics convulsés par les crises écumantes de certaines âmes instables, il reste, et il restera à jamais, qu'A.C. présente son spectacle à la manière chenue d'un

DC, et comme il y a de moins en moins de gens qui soient en quête de sensibilités sexuelles tordues, vu que personne n'en a plus rien à foutre, un groupe d'apparence futuriste comme celui-ci doit en dernier recours s'en remettre à sa musique, ce qui est dommage, parce qu'il ne s'y passe pas grand-chose hors du contexte scénique, comme le prouvent ses derniers disques. Aussi Alice Cooper se retrouve-t-il à ramper sur scène, à faire des sauts périlleux méthédrinés vêtu en travelo, aussi Jim Morrison finit-il par montrer sa bite à ses fans, et alors. Ça va en arriver à un point où Mick Jagger pourra tintinnabuler des mandalas sur scène, en plein tohu-bohu triangulaire, trois groupies rendant simultanément hommage à tous ses orifices, pendant que les Rolling Stones continueront à jouer un flot « apparemment » sans rapport (bien que le contingent Pensée Profonde de chaque public continue à chuchoter des conjectures désespérées sur ce que tout cela Signifie – et les Stones continueront à laisser saigner tout ça à travers les décennies jusqu'à Sun City) de riffs Chuck Berryens – Mick va et vient, les groupies gémissent, des étincelles humides voltigent partout comme des rubans d'imprimante –, et dans le public blasé de l'entrecuisse, personne ne battra d'un cil. Souvenez-vous de ce que je dis là.

Ainsi les gimmicks ont-ils fait leur temps. Avec qui cela nous laisse-t-il aujourd'hui ? Qui, sinon cet Ig et ses Stooges, auxquels j'ai enfin le plaisir d'en revenir. Parce que, en dépit des poses efféminées et des émotions à trois francs six sous des trois quarts des blaireaux imposés au public d'aujourd'hui, la brillance terrestre, la puissance et la clarté de la musique des Stooges – bien que ses composants de base puissent ressembler aux ready-made abandonnés dans le domaine public comme autant de pièces de mécano destinées aux expérimentations des groupes de branleurs, de Stockholm à San Diego – brilleront néanmoins dans la sombre lueur carnivore de leur propre génie.

La première chose dont il faut se souvenir, s'agissant de la musique des Stooges, est qu'elle est monotone et simpliste à dessein, et qu'à l'intérieur des limites apparemment circonscrites de ce territoire fuzz feed-back, les Stooges travaillent adroitement des idées musicales qui peuvent ne pas être hautement

sophistiquées (que Dieu nous en préserve), mais sont certainement progressives. La ligne de guitare à deux accords, étonnamment simple, réitérée tout au long de « 1969 », sur leur premier
album, par exemple, n'est rien en soi, mais dans le contexte de
la chanson, elle prend un pouvoir étouffé, mais très prenant, à
titre de pulsation rythmique menaçante et, oui, selon la formule
de Ed Ward, plus perspicace (et plus approbatrice) qu'il ne le
pensait, « irresponsable », qui se répète à l'infini et fournit un
contrepoint hypnotique efficace à la psalmodie maussade des
paroles d'Iggy (qui, soit dit en passant, a écrit quelques-uns des
meilleurs vers-kleenex du rock, c'est-à-dire des meilleurs tout
court, le rock étant fondamentalement une musique destinée à
être jetée par-dessus l'épaule : « Now I'm gonna be twenty-two
/ I say my-my and-a boo-hoo » – un classique, il n'aurait pas pu
trouver une meilleure rime s'il avait bossé jusqu'en 1970 et s'était
de surcroît servi du *Yi King* –, Dieu merci, il y a encore des gens
qui, faisant des disques de rock, ont le bon sens, partagé par les
grands précurseurs mais par peu des groupes boursouflés
actuels, de savoir quand se contenter de balancer un vers et de
le planter là).

Voilà bel et bien une chanson pleine d'idées pour vous, si
simpliste et « stupide » qu'elle puisse paraître – et qu'elle est
peut-être. Un singe savant pourrait sans doute apprendre à jouer
cette ligne à deux accords par en dessous, mais aucun primate, et
très peu de ses cousins une demi-douzaine d'échelons au-dessus
sur l'échelle de l'évolution, à savoir les groupes blancs de rock
« heavy », penseraient à l'utiliser de façon aussi vivante qu'ici,
avec une simplicité tellement élémentaire qu'elle est presque
biblique. C'est apparemment le truc le plus évident du monde,
mais je le qualifierais volontiers de coup de génie, au moins égal
à l'interminable bourdonnement d'orgue un-doigt-une-touche
derrière les chorus de « 96 Tears » de Question Mark and the
Mysterians, l'une des plus grandes chansons rock de tous les
temps, et le véritable début de mon histoire, car on a vraiment
affaire à une chronologie complexe, celle des machinations spécifiques de l'histoire du rock depuis 1965 environ, qui ont fini
par rendre les Stooges impératifs.

DEUXIÈME PARTIE
Brève leçon d'histoire

J'ai longtemps détesté des groupes comme Question Mark and the Mysterians. Ils semblaient incarner tout ce que le rock avait de simpliste et de sans issue, à une époque où d'autres, tels que les Who et les Yardbirds, écrivaient presque tous les mois de nouveaux chapitres musicaux prophétiques, et nous n'avons certes jamais connu de musique plus avancée, à l'époque de sa création, que des trucs comme « I'm a Man », « Anyway Anyhow Anywhere », « My Generation » et « Shapes of Things ». J'idolâtrais tout particulièrement les Yardbirds. Toutefois, je me rendis compte un jour qu'en dépit de leur grandeur, ils finiraient par partir en couille dans un marécage éclectique d'expériences confuses et d'erreurs de jugement, et le plus difficile à admettre fut que leur seule progéniture possible restait les branleurs somnolents de Led Zeppelin, parce que les musiciens des Yardbirds étaient tout simplement trop *bons*, trop accomplis et trop sûrs d'eux pour faire quoi que ce soit d'autre que tout foutre en l'air dans le sillage d'une expérience que de toute façon aucun d'eux ne semblait avoir comprise. Et de manière similaire, les Who, bouillonnant d'une musique parmi les plus novatrices jamais enregistrées, devinrent « bons » et arty avec des chansons subtilement excentriques et finement philosophiques, un répertoire qui se dilatait sans arrêt, et toutes ces réussites ne firent que les éloigner davantage des grandes expériences qu'ils avaient entreprises au début.

Ainsi donc, toutes ces idées superbes, tous ces matériaux bruts, traînaient là, attendant que *n'importe qui* s'en empare et les élabore un peu plus en de vastes structures baroques qui maintiendraient l'impulsion primordiale du rock tout en faisant exploser toutes les camisoles de force accumulées de l'accord et de l'armature, dont les musiciens de jazz d'avant-garde avaient, presque une décennie auparavant, commencé à se dispenser. Désormais le jazz était dans la seconde phase de son plus bel épanouissement expérimental, dans cette nuit superbe d'aventures échevelées, avant l'ère croupie, épuisée, service-service qui lui a succédé de nos jours. L'Albert Ayler qui aujourd'hui balance à la louche des albums conceptuels quasi cosmiques encombrés d'emprunts débiles au rock, et au jeu approximatif, explosait alors avec des œuvres comme le « Ghosts » de *Spiritual Unity*, et Archie Shepp n'était pas encore passé de *Fire Music* à un nihilisme anti-Blancs de plus en plus virulent. Le jazz était au premier rang, ouvrant la voie à une ère nouvelle de musique vraiment libre, où les musiciens n'avaient pour limites que celles de leur conscience et de leur imagination, une musique qui débordait toutes les frontières, tout en demeurant parfaitement pertinente et en swinguant comme aucune autre auparavant.

Il était clair que le rock avait beaucoup de retard à rattraper. Nous pouvions tous voir les possibilités que le contrôle des distorsions du feed-back et du fuzz des Who/Yardbirds offrait à une musique nouvelle, qui combinerait le caractère aventureux et erratique du free jazz avec le rythme irrésistible et soutenu du rock, mais le plus étrange dans tout ça c'est que personne ayant de telles idées ne semblait jouer de guitare, ou d'aucun des instruments nécessaires, tandis que tous les guitaristes en herbe bichant pour Lonnie Mack, Dick Dale et Duane Eddy, et sans doute désormais prêts à partir pour l'inconnu, étaient trop occupés à suivre la prolifération soudaine de formes empruntées, plus accessibles, arrivées avec la renaissance des sixties. Bon dieu, pourquoi se taper du bruit hurlant alors qu'on pouvait bûcher les idées toutes nouvelles de Mike Bloomfield ou de George Harrison, et tout le folk rock ?

C'est à peu près à la même époque qu'on se rendit compte qu'une forte majorité de groupes montants se composait d'anciens folkeux, par opposition aux vagues précédentes dont les racines plongeaient dans le rock des fifties et le Rhythm'n'Blues, mais qui n'avaient jamais croisé le chemin des meutes universitaires de banjoïstes de café – lesquels, presque unanimement, des sweaters de fraternités étudiantes du Kingston Trio aux « puristes » Joan Baez/Lightin' Hopkins, contemplaient de haut ce hideux boucan juvénile appelé rock, dont tous présumaient s'être défaits pour aborder des goûts plus gratifiants esthétiquement (en d'autres termes, une bande de foutus snobs mollassons).

Ah, je ne me suis jamais lassé d'aimer le bruit, de Little Richard à Cecil Taylor, de John Cage aux Stooges, aussi ai-je toujours aimé le rock et me suis-je emparé avidement des développements Who/Yardbirds, m'attendant à de grandes choses. Pendant ce temps, tous ces folkeux se lassaient de la joviale camaraderie de l'ère Kennedy, des reprises en chœur de « This Land Is Your Land », pour passer à l'herbe et à une aliénation croissante, puis décidaient qu'en définitive le rock n'était pas si mal que ça : il allait mieux qu'eux (je suis certain de simplifier un peu les choses, mais pas beaucoup, j'en ai peur, pas beaucoup). Aussi se trouvèrent-ils des guitares électriques et se mirent-ils à mélanger toutes les musiques entassées dans leurs petites caboches bien éduquées, et avant même d'avoir compris ce qui nous arrivait, nous avions droit à l'Art-Rock.

Certains des groupes issus de ce tournant historique furent parmi les plus grands du rock : les Byrds, l'Airplane des débuts, etc. Mais je crois que l'effet général fut de retarder d'au moins deux ans l'effet des expériences entamées par tous ces groupes anglais de seconds couteaux. On écoutait, en quête de quelque chose de vraiment créateur, libre d'émerger de toutes les synthèses, mais en définitive presque tout était simplement compétent et ultraprévisible. Le raga-rock et autres phases similaires au potentiel limité allaient et venaient, et les Byrds ont bel et bien fait quelques trucs déjantés, mais rarement suivis, tels que « Eight Miles High », tandis que les Stones demeuraient toujours aussi grands à suivre les modes, comme les vieux croûtons qu'ils étaient déjà devenus. L'Airplane suggéra une évolution vraiment radicale (au sens musical du terme) dans *After Bathing at Baxter's*, mais le truc le plus avancé dont il semblait capable était le raga de guitare électrique standardisé de « Spare Chaynge ». De toute évidence, quelque chose clochait. Le rock absorbait les influences comme une grosse éponge et continuait à sinuer, mais personne, dans le panthéon de l'époque, ne se risquait vraiment à le mener vers la corde raide extrémiste du vrai bruit. 1967 nous valut *Sgt. Pepper* et le mouvement psychédélique : le premier, après une infatuation acid-vibes initiale, menaçant d'annoncer une ère où le rock serait réduit à une bande sonore de film, et le second suggérant la possibilité d'une vraie (bien que très probablement inconsciente) percée vers toutes les jams spatiales fuzzifiées et tâtonnantes. Même les groupes locaux se mirent à essayer le feed-back, mais ni eux, ni les grands noms qu'ils imitaient, ne savaient quoi en faire.

Pendant ce temps, on commençait à entendre certains gargouillements, presque simultanément, sur les deux côtes. À Frisco, Ken Kesey lança l'Acid Test avec le Grateful Dead, et Andy Warhol quitta New York pour partir en tournée dans toute la nation américaine avec l'Exploding Plastic Inevitable (tir de barrage violent, sado-masochiste, sur les sens et les sensibilités, dont Alice Cooper est le reflet BD comparativement innocent). Les deux groupes affirmaient utiliser les possibilités du feed-back et de la distorsion, et être les avatars du courant psychédélique multimédia. Il est sans importance de savoir qui, de Kesey ou de Warhol, l'emporta sur l'autre, mais il paraît probable que le Velvet Underground, dès le départ, éclipsait le Dead question musique expérimentale nouvelle. En dépit de l'apparence fruste de la leur, les gens du Velvet s'étaient très tôt intéressés aux possibilités du bruit, et la formation de conservatoire poussée de John Cale les aida à mettre en forme leurs expériences, tandis que le Dead ressemblait davantage à un groupe d'anciens folkeux se contentant d'essayer la distorsion en amateurs (comme leurs albums le prouvèrent).

Le temps que les Velvets enregistrent « Sister Ray », ils semblaient avoir porté le projet Yardbirds/Who à ses conclusions ultimes, et dans leur troisième album se tournèrent vers des paroles plus « conventionnelles ». Par ailleurs, les deux premiers, largement expérimentaux, ne leur avaient guère valu que dérision (pour ne pas dire franche animosité) des critiques comme du grand public. Leur musique qui, à première écoute, pouvait sembler simplement primitive, antimusicale et chaotique, avait, dans ses meilleurs moments, des subtilités nettement dessinées et des résonances extérieures traversant un beat raide, simpliste, parfois même perdu (« Heroin »), et nombre des lignes de guitare étaient extrêmement sommaires, comparées aux œuvres beaucoup plus raffinées (mais aussi plus *définies*, empêchées par leur

forme et leurs objectifs mêmes de jamais se libérer d'un bond)
de groupes comme les Byrds et l'Airplane. Je commençais enfin
à saisir quelque chose.

Le jazz d'avant-garde des années 60 est, en grande partie,
une musique très complexe. D'un autre côté, le rock classique,
de base, est d'une simplicité presque débile, avec des mélodies
monotones sur deux ou trois accords et un rythme en 4/4. Ce
qui devenait brusquement apparent, c'est que rien ne vous
empêchait de jouer de la musique vraiment free sur un arrière-
plan rythmique élémentaire, et de faire d'une pierre deux coups.
De nombreux batteurs de jazz, ainsi Milford Graves et Sunny
Murray, distendaient le beat en rafale tourbillonnante presque
arythmique, ou s'en dispensaient complètement. Et si on pouvait faire ça, pourquoi ne pourrait-on trouver un moyen d'adap-
ter certaines idées de ce nouveau jazz à un format de type
Question Mark and the Mysterians ?

Il devenait par ailleurs évident que la génération naissante
d'ex-folkeux devenus rock stars, comme le British Beat et les
groupes de R&B qui les avaient précédés en 1964, ne lèveraient
jamais leurs riches culs idolâtrés pour jeter ne serait-ce qu'un
coup d'œil à la free music, sous quelque forme que ce soit. Ils
ne connaissaient que trop bien les formes musicales établies que
les trois dernières décennies de ce siècle rendraient moribondes,
et se montraient trop complaisants là-dessus pour faire quoi que
ce soit d'autre. Aussi le seul espoir d'une renaissance d'un rock
free, fidèle à sa forme originale, qui nous sauverait de toute cette
lavasse dilettante et mal conçue, si loin des racines du swing,
serait que tous les ados ignorants des bleds perdus se mettent à
la guitare et forment des groupes jouant « 96 Tears » et « Wooly
Bully » dans les boums et les garages, évoluent exposés à tous
les trips éclectiques, mais restent relativement frais et libres (au
moins ils ne grandiraient pas dans l'idée très snob d'appartenir
à l'élite intellectuelle capable d'apprécier une folk-song hermé-
tique), s'ils pouvaient, d'une façon ou d'une autre, dieu sait où
et au moins pour quelques-uns d'entre eux, échapper au virus
folk/*Sgt. Pepper*, se brancher sur rien d'autre que les racines et
le bruit, les possibilités inhérentes à l'usage de la guitare à une

époque d'amplis aux multiples boutons de distorsion, et peut-être même s'exposer à un petit peu de free jazz, qui lui-même semblait disparaître rapidement jusqu'à devenir son propre ana-chronisme – alors, peut-être, je dis bien *peut-être*, étant donné tous ces « si », nous pourrions avoir quelque espoir.

Ah, il se peut que cette fois-ci les dieux aient été avec nous, parce que c'est effectivement ce qui s'est produit. À petite échelle, bien sûr – la majorité des gens écoutant et jouant du rock était encore embourbée dans le blues et les hybrides « classiques » avortés, le nouveau rock bouseux et toutes les formes concevables de branlette « artistique » sans invention. Mais certains groupes arrivaient. Captain Beefheart explosa avec le monolithique *Trout Mask Replica*, aussitôt historique, distillant le meilleur des deux idiomes dans des styles nouveaux dont on n'avait jamais rêvés, mais dieu sait comment nous voulions toujours autre chose, qui soit plus près du cœur du bruit, mécanique et sans cervelle, et des rythmes en piston implacables qui semblaient incarner à la fois l'essence de la vie, et du rock, américains.

Partout des groupes florissaient et déclinaient comme l'herbe à poux. Le MC5 arriva, sans avoir encore enregistré, précédé d'une hype qui promettait la lune, et ne quitta jamais la rampe de lancement. Black Pearl apparut avec un premier album prometteur – pas d'expériences réelles, mais un net écho des Yardbirds dans la cacophonie métallique assourdissante de gui-tares distordues avec précision. Leur second LP tourna en eau de boudin et en mauvaise musique soul.

TROISIÈME PARTIE
Les principes de base du remède

Et pour finir, les Stooges. Ils furent le premier groupe améri-cain à reconnaître l'influence du Velvet Underground – forte-ment marquée dans leur second album. Le Velvet du début avait eu le bon sens de comprendre que quelles que soient vos capa-cités, une musique à la base très simple était la meilleure. C'est ainsi que « Sister Ray » évoluait, sur dix-sept minutes, d'un funk des plus élémentaire à d'austères structures sonores d'une incroyable complexité. Les Stooges commencèrent sans pouvoir faire autre chose que du rock extrêmement simple – le concept du groupe fut défini avant que la moitié d'entre eux sache jouer, ce qui en dit long –, et sans doute n'étaient-ils qu'un groupe de mécontents de plus, ayant des idées et voyant pleuvoir toutes les conneries. Sauf que les Stooges décidèrent d'y remédier. Aucun d'eux ne pratiquait depuis plus de deux ou trois ans, mais c'était bien – ils n'auraient pas à désapprendre tous ces trucs qui ruinent tant de jeunes musiciens prometteurs : blues flashy, folk-picking, jazz à la Wes Montgomery, etc. Qu'ils aillent se faire foutre, dirent Asheton et Alexander, de toute façon on ne peut pas jouer ça, alors pourquoi se donner la peine d'apprendre ? En particulier quand la plupart des virtuoses de ce style sont si foutrement chiants qu'on se demande comment quiconque ayant la moitié d'une cervelle peut les écouter.

Dans le livre si émouvant de A.B. Spellman, *Four Lives in the Bebop Business*, Cecil Taylor raconte une expérience qu'il eut vers le milieu des années 50, quand chaque propriétaire de club, chaque critique et chaque amateur de jazz, ou presque, de New York détestait sa musique, parce qu'elle était encore si neuve et si avancée que personne ne pouvait commencer à la saisir. Un soir, il jouait dans un club quand entra un type venu de la rue avec une contrebasse, qui demanda s'il pouvait se joindre à lui. Pourquoi pas, dit Taylor, bien que le gars ait vraiment eu l'air très allumé. Alors ils jammèrent, et Taylor comprit vite que le type n'avait jamais suivi de leçons, n'y connaissait pratiquement rien passés les rudiments de base, qu'il était sans doute incapable de jouer la moindre mélodie connue, la moindre progression d'accords. Rien. Le gars avait simplement choisi la contrebasse, décidé qu'il allait en jouer, et très peu de temps après était entré froidement dans un club de jazz new-yorkais pour monter sur scène en bluffant. Il ne savait même pas tenir l'instrument, alors il l'explorait comme un enfant, poursuivant des airs ou des sons évocateurs à travers le fouillis de son ignorance. Et Taylor d'ajouter qu'au bout d'un moment il avait commencé d'entendre en sortir quelque chose de profondément ressenti, et de presque, mais jamais tout à fait, contrôlé, oscillant entre un type de mélodie flambant neuf qui ne peut s'enseigner parce qu'il vient d'une innocence ignorante contournant tous les systèmes connus, et le chaos, lequel, jouant du joueur et crachant sa gadoue, entreprend parfois d'écrire ses propres chansons. Quelque chose commençait à prendre forme ; bien qu'erratique, c'était unique en ce monde. Pourtant, l'homme disparut brusquement, très certainement pour se plonger dans l'oubli, car jamais Taylor ne le revit ou n'entendit parler de lui. Il ajoutait cependant que si le gars avait continué à jouer, il aurait été l'un des premiers grands bassistes free.

La musique des Stooges est comme ça. Elle sort d'un chaos illettré qui prend forme peu à peu pour devenir un style personnel unique, émergeant d'une tradition musicale américaine qui va de vagues lambeaux d'orchestres à cordes, au fin fond des trous perdus, à la promesse magique éternellement faite, et occasionnellement tenue, par le rock : qu'un groupe peut commencer archi-primitif, inculte et incertain, et évoluer vers une éloquente puissance. Ça s'est produit des fois et des fois : les Beatles, les Kinks, le Velvet, etc. Mais les Stooges sont sans doute le seul groupe connu à s'être formé avant même de savoir jouer. C'est peut-être l'histoire rock ultime, parce que le rock parle avant tout des débuts, de la jeunesse, de l'hésitation, et de la façon d'y grandir et d'en sortir. Et de vous affirmer longtemps avant que vous sachiez ce que vous allez bien pouvoir foutre. Ce qui répond à la question précédemment soulevée : qu'est-ce que les broyages de noir pubères des premiers Stooges avaient à voir avec le rock ? C'est fondamentalement une musique adolescente, qui reflète les rythmes, les préoccupations et les aspirations d'un groupe d'âge très spécialisé. Il ne *peut pas* grandir – et quand c'est le cas, il se transforme en quelque chose d'autre, qui peut être tout aussi valide, mais reste très différent de l'original. Je crois personnellement que le vrai rock est peut-être sur le chemin de la sortie, tout comme l'adolescence en tant que période de transition relativement innocente. Ce que nous aurons à la place, ce sera une petite île de free music neuve, entourée par quelques bons rechapages d'idiomes passés, et d'une vaste mer des Sargasses de gadoue absolue. Et les chansons des Stooges peuvent avoir certaines des dernières grandes paroles du rock, parce que tout le monde semble trop sophistiqué dès le départ, ou alors incurablement empoisonné par les effets de grandes idées sur de petits esprits. Un peu de savoir peut toujours être chose dangereuse.

Maintenant, maintenant que nous avons balayé certaines conceptions fausses, et établi la place des Stooges dans la tradition du rock, nous pouvons enfin, enfin, aborder la tâche heureuse de commenter *Fun House*. La première chose que l'on remarque à son sujet, c'est qu'il est plus brut, et apparemment plus erratique, que le premier album. En fait, la clarté précise de celui-ci paraît bien être une fausse alerte de John Cale. Son influence a toujours été apparente : l'alto, bien sûr, dans « We Will Fall », et la note de piano, d'une insistance monotone, qui perce, comme de bizarres grelots, à travers « I Wanna Be Your Dog », rappelant très nettement le solo de piano sur « Waiting for the Man » du Velvet. Il semble aujourd'hui probable que Cale a tout à la fois rendu la musique des Stooges plus monotone qu'elle ne l'est vraiment (bien qu'elle le soit encore largement – c'est simplement que la nouvelle monotonie est si intensément soutenue que vous ne pouvez vous ennuyer), et qu'il l'a « nettoyée » pour faire de ce premier disque une déclaration de principes bien nette, tous les vocaux d'Iggy étant parfaitement intelligibles et les sections instrumentales précisément définies, bien qu'un peu contraintes. Dans l'ensemble, tout cela sonnait presque davantage comme une Production de John Cale que comme le groupe, quel qu'il fût, que les Stooges pouvaient être, et c'est ainsi que ceux d'entre nous qui ne les avaient jamais écoutés live attendirent le second, tout en nourrissant de sérieuses réserves sur leurs capacités musicales. Ils avaient eu droit à de très mauvaises critiques – Chris Hodenfield les avait qualifiés de « branleurs défoncés », qui faisaient « de la musique fastidieuse, réprimée [*laquelle*], je suppose, doit plaire à des gens ennuyeux, réprimés » (hmmm, ça serait certainement vache d'en être – qu'esse qu'y faut êt', un débile azimuté, pour aimer les Stooges ? – ah, je crois que Grand Funk est réellement plus sûr – mais d'un autre côté ne pourrait-ce pas être la réaction défensive de gens qui ont peur d'être *eux-mêmes* des enfoirés maladifs et de lire leur propres cauchemars dans l'histoire des Stooges – tout comme tant de gens ont absolument *détesté* le Velvet Underground pendant si longtemps, et le détestent encore, un célèbre critique de *Rolling Stone* me répondant, comme je lui demandais s'il avait écouté *White Light/ White Heat* : « Ils font toujours des trucs de pédés ? » – non, mon ami, pas de quoi s'inquiéter – ils font de la MUSIQUE). Et Robert Christgau écrivit qu'il avait fui, cœur battant, une salle où jouaient les Stooges, cherchant désespérément à leur échapper. Sont-ils à ce point mauvais, ou une telle révulsion critique est-elle un signe quasiment certain qu'il se passe quelque chose d'important ? C'est comme de lire un truc sur Mighty Quick menant une pleine salle de gars du Mouvement à une colère presque homicide (« Dehors ce groupe de porcs ! ») à la Conférence des Médias Alternatifs – quiconque peut faire chier autant de gens rien qu'en montant sur scène et en donnant un concert doit avoir *quelque chose*, si mauvais qu'il puisse être.

La première fois que j'ai passé *Fun House,* ça m'a franchement fait gerber. J'avais espéré qu'au moins un peu de clarté du premier LP aurait survécu. Je l'ai posé sur la platine, ai monté le son, et j'ai écouté au casque parce qu'il était près de minuit. Chaque chanson sonnait exactement pareil ; les textures semblaient puissamment boueuses, comme si les instruments se contentaient de mouliner dans des univers séparés, et les vocaux d'Iggy paraissaient moins personnels que sur le premier – plus proches d'un quelconque kid braillard. De surcroît, je ne pouvais comprendre pratiquement aucune des paroles. La goutte d'eau a été l'instrumental, « L.A. Blues », qui termine la face 2 – il semblait glapir et grogner à n'en plus finir, fouillis de feed-back titubant aussi insultant, prétentieux et non-musical que Yoko Ono dans un mauvais jour. Je me suis endormi sous le casque, ai été réveillé par tout ce bruit et, sautant sur mes pieds, l'ai coupé, furieux, en marmonnant : « Bon dieu, ça suffit, cette chiasse ! La vérité se fait jour : les Stooges c'est de la merde. »

Je l'ai repassé le lendemain matin, mais l'ai à peine écouté, et après ça je l'ai jeté dans un coin, en jurant à tous mes amis que c'était un des pires albums de l'année, le tas de merde ultime. Pourtant, le jour vint, deux semaines plus tard, quand deux copains passèrent chez moi et *exigèrent* de l'écouter. Je le mis en grommelant. Ça me faisait encore gerber parce que je pensais m'être fait avoir par la hype et la production, lesquelles m'avaient conduit à admirer un groupe qui semblait n'avoir aucun talent. Et, rock critic à la coule que je me piquais d'être, ça me déchirait le cul de devoir faire un tel aveu.

Cette fois, cependant, je me mis à écouter le disque différemment. Brusquement, assis là à suivre la musique qui sortait des haut-parleurs, tout le truc prenait un sens. Ce soir-là, je le passai de nouveau, et j'en vins à le passer tout le temps. Pour finir, je compris que la musique de *Fun House* n'est ni bâclée (au sens où l'est celle d'un groupe à la con comme Deep Purple, qui encombre ses titres de toutes sortes de gimmicks inutiles, sans couper de longs solos maladroits, et plus généralement se comporte comme s'il n'avait pas la moindre idée de ce qu'il fait), ni nulle. C'est bel et bien un album sauvage et brut comme nous n'en avons jamais eu, mais chaque chanson a, intégré en elle, une sorte de goût instinctif qui lui donne un caractère immédiat et en situation. Tout vole frénétiquement dans tous les sens, mais quand vous commencez à discerner les lignes spécifiques, et les riffs souvent enterrés, sous ce torrent furieux, vous notez également qu'il n'en dépasse aucun plantage, aucun geste inachevé ou manifestement mal conçu. Et ce n'est pas courant dans l'école de musique métallique dont les Stooges sont censés sortir – pensez aux coups de coude délétères de Grand Funk, à Frost lancé à grand bruit comme une voiture de pompiers rutilante, attirante mais un rien inhumaine, aux embarrassants ratages du MC5 tels que « Starship ». Les Stooges ne laissent rien traîner – ils sont très ordonnés et méthodiques dans leur exercice d'obscénité absolue.

Tout ceci pour dire que *Fun House* est l'un de ces rares albums qui ne s'arrêtent jamais assez longtemps pour se solidifier. Pas toujours immédiatement accessible, il peut demander un certain temps pour y pénétrer, mais celui qu'on y passe est largement remboursé. Parce que le bruit conçu et manipulé comme il convient n'est plus du bruit du tout, mais de la musique dont les textures se trouvent simplement être un peu plus touffues et compliquées que d'habitude, si bien que la première fois vous pouvez très bien n'y entendre qu'obscurité, mais divers passages subséquents peuvent ouvrir des perspectives sonores entières dont vous n'auriez jamais rêvé. Ainsi donc, vous passez le disque de nombreuses fois, progressant avec lenteur vers le cœur nocturne de sa complexité diffuse, puis vous savourez longuement sa multiplicité, finissant par vous lasser peu à peu, des mois et d'innombrables passages plus tard – plus tard que *n'importe quel* disque qui finit par vieillir. C'est simplement qu'il faut davantage de temps pour s'initier à ces sons, et par conséquent qu'il en faut davantage pour s'en lasser que du dernier riff breveté Technicolor Leon Russell du supergroupe de mardi dernier. Le *Free Jazz* d'Ornette Coleman est comme ça. Tout comme « Sister Ray » – la première fois que je l'ai écouté, je n'ai vraiment entendu que l'orgue ! Le second album des Stooges est loin d'être aussi complexe que ces deux-là, mais il est vrai qu'Ornette a pratiquement tout lancé, et qu'à l'époque le Velvet était le groupe expérimental le plus avancé du monde. Ce qui signifie que les Stooges, comme Iggy le sussure, ont vite appris.

Chaque face est comme une suite dont l'intensité et l'énergie croissent jusqu'à ce que quelque chose soit contraint de céder. La première s'ouvre par le nouvel hymne de l'Ig : « Down on the street where the faces shine… See a pretty thing / Ain't no wall » [*Dans la rue où luisent les visages… J'vois une petite mignonne / Y a pas de mur*]. Un beat féroce comme les godasses d'un gang résonnant sur le trottoir, des guitares tendues mais relativement réservées, et l'Iguane sautant en plein dedans avec la première de ses nombreuses interjections vocales difformes. En fait, cet album, qui semblait d'abord casser sa véritable voix au profit d'un anonymat virtuel, révèle un véritable progrès sur le chant, clairement énoncé mais comparativement anodin, de *The Stooges*. La critique, souvent avancée, qu'il sonnait trop comme Mick Jagger, était là assez proche de la vérité, mais désormais la réelle voix des Stooges brille dans toute la gloire de son glapissement solipsiste. Il est vrai qu'il a commencé par Jagger, comme Dylan par Woody Guthrie et Ramblin' Jack Eliot – tout le monde doit partir d'un lieu familier quelconque –, mais le fait est que l'Ig s'est construit à partir de jaggerismes élémentaires, passant par un geignement de mioche (brillant, et qui rend compte d'une bonne part de la dérision), pour en arriver à un marmonnement adolescent de grande ampleur. Dans *Fun House*, le boudeur morose de *The Stooges* a déjà évolué pour devenir un chanteur puissamment versatile – une fois admis, bien entendu, qu'il n'a toujours rien qui ressemble à une « bonne » voix au sens traditionnel (mais Jagger et Dylan non plus). En fait, il a vraiment une étendue vocale très limitée – davantage que Question Mark, qui parlait pratiquement toutes ses chansons comme un insecte impassible et malveillant venu de l'espace, mais sans doute moins que Lou Reed, qui, lui aussi, se réduit fondamentalement à un simple aboiement, mais s'est récemment efforcé d'apprendre à fredonner, pour les chansons plus subtiles qu'il s'écrit. Iggy sonne encore plutôt maussade, mais derrière chaque mot ou presque semble tapi un regard lubrique, et il ne fait plus guère la moue. Pour l'essentiel, il entonne les paroles devant le micro avec un plaisir menaçant un peu subreptice, comme le chef d'un gang de jeunes assez spéciaux qui donnerait par téléphone les détails d'un boulot à ses hommes de main. Et c'est quand vous vous y attendez le moins qu'il balance un de ses explétifs non verbaux bizarres, d'allure bestiale, qui sont l'une des caractéristiques de l'album : grognements de chat sauvage (copierait-il Roy Orbison ?), croassements expectorés, hurlements enthousiastes et menaces gargouillantes déchiquetées.

Le tempo s'accélère dès le deuxième titre, « Loose », qui est considérablement plus complexe que la parade de rue qui ouvrait le disque. Il commence, comme la plupart des titres de cet album, par un cri déchiré d'Iggy. Le chant prend un ton plus discordant, comme une retransmission au mégaphone d'un concasseur de métal, mais les paroles reprennent la pose adolescent-bien-monté de la première chanson : « I feel fine / I'm a dancin' baby / And you can come / I do believe / I stick it / Deep inside / Stick it deep inside / 'Cause I'm loose… » [*J'me sens bien / j'suis un bébé danseur / Et tu peux venir / Je le crois / Je la plante / Bien profond / Je la plante bien profond / Car je suis lâché…*] Quand Iggy dit ça, d'une manière ou d'une autre, on le croit.

Vient ensuite « TV Eye », le titre le plus implacablement dynamique et, de mon point de vue, le plus accompli, de l'album. L'arrangement est, fondamentalement, celui de « Loose » un peu renforcé, mais l'intensité et la conviction de l'interprétation le classent à part. Voici les Stooges au sommet de leur forme – bousillés, bousilleurs, erratiques, mais rythmiquement parfaits à chaque seconde. L'énergie et la férocité qui, tout au long de cette face, n'ont cessé de monter de façon soutenue, passent brusquement presque à la verticale dans cette chanson, qui part comme un tourbillon et se développe à n'en plus finir, jusqu'à ce que la tension atteigne un sommet et qu'il soit impossible d'aller plus loin, sinon pour redescendre avec « Dirt », qui a quelque chose d'une ballade.

Les paroles sont typiques de l'imagerie désinvolte d'Iggy, et culminent dans l'autoaffirmation habituelle : « See that calf / Down on her back / See that girl / Down on 'er back / She got a TV eye on me… » [*Tu vois cette jeune vache / Sur le dos / Tu vois cette fille / Sur le dos / Elle a un œil télé braqué sur moi…*] Suit un break instrumental sauvage qui trahit la plus forte influence Velvet de tout l'album, et sonne fortement comme la section « vents violents », farouchement grinçante, des dernières parties de « Sister Ray », juste avant que les énergies de ce béhémoth musical ne culminent, comme c'est également le cas ici, par des guitares accumulant une grande note de basse qui palpite avec insistance comme un cœur battant, et Iggy conclut le tout par un cri rauque frénétique : « Brothahs ! Brothahs ! Brothahs ! » Whaou. Silence. Vous vous effondrez, épuisé, quand soudainement le thème grésillant repart, mais ce n'est qu'une reprise momentanée menant à « Dirt », le titre, long et lent, qui clôt la première face, apaise les énergies qui ont monté pendant les douze dernières minutes, et les rassemble en des harmoniques vrombissants.

« Dirt » est une ballade spécifique de la seule variété possible en cette période post-romantique : jugement personnel concis et avances franches et directes. « I've been *hurt* ! / But I don't care / I've been *dirt* ! / But I don't care / 'Cause I'm learnin'… learrrnin'… » [*J'ai été blessé ! / Mais je m'en fous / J'ai été fange / Mais je m'en fous / Car j'apprends… j'apprrrends…*]

La partie instrumentale de « Dirt » est belle, amère et, dieu sait comment, fière en même temps, son matériau thématique semblant résumer toutes les rêveries adolescentes de *The Stooges* et ne plus y voir qu'histoire passée. Iggy, ayant subi les souffrances du Jeune Werther et tous les types de frustration flippante, est enfin sorti de la nuit d'inertie pour entrer dans son propre âge adulte, étrange et fou, familier des coups et prêt à affronter le monde. Je me suis demandé pourquoi, quand la foule de ce show télé le hissait sur ses bras et ses épaules, il avait serré les poings, bombé le torse, et pris la pose à la manière d'un culturiste de type Charles Atlas (ce qui paraît très drôle quand l'athlète est un kid maigre aux yeux fous, ruisselant de sueur) – il affirmait, avec une certaine pugnacité, sa résistance et sa dureté récemment découvertes : « Je suis là, babies, moi, Iggy, j'ai vaincu – livrez-vous au pire. »

La face 2, comme la première, prend forme avec des énergies qui montent sans arrêt, mais l'emphase et le rythme sont différents. « 1970 » est sans doute la chanson la plus faible du lot, sans compter « L.A. Blues », qui est impossible à noter. L'arrangement semble dépourvu de l'hystérie tendue des titres de la face 1, et pour une fois le sentiment de désordre furieux paraît côtoyer le bâclage véritable, plutôt que d'être un vecteur d'énergie tourbillonnante. Les paroles font écho au « You Can't Catch Me » de Chuck Berry, mais sonnent bien quand même, comme un air de boum du genre c'est-samedi-soir-déconnons-à-pleins-tuyaux, bien que le caractère nébuleux du titre, et un sentiment de désorientation, vous amènent à vous demander à quel genre de boum le chanteur se rend. C'est certainement pas la super fête, parce que si sur la première face on sait toujours exactement où on traverse chaque orage électrique, celui-ci voit Ig et le reste du groupe errer dans les ténèbres.

Ce qui sauve « 1970 », c'est l'apparition du saxo plein d'élégance de Steve Mackay, dont le travail, sur l'ensemble de cette face, est totalement immaculé. Pour dieu sait quelle raison, très peu de jeunes saxophonistes « rock » blancs parviennent à manipuler les formes du jazz sans aboutir à une parodie ringarde et nulle, et quand ils s'essaient à la free music de la frange Shepp/Ayler, les résultats sont encore pires. Ils paraissent toujours finir par se borner à éructer un fouillis de notes parfaitement désordonnées, leurs doigts gigotant négligemment sur les clés, comme si c'était tout ce que demandait le free jazz, qui est en réalité un tyran des plus féroces. C'est effectivement tout ce qu'il exige pour jouer de la merde, mais jouer la *vraie* merde demande une imagination et un sens du contrôle spécifiques. Dieu merci, Steve possède suffisamment des deux pour rendre intéressants par eux-mêmes ses solos et ses interventions d'ensemble, et il tisse une ligne subtile, bien que zigzaguant constamment, entre l'approche post-Coltrane et un grand hurlement rock primitif.

Le titre qui donne son nom à l'album vient ensuite ; c'est le plus long : il s'ouvre par le même chorus vocal iggyen que « 1970 », et l'arrangement, cogneur et martelé, charge droit devant lui en plein délire violent. La guitare se met très tôt à sinuer à la Lou Reed derrière Iggy, et Mackay maintient tout du long un bêlement énergique et percussif, parfois mêlé, en rafales agitées, de cris rauques plaintifs. Passage le plus glorieusement « bâclé » de l'ensemble, il grince, empeste et crépite comme un Golem à jambe de bois sautillant vers une Bethléem de cirque. Les paroles, comme la façon dont Ig les rend, sont de premier ordre, c'est une vision de kids en plein délire cascadant à travers des fantasmagories criardes de spectacles de foire et de courses d'obstacles, la *Fun House* étant apparemment la métaphore d'un style de vie pleinement intégré, lâchez-tout, le tout récité par Iggy avec une sorte d'allégresse démente : « Little baby gurl and little / Bay-buh boy / Covered me with lovin' in a / Bundle o' joy / Do I care to show ya whut I'm / Dreamin' of / Do I dare tuh *fuck* ya / With mah luve ? » Le *fuck* sort sous forme de cri haut perché, puis il ajoute : « Evah little baby knows just / What I mean / Livin' in division, in the / Shiftin' sands / I'm callin' from the fun house… » [*Une petite fille et un / Petit garçon / M'ont couvert d'amour / Petit bout de chou / Est-ce que je veux te montrer ce dont je / Rêve / Vais-je oser te baiser / De mon amour ? // Chaque petite fille sait bien / Ce que je veux dire / Aimer dans la division, dans les / Sables mouvants / J'appelle depuis l'asile*]

Et pour finir, il y a « L.A. Blues », dinguerie arythmique fulgurante qui m'a rendu fou furieux à la première écoute, et que depuis j'en suis venu à aimer, en quelque sorte, à son propre niveau, plus comme une atmosphère torride, orageuse, que comme un morceau de musique. Je préfère des trucs qui rockent, qui swinguent ou même qui traînent les pieds – bien que j'aie entendu de nombreux délires similaires sur des albums de rock comme de jazz, et celui-là bat tous les premiers, et la plupart des seconds. D'une certaine façon, après une ou deux auditions, il n'est pas crispant comme peuvent l'être les trucs les plus furieux de Yoko Ono ou d'Archie Shepp, ou même « European Son » du Velvet. Les Stooges semblent savoir ce qu'ils font – la plupart du temps j'arrache en toute hâte de tels blitz auriculaires de la platine (même les oreilles d'un fan des Stooges sont assez sensibles pour faire des exceptions face à certaines tonalités extrémistes – en fait, je dirais qu'un vrai fan des Stooges, comme un vrai aficionado de Captain Beefheart, du Velvet Underground ou de Pharoah Sanders, a sans doute une des dix mille paires d'oreilles les plus sensibles de la planète, vu qu'elles sont suffisamment développées pour apprécier la magie des Stooges qui échappe aux lourdauds). En fait, l'autre soir, en pleine euphorie alimentée à l'ozone, j'ai écouté « L.A. Blues », et ce titre avait l'air d'un grand réseau de poulies métalliques dorées montant à l'infini dans le ciel – non que je m'attende à ce que quiconque autour du feu de camp y voie une sorte de témoignage psychédélique. Ce que je remarque bel et bien, à l'issue d'auditions répétées, c'est qu'ici Iggy est lancé dans l'un des trucs vocaux les plus abstraits de l'album : par instants sa voix prend le timbre d'un amplificateur distordu, puis hurle comme un chat sauvage qui aurait le dessous dans un match de boxe, et à un moment sonne même comme s'il tentait de chanter la bouche pleine de serpentins de radiateur. Le feed-back évanescent de la dernière minute du titre, cependant, nous le montre revenant, très brièvement, à une fin qui rappelle Porky Pig dans les vieux dessins animés de la Warner : roulé en boule au sommet des épaves métalliques amassées pendant les cinq dernières minutes, il est, une fois de plus, le chat sauvage, cette fois considérablement plus calme, émettant deux bâillements ronronnants, souriant, somnolent, repu.

À VOUS DE JOUER

Bon, c'est à peu près tout. Mes efforts ont été acharnés mais exhaustifs, et en toute justice tout globe oculaire embrumé parcourant ces derniers mots devrait être *satorisé* et branché sur Pop & C°. Et pourtant, je ne sais trop comment, j'entends encore une horde de lourdauds qui geignent : « Tu me fais marcher ou quoi ? » Ou, plus fondamentalement : les Stooges ne nous font-ils pas tous marcher depuis le premier hurlement ? Et la réponse, bien entendu, est Oui. Parce que, comme le dit la belle Pauline Kael[5] à la manière épigrammatique qui lui est familière : « Se faire avoir, c'est être poussé sur scène, transformé en faire-valoir [*en anglais : « stooge »*] dans un numéro comique. Dans la salle où on passe *Bonnie and Clyde*, les gens rient, démontrant par là que ce n'est pas leur cas – qu'ils apprécient la plaisanterie – jusqu'à ce qu'ils prennent la première balle en plein visage. »

Certaines des expériences esthétiques les plus puissantes de notre temps, du *Festin nu* à *Bonnie and Clyde*, traitent leur public exactement de cette façon, extériorisant et grossissant leur centre caché de maladie, reflété dans les tarés dont ils se moquent, et les fantasmes criards qu'ils consomment, tout comme nos peurs et nos préjugés les plus profonds inspirent les plaisanteries que nous échangeons. C'est là que les Stooges s'activent. Ils veulent vous faire monter sur scène, ce en quoi ils sont super modernes, bien que loin de l'Art. Dans le « Desolation Row » de Dylan, comme dans la Nation Woodstock-Altamont, le cran d'arrêt est plus puissant que le canif, et parle plus éloquemment que lui. Mais cette menace est cathartique, tout le monde se donne du bon temps, et la fin est libération.

Creem, novembre et décembre 1970

James Taylor doit mourir

Kave Kids

Okay, bande de punks, vous allez y avoir droit. On va se la donner grave, et régler ça ici et maintenant. Pouvez me causer de vos MC5 et des Stooges, ou même de vos Grand Funk et autres Led Zep, ouais, tous ces enfoirés se sont taillé un sacré fromage en ville, mais je vous dis, moi, qu'il y a eu un gang si foutrement féroce qu'il aurait transformé tous ces caves en morveux pleurnichards, et en moins de trois minutes en plus ! Je veux dire, leur vrombissement le plus court est sans doute celui qui faisait 1'54" et c'est de la castagne foutrement rapide, kids. Oh, ils n'avaient pas *l'air* si mauvais que ça, en fait leur allure était une trouvaille vraiment insidieuse parce que sur les photos ils ressemblaient à un tas d'employés fils à maman bien polis à l'heure du déjeuner ; mais non seulement ils ont botté les culs des concurrents avec une classe sans précédent quand le temps est venu, mais en plus ils ont eu la classe de choisir l'un des noms les plus justifiés de tous les temps : les Troggs.

Vous avez bien lu, je cause des Troggs. Vous vous en souvenez ? Bien sûr, je sais qu'en 1966 certains d'entre vous n'étaient pas tout à fait sortis des salons de vos mamans pour descendre dans la rue. Mais ils ont *régné* pendant une putain de grande année, et je ne peux m'empêcher de me souvenir même si depuis j'ai rendu ma chaîne à vélo et mes couleurs pour ce boulot à la gomme dans un canard. La plupart des mecs et des nanas s'en

rappellent à cause de « Wild Thing », mais ils étaient aussi proli-
fiques qu'une meute entière de Jack l'Éventreur, et ils avaient
même par en dessous des cœurs pleins d'un romantisme rougis-
sant, comme tous les vrais mecs à la redresse. Leur nom venait
d'un groupe de mioches rosbifs vraiment perspicaces qui avaient
fait la première page des journaux en se cassant d'immeubles
croulants pour prendre la direction des montagnes des Isles et
vivre dans des *grottes*. Des touristes campant aux environs sont
tombés sur eux un jour sous forme d'un adolescent galeux et
nu, couvert de crasse, d'ordure et de merde de la tête aux orteils.
En les voyant, ses yeux de panthère ont flamboyé, sa mâchoire
noueuse est tombée, et il a laissé échapper le pire hurlement à
vous glacer le sang entendu par des oreilles humaines depuis au
moins un kilomètre d'éons avant J.-C., puis il a *bondi*.

Quand les campeurs ont fini par cesser de courir pour arriver en ville haletants et terrifiés, ils ont organisé un raid avec la
police et passé les collines au peigne fin, jusqu'à ce que tous les
enfants-chiens aient été localisés et ramenés, toute la tribu couverte de cicatrices, aussi nus que des nègres dans le veldt, et bien
que tous fussent des réfugiés de rues honnêtes, et presque tous
de bonne maison, ils ne communiquaient que par grognements
préverbaux, glapissements et spasmes catarrheux. Que man-
geaient-ils ? Oh, la routine : bêtes et volailles des champs cuites
sur des feux de camp, noisettes, baies, ramilles, pas de McDonald
ni de poulet frit du Colonel Sanders parce que, ce qui est bien
naturel, tout argent de poche avait été supprimé quand ils
avaient coupé le cordon pour aller vivre leur vie vers l'intérieur
des terres, et de toute façon les grottes n'ont pas de boîtes aux
lettres, ni même de chemins d'accès, dans une forêt aussi sauvage (je ne savais même pas qu'un coin si perdu pût *exister* dans
la vieille Angleterre, mais tout ça est vrai, on peut le lire dans
les journaux de 65 et de 66).

En fait, lesdits journaux remplirent leur fonction habituelle en
donnant à ces mecs et nanas un peu barjes un surnom commode
– ils les appelèrent « troglodytes », « troggs » en abrégé, ce qui,
nous dit-on dans les notes de l'album *Wild Thing*, signifie « quelqu'un qui habite dans des grottes ou entre et sort en rampant

de trous ou de cavernes », et il faut bien reconnaître que le nom a vraiment l'air plus classieux et, historiquement et entropiquement, plus menaçant qu'un baratin vite fait du genre « beatnik ». Et, tout comme la phase beatnik, l'énorme promesse inhérente au syndrome troglodyte se dissipa beaucoup trop vite, tandis que les premiers fondateurs de la scène Trog quittaient les lueurs aveuglantes de la publicité pour s'en retourner (quoi d'autre ?) vers la salade au poulet, les draps frais et les bagnoles de papamaman, ou au minimum sous les vagues de dieu sait quels greniers et allées, alors que le gros truc *suivant* (mod-psychélique) se préparait. Pour autant que je sache, aucun d'eux n'eut même le bon sens de mettre en œuvre et de capitaliser toute cette expé-- rience sans prix de chacals juniors en formant des groupes de rock d'hommes des cavernes, en se vêtant de pagnes et de cendres, et en jouant sur des guitares d'os pour apporter le Trip Troglodyte à la planète entière. Cherchez l'erreur. S'ils l'avaient fait, qui sait, nous aurions peut-être en ce moment même l'os de rigueur dans le nez, même dans la moelleuse Californie, et la pochette du *Survival* de Grand Funk serait une grosse bouse à l'extrémité d'une vaste file de groupes pygmées, de chefs zoulous Motown et de toute variété concevable d'entrepreneur aborigène tentant de se faire du blé (Kim Fowley, avec ses dents limées, étant un mélange étonnamment réussi de Dylan-Spector-Iggy, le porte-parole *brujo* farouche de millions d'adolescents bouillonnant d'*ayahuasca*) sur les rythmes primordiaux des Piltdown Pissoffs primitifs, piqués sans arrêt par le biais de tous les euphémismes permutatoires de l'exploitation capitaliste, jusqu'à ce que nous finissions avec des brosses à dents préhistoriques (« *Mon*, ils ADORENT se brosser les dents avec un Stone Stiletto ! Convient à tous les styles de plombage répandus »), et une BD du samedi matin consacrée à un groupe prépubère du Paléolithique et à leur mère, intitulée « Le plus petit des Yétis ».

D'un autre côté, rien de tel ne s'est produit, aussi pouvons-nous cesser de prendre nos désirs pour des réalités et tout oublier (même si j'aurais vraiment aimé voir Nancy Sinatra avec un os dans le nez). Ce qui s'est produit, c'est que les *kave kats* donnèrent leur nom aux Troggs qui, pas de doute là-dessus, ont joué dans des clubs assez semblables à des grottes, voire grottesques, du temps de leurs débuts, mais malheureusement n'ont jamais couru vers les collines. Il y avait bel et bien dans leur musique des éléments similaires qui donnaient, à son écoute, l'envie de monter à cru un éléphant en pleine folie et de prendre la décision de botter à droite et à gauche le cul des ploucs de Jo Jo Gunne. Leur musique était forte, profonde comme la mer sans vous aspirer dans des abysses immobiles comme nombre de leurs successeurs, si follement vivante et farouchement agressive qu'elle commençait sans peine à ressembler à une forme d'attaque totale, et c'est alors que tous les amateurs à foie jaune des groupes Beat mignards à banane, la-di-da luddy-duddy, ont tourné les talons, comme les touristes avant eux, pour se diriger vers ce Bac Traversant La Mersey. Mais les Troggs étaient un groupe du genre pas-de-baratin-on-s'occupe-de-tout (rares sont leurs rejetons qui, dans leur sillage, ont été si sobrement purs), barattant du rock qui tonnait en remontant d'un trait aux tout premiers accords crasseux, et tout droit vers les métros fuzz-tone de l'avenir. Et parce que les Troggs étaient si fidèles à leurs antécédents évolutionnistes, leurs chansons parlaient ordinairement de sexe, et pas seulement des trucs du genre Sally-viens-au-ciné-et-prends-ma-main, bien qu'il y ait eu en eux beaucoup plus de ce genre de truc qu'on n'aurait pu le croire au premier abord, mais ils s'adonnaient aussi aux propositions explicites et aux fantasmes lascifs les plus éhontément flagrants. Le MC5 pouvait vous mettre « sur le dos » avec des « durcisseurs de tétons », et des jams « wham, bam, thank you ma'am », les Stooges pouvaient vous garrotter dans des giclées de feed-back pendant qu'Iggy se livrait à des expériences impensables sur votre corps et votre esprit, même les Doors auraient pu vous donner une petite bouffée rampante ou deux, mais les Troggs échappaient aux gimmicks à la mode et aux poses théâtrales tordues, livrant la marchandise avec une franchise de caniveau et une sincérité absolue, à l'intention de toute oreille capable d'entendre ne serait-ce qu'à demi le groupe le plus puissamment poussé par le désir de tout le rock blanc, à l'époque comme après. Matez simplement leurs titres : « Gonna

Make You », « I Want You » (que le MC5 a piqué sans même prendre la peine de le signaler, et tenté de rendre, en trois fois moins convaincant et en deux fois plus de temps), « I Can't Control Myself », « Give It to Me », « I Can Only Give You Everything ».

Justice fut effectivement rendue à tous ces grands titres, de façon presque uniformément sidérante. Si les Troggs ont en définitive enterré leurs concurrents et leurs successeurs dans les martèlements électro-fertilisants à haute énergie pure, c'est en partie parce qu'ils avaient un sentiment conséquent de la structure et de l'économie – je crois qu'aucune de leurs chansons ne fait plus de quatre minutes, leurs solos étaient courts mais toujours d'une pertinence cinglante, et les vocaux incroyables. Reg Presley n'avait pas l'étendue glottale, digne d'un Diable de Tasmanie, d'Iggy Pop, mais il possédait bel et bien l'un des feulements punk les plus paillards et ricanants de tous les temps, une approche du chant composée à parties égales, parfaitement assimilées, du premier Elvis, de Gene Vincent et de Jagger, une façon de malmener les paroles (dépourvue toutefois des maniérismes d'un John Fogerty), de fredonner et d'aboyer pas par mauvaise humeur à la mode (c'était pas un boudeur) ni pour gonfler la poitrine en braillant et grognant comme Le Plus Bel Étalon de la Plantation (à la John Kay) – la meilleure façon de la décrire serait de dire qu'il sonnait râpeux, sûr de soi, lascif et dissolu. Et le truc dans tout ça, c'est que toute cette agression érectatoire n'était qu'un côté de l'histoire du (des) interprète(s) et du matériau – l'autre étant que les Troggs excellaient dans les chansons d'amour adolescent les plus éhontément poignantes et romantiques, dans des manifestes d'adoration à vous tourner la tête allant des vigoureuses assurances à La Petite Chérie que leur amour est plus fort que la société et même que l'espace et le temps, à des expressions confuses, hésitantes, d'une enamoration aussi céleste qu'idiote, à des explosions de fureur dans la perte ou l'infidélité aussi éperdues dans leur colère que « Gonna Make You » l'est dans son tonnerre inguinal impératif.

Pour parler d'abord dudit tonnerre inguinal, vu que de toute évidence c'est ce qui intéresse le plus le public, et que je ne veux pas que vous commenciez à pioncer juste au moment où j'aborde le cœur du sujet, son expression la plus fondamentale est dans « I Want You », le titre que le MC5 a bousillé★. C'est là les Troggs à leur niveau le plus minimaliste (qui est aussi, en règle générale, le plus efficace). Comme les premiers Kinks, ils avaient de fortes racines dans « Louie, Louie », d'où sont issues toutes leurs chansons et leurs guitares. Les paroles sont presque dignes de la grotte : « I want you / I need you / And I hope that you need me too / I can't stand it alone on my own. I want you... » La voix a quelque chose d'une dépravation aux yeux jaunes, et le chanteur a l'air parfaitement certain de la conquête : solide, méthodique, réfléchi. C'est le moule classique d'une chanson de drague des Troggs.

★ À propos, je ne suis pas en train de débiner les MC5, ou de les présenter comme une resucée des Troggs. Quand j'ai rendu compte de leur premier album dans *Rolling Stone*, j'ai terminé en faisant allusion aux Troggs, « groupuscule anglais qui, voilà deux ou trois ans, avait la même image sexe-et-son-bien-crade, et qui a promptement disparu dans l'oubli où, j'imagine, ils doivent bien rigoler du MC5 », et ceci est bien entendu aussi mesquinement injuste pour les premiers que pour les seconds. Mais il est vrai que c'était mon premier article publié, et même s'il me valut plus de menaces de mort que n'importe quoi d'autre, à l'exception du massacre de *Wheels of Fire* de Cream par Jann Wenner (la plupart des lettres venant de ce cher Détroit), je vois pourquoi les gens suffisamment privilégiés pour prendre part à la naissance apocalyptique des Five se mettaient en fureur. Plus ironique encore, *Kick Out the Jams* est mon album favori, ou du moins un des deux ou trois que je passe le plus, depuis près de trois mois. Les MC5 ne sont pas les Troggs, les Stooges non plus, et tous deux sont capables de choses dont les Troggs n'auraient jamais rêvé, mais les Troggs avaient réellement un public, et un sens très sûr de la direction à prendre, que les deux autres, les meilleurs du genre à avoir survécu, ont manqué ou perdu de vue – les MC5 par leur confusionnisme politique et les mauvaises critiques, les Stooges à cause de leurs idiosyncrasies personnelles et, pour finir, d'une intensité et d'un désespoir destructeurs. Les Troggs n'ont pas duré longtemps – ils ont, selon toute probabilité, été bousillés plus par l'économie que par une perte d'inspiration – mais ils devaient faire face à un ensemble de problèmes qui sont peut-être à des années-lumière de ceux que doivent affronter les groupes débutants d'aujourd'hui. Ils n'avaient qu'à livrer la marchandise, et en général personne ne pensait à mettre en question ce qui était proposé, ou à en exiger davantage. Mais les groupes d'aujourd'hui doivent faire face à une vaste gamme d'attitudes bigarrées de la part du public, ainsi qu'à des intérêts voilés d'ordre psychologique, social ou « spirituel » tout autant que commercial, et souvent définir leur image

« Gonna Make You » est un nouvel exemple de la même palpitation castagneuse à la Bo Diddley, chargée d'agression sexuelle et du mépris d'un dur pour tout verbiage inutile, tandis que la face B, « I Can't Control Myself », commence à raffiner un peu. Elle s'ouvre par un grand « Ohh, NO ! » iggyesque, recourt comme d'habitude à un fondement de batterie déjantée

---

leur impose des tensions trop fortes pour eux. Si le MC5 reprenait aujourd'hui les titres qu'il jouait aux rallyes révolutionnaires de 1968, le Women's Lib le suivrait littéralement à la trace pour débouler sur scène, foutre la pagaille [*kick out the jams*] et peut-être botter les culs des musiciens par la même occasion. Si Mitch Ryder se fait engueuler à Washington pour avoir chanté « Devil with a Blue Dress On », on peut parier qu'en 1971 les Troggs reformés auraient beaucoup de problèmes s'ils arpentaient les scènes américaines en balançant des trucs aussi farouchement sexistes que « Wild Thing » et « Give It to Me », tout comme il est facile de prévoir le fracas qui accompagnera la tournée américaine des Stones au printemps prochain (si des guérilleras vaillamment confusionnistes ne se retrouvent pas à deux poils de cul de brandir les légendaires couilles jaggériennes comme un trophée de guerre, c'est que l'avant-garde révolutionnaire de ce pays souffre d'une mononucléose de masse).

La concision scénique des Troggs a par ailleurs perdu beaucoup de terrain, les grosses machines, les longues intros et les solos sans fin font fureur, et ce jusqu'au dernier solo de batterie et aux interminables jams bluesy en guise de rappel. Il faudrait par ailleurs, pas de doute là-dessus, ralentir le tempo de beaucoup de chansons, parce que balancer des lignes de basses bétonnées est *in*, et que les rythmes d'arrière-plan galopants dans lesquels les Troggs se spécialisaient sont *out*. Ils devraient modifier leur production naturelle conformément aux attentes d'un public nouveau, et il en résulterait que leur musique en souffrirait sur le plan technique ou spirituel, voire les deux. Ils furent le produit de leur temps, certes plus simplement qu'aujourd'hui, et les Five, les Stooges et tous les groupes qui essaient de survivre aujourd'hui sont des produits de la dislocation qui s'installa dans toute sa virulence quelques lunes après les Troggs. Une chose est certaine : nous avons besoin de ce genre de musique, nous en avons toujours eu besoin, nous en aurons toujours besoin et, si l'on excepte Grand Funk et toute sa progéniture, il y aura toujours quelqu'un avec l'impulsion, et parfois l'invention, nécessaires pour nous la fournir. Les Five ont raté « I Want You », mais leur deuxième album est un classique méconnu, et beaucoup de gens pensent que leur nouveau, *High Time*, est encore meilleur ; et maintenant que les Stooges se sont séparés pour ce qui pourrait bien être la dernière fois, nous ne pouvons qu'espérer que les Five échapperont à la position plutôt cafardeuse qu'ils ont occupée l'année dernière, pour revêtir le manteau d'héritiers légitimes, du moins en Amérique, de tout ce que les Troggs représentaient, et qu'ils travailleront cette pulsation viscérale pour la transformer en quelque chose d'encore plus déjanté et en nouvelles formes enivrantes de bruit.

semblable à une avalanche de rochers, et élève les intentions et déclarations punk des Troggs à un niveau plus révélateur. « Yer socks are low and yer hips are showin' » [*Tes chaussettes sont baissées et on te voit les hanches*], lance Presley dans un vers qui mérite de droit d'être gravé au Panthéon de la Grande Poésie Rock. Le titre dépasse la Massivité Golémique Non-Rationalisée de « I Want You » pour laisser entrevoir l'agitation et le désespoir qui seront traités plus en détail dans d'autres chansons. « My nerves are breakin' » est la seule concession que fera Presley hors de son obsession monomaniaque de la chatte. Les Troggs furent sans doute le groupe le plus farouchement phallocrate de tous les temps après les Rolling Stones – ils étaient suffisamment répétitifs, et outrageusement explicites, pour avoir des ennuis avec les poussiéreux censeurs de la radio, ceci en bien des endroits et pour plus d'une chanson. Un single dont les titres étaient « Give It to Me » et « I Can't Control Myself » avait dès le départ toutes les chances d'entrer en collision avec les pète-sec de tout poil, et bien entendu le disque fut interdit en Amérique. Et à dire vrai, il est presque impossible d'en vouloir aux pisse-vinaigre – pas quand cette meute de Britiches visqueux sortie des transistors se bousculait dans les oreilles de jeunes Américaines à taches de rousseur déjà assiégées par les Rolling Stones et, par des insinuations de langue d'iguane dans les canaux auriculaires, laissait entendre que si les chéries acquiesçaient aux moments brûlants que leur annonçaient les Rosbifs, ah, « yer knees would bend and yer hair would curl! » [*Tes genoux se plieraient, tes cheveux friseraient!*]

Whaouh! La conscience collective, liée au cosmos, de clignotements infinitésimaux, mais insistants, d'un désir naissant dans des clitoris printaniers veloutés ne s'est pas exactement réverbérée d'un océan à l'autre en ricochant à Saskatchewan et Calexico, mais tout le monde, à l'exception d'un nullard né, pouvait vraiment la sentir quand le vent était levé et l'électricité statique dans l'air. Si vous vous trouviez être un mâle de seize ou dix-sept ans croupissant dans le scrotum caoutchouteux de l'Amérique banlieusarde, ça vous tonifiait, comme si chaque audition injectait en vous une confiance nouvelle, si brièvement que ce fût, presque comme si une Petite Chérie quelconque était apparue, l'air boudeur, dans toute sa réalité fantasmatique, avait tendu la main pour vous *saisir* la queue l'espace d'un instant comme vous aviez toujours rêvé qu'elle le fasse, assis dans la salle de classe après le repas de midi à calculer la distance entre vous-même et la main délicate qui s'agitait librement sur le bord du pupitre devant vous, ou même, dans les moments les plus délirants, ce qui se passerait si vous glissiez négligemment vos mains derrière le dos, le long de votre chaise, et les étendiez juste un tout petit peu plus et commenciez à caresser la grande jambe dorée de Jean et elle resterait là très cool en faisant comme si de rien n'était, regardant le tableau tout droit devant mais le sentant aussi s'agiter là où la fourche de ses jambes croisées prenait fin, tout ça étant un vaste secret érotique entre elle et vous si bien que vous pourriez vous lever à 1 h 55 et aller séparément assister à vos cours respectifs sans même plus y penser et en fait sans jamais dire un mot là-dessus bien que peut-être poursuivant cette relation purement physique comme un rendez-vous secret comploté dans vos viscères respectifs à exactement la même heure chaque jour... Quel fantasme pubère débile ! Mais je dois reconnaître que non seulement j'ai consacré nombre d'heures institutionnelles fructueuses (ou du moins excessivement frustrantes) à de telles études il y a quelques années, et même en fac, mais que, comme le dirait n'importe quel crétin, « J'ai même actualisé le fantasme », en au moins une occasion absurde. On est aux environs de 1962, en cours de maths niaiseux de troisième, et je suis assis devant cette bonne vieille Judy Bistodeau, timide et un peu quelconque (c'est son vrai nom – et elle est devenue un mannequin de drugstore), mes bras d'orang-outan pendants, bien sûr, et elle a ses petits pieds sous mon pupitre là où vous êtes censé mettre vos livres sauf que je n'en ai pas parce que tout ce que j'emportais alors c'était un stylo et quelques feuilles de papier dans une poche et un exemplaire des *Clochards célestes* aussi je n'étais pas alourdi et tenu à l'écart d'une extase par procuration potentielle par je ne sais quelle gadoue logarithmique débile et prétentieuse et ses pieds se sont glissés sous l'endroit où j'étais assis et c'est ainsi qu'étant le jeune galopin étonnamment conscient que j'étais oh si négligemment l'air hésitant l'air indifférent l'air absent LENTEMENT et NERVEUSEMENT j'ai laissé mon bras gauche se balancer si bien que mes doigts ont effleuré la surface exquise de ses petites chaussures de cuir rouge, rarement cirées, acquises à contre-cœur par des parents radins chez Thom McAn en septembre dernier. Je l'ai réellement *touchée* – ou du moins un appendice, ce qui est presque la même chose. Je venais juste de lire ce passage de *Franny et Zooey* de J.D. Salinger dans lequel l'étudiant branleur et taré qui sort avec Franny s'en met jusqu'aux trous de nez dans le calbute en minaudant comme quoi lors d'un rendez-vous il a embrassé avec tant d'art le col de la veste de Franny, comme s'il était pourvu d'une sorte de magie sympathique, alors que tout ce qu'il voulait c'était un rapide aller-retour de la bite dans le pot de miel immaculé comme le zen de Franny sur le siège arrière. Ah, je prenais tout ça très *au sérieux,* embrasser des appendices me paraissait vraiment romantique, comme quand, l'été précédent, je m'étais trouvé assis sur le plancher dans notre séjour en me gorgeant de l'occasion d'EMBRASSER et de LÉCHER et de SUCER la glorieuse cheville (c'est encore la première chose que je regarde) de Sandra Wyatt, même le duvet qu'elle ne se décidait pas à confier au rasoir, tandis qu'elle restait assise au-dessus de moi dans le fauteuil en tenant une de mes mains entre ses genoux et en regardant *Saturday Afternoon Wrestling* avec un léger amusement qui ne faisait que me rendre encore plus fou, bien que je sois si enivré par sa cheville, et ma propre conception confuse de ce que je faisais, ou étais supposé faire, que cet après-midi-là je ne suis pas allé plus loin que peut-être le creux poplité d'un genou. (Bien que je sois allé plus loin plus tard – laissant courir ma main sous sa jupe pour m'arrêter à sa culotte sur le siège arrière d'une voiture des Témoins de Jéhovah bourrée d'exemplaires de leurs revues, *Watchtowers* et *Awake!,* tripotant de façon similaire tandis que nous regardions des films de vacances chez ses parents, *avec eux et ma mère assis derrière nous* et paraissant absolument inconscients ou indifférents à ce qui, dans sa témérité de perroquet chauve, doit avoir été plus qu'évident (peut-être qu'ils essayaient de nous marier de façon à ce que chacun de nous mette l'autre à l'abri), sentant des parties génitales quelque part à travers la culotte sur le siège arrière, de retour du zoo de San Diego avec sa mère et un frère niaiseux en cinquième devant et quand j'ai enfin navigué jusqu'à un perchoir exactement au-dessus de son minou je lui ai jeté un long regard en biais ce que j'ai été heureux d'avoir fait car elle s'est mordu la lèvre inférieure avec ses dents du haut si légèrement si brièvement et a laissé échapper un soupir infime des plus doux presque intangible de désir neuf – mais je n'ai jamais touché ses seins ou sa chatte ou sa touffe ou quoi que ce soit sinon ses mollets et ses cuisses et son mignon petit ventre rond et rebondi d'adolescente, et malgré tout ce qu'elle m'accordait, elle ne m'a jamais laissé l'embrasser. Je n'ai pas cessé de l'aimer depuis. Elle est morte l'année dernière d'une overdose de *downers*.)

Mais sortant de la digression à mi-chemin pour retrouver une fois de plus Judy Cours de Maths, j'ai laissé un peu ma bonne vieille main errer sous le bureau, sur sa chaussure, putain que c'était subtil, oh c'était sympa, ça n'était pas comme d'être aspiré sous mescaline par la Nonne Volante tandis qu'on est pendu au sommet de l'Empire State Building à siroter de la tequila, mais c'était sympa quand même, et elle ne semblait pas se plaindre non plus, aussi, bien que mon cœur ait commencé à battre de manière inquiétante à intervalles irréguliers j'y suis allé comme un vrai chien fou et je l'ai bel et bien laissée REPOSER sur ladite chaussure. Aucune réaction. Mais J'Y ÉTAIS ! Touchant au but ou du moins assez près pour commencer à penser au sommet de l'Empire et aux douces lèvres de Sally en habit sacerdotal [*NDLR* : T'as oublié que la Nonne Volante n'a fait son apparition à la télé que quelques années plus tard, pauvre taré !], et brûlant et perdant la tête je me suis mis à bouger gauchement les doigts sur la surface de la chaussure, essayant quelques caresses aléatoires – il faut se lancer dans les expériences et tester tout un gros tas de cajoleries nouvelles quand on a affaire à un matériau alors aussi peu familier que le cuir – et j'ai trouvé enfin la grâce de laisser mes doigts errer et dériver sur ses petits boutons et agrafes, m'aventurant de temps à autre juste aux intervalles psychologiquement appropriés tels que les calculait l'abaque dans mon cerveau, oui, m'aventurant sur cette fraction de centimètre supplémentaire et cruciale pour toucher réellement la faible étendue de pied au-dessus du rebord de la chaussure et sous ses chevilles qui, chose intéressante, ne semblaient pas avoir grand attrait pour moi. Elle n'a jamais laissé voir qu'elle était consciente de quoi que ce soit, encore moins irritée, aussi ai-je pressé mon avantage pensant que peut-être son pied était endormi et ah quelle heureuse journée ce doit être pour moi pour tomber sur un tel trésor au moins trois ou quatre pouces de chair féminine aussi ai-je joué plus hardiment avec l'extrémité inférieure de son membre gauche et ai-je fini par prendre la chaussure dans ma main comme si c'était une sorte de téton frit et l'ai-je pressée en plein délire. Elle a aussitôt hurlé à voix basse : « Aïe ! Qu'est-ce que tu fais ! », et ramené avec indignation ses tatanes si tentatrices vers la zone défantasmatisée sous son pupitre, me laissant moins interloqué que vous ne pourriez le croire, vu que nous avions joué à ce petit jeu pendant presque toute l'heure, et qu'elle en tirait presque autant que moi, quoi qu'il y eût à en tirer, qu'elle fût franchement excitée (ce qui est douteux) ou simplement curieuse et oisive (exact).

Voici donc la fin de la partie du présent essai intitulée CE QUE J'AI FAIT AVANT DE COMMENCER À TIRER MON COUP. Il se peut que je la supprime à l'avenir et la glisse dans l'autobiographie érotique que je projette, qui s'appellera *Sex Freak* (la suite de *Drug Punk*), mais il est vrai que peut-être je n'en ferai rien, vu qu'un livre comme ça s'écrit sans doute mieux quand on a quarante ans, et de toute façon la douce vignette ci-dessus burinée pourrait se sentir déplacée par rapport à son légitime emplacement qui n'est autre qu'ici même. Et s'agissant de ce que j'ai pu faire d'autre avant de tirer mon coup, ah, je remplissais mes jours en me blottissant près du tourne-disque à écouter de la musique qui nourrissait mon sentiment naissant d'identité sexuelle, comme les Troggs. La phrase qui me faisait partir en tourbillonnant sur cette grande tangente (« Yer knees would bend and yer hair would curl ») atteint sa cible avec si peu d'effort que je devrais hoqueter de pure admiration, et dire que ce que ça me rappelle le plus, c'est un des enregistrements les plus férocement glaçants de Lightnin' Hopkins, un truc intitulé « Buddy Brown's Blues » sur l'album *Blues in the Bottle*, où il fait culminer son antique geignement Texan tremblotant (piqué à son mentor, Texas Alexander, en fait), par une phrase qui *me* faisait dresser les cheveux sur la nuque : « I got sump'n to tell you / Make the hair rise on your head / Waall, I got a new way o' lovin' / Make the springs *scrinch* on yer bed ! » [*J'ai kekchoz à te dire / Qui te fera dresser les cheveux sur la tête / Ouais, j'ai une nouvelle façon d'aimer / Qui fera grincer les ressorts de ton lit !*] Sommes-nous en train d'aborder les potions vaudoues ? Je ne sais pas trop, mais que ce soit les Troggs ou Lightnin', on est en terrain vraiment bizarre. Bien que soit *réellement* étonnante la cohérence avec laquelle certains vers, certaines idées comme celles-là disparaissent dans les chambres d'hôtel minables du vieux blues sudiste, si jamais elles sont nées quelque part ailleurs que dans la caboche paillarde de Lightnin' ou d'un de ses collègues, pour réapparaître des années plus tard dans une chanson due à un groupe rock anglais punko quelconque, dont il est tout à fait possible (du moins c'est ce que j'*espère* foutrement) qu'il n'ait jamais entendu parler du vieux Lightnin'. D'un autre côté, peut-être le thème du sexe court-il dans toute la musique populaire (ce qui veut dire rock et blues et toute merde vivante qui ne *s'appelle pas* musique folk) dans un continuum de rives parallèles qui réapparaissent sans fin, et ainsi la bizarre promesse claustrophobe d'obscures délices fantasmées par un vieux bluesman ivre ne peut-elle s'empêcher de refaire surface sur la scène musicale anglaise, autrefois si dérivative, sous la forme d'un magnifique désir adolescent battu au rythme d'une marche véritablement hymnique.

Maintenant que nous nous sommes montré assez prétentieux pour employer le mot « hymnique », nous pouvons tout aussi bien prendre des risques et, plus prétentieusement encore, noter que nombre des chansons les plus lascives des Troggs, avec leurs rythmes rentre-dedans et leurs radotages du genre baisant-comme-un-malade-une-honky-tonk-woman-dans-un-lit-de-fer-aux-boulons-partant-en-couille, sont en fait un simple chouïa au-delà de l'habituel type de composition « Hé baby ! J'arrive avec une coupe de douilles et mon grand wazoo ! » que des efféminés blasés comme Led Zep ou des complexes de virilité comme John Kay ont récemment popularisé. Beaucoup de chansons des Troggs, mis à part le fait qu'elles étaient accrocheuses, et des autoagrandissements masculins immédiats, semblaient également avoir quelque chose de surexcité, presque célébratoire ; des hymnes et des youpis sexuels qui se faisaient interdire à la radio, et que leurs fiers propriétaires ne passaient jamais dans des boums pour titiller des cas de débilité mentale ricanants, mais préféraient écouter chez eux, seuls devant les haut-parleurs, de façon à pouvoir recueillir toute cette grosse charge de bravade et d'affirmation de soi, même si l'image de base est au moins aussi ringarde que John Wayne, quand on est môme on a besoin de trucs comme ça. Et ces guitares vous projetaient à travers les murs, vous faisant traverser le toit entre les antennes télé du quartier, et tout droit sortir de votre cellule pour vous lâcher dans des limbes troposphériques de bruit blizzardisé, enfin libre.

Un parfait exemple de ce dont je parle, c'est « Give It to Me ». Structurellement, c'est du Troggs plutôt standard, même si c'est super au point de vous faire fondre la moelle : elle est construite sur un rythme concassé de plus, avec un peu d'influence des Who (ceux du début, ce qui n'a jamais fait que du bien à tout le monde), et demande ce que toutes les autres chansons demandaient, mais de façon neuve, avec même des motivations qui ne sont pas entièrement égoïstes ! Écoutez ça, bande de folkeux : « Give it to me / Give it to me / All your love / All your love / And I'll know » [*Donne-le moi / Donne-le moi / Tout ton amour / Tout ton amour / Et je saurai*]. Une chanson très pure, en fait. Innocente. Organique, et meilleure pour vos entrailles qu'un *gallon* de brindilles et de myrtilles et de graines croustillantes. Et même une chanson sainte ! Parce que : « When you come I'll be glad / 'Cuz I'll know » [*Quand tu jouiras je serai heureux / Car je saurai*]. Yeah-zoobie, montrez-moi donc que de tels sentiments ne sont pas positifs ! Il y a une autre chanson rock sur une fille qui ne peut pas jouir – je crois que c'est « Here She Comes Now » de Lou Reed, avec « If she ever comes now now… / Ah she looks so good / Ah she's made out of wood… » [*Et si jamais elle y arrive / Ah elle est si belle /*

Ah elle est en bois] Et j'ai toujours pensé que le « I'll Never Forget You » de Buffalo Springfield, avec son « I just can't seem to get movin', love me a little… » [*On dirait que je ne peux pas bouger, aime-moi un peu*] parlait en fait d'une impuissance temporaire en présence d'une groupie, ou de quelqu'un à qui le pauvre connard tient *trop* pour l'avoir à la verticale dans son état névrotique.

Mais c'est la seule fois où j'ai entendu une chanson où le gars est réellement assez prévenant pour *essayer* de procurer un orgasme à sa copine, qu'elle puisse prendre son pied aussi, qu'ils puissent tous deux être satisfaits et descendre l'autoroute de l'amour main dans la main tandis que tout autour les oiseaux cuicuiteront en faisant des pirouettes. J'adore ce genre de trucs, mec ! Ça me donne foi en l'avenir de l'humanité. Je suis une vraie poire dès qu'il est question de sentiment de la bonne espèce – je n'irais pas voir *Love Story* ou écouter Rod McKuen, mais quand j'entends une chanson qui, enfin, adopte une attitude vraiment démocratique à l'égard de la baise, ce qui n'est pas rien après des années de « Mets-toi su'l'dos » et autre « Whole Lotta Love », ah, j'ai envie de hisser le drapeau, de sonner du clairon et de transformer les corn flakes en confettis, et mes copines partagent ce sentiment, alors bouclez-la, cyniques qui n'êtes jamais contents tant que les protagonistes d'une œuvre d'art ne sont pas des androïdes utopiques. Ça me rappelle un peu le « I Want to Know » des Fugs : « Hunger / Driving me onward / To feel / All of the skin » [*La faim / Me pousse en avant / Pour sentir / Toute la peau*], une chanson très jeune évoquant la découverte et les nouvelles nanas. Je crois que je vais me mettre à la passer en me levant le matin.

DEUXIÈME PARTIE

Faire la fête avec un raciste free-lance

Le même esprit exubérant anime une bonne part de « Wild Thing », mondialement connue, avec cette intelligence innée qui la fait non seulement tanguer mais se dresser, comme « 96 Tears », « Wooly Bully », et quelques rares autres, au-dessus de toute la

Poésie Paysanne de la Pop. « Wild Thing, you make my heart sing! / You make everything groovy! / (chuchotement matois insinuant) *Wild Thing, I think you move me.* CA-ROMMM / (habile et déchaîné) *But I wanna kno-ow for sure!* / (et on recommence dans les effets de glotte furtifs) *C'mon – hold me tight!* (pause chargée de sens d'une amygdale qui vibre) – *YOU MOVE ME!!!!* »

[*Oh, sauvage, tu fais chanter mon cœur / Tu rends tout sympa / Sauvage, je crois que tu m'émeus / Mais je veux en être sûr / Allez, serre-moi fort / Tu m'émeus*]

Garçons et filles, j'aime autant dire que vous feriez mieux de prendre ça à CŒUR – car si votre école, votre bande de hot-rods[6] ou votre clique de défoncés avait vraiment jamais été déchaînée à ce point, vous seriez si lourds que vous traverseriez le sol pour tomber jusqu'en Chine – quoi d'autre? –, où ils vous mettraient dans un zoo et vous nourriraient de lentilles et de riz et de toutes sortes de bonnes choses vertes et les Gardes Rouges garçons et filles déferleraient à pleins troupeaux pour rire de votre coupe à la Rod Stewart à dix dollars, ou de votre veste en cuir noir tendrement maltraitée et froissée. Si vous prenez à cœur « Wild Thing » et atteignez d'une façon ou d'une autre son niveau de beauté dégueu au moins kilimandjaresque, vous aurez tant de foutue pure KLASSE étincelante que votre cervelle explosera comme une poêlée surchauffée de gésiers de lapin sur le bec Bunsen d'un chercheur d'or, et vous propulsera comme une godasse Nike adolescente, tête la première, hors de cette foutue école, des sonneries de cloche et des deals et des provi-seurs adjoints et des mouchardages et des slips à coquille et des paniers-repas, tout droit dans le ciel résonnant où, je crois, nous nous trouvions il y a quelques pages, à écouter « Give It to Me ». Eh bien maintenant vous écoutez « Wild Thing », qui est à « Give It to Me » ce que Charlie Mingus est à un bon garçon comme, disons, Lee Morgan (je parle écriture, je sais qu'ils ne jouent pas du même instrument, gros naze), alors ça devrait vous emmener plus loin que là où l'autre vous emmenait, pas dans l'espace parce que ça n'est pas une chanson comme ça, mais est-ce que ça vous dirait, disons, à East L.A., en 1966 œuf corse, fonçant dans les rues dans une vieille caisse trafiquée, avec des mecs au sourire acnéique buvant le pinard le meilleur marché qu'ils aient pu trouver, tandis que « Wild Thing » explose et déboule à travers la radio pour sortir par les vitres ouvertes afin que chacun puisse entendre, et à regarder autour de soi nom de dieu c'est ce qu'ils font chaque voiture gonflée de bruit et de kids bourrés à peine sortis du lycée et tendus comme des câbles à haute tension brûlant de sortir de leur bagnole tant ils rongent leur frein, explosant dans l'été comme des nageurs venant de plonger et qui remontent pour arriver à la surface sortir à moitié de l'eau et sourire au soleil. C'est une chanson comme ça, parce qu'elle parle de *vous* quand vous vous donniez du bon temps et deveniez complètement cinglé et vous cabriez en cherchant la délivrance parce que vous étiez trop jeune et trop naïf pour savoir ce qui vous attendait. Si l'Amérique punk meurt derrière les chieries coagulées et sans glutamates du Hip, si toutes les expériences ringardes de Nouveaux Desseins pour les Gens Vivants tentent de décoller et de trouver leur place, si les mômes sont vraiment trop smart et cool pour se contenter de déconner, si le premier jour de l'été veut dire en rouler l'un après l'autre et s'avachir heure sur heure devant la télé ou le tourne-disque au lieu de débouler dans la rue et de chercher des potes, de sautiller et de bramer jusqu'à ce qu'au moins une partie du poison pédant qui s'accumule depuis septembre comme de la belladone soit virée net hors de votre âme, si tout ceci est un rêve de fumette et que je suis désormais un vieux con – si tout cela est vrai, alors VOUS AUTRES BRANLEURS DÉBILES AVEZ MANQUÉ LA LEÇON DE « WILD THING », quelque part entre la montée des Cream et la chute des Stooges, et le rock peut se contenter de devenir un art de chambre ou, au minimum, un système d'environnements.

Je ne suis pas aussi désespéré que j'en ai l'air, mais « Wild Thing » c'est le rock dans ce qu'il a de plus majestueux, et en dépit de tout le volume de produits, nous n'avons plus beaucoup de « Wild Thing » ces temps-ci – quelques trucs s'en approchent, peut-être le « Head Held High » du Velvet ou le « Little Doll » des Stooges, mais même eux sont créés d'un point de vue intellectuel, avec tous les calculs que cela implique. Je veux dire que

je sais que quand Lou Reed a entrepris d'écrire « Rock'n'Roll »,
et c'est certainement la chanson la moins prétentieuse et la plus
authentique de toutes celles qui récemment ont pris leur forme
même comme sujet, il voulait rendre hommage à la musique qui,
comme le mentionnent les paroles, l'a soutenu depuis maintenant quinze et bientôt vingt ans. Approcher le truc depuis cette
perspective, toutefois, mène presque automatiquement à la
conclusion que le boulot est fait, pour l'essentiel, en partant d'une
position de détachement, voire d'objectivité. C'est un hommage,
mais au bon vieux temps on n'avait pas besoin d'« hommages »,
il y avait « Rock and Roll Is Here to Stay », « It Will Stand », « All
Around the World », « Rock'n'Roll Music », qui étaient tous,
jusqu'au dernier, des *célébrations*. « All around the world /
Rock'n'Roll is all they play… » était un hululement de victoire
youpiforme et complètement bourré tout au long de la nuit
suivant une *guerre*. Comme l'aurait dit Ralph Jazzbo Gleason
s'il avait traîné dans le coin : « Nous avons réussi. Nous avons
gagné. » Et c'était vrai. Toutes ces vieilles chansons sur le
rock'n'roll formaient les mouvements successifs d'une sonate
en cours qui n'était rien d'autre qu'une gigantesque Fête dont
l'ambition collective était simple : qu'elle continue, swingue,
délire et leur botte le cul à travers les décennies et ne s'arrête
qu'avec la Bombe finale, ou un maelström technologique d'euphorie sonique balayant enfin les villes. Car la Fête était dans
nos vies la *seule* chose à quoi nous raccrocher, la seule chose à
laquelle nous puissions vraiment croire, dont nous puissions
vraiment dépendre, une fontaine musicale de jeunesse et de vitalité qui nous maintenait en vie, mieux que toute médecine que
nous ayons pu prendre, ou que tout l'air frais de Big Sur, elle
nous soutenait sans nous engloutir, et nous offrait un nœud de
métaphores grâce auquel nous pouvions réfracter des préoccupations moins indéfiniment extensibles, et en apprendre un peu
plus sur nous-mêmes et sur ce qui se passait sans même, ce qui
est assez incroyable, en devenir prétentieux. Nous ne savions
pas vraiment ce que ça voulait dire dans la structure plus large,
plus « profonde » des choses (bien que le sachant déjà au fond
de nous-mêmes, et n'ayant pas encore commencé à le transfor-

mer en une forme d'autopsychanalyse et d'érudition pédante), mais nous savions foutrement ce dont nous avions besoin.

Un peu plus tard, cependant, nous nous sommes retrouvés pris dans le tourbillon de Notre Conscience de Nous-Mêmes en tant que Génération Nôtre, ramassis des mioches les plus chargés de TNT depuis les troglodytes *d'origine*, et nous avons tous commencé à vouloir suivre (parce que faire autrement aurait été comme de s'exiler dans un Paradis réfrigéré avec Ralph Williams et votre mère), à observer tous les changements et les bouleversements qui passaient si vite, à collationner et à comprendre et peut-être un jour à trouver nous-mêmes un peu d'action, de façon à pouvoir être *nous-mêmes* à l'Avant-Garde où vont se passer les trips Ice Cream Truck America, plutôt que de rester assis l'air maussade à côté du tourne-disque à attendre comme un demeuré que la phase suivante vous soit transmise par les Cinglés de là-haut.

L'effet premier de cette vaste ruée frénétique vers un million de courants et de vecteurs d'Implication fut que les kids américains commencèrent peu à peu, en nombre de plus en plus grand, à se prendre totalement au sérieux, à la fois en tant qu'individus et en tant que *classe* de masse vaguement et mystiquement définie, avec le plus grand sérieux peut-être dont on ait jamais fait preuve dans ce pays, parce que pour la première fois ils étaient relativement libres de définir leurs propres objectifs. Tout le monde put donc s'introspecter à plein temps. Tout était examiné, disséqué, passé à l'acide, retourné dans tous les sens, éventré, pour en extirper jusqu'à la dernière goutte de mystère, ou bien traité avec une sorte de révérence papier-filtre, comme si le mystère et l'obscurité expliquaient tout, et que personne n'avait le droit de perturber ce qui était complet et saint dans son objectalité primordiale non rationalisée. Pour sonoriser ce vaste projet qui était à la fois Renaissance et renouveau urbain psychique, toutefois, les gens se tournèrent vers le rock'n'roll, plus tard vers le rock, et pour finir vers des tissus d'entrailles fièrement inclassifiables qui ne mériteraient même pas le noble nom de bruit, des trucs si gentils et prudents et « pensons positivement » (ou douloureusement interrogateurs, en plus) qu'on avait envie de sortir les disques des pochettes pour les accrocher aux murs comme ces napperons brodés que Papi et Mamie avaient dans leur caravane, sur lesquels on lisait « Que Dieu bénisse ce foyer » ou un passage de la Bible.

Mais c'est tomber dans le bavassage morose habituel. Ce que je veux faire comprendre, c'est ce que nous avons fait à la Fête Rock en la transformant en bande-son de nos psychodrames narcissiques collectifs. Il est vrai que la Fête a en quelque sorte hiberné ici pendant quelques années, puis que l'ère Beatles/Stones nous l'a ramenée plein pot avec toutes sortes d'additions classe comme les Jelly Beans et les cheveux longs et la possibilité proto-bohème flamboyante de défier la Loi et l'Ordre (même les lois bénignes et les ordres amicaux). Les gens sont vraiment devenus cinglés au milieu des années 60, ce fut un moment de déchaînement rock, même si l'ivresse initiale venue avec les débuts de la Drug Revolution commençait déjà à céder la place à des formes et des manières plus standardisées menaçant de plus en plus de devenir aussi oppressantes que les pires choses résolument balancées derrière soi – et même peut-être pires, parce qu'à la fin de la décennie il était devenu évident que la seule constante commune de nos petits groupes bigarrés et défoncés était un sentiment envahissant de conscience de soi qui nous envoyait, en troupeaux grognons, à des festivals hideux, rien que pour *être ensemble*, nous botter nous-mêmes et l'un l'autre, comme si tout ça voulait dire quelque chose de plus que le fait que nous étions des mômes aimant le rock et sortions nous donner du bon temps, comme si nos styles et nos fringues et la dope et le jargon étaient en eux-mêmes des déclarations politiques pouvant durer plus qu'une quinzaine de secondes défoncées, et même menacer la Mère-Patrie ! Alors nous nous aimions, aimions, nous-mêmes et nos reflets mutuels, jusqu'au radotage, alors même que tout le truc échappait à tout contrôle et se transformait en gadoue et en zones sinistrées et en déprimes et en décès. Si nous n'allions pas aux festivals, trop timidement universitaires ou dieu sait quoi pour fouiller du groin avec les cochons trois jours durant, nous achetions des bouquins intitulés *Free People* ou (avec plus de patine d'importance) *The Making of a Counter Culture* ou (pour la polémique Pop de comptoir ultime) *The Greening of America*[7]. Ils nous disaient que nous étions plus que ce que nous aurions pu penser, que notre existence et notre style de vie mêmes étaient d'une importance cruciale pour l'Amérique, voire pour la survie de la planète. Le pire étant que nous avons carrément cru à ce baratin et nous sommes mis à courir dans toutes les directions dans lesquelles tout le monde se précipite ces temps-ci pour Faire Quelque Chose, même si ce n'était que se cacher dans une commune des forêts du nord en faisant semblant de croire qu'on était un visionnaire ayant transcendé le problème.

Je hais ces modes rien que pour leurs sortilèges et leurs programmes, mais je hais encore plus ce qu'elles ont fait au rock. La Fête n'est pas encore terminée, mais elle a foutrement bien failli il y a un an ou deux. La tendance à l'intuitionnisme narcissique est pour une grande part responsable de l'infection du rock par le virus de la superstar, qui tourne autour de la substitution d'*attitudes* et de harnachements flamboyants, sur lesquels les audiences pourront projeter leurs fantasmes, au simple désir de faire de la musique, de s'éclater, d'éclater les gens ou de les faire danser. Ça ne suffit plus ; si vous voulez réussir à grande échelle, ce qu'il vous faut faire, c'est trouver un moyen d'être associé, dans l'esprit du public, à ses bondieuseries et à son sentiment de la « communauté », c'est-à-dire marteler que vous êtes l'un d'entre EUX, ou bien vous endimancher et vous transformer en configuration iconique si voyante ou scandaleuse que vous devenez un mythe culturel. Bien entendu, ce ne sont pas les seules avenues menant aux billets bien verts et à la coke bien blanche. Vous pouvez également faire quelque chose de vieux, d'une façon à laquelle personne n'avait pensé récemment, grimacer et vous tortiller beaucoup sur scène, que les gens croient que c'est nouveau (Santana), ou prendre beaucoup de vieux trucs et les juxtaposer avec le plus grand sérieux (Chicago), que les gens n'achètent vos disques que pour les jeter ou n'aillent à vos concerts que pour brailler et se faire arnaquer – s'ils n'*apprennent* pas réellement quelque chose, vos fans aborderont au moins vos produits avec un respect inhabituel, et pourront implicitement se rassurer constamment que c'est de la Putain de Bonne Musique, plus avancée, plus importante, ou d'une qualité tellement supérieure à ce boucan de traîne-savate dans lequel se vautrent ados et prolos.

Sinon vous pouvez la jouer cool, prendre une guitare et vous mettre à écrire des chansons sur des trucs faciles, comme les crises dont vous vous souvenez dans les relations entre gens que vous aimiez, ou sur ce qui se passe (j'entends ce qui se passe *réellement*, du genre Qui Sont Ceux Qui Dirigent Ce Pays ?) dans le vaste monde qui s'étend devant votre fenêtre, ou même vous lever le matin, ouvrir cette foutue fenêtre, jeter un rapide coup d'œil dans la rue et écrire une chanson *là-dessus*. N'importe quelle vieille merde fera l'affaire, vous pouvez littéralement composer sur tout ou presque de ce qui vit sous le soleil. Autant flinguer des singes dans un tonneau.

Parfois, quand je me sens vraiment austère, je me demande s'il serait possible à *tout le monde* d'écrire aujourd'hui une chose comme, tiens, au hasard, « Wild Thing ». Les gens sont tout simplement trop superconscients de tout progrès créatif survenu dans leurs vies aux possibilités infinies, et à la gentillesse amicale, pour faire encore quoi que ce soit qui se situe au-delà de tout contexte, ou soit simple expression de quelque chose qui n'a pas de ramifications réelles, du moins aucune que le créateur y ait mis consciemment : si un clown dans mon genre veut la ramener en vous disant que « Wild Thing » est la manifestation suprême du Rock En Tant Qu'Orgasme Global De l'Esprit Mondial plus l'Avant-Giclée Vers le Millénaire, vous aurez le privilège de lui rire au nez, de lui dire de la boucler et de retourner à sa boîte à orgones. Mais si *l'auteur* de « Wild Thing » avait réellement eu en tête, quand il s'est assis pour le composer, quoi que ce soit qui puisse, même vaguement, être relié à ce genre de salades, vous pouvez parier que ç'aurait été une chanson atroce. Les Troggs étaient probablement ces employés de banque qu'ils paraissaient être. Il est tout à fait possible qu'ils n'aient compris, ou ruminé sur, ce qu'ils faisaient qu'à un niveau extrêmement limité. Parce que ça suffisait. Auraient-ils été une bande d'intellos véreux glandant au sein de l'avant-garde londonienne, ils auraient eu toutes les chances d'être un désastre prétentieux, à moins qu'ils ne se trouvent être le Velvet Underground, qui de toute façon est un cas à part. Je crois vraiment que peut-être il faut être *hors du coup* pour créer un grand rock authentique, ou alors avoir un tel contrôle supra-normal à nerfs lasérisés sur ce que vous manipulez consciemment que ça n'a plus d'importance (les Rolling Stones), ou encore être un artiste discipliné doté d'un amour durable pour la musique braillarde adolescente, et d'une façon de voir les choses exceptionnellement équilibrée (Lou Reed, les Velvets), faute de quoi en ce moment vous seriez presque certain de produire quelque chose de beaucoup moins bien, ou peut-être artistiquement mieux (mais toujours moins), que le rock, ou de couler à pic.

Les seuls endroits, pratiquement, où je pourrais actuellement entrevoir l'émergence d'un groupe de *rock* vraiment vital seraient les trous les plus perdus d'Amérique (et seulement d'Amérique – les seuls groupes européens, pendant les trois ans d'inondation que nous avons subis, à montrer qu'ils savaient vaguement quelque chose de ce dont parle la musique, et encore moins de la Fête, sont Savage Rose et Amon Düül II, qui sonne comme la réaction d'un adolescent fan de films d'horreur germanico-gothiques à toute la vieille lubie psychédélico-feed-backo-modalo-fuzztonienne ; et l'Angleterre peut, à deux ou trois exceptions près dans tout le foutu Commonwealth, couler par le fond, comme le nouveau Mu, en même temps que son soleil colonial, pour ce qui est du rock – ces foutus Rosbifs sont *vraiment* à déconner dans le noir, exception faite, peut-être, des Black Sabbath, qui ont l'air suffisamment grossiers, sans art et jeunes pour que ça marche, s'ils accélèrent un peu le tempo et réduisent la durée), bien qu'on puisse laisser de côté le Sud, parce que tout ce que ces craquelins débiles savent jouer c'est le blues et le bluz et le blooze et un peu de soul aussi quand le temps qu'il fait les laisse suffisamment sortir de leur torpeur pour avoir des ambitions (je sais que je parle en raciste, mais c'est marrant tant que vous ne déséquilibrez pas trop la balance karmique de telle sorte que les vibrations négatives l'emportent sur les positives et que tout le monde soit déprimé et constipé ; d'ailleurs, même si c'est raciste, c'est vrai aussi, et cette fois *j'ai raison*), aussi, à moins qu'une nouvelle bande de rats, combinaison de Question Mark and the Mysterians, des Troggs, des Stooges, du MC5 et de Bob Seger ne déboule en rugissant de quelque village de cow-boys réac complètement perdu, où il fait trop chaud ne serait-ce que pour boire une bière et faire quoi que ce soit de plus que d'éviter vos parents, les voisins et les flics et beaucoup ronchonner – une petite ville charmante d'Arizona (où Alice Cooper est né et a été créé), peut-être de l'Idaho ou de l'Arkansas, j'aimerais inclure le Nouveau-Mexique, mais je sais que ce serait inutile vu que cette saloperie d'État est envahie par des hippies errants qui le transforment en gigantesque combinaison de Haight-Ashbury-Cow-Boy et de Ville-D'Eau-Commune-Spirituelle dans le désert, si bien qu'un pauvre môme qui joue encore sur sa guitare des riffs psychédélico-feed-backiens surfisants ne peut même pas évoluer naturellement sans qu'une bande de foutus arpenteurs de planète venus de San Francisco ne déboule et lui empoisonne le cerveau avec la toute dernière gadoue Crosby-Gravenitis-Taylor & Mitchell à laquelle il aurait largement pu échapper si c'était une petite ville où on ne vend des disques qu'au drugstore, ses parents ne lui donnant d'argent de poche qu'avec des pincettes, jusqu'à ce qu'il soit assez grand pour partir en tournée avec son groupe et devenir les nouveaux Seeds, voire les nouveaux Hombres.

À part ça, le seul véritable espoir, c'est Détroit, où les kids prennent beaucoup de calmants et aiment les groupes en rapport, oui, mais où AU MOINS il n'y a pas de scène folk, et où beaucoup de gens aiment encore passionnément le bon vieux rock rase-bitume et bien rythmé, parce qu'il transforme le caractère intolérable de la vie à Détroit en une sorte de force de survie, avec humour, et beaucoup de l'énergie nécessaire. Et ils sont encore farouchement dévoués à la Fête parce que le taux de fatuité est incroyablement faible, là-bas, comme celui de vibration cosmique ; les gens tendent à avoir les pieds sur terre, ce qui est reposant, et savent ce qui est important ; et plus encore, ils savent ce qui est absolument crucial et ce qui n'est que balle de gaze aux couleurs criardes.

Mais toutes ces étoffes continueront à avoir leur petit attrait, parce que les gens, tout à fait naturellement, réagissent initialement aux images les plus reconnaissables et rassurantes qu'on leur présente, et prennent le temps plus tard, s'ils le prennent, de faire la distinction entre emballage et charge utile. Et avec tout le bagage psycho-sociologique qui de nos jours accompagne la pop music, il est normal que les marginaux et les tarés authentiques, voire les simples gens moches, les artistes qui ne sont pas à leur place ou n'en n'ont pas l'air, se fassent rosser de temps à autre par le mauvais bout du bâton à merde. Les temps ont changé – on peut savoir que Dostoïevski était quelqu'un de parfaitement méprisable, et continuer à lire avidement chacun de ses mots. Et même quand il commença à se savoir, quelque part entre *Highway 61* et *Blonde on Blonde*, que Dylan aurait bel et bien pu muter en petit connard déplaisant (ou l'avait sans doute toujours été) qui se trouvait être aussi le songwriter le plus doué de sa génération, les gens se contentèrent de hausser les épaules, parce qu'après tout, c'était Dylan.

De nos jours, il semble devenir de plus en plus difficile, pour les musiciens, d'obtenir une authentique reconnaissance de masse sans rendre hommage, au moins en paroles, à toutes les bondieuseries qu'une bonne part de la présente génération trimballe avec elle, comme un rosaire de poche ou un mouchoir de rechange ; ou bien alors, autre branche de l'alternative, ils se préparent selon la méthode désormais brevetée de la Super Personne, qui saura capturer l'imagination du public, avec des styles de vie extravagants et ostentatoires qui passent pour du charisme à une époque où tout le monde ou presque en parle, mais si vous y réfléchissez, il y en a fichtrement peu à voir. Un film comme *Mad Dogs & Englishmen* fonde tout son raisonnement sur l'idée que ces gens sont si prestigieux et fascinants que nous sommes tous désireux de passer une longue séance à les voir jouer et beaucoup entrer et sortir des avions, non seulement parce que nous voulons écouter la musique, mais aussi parce que la façon dont ils vivent, dont ils se comportent, serait chargée d'un tel magnétisme dynamique qu'il nous *faut* tout simplement les voir dans les coulisses de leurs concerts, et même pendant leurs activités quotidiennes les plus ordinaires. Ce qui est ironique dans tout ça, cependant, c'est que non seulement aucun des principaux intéressés, dans cet exemple précis, ne témoigne, tout au long du film, d'une quelconque personnalité, se contentant de parader et de faire son truc avec des petits sourires défoncés, mais que pour couronner le tout le public, partout, réagit à cette nullité narcissique avec un enthousiasme et un intérêt que les « stars » en question ne se soucient nullement de mériter, en fait les gens projettent dans ce qu'ils voient leurs propres conceptions de ce qu'elles sont, et en reviennent éblouis. La morale de tout cela, je crois, est que tant que vous vous comportez selon les règles d'indifférence convenue, vous n'aurez *jamais* rien d'autre à faire, et votre mystérieuse impassibilité elle-même vous conférera implicitement tout le charisme nécessaire.

Il y a toujours eu des stars, on en a toujours fabriqué, le public a toujours vécu par procuration grâce à elles, les a investies de tout ce qu'il n'a pas personnellement, parce que de toute façon la raison même de tout le truc, c'est de créer des mythes et des fantasmes. Mais la différence, je crois, est que les publics d'autrefois tendaient à exiger un peu plus de leurs Super Personnalités – c'est-à-dire que les stars avaient *vraiment* des personnalités. Même Mick Jagger, qui est presque certainement l'un des hommes de spectacle les plus intéressants apparus au cours de la dernière décennie, n'a en réalité rien à faire quand il apparaît dans un film, parce que tout le monde sait qu'il suffit aux gens de le regarder, et de penser à lui comme le phénomène humain qu'il est. Malheureusement, il y a tous ces autres qui courent partout en essayant de se faire passer pour des phénomènes alors qu'ils ne sont en fait que des clowns erratiques, un exemple classique de tout ça restant *Easy Rider*, les mômes de partout considérant les deux personnages principaux comme des héros, alors qu'aucun des deux ne témoigne, d'une manière ou d'une autre, de suffisamment de personnalité pour qu'on puisse le qualifier autrement que de fastidieux.

Le résultat de toutes ces poses et de ce glamour bidon, c'est un détachement et un cynisme profonds de la part des artistes. Comme il est impossible d'éprouver du respect pour un public qui avale à peu près tout de ce que vous prenez la peine de balancer, un comportement impassible est à ce point essentiel au rôle, qu'on ne peut s'attendre qu'à une muflerie générale. Si la majorité des acheteurs de disques ne s'approche jamais assez près pour sentir le mépris directement, ceux qui sont proches des centres du glamour et du pouvoir détournent ce mépris à leur avantage. Pour donner un exemple flagrant et évident, nombre des habitués du Whisky a Go Go de L.A., le genre de branleurs qui orbitent autour des loges des stars en visite, accepteront tout ou presque desdites stars s'ils sont reconnus par elles, même négativement, ça permet de se bâtir un standing. En particulier, les Anglais de la nouvelle espèce baisouilleur-demi-travelo se voient honorés à un point tel qu'ils pourraient sans doute se permettre n'importe quoi. Certains de ceux qui traînent autour du Whisky seraient sans doute heureux de laisser Rod Stewart les compisser, s'ils pouvaient vraiment croire qu'il y condescendrait, parce qu'ils partiraient aussitôt en courant pour aller dire à tous leurs copains : « Tu ne devineras *jamais*! Rod Stewart vient tout juste de me pisser dessus ! »

C'est donc pour ces raisons essoufflées, et depuis belle lurette, que j'en attends de moins en moins de la scène musicale actuelle. Oh, il y a les Van Morrison et les Band, et même les Randy Newman et les Neil Young, et tous sont super, mais quels que soient ceux qui, parmi eux, ont pu être à la Fête une fois il y a cinq ans, aucun ne peut y être aujourd'hui pour plus d'une chanson environ à la fois. Et à mesure que vous vieillissez vous devenez plus résigné et votre fanatisme se fait la malle, pour ainsi dire – si vous me prenez pour un Johnny Rabat-Joie, vous auriez dû me voir en 68, quand tout le monde délirait sur Cream et Electric Flag, et quand dans toute ma ville trois personnes au plus prêtaient un minimum d'attention à *White Light/White Heat*. Mais maintenant je suis plus tolérant, plus encore que le rock critic moyen. Par exemple, je pourrais écouter Chicago ou Santana n'importe quand, bien que mon collègue Ed Ward commence à prévoir que chaque fois qu'il les cite je dirai que je les aime avec un sourire débile, et il répondra : « Je savais ce qui allait se passer. » Pour lui, bien entendu, c'est l'horreur. Je ne pense pas que quiconque d'aussi nul et commercial qu'eux puisse être l'Ennemi. Ma mauvaise humeur est réservée à Elton John, James Taylor, tous les petits génies du Moi-Rock. Je l'appelle comme ça, bien que je vienne juste de trouver ce nom, parce que la majeure partie en est si implacablement, si régressivement égocentrique qu'on finit en fait par cesser de haïr le mec et par vouloir faire sortir le pauvre connard pour lui offrir un verre, avant de lui botter le cul, de préférence sur une très haute falaise à côté de l'océan le plus proche.

À ce sujet, si jamais je vais en Caroline, je vais essayer de trouver un moyen de dézinguer James Taylor. Je n'aime pas avoir l'air d'un nazi, mais si j'entends une chanson de plus du genre Jésus-emmenant-les-garçons-et-les-filles-sur-un-sentier-de-Caroline-pendant-que-le-dilemme-de-l'existence-retombe-comme-un-sac-de-charbon-sur-les-épaules-de-J.T., je laisse tout tomber (de toute façon, je n'ai rien à foutre ici en Californie à part boire de la bière et regarder la télé), je saute dans le premier Greyhound vers la Caroline pour la satisfaction signalée de briser une bouteille de gros rouge (il ne mérite pas mieux, et j'aimerais trouver pire, mais là-bas ils n'ont que des marques locales) et de la tortiller dans les tripes de James Taylor jusqu'à ce qu'il expire dans un spasme de poésie adénoïdale.

ÉDITION SPÉCIALE ! LE ROCK FRAPPÉ PAR LA TRAGÉDIE ! UNE SUPERSTAR SAIGNÉE À MORT PAR UN ROCK CRITIC DÉRANGÉ ! « On a réussi », a hoqueté Lester Bangs pendant que la police lui faisait quitter la scène du meurtre. « On a gagné. »

Rolling Stone

Mais les fantasmes et les vannes ne font jamais aucun bien. S'ils n'ont pas l'air de passer souvent votre chanson en ce moment, cessez de vous apitoyer sur vous-même, reconnaissez le terrain et voyez où aller la prochaine fois. Parce qu'il y aura toujours *quelque chose* dans la tradition. Mais que la Tradition aille se faire foutre ! Je veux la Fête ! Il y a beaucoup trop d'adoration de la tradition ces temps-ci, c'est ce qui ne va pas chez

Creedence Clearwater Revival et une pleine pelletée d'autres talents gaspillés qui pourraient donner des coups de pied dans les poignées de portes et les charnières et les gonds s'ils n'étaient pas si totalement préoccupés de *respecter* tous ces trucs du passé et de faire les choses selon la Voie Correcte telle qu'apprise des vieux cons, au lieu de se botter le cul, musicalement parlant, tout autour de la salle de jeu, jusqu'à ce que ça puisse commencer à sonner comme quelque chose de neuf. Et quand je dis vieux cons, j'entends tout le panthéon de génies traités avec une telle révérence. Chuck Berry, qui pourrait bien être le plus grand songwriter de tous les temps, est un vieux con, Little Richard est un vieux con, Elvis est Elvis, et ce qu'il devrait vraiment faire, s'il était cinglé, c'est aller chanter avec les Doors.

La raison d'être d'une suggestion aussi totalement absurde, est celle de tout ce délire erratique, c'est la raison de la Fête, qui est que les Empereurs du Rock ne sont pas de nobles sauvages nus, comme nous le pensions, mais la question n'est pas non plus qu'ils ont des fringues, *la question est qu'elles ne leur vont pas.* Les pantalons sont trois fois trop larges et avec des frondes en guise de bretelles, ils ont toutes les chances de mordre la sciure à tout moment. Et ces chemises ne sont pas des treillis révolutionnaires, mais des bavettes à pois, et bon dieu, cette cravate – attendez, oh, bon dieu, *il se sert d'une ceinture comme cravate!* Et chacun d'eux a des lunettes, meeerde, c'est des foutus carreaux de vue, ce sont les mêmes Lunettes Bop que Dizzy Gillespie portait quand il se promenait dans les rues de Harlem en mâchant du chewing-gum et en faisant un ballon après l'autre parce que ça lui maintenait les poumons en forme et que c'était un moyen sympa de passer un bel après-midi d'été. Enfin, merde, nous avons affaire à un tas de foutus *clowns*. Ils n'ont même pas besoin d'essayer d'être drôles, ils le sont et n'y peuvent rien, et c'est la grâce de leur absurdité qui en fait des génies et des héros, tout comme le rock et le jazz sont tous deux nés exactement comme le dit Jack Kerouac, à propos du second, dans son *Histoire du Bop* : « Le bop a commencé avec le jazz, mais un après-midi quelque part sur un trottoir en 1939, 1940, Dizzy Gillespie ou Charlie Parker ou Thelonious Monk marchait à hauteur d'une boutique de vêtements pour hommes sur la 42ᵉ Rue ou sur le South Main de L.A. et, venue des haut-parleurs, ils ont soudain entendu une *erreur* féroce impossible en jazz, qui n'aurait pu être entendue qu'à l'intérieur de leurs têtes imaginaires, et bop, voilà un art nouveau ! Le nom dérive d'un accident... Lionel Hampton avait fait un disque intitulé *Hey, Bop-a-Re-Bop*, et tout le monde hurlait ça quand Lionel sautait dans le public et braillait en direction de quiconque suait à grosses gouttes et des crétins sautillant dans les travées, le batteur tonnait abondamment et cognait pendant que tout le théâtre tremblait... »

Oui, ça commence toujours par cette glorieuse « erreur », la note folle, inattendue, qui rue de biais pour nous libérer une fois de plus, quel que soit le nom que vous lui donnez. Elle réapparaît périodiquement toutes les quelques années, le prochain couinement nouveau que personne ne pourrait calculer dix ans après moisit enterré sous les pitoyables excès dans des crépuscules alanguis, mais la Dinguerie reviendra sous de nouveaux costumes ! Et quand ça se produira elle aura à peu près autant de respect pour tous les vieux cons des sixties, que presque tous les kids qui se sont éveillés au son des noubas des Stones et des Yardbirds en ont pour les boppers des nostalgies kérouaciennes, ou pour la plupart des titans des fifties, d'ailleurs ! Comme un ami à moi, qui soupire en permanence après les Velvets, les Stones et le MC5, et même décolle vaguement sur les bandes du Grand Funk dans sa voiture, ayant dix-neuf ans, mais qui, quand je lui prête ma collection stellaire de classiques des fifties, de *Chuck Berry Is on Top* à *For LP Fans Only*, me les ramène et dit : « Je sais pas, j'ai pas pu vraiment beaucoup les écouter. Ça sonne un peu sommaire sans le feed-back. »

Alors, qu'est-ce que vous allez faire ? Les gens différents ont des goûts différents. C'est là un fait. Et je ne me soucie même pas vraiment de ce que c'est à ce point, tant que c'est dans la mouvance de la Fête. Il n'y a là rien dont on puisse s'inquiéter, parce que ce n'est pas le genre de parti auquel on adhère ou dont on trimbale la carte, c'est un parti qu'on VIT. Et ça n'a même pas grande importance quand c'est ce que vous faites, parce que la Fête, bien que sa flamme puisse vaciller et presque s'éteindre en ces temps dépourvus de jus, durera toujours. N'importe quel imbécile verrait que les gens du concert de Lionel Hampton décrit par Kerouac étaient à la Fête, et si jamais vous avez entendu ce vieux jazz sur les 78 tours Philharmonic, comme « Perdido » et « Endido », où Flip Phillips et Illinois Jacquet se lancent dans ces jams sauvages et finissent allongés sur le dos au milieu de la scène en donnant des coups de pieds dans le vide, tenant le saxo comme une grosse tétine et soufflant une rafale de swing au-delà de la mélodie, tandis que le public de mecs en costumes zazou hurle d'allégresse, ben, c'était en 1949, c'est pas Little Richard, ni un quelconque Johnny Je Débarque qui a inventé la Fête ou même le rock'n'roll, bon sang de bonsoir, parce que c'est la même merde, de toute façon, avec simplement quelques différences mineures et des noms trouvés par des idiots pensifs, alors que tout ça se réduit fondamentalement à deux choses :

Premièrement, tout le monde devrait se rendre compte que toute cette histoire d'« art », de « bop » et de « rock'n'roll » et tout ce qu'on veut n'est qu'une blague et une erreur, rien qu'un tas de conneries, et par conséquent cesser de la traiter avec le moindre sérieux ou le moindre respect, et reconnaître simplement que ça n'est rien qu'un gros jouet à maltraiter comme on veut dans la nursery, ça n'est rien qu'un foutu hamburger gratuit, alors avalez le machin débile, rotez et revenez demain pour le suivant, et ne vous inquiétez pas que ça ne soit qu'une blague et une erreur et un tas de conneries, comme si ça pouvait amener les gens à la mépriser et à la condamner ou à la laisser se dessécher et mourir, parce que c'est la Super Vanne la plus forte, la plus coriace, la plus *invincible* de toute l'histoire, rien ne pourrait la détruire à jamais, et la raison en est précisément que c'est une blague, une erreur, un tas de conneries. La première bourde de l'Art est de partir du principe qu'il est sérieux. Ici je pourrais même parler en connard et dire : « Rien n'est vrai, tout est permis[8] », ce qui est bel et bien exact, d'ailleurs, mais les gens pourraient se faire des idées fausses. Ce qui est le plus vrai, c'est qu'on ne peut pas réduire un imbécile en esclavage. Il n'y a pas moyen d'enrégimenter les fêlés ou de les faire marcher en ligne droite. Et rien de mieux à faire dorénavant, maintenant que nous avons la cybernation et les trucs comme ça, que d'aller à la Fête et d'Y RESTER.

Point n° 2 sur lequel j'aimerais insister ici avant de remballer cette pontification beaucoup trop solennelle en soi, c'est que le temps est venu pour tous les hommes et les femmes dignes de ce nom de venir à la rescousse de la Fête, c'est-à-dire de DÉCIDER si vous voulez sauter et cabrioler avec de la musique vivante, ou moisir dans les taudis dostoïevskiens d'une merde bardiforme morte, à lui épouiller le nombril, et si écœurante, que la voir s'agiter du cul serait vraiment une horreur hilarante. Eh bien, vous n'avez pas à choisir, ce n'est pas un parti politique même si d'autres disent le contraire, et de toute façon tout le merdier n'est rien qu'une foutue phase, tout comme les grands Clowns Bop allègres de Kerouac dansant dans les travées sont devenus les « beatniks » de Venice, Californie, dont le totem bas de plafond Lawrence Lipton bramait en 1959 dans *The Holy Barbarians* : « Une fois sorti de l'adolescence, on ne danse plus, d'ordinaire. On ne danse jamais dans un lieu public. C'est bon pour les ringards. »

Bien sûr que non. Ce que vous faisiez alors, c'était vous asseoir dans des rades sinistres à vous bousiller et à avoir de grandes discussions profondes, des heures durant, sur le sens de la vie, la psychanalyse, le martyre de Charlie Parker et le matérialisme dans une société *square*. C'est ainsi que douze ans plus tard nous avons bouclé la boucle, sauf que désormais toutes les coutures de la société commencent à craquer, si bien que vous n'avez plus à être un « bohème » furtif ou bruyamment revendicatif, parce que tout le monde est un bohème qui fume de l'herbe, et maintenant nous pouvons nous asseoir dans des dortoirs et des auberges de jeunesse, et même dans les maisons de nos parents, pour nous bousiller et parler de toutes les choses stupides dont les gens parlent aujourd'hui, à cette différence près qu'ils ont moins de protocoles et de tabous que ces beatniks à gros cul, mais rares sont ceux qui vont beaucoup plus loin qu'eux, et même si c'est le cas ils ont toutes les chances d'en faire tout un plat.

Suis-je un emmerdeur ? J'ai parfois l'impression d'être l'Oncle Picsou du super journalisme pop, à ceci près qu'avoir vingt-deux ans ne paraît pas un âge à porter naturellement le masque du débile acariâtre. Qui plus est, l'évident caractère affecté de tout ceci fait de moi un auteur rock critic, ce qui veut dire James Taylor avec une machine à écrire, ce qui veut dire le suicide. Partant du principe, bien entendu, que je prends tout ça avec une solennité aussi inexorable que son style. Mais la vérité vraie, et c'est pour moi la seule façon de continuer à voir positivement, et même avec enthousiasme, ce que je fais dans ce cirque, est qu'on n'a pas encore trouvé de nom suffisamment non péjoratif pour ça, et que, si je profère sérieusement chaque mot, ou du moins la majeure partie d'entre eux, et considère 75 pour cent de ce mou de veau avec une passion et un sérieux complets, je le prends aussi avec un manque absolu de respect. C'est-à-dire que je crois au rock mais que je ne crois pas au Rock, même si je ne l'écris pas toujours de la même façon, et que je crois à la Fête comme alternative enivrante à l'ennui et à l'amère indifférence de la vie en cette époque « Rien n'est vrai, tout est permis », tout comme elle a proposé une alternative sous forme de libération momentanée face à la répression et à l'absolutisme moral des années 50. La Fête est une réponse à la question de savoir comment gérer les loisirs dans une société qu'ils cannibalisent, mais ça n'est pas non plus du pain et des jeux, parce qu'on ne peut coopter le *jive*, le *jive* est la vraie musique folk que les gauchistes ne pourront jamais s'approprier ou maîtriser, et que seul un aborigène urbain comprendra. Et loin d'être anti-intellectuelle, la Fête est *a*-intellectuelle, elle ne fait aucune promesse et ne réclame pas de chercheurs sur le terrain. En tant que réponse aux mystères de la vie, c'est un pet buccal, et même pas dadaïste, c'est celui qu'émettait l'oncle Louie de derrière sa bibine un samedi après-midi pendant le match de foot, mais en tant que *mode de vie* c'est sensationnel.

Mais ledit pet buccal nous ramène à des questions sur les motivations du critique. *Suis-je un emmerdeur ?* Bien sûr. Pas tout le temps, mais j'en suis un ici même parce que, bon dieu de bon dieu, les gens n'ont tout simplement plus de *couilles*, la société tout entière est pleine de gonzes lessivés occupés à se montrer Cool, qu'il s'agisse de crétins grégaires et défoncés avec leurs disques d'Elton John, ou d'ados azimutés écroulés par terre dans les salles de concert, si bien que si j'allais dans des lieux pareils je prendrais une pleine poignée de valiums avant de franchir la porte. Voyez? J'aime les gens qui ont un peu de délire dans l'âme. Et je vois à quel point le stock en est tombé bas ces temps-ci, combien peu de gens vont encore à la Fête, excepté des individus isolés qui swinguent dans l'intimité de leurs chambrettes, ce qui n'est pas exactement l'idée que la musique devrait refléter si on ne veut pas finir à Cafard City. J'ai tout essayé ici même dans cette foutue diatribe : insultes gratuites, scatologie, souvenirs de lycée, franches invectives, fantasme homicide dans un cas précis, et bien que sur ce dernier point je n'aie pas de regrets, je sais que j'aurai beau délirer, les choses n'iront pas mieux jusqu'à ce que vienne le temps qu'elles aillent mieux. Et il viendra, ne vous y trompez pas, il n'a jamais cessé, et quand ce sera notre tour nous pourrons tous retourner à la Fête, comme on doit le faire, geignant de joie d'une côte à l'autre, tout comme Martha et les Vandellas l'avaient prophétisé dans « Dancing in the Street » : « Callin' out, around the world / Are you ready for a brand-new beat? » [*J'appelle le monde entier / Êtes-vous prêt pour un rythme nouveau?*]

Et d'ici là, il y aura toujours le mythe.

TROISIÈME PARTIE
Contes presleyens

Si vous pensiez que « Wild Thing » déménageait, écoutez donc « 66-5-4-3-2-1 ». Le titre a pour fonction de vous piéger et de vous pousser à vous interroger. Vous êtes censés penser que c'est un numéro de téléphone, comme 634-5789 (je me suis toujours demandé pourquoi Wilson Pickett et les Marvelettes avaient des numéros si semblables, et à des années de distance? Je soupçonne qu'une fois de plus le Cortex Mondial turbine à plein régime), mais ce n'est pas le cas, et j'ai trouvé le *vrai* sens secret. C'est un compte à rebours jusqu'à la pénétration pénienne du minou de la nénette de Reg. Les Troggs étaient plutôt fourbes là-dessus, parce qu'ils devenaient tellement paranos sur la censure des radios qu'ils avaient presque peur de sortir un disque intitulé « Anyway That You Want Me », parce que les stations pourraient penser que c'était une franche proposition de jambes en l'air à orifices multiples. « With a Girl Like You » a aussi donné lieu à une certaine nervosité parce que manifestement c'était une pute, « Girl in Black » a des sous-entendus sado-maso, « I Want You to Come into My Life » est un recours pas très futé au vieux truc des mots-de-code-métaphoriques-choisis-au-hasard si brillamment élucidé par le Dr A. J. Weberman dans ses récents articles. « *Life* », bien entendu, n'est rien d'autre qu'argot de ghetto pour « trou du cul », comme dans le « Life » de Sly and the Family Stone, qui fut vraiment suffisamment rusé pour s'en tirer après que le groupe eut découvert qu'Epic leur avait cassé le coup, appelant respectivement leur deuxième album, et le hit qu'on en avait tiré, *Asshole* et « Asshole ». Dans les bureaux des filtreurs de médias les yeux avaient une lueur plus vive après l'orage de la controverse, et même le renvoi de hauts responsables suite à cette absurde et déraisonnable « fuite ».

Mais les Troggs commençaient vraiment à se ronger les ongles. Ils comprirent tout d'un coup que, comme les Fugs, les Velvets et quelques rares autres, ils étaient tellement en avance sur leur temps qu'ils osaient à peine sortir un 45 tours, et que si cette impasse se perpétuait encore longtemps ils seraient morts, parce qu'à l'époque (1967) les 45 tours étaient vitaux. Il devenait évident qu'ils ne pouvaient utiliser « Night of the Long Grass » parce que les censeurs penseraient que ça parlait de la même Mary que The Association voyait « Coming Along » (exemple classique de double sens simultané sexe-dope échappant auxdits censeurs pour dieu sait quelle raison) un an plus tôt ou par là. Mais pourquoi bavasser sur tout un tas d'anecdotes banales du show-biz, dont la plupart sont de toute façon connues de tout le monde sur la scène « in » de, euh, Pétaouchnock, alors que nous pouvons en revenir à la tâche historique, aussi importante que bienséante, qui nous attend, celle de passer au tamis toutes ces chouettes vieilles chansons des Troggs pour découvrir si elles sont bonnes ou pas. Jusqu'à présent, toutes ont été absolument étourdissantes dans leur radiance néoclassique, mais on ne sait jamais. Je ne renoncerai pas tant que je n'aurai pas trouvé au moins *un* plantage ! Une bourde, une chute depuis les hauteurs altières de leur inspiration, une lézarde dans la vaste superstructure de leur vision artistique que, bien que je n'en aie pas entièrement achevé l'étude, je crois être aussi profonde et durable que *À la recherche du temps perdu*, voire que l'œuvre entière de Sakyamuni Bach, le Rimbaud de la famille. Mais mon esprit pédant m'a une fois de plus conduit sur le chemin semé de primevères de la digression, j'en ai peur. En fait, j'ai l'air de digresser en permanence, et je serais bien incapable de me souvenir de ce dont je parlais il y a deux pages. Mais d'un autre côté, que disait donc ce Sir des plus vénérable, ah, quel est son nom – « La cohérence est le gobelin des petits esprits ? » Alors supportez-moi et cessez de jouer les chochottes.

Le vrai grand moment de « 66-5-4-3-2-1 » survient quand M. Presley, qui a fait le compte à rebours jusqu'au décollage, ou l'encollage, tout au long du titre, se met tout d'un coup à avoir des arrière-pensées : « Someday we'll overdo it / Someday we will go too far / I'll be drained of all my money / And we'll even have to sell my car / 'Cause I know what you want ! » [*Un jour nous exagérerons / Un jour nous irons trop loin / J'y perdrai tout mon argent / Et nous devrons même vendre ma voiture / Car je sais ce que tu veux !*] Pauvre gars, n'a-t-il donc jamais entendu parler des Troyens ? Bon, les Rosbifs ont toujours eu tendance à être un peu demeurés, sauf dans leurs films, le rock de 1964-67 (cette dernière année étant citée avec de franches réserves), et... euh... bon, ils ont Alec Guinness et les Stones et les Troggs... Mais ce pauvre vieux Reg ! Quelle andouille ! Il est là à tirer la langue et comprend soudain en un éclair que c'est un coup à se dessécher le gland : à ce moment ils abordent « une grande décision » certainement d'une gravité comparable à la *big decision* de Lou Reed de se shooter dans « Heroin », à ceci près que leur situation est encore plus chargée et limite, parce qu'ils sont là immobiles et pantelants juste devant leurs portails respectifs, tandis que le vieux Lou doit se taper tout le bazar de faire chauffer, de siphonner, de défaire le garrot, toute la merde junkie, avant de pouvoir réellement se vouer à sa grande D (la grande D de

Norman Mailer, ce fut Dallas, et il s'y consacra comme un fou, ce qui me rappelle que la rumeur dit aussi que maintenant que les vieilles querelles sont histoire ancienne, le vieux Norm et l'encore plus vieux LBJ[9] sont copains comme cochons et passent beaucoup de temps ensemble dans les Pedernales autour d'un barbecue, ou à voler du bétail, à baiser des nanas, à échanger des vannes sur Humphrey, et à boire comme deux *carpetbaggers*, tous deux étant fidèles à exactement la même marque, dont je n'ai pas la liberté de reproduire le nom ici, parce que le moindre sous-entendu de corruption pourrait exploser comme une pleine montagne de dynamite et me vaudrait de me faire lourder sans cérémonie pour me flanquer dans la merde, ma réputation détruite par *un simple instant* de bavassage... Notre éditeur, Greg Shaw, fait régner une discipline de fer, ici à *Who Put the Bomp*, et n'accepte aucune connerie d'aucun d'entre nous, de Suzy la secrétaire à Edmund le responsable de la rubrique pêche et à tous les autres moi compris, dont la position de relatif pied-tendre dans cette institution est encore suffisamment peu assurée pour me rendre nerveux : c'est ainsi que je mitraille cet article depuis douze heures d'affilée).

Pour en revenir à Reg et à sa chérie, nous les voyons affalés dans l'obscurité d'un pressentiment qui découvre, on s'en doutait, que toutes les épineuses prémonitions étaient exactes : Taralee (car tel est son nom) est grosse d'un petit Reg ou d'une petite Taralee qui, à en juger par les dimensions extérieures de son domicile, a l'air bien parti(e) pour débarquer à grand renfort de coups de pied dans cette vallée de larmes. Et c'est bien le terme qui s'impose, c'est pas pour faire littéraire, parce que non seulement Reg y a laissé tout son pognon, et a dû vendre sa 387 Torsion Superstock Cord à cames Gorgon (de toute façon, pourquoi aurait-il besoin d'une bagnole en Angleterre ? Là-bas, personne de moins de 21 ans n'en a une, ou du moins personne d'assez jeune pour en désirer vraiment une, alors il est sans doute mieux sans, et au moins il a la conscience tranquille au lieu de se rendre éhontément coupable de Propriétarisme Privé Porcin), mais de surcroît ils courent dans Soho en loques, Reg examinant intensément le trottoir en quête de mégots, de pièces de cent sous, de tickets de métro, de bons d'essence, de tout ce qu'il pourra refourguer pour une bouchée de pain, tandis que Taralee, si on la regarde d'assez près pour regretter de l'avoir fait, a l'air... oh, mon Dieu... oui, oui... d'expirer... lentement... de consomption. Horrible.

Reconnaissant le terrain ailleurs, nous nous retrouvons en présence d'un autre succès éternel des Troggs, et qui pour une fois ne reprend pas le thème de la Culotte Brûlante, ce qui à ce stade est totalement rafraîchissant. « I Just Sing » est un hymne à la solitude et à l'individualisme farouche, une scène primitive dans laquelle le laissé pour compte pubère se languit dans sa chambre, tel un cousin britannique d'Iggy, et trouve un moyen de sortir de la vacuité lumpenprolétarienne de sa situation en éclatant la gueule du silence par un croassement rock apaisant et saint : « When my luck is down / And I can't think of a thing / I just go to my bed, lay my hands on my head / I open my mouth and I sing / Yeah, I just sing... » [*Quand ma chance est à sec / Que je ne peux penser à rien / Je m'allonge sur mon lit, pose les mains sur ma tête / J'ouvre la bouche et je chante / Oui, je chante*] Encore une année où il n'y a rien à faire. Parfois, le seul exutoire de l'univers pour toutes les tensions et les tristesses, qu'on peut à peine comprendre, et encore moins surmonter comme il faudrait, est simplement de l'ouvrir toute grande et de les virer en hurlant. Comme quand Reg finit par s'extraire de son lit de blues, se met sur son trente et un et fonce au drive-in avec sa nouvelle copine. Le seul truc qui puisse invariablement inverser un moment de malchance, c'est un peu de cul, non ? Ouais, c'est un fait bien connu, accepté sur quatre continents (on n'a pas encore sondé les autres) comme une panacée transcendant la Science Chrétienne et même le Géritol. Rien qu'y penser est stimulant : le sang se met à couler avec un peu plus d'intérêt, le cœur est un peu moins lourd. Alors ils vont au drive-in pour la double séance Gore Trouille Frisson, et qu'est-ce qui se passe ? La nana de notre garçon chipote parce que « C'est la seule raison pour laquelle tu m'amènes ici. Quand tu m'as vue, tu m'as regardée comme si tu ne pouvais pas attendre de me sauter dessus ! Eh bien, il n'y a pas que ça, Reggie. Jamais tu ne penses que je pourrais désirer quelque chose de mieux. Jamais tu ne m'emmènes dîner dans un endroit sympa, rien que pour la détente, jamais ! Ni au ciné. *J'adorerais* voir quelques films d'art et d'essai, j'ai entendu dire qu'on passe le nouveau Godard en ville, mais non, c'est toujours le drive-in et la baise et la baise et le drive-in. Je peux comprendre tes frustrations, à quel point c'est difficile pour nous d'être d'accord parce que tu vis encore chez tes parents à vingt-six ans, mais bon dieu, cela fait dix-huit mois que nous allons dans le même drive-in tous les vendredis et samedis soir ! Tes films de monstres, ça me rend folle, chaque fois que je viens c'est pour un fichu film de monstres ! Je prends mon pied et quand je lève les yeux une créature quelconque est en train de démembrer une fille ! D'après toi, comment je me sens ? Extatique ? Eh bien, ça suffit comme ça. Je suis venue ici ce soir avec toi pour te le dire. J'ai rencontré quelqu'un d'autre. Il s'appelle Terence, il est consultant en scénarios pour une chaîne, je ne sais pas laquelle, il ne me l'a pas dit, nous ne sortons ensemble que depuis, je crois, euh, trois semaines. Il conduit une Porsche et, ah, il a tellement de... savoir-faire... Oh, Reg, je sais que tu *essaies* d'être à la hauteur, je sais que tu *veux* être suave, mais... enfin... je suis navrée. Ce qui est fait est fait. Ne pleure pas, je t'en prie, ne pleure pas. Tu veux qu'on rentre ? »

Non, aussi étonnant que cela puisse paraître, il ne voulait pas – si j'avais été à sa place, je me serais cassé après avoir lourdé la grosse... imaginez, après tout ce qu'il lui a donné, toutes ces années, tous ces films, elle se pointe et le balance comme ça ! Je l'aurais flanquée dehors avant de filer droit vers le Doc Swifty's Bar. Bon débarras ! Mais cette pauvre poire débile n'est pas comme ça ! Il décide plutôt de rester là et de voir les films ! C'est ainsi que pendant qu'elle s'appuie contre la portière, se sentant plutôt mal à l'aise, il regarde tous ces films de goule déjà mille fois passés pour se réconforter ! Du moins c'est ce qu'elle pense. Mais en fait ce bon vieux Reg a un as de pique dans sa bonne vieille manche : un joint canon de marie nord-africaine absolument atomique qu'il a acheté, à l'un des prix les plus scandaleux de la semaine, à un Noir du West End qui souriait sans arrêt d'une oreille à l'autre comme une gorge tranchée. Alors maintenant, tandis que le cousin idiot émerge des profondeurs du vieux château, la vengeance brillant dans son œil unique et pédonculé, Reg, tout à fait négligemment, le sort, l'allume et tire dessus. Naturellement, Constance veut savoir ce que c'est, pauvre naïve, alors il lui en donne un peu, en fait il lui en donne beaucoup, en fait il lui en donne tant qu'elle ne sait plus quel bout elle tient, ni si le spectacle est sur l'écran ou passe en trombe entre eux comme des étoiles ! Elle est en pleine *O-zone* ! Et puis voilà que Connie se penche par la vitre en essayant de regarder *à travers* l'espace et de voir ce qu'il y a derrière, et pendant tout ce temps, son mignon mais ample cul se tortille dans un franc délire défoncé, et qu'est-ce qui se passe ? Reg dit : « When we're out on a date / And you start movin' that thing / It goes to my head and I start seein' red and I sing / Yeah, I just sing ! » [*Quand on sort ensemble / Et que tu te mets à bouger ce truc / Ça me monte à la tête, je vois rouge et je chante / Ouais, je chante*] Ça la démolit complètement et elle chuchote : « Qu'est-ce que c'est ? » « Une chanson ! », répond Reg en souriant, trop fier pour la jouer cool comme quiconque nommé Presley le devrait à ce moment précis. « C'est une chanson rock et je l'ai écrite pour toi ! » Et ça marche. Je crois que vous vous doutez que Terence s'est fait jeter le lendemain matin, ce qui était tout aussi bien, de toute façon, car en fait il était bidon et ne travaillait pas pour une chaîne télé, il avait emprunté la Porsche à un copain pour faire impression, alors on *sait* qu'il n'est qu'un nullard derrière tout ce savoir-faire. Pendant ce temps, Constance est à ce point subjuguée par le talent récemment découvert de Reg qu'elle se hâte de re-tomber follement amoureuse comme la première fois, sept ans auparavant, alors que, pour se payer des études en fac, il vendait l'*Encyclopaedia Britannica* au porte à porte ; arrivant chez elle, il était entré pour découvrir que tous deux étaient en secret des givrés complets de Gene Vincent. Et maintenant que Reg pourrait devenir *encore plus gros* que Gene Vincent, avec les Troggs et tout ça, tout devrait aller au poil sauf que malheureusement Connie rencontre un millionnaire moitié portugais moitié basque venu de la Terre de Feu avec du savoir-faire à revendre, et comme il a un jet privé, la tentation de déguerpir est trop forte, aussi est-ce ce qu'elle fait, brisant momentanément le cœur de Reg jusqu'à ce qu'il apprenne que l'homme d'affaires onctueux, qui était en fait un requin reptiliforme et un manipulateur amoral derrière tout ce savoir-faire, s'est lassé des aspirations culturelles arrivistes de Connie et l'a refilée à un ami de l'International Cocaine Set qui a fait d'elle une véritable épave, et maintenant elle est complètement plongée dans la traite des blanches et l'opiomanie dans un bordel de Puerto Vallarta, ce qui a déprimé Reg un moment jusqu'à ce qu'il comprenne qu'il ne pouvait rien y faire, et en revienne au bon vieux temps, avec toutes ces jeunes dames enthousiastes qui respiraient un peu plus vite devant son accession précipitée à la célébrité, nombre d'entre elles étant décrites ici-même comme dans les chansons des Troggs, bien sûr. Il a même quitté la maison de ses parents, et il n'avait pas encore trente ans.

Who Put the Bomp, hiver-printemps 1971

Les Godz parlent-ils espéranto ?

ESP Records est sans doute l'une des compagnies les plus étranges (et une bonne part de ses produits parmi les plus mystérieux) de toute l'histoire. Ses disques (enfin, certains) sont présentés avec la robuste solennité des collections de chez Folkways, et les couvertures de pochette sont, en règle générale, bizarrement imaginatives, ou incroyablement nulles. Depuis 1964, ils ont introduit des titans contemporains tels que Pharoah Sanders, Albert Ayler et Gato Barbieri, tout en nous offrant des enregistrements importants dus à des musiciens de la stature de Steve Lacy, Bud Powell, Paul Bley, ont sorti le *Town Hall Concert* de 1962 d'Ornette Coleman, véritable classique, nous ont ramené Sun Ra après une bien trop longue absence, et publié quelques-uns des machins les plus déjantés des annales de l'industrie du disque. Ainsi la lecture renversante, par William Burroughs, du *Festin nu* et de *Nova Express*; une adaptation musicale de *Finnegans Wake*; un album pré-Yoko Onoien de Patty Waters – seize minutes de cris perçants à partir de « Black Is the Color of My True Love's Hair » –; ou le *East Village Other Electric Newspaper* – « collage » merdique, plutôt cynique, d'un reportage radio sur le mariage de Luci, la fille de LBJ, d'Ishmael Reed lisant des extraits de *The Free-Lance Pallbearers,* de chansons de Tuli Kupferberg des Fugs, et de Steve Weber des Holy Modal Rounders (« If I Had Half a Mind », qui est l'un des plus grands chefs-d'œuvre de tous les temps dans le genre rock obscur et croassant), du bon jazz de Marion Brown, du « bruit » fascinant par le Velvet des débuts, quelques bribes de ragots sans humour

par deux acolytes de Warhol, Ingrid Superstar et Gerard Malanga
(« Je pourrais faire bander Steve Reeves comme ça ! », claironne
Ingrid en claquant des doigts), une interminable, et tout aussi
peu drôle, « Interview with Hairy », dans laquelle Ed Sanders et
Ken Weaver poussent beaucoup trop loin leur humour *Playboy*/
vestiaire sportif, ainsi qu'Allen Ginsberg et Peter Orlovsky psalmodiant des mantras de façon encore plus interminable, mais
tout aussi fastidieuse. À noter aussi que la pochette mentionne
un « SILENCE, par Andy Warhol, copyright 1932 », qui doit faire
allusion aux zones vides marquant le début et la fin de chaque
face. On est fortement tenté d'y voir le plus grand moment du
disque, mais il comporte bel et bien Brown et les Velvets, ce
pourquoi je l'achetai. Malheureusement, chacun ne joue que
pendant une minute environ, et le reportage radio vociférant du
mariage de Luci, qui court sur tout le disque, les noie presque
entièrement. Et ce n'est pas tout, car il est placé bien au centre
de la stéréo, si bien qu'on ne peut couper un haut-parleur pour
absorber pleinement ce bref moment des Velvets du début. Il
faut toutefois admettre que c'est un article sans équivalent, et
sans doute le conserverai-je à jamais. Mes mômes pourraient
prendre leur pied au mariage de Luci.

Autre album intéressant d'ESP, *Nu Kanto En Esperanto*
(« Chantons en chœur en espéranto »). Je ne sais pas si ça intéresse encore quelqu'un, mais c'était une langue nouvelle conçue,
il y a des années, par un génie, ou un cinglé, et fondée sur plusieurs langues et sons européens. Il l'appela Espéranto, et une
fondation fut créée pour en promouvoir l'adoption dans le monde
entier comme nouvelle Langue Internationale, qui balaierait le
français, l'anglais, le swahili et toutes les autres – le raisonnement
derrière tout ça étant que ce serait un moyen de promouvoir la
paix mondiale, par création d'une sorte de Tour de Babel inver-
sée. Si nous parlions tous la même langue, peut-être pourrions-
nous tous nous entendre, plus de guerres ou d'exploitation, parce
qu'alors nous nous comprendrions tous ! (Il se peut que je sim-
plifie un peu.) Le rapport avec ESP Records, c'est que depuis
longtemps, et peut-être aujourd'hui encore, ils sont vaguement
liés à la Fondation pour l'Espéranto. Jusqu'à il y a un an ou deux,

toutes les parutions d'ESP comportaient au dos un bref message sur les prix et la façon de commander les disques par correspondance, *traduit en espéranto*. Mais quel est le rapport ? Les espérantistes aiment-ils Ayler et Gato, ou même les Fugs et les Godz ? Leur connaissance de cette langue internationale, jusqu'à présent presque totalement inutile, les met-elle en harmonie avec les royaumes altiers où une musique à haute énergie prend son essor, et où William Burroughs croasse les vers du vieux Doc Benway avec une parfaite sonorité avinée ? Ou bien l'espéranto a-t-il un rapport implicite avec la contre-culture en voie d'émergence, la Culture de la Vie, appelez ça comme vous voudrez ? Parlerons-nous tous espéranto après la Révolution, quand nous serons enfin d'authentiques frères et sœurs, et poserons les armes pour de bon ? Ça donne à réfléchir.

Aussi n'ai-je jamais tout à fait compris cette compagnie de disques appelée ESP. Ça n'est pas Warner/Reprise. Enveloppée de mystère et, inévitablement, travaillant depuis New York, elle a enregistré une partie du plus grand jazz, et la plupart des bizarreries inclassifiables, de notre temps. Et périodiquement, elle a, non sans hésitation, entrepris de signer des talents rock. Mais quel genre de groupe rock signe avec ESP ? Les Rascals ? Les Lovin' Spoonful ? Non, même pas les Mothers of Invention ou le Velvet Underground. Étant le prototype archétypal de la compagnie de disques underground américaine, et n'ayant aucun rival en ce domaine, il était logique qu'elle signât les plus ultra-underground des groupes underground. Aussi commencèrent-ils en 1966 avec les Fugs, et le résultat de leur association est un testament aussi bien du génie du groupe que du caractère visionnaire de la compagnie. Les deux premiers albums des Fugs sont enchâssés à jamais dans le panthéon des délires rock héroïques. Jamais rien n'égalera l'inspiration brûlante de chansons telles que « Swinburne Stomp », « Nothing » ou « Frenzy ». Je me souviens avoir acheté en 1966 l'album *Virgin Forest*, et être revenu en titubant chez le disquaire pour demander à la vendeuse à quoi ressemblait leur *premier* album. Elle sourit : « Oh, très proche de ça, simplement plus primitif. » *Plus* primitif ? Bien plus, et ils avaient des pagnes et un os dans le nez. Mais, bien entendu, des artistes vraiment visionnaires peuvent s'étendre à l'infini dans les deux sens, et il est probable que les premiers Fugs auraient pu faire un album poussant plus loin encore cette tentative de primitivisme d'arrière-cour, pour la réduire à la racine carrée de sa énième division, jusqu'au feulement de chaînons manquants autour d'un feu pourpre, et ç'aurait encore été un grand disque plaintif, infiniment distrayant.

Malheureusement, les Fugs furent séduits par l'argent et les vestes technicolor de Frank Sinatra et de Reprise, et après cela leurs albums devinrent de pire en pire, jusqu'à ce que nous ayons définitivement perdu un autre grand yéti musical de plus. Ce qui nous laissa à sangloter sur les manches de nos chemises de bûcheron Bob Dylan, en écoutant Count Five et Question Mark, mais laissait à ESP un trou hanté là où des poètes boogie plus grands que nature s'étaient autrefois vautrés, et il leur fallait prospecter en vitesse pour trouver quelqu'un d'autre. Oh, ils avaient toujours Pearls Before Swine, mais qui aurait donné une cuillerée de lavasse pour eux? Ils devaient bientôt suivre les Fugs dans le sein tiède du cartel Rock d'Adultes de Burbank, de toute façon, et si Sanders et ses gars n'ont jamais tout à fait été à leur place là-bas, le foutu endroit était *fait* pour P.B. Swine, trouvez-leur un coin dans l'écurie réservée aux ménestrels morveux, entre Arlo et James Taylor.

Pendant un temps, on eut l'impression qu'ESP allait lancer toute une ligne d'albums de rock, et signer les bons à rien les plus scandaleux et/ou intouchables entre le Maine et El Cajon (j'ai même nourri mes propres fantasmes : faire bavasser mon harmonica et chanter « Clark Kent » et « Keep Off the Grass »). Incendié par la sainte frénésie des Fugs, je suis sorti en courant pour tenter de chourer un exemplaire des Pearls Before Swine. J'en ai pris un, ainsi qu'un album des Remains que je n'avais jamais vu, et sur lequel je me suis interrogé depuis, les ai fourrés dans mon froc, ai tiré ma veste par-dessus, me suis dirigé vers la sortie et me suis fait gauler. Mais je *croyais* en ESP! Je suis revenu dès que mon chèque de la Sécu est arrivé, et j'ai acheté le fichu truc, l'exemplaire même que j'avais voulu tirer! Imaginez l'atteinte à ma sensibilité artistique quand je suis rentré et que sa putréfaction blême s'en est venue frapper mes narines ! Après ça, quoi – *Albert Ayler Swings Stephen Foster* ?

Fort heureusement, toutefois, les Godz sont arrivés à peu près à cette époque, m'ont remis sur le droit chemin et ont restauré ma confiance en ESP. Et c'est essentiellement pour eux que j'ai écrit ceci, parce que leur art m'a fasciné pendant quatre ans – tout en étant parfaitement ignoré, comme c'est le cas de tant de grands artistes, par la presse rock et le monde entier. Ils ne reprennent pas là où les Fugs se sont arrêtés – personne ne pourrait –, mais parfois parviennent bel et bien à donner une approximation de cette énième évolution régressive, du glapissement des Fugs aux hommes-chiens accroupis autour d'un feu de cannibales. À d'autres moments, ils me rappelaient vous, moi, New York et l'immense beauté hébétée de cette culture de merde dans laquelle nous sommes en train de frire.

Une chose qu'il faut dire à leur sujet, c'est qu'ils pourraient bien être le groupe le plus nul que je connaisse. J'accorderais presque sur-le-champ qu'ils sont, de tous les groupes ayant enregistré, le plus nul que j'aie jamais entendu. Et je ne peux nier qu'ils soient le groupe le plus nul ayant *trois* albums à son actif. Pourquoi y sont-ils arrivés, quand tant de grands groupes, talentueux, professionnels, musiciens, se font jeter sans cérémonie après le premier ? Parce que les Godz sont brillants, voilà pourquoi, et que presque tous les grands groupes talentueux, professionnels et musiciens sont débiles et sonnent tous exactement pareil. Et aussi, peut-être, parce que la plupart des GGTPM n'enregistrent pas pour ESP Records.

Ainsi donc, les Godz sont nuls. Ils sont également l'un des groupes les plus intéressants à avoir survécu, de la première apogée psychédélique-pétales de rose jusqu'au présent schizophrène (supposons-le). Quand j'ai découvert leur premier album, *Contact High*, j'ai sauté de joie. Un nouveau monstre pour ESP ! Ensuite je l'ai passé, et j'ai pensé : « Merde, qui ces mecs croient-ils duper ? C'est le pire truc que j'aie jamais entendu ! » Et après cela, pendant près d'un an et demi, je me suis baladé en assurant à tout le monde que, quels que soient les contes horribles qu'ils pourraient avoir à narrer, *je* savais quel était le disque le plus atroce de l'Histoire, parce que je l'avais écouté ! Mais, je ne sais comment, le souvenir de ce miaulement idiot ne cessait de me suivre comme l'ombre d'une vision, et un jour de 1968, le voyant en solde, je m'en suis emparé et l'ai acheté. Mon vieux, c'était d'un atroce ! Si atroce que ça m'a botté ! Ça n'était pas du si-mauvais-que-c'en-est-bon ou ce genre de merde *camp*-kitsch – les Godz étaient sur quelque chose. Je l'ai emporté chez mon neveu, il l'a regardé et a demandé : « C'est comment ? » Et j'ai répondu, en rayonnant positivement : « Oh, mon gars, c'est à ce point *minable* que ça mérite plusieurs étoiles ! »

« Ah bon ? a-t-il dit, tout excité. Passons-le ! » Après tout, qu'écouteriez-vous en premier : *Super Session* et le nouvel album de Paul Butterfield, ou un truc qui a droit à des étoiles parce qu'il est *minable* ?

Contact High, bien que loin de la grandeur wagnérienne des Fugs, est néanmoins un album qui ne ressemble à aucun autre, avant comme après. Je sais, je vous entends déjà, vous autres méprisables niaiseux qui préférez écouter ce que vous appelez de la « vraie musique », renifler : « Ouais, parce que personne ne voudrait faire un truc pareil ! » Et vous auriez raison. Les gens sont trop *stupides* ! Ils préfèrent aller apprendre les riffs d'Eric Clapton. Mais le fait demeure que les Godz l'ont fait, et personne d'autre, et le disque est une entité en soi.

En tant que tel, c'est simultanément un parfait artefact du New York de cette période, et probablement le plus bel album des Godz. Le seul aspect dépourvu d'élégance de l'ouvrage, c'est les notes de pochette débiles d'un dénommé Marc Crawford : « C'est la vérité des Godz... par quatre New-yorkais, qui se fichent éperdument que vous l'aimiez ou non... Mais si vous voulez apprendre ce qu'est l'amour, ou son absence, par des victimes sans honte, ce qu'est la haine et son excès dans le monde... C'est une musique nouvelle, honnête, chargée d'émotion, narrée telle que sentie, qui est... très Américaine, en dépit de ce que Lyndon Johnson et les critiques pourront dire... Ils n'aiment pas la tarte aux pommes de maman, et je ne les ai jamais vus à l'église le dimanche. »

Ah là là, ils avaient l'habitude de traîner le pauvre LBJ dans n'importe quoi. Je crois que s'il était encore là aujourd'hui et qu'un type comme David Crosby enregistre un album vraiment bousillé, puis se fasse engueuler pour ça, il dirait sans doute qu'il était si inquiet des machinations de Lindy qu'il ne pouvait plus penser droit. Je ne crois pas que les Godz se montreraient aussi défensifs. Il se peut qu'ils se moquent de ce que vous pensez, mais ils savent que leur musique est super, et que leur œuvre entière rayonne de ce genre de vitalité positive. Sans doute Marc Crawford pensait-il secrètement que c'était de la merde, lui qui pue le super-pseudo-intello-gaucho-libéré. De surcroît, les Godz ne chantent pas la haine ou le manque d'amour, parce qu'ils savent qu'il y a déjà trop de négativisme dans le monde, et ce n'est pas tout, je parie qu'ils aiment *vraiment* la tarte aux pommes de maman, et maman elle-même, parce qu'ils sont trop Américains pour ne pas les aimer. Même remarque pour l'église le dimanche – pourquoi pensez-vous qu'ils se soient appelés les Godz, merde ? Non, la chanson des Godz est une joyeuse louange au Soleil, à la Lune, et à tout ce qui vit entre les deux.

Leur premier album, par exemple, est une série de célébrations élémentaires, commençant par « Come On, Little Girl, Turn On », relativement long pour *Contact High* (je crois que l'album entier ne fait que vingt et une minutes – mais pourquoi encombrer une production parfaite de tout un remplissage fastidieux ?), qui exhorte une douce jeune fille de la ville à prendre part au sacrement pendant trois minutes entières. Avec le superbe jeu de psaltérion (n'est-ce pas une sorte d'épinette ?) de Jay Dillon, l'harmonica hennissant de Jim McCarthy, et des vocaux généralement mouvementés, la chanson pouvait difficilement manquer son coup, même si sa forme est quelque peu anachronique par rapport aux *vraies* symphonies des Godz.

Il faut dire un mot sur l'instrumentation et tout ce charabia technique. Tous chantent, Dillon se contente de jouer du psaltérion, bien qu'il y ajoutera du piano et de l'orgue dans *Godz Two*, mais Larry Kessler tient à la fois la basse et le violon (et l'alto plus tard). C'est pas John Cale – en fait, il n'a sans doute jamais pris de leçons – en fait, il se pourrait qu'il n'ait jamais *pratiqué* – mais il peut faire effrontément chanter son crincrin, ça c'est sûr ! « Squeak » est son magnum opus, solo de violon grinçant et hideux donnant l'impression qu'il frotte si fort un archet non colophané sur les cordes que celles-ci se courbent contre le bois, si bien qu'on obtient ce grincement organique super. J'ai une fois emprunté pour quelques jours un violon à un ami, j'en jouais en tenant l'archet immobile et en déplaçant le violon dessus à une vitesse aveuglante. Je suis gaucher. Au bout d'un moment j'étais encore meilleur que Larry, mais je n'ai jamais appris son sens de l'économie – il peut moudre une note jusqu'à ce qu'elle sonne comme du Beethoven, mais je suis toujours à scier tout le fichu truc. Sans doute le côté chahuteur du débutant, je crois.

Jim McCarthy est le guitariste, mais il joue aussi de la flûte en plastique et de l'harmonica, deux instruments dont je joue moi-même. En fait, je suis également meilleur que lui, mais pourtant j'aime vraiment ce qu'il fait – je voudrais simplement pouvoir assister à ça un de ces jours. Sur la seule reprise de l'album, « May You Be Alone » de Hank Williams, il tient superbement son rôle, derrière des vocaux franchement bouseux, avec une merveilleuse série de rafales de flûte à la Albert Ayler qui partent dans tous les sens, mais demeurent absolument en situation. Dans la musique des Godz, il est quasiment impossible de jouer une fausse note. Alors, direz-vous, pourquoi est-ce que *n'importe qui* ne peut pas jouer de la musique comme ça, vous ou moi ? Qu'est-ce qu'ils ont de tellement spécial ?

Ah, théoriquement, n'importe qui *peut* jouer comme ça, mais dans la pratique réelle il n'en va pas ainsi. La plupart des gens seraient trop ridicules – après tout, à quoi bon, si tout le monde en est capable ? –, et en ce qui vous concerne, vous n'avez sans doute pas *les couilles* de le faire, et même si c'était le cas, vous ne le feriez jamais comme le doit un vrai maniaque musical Godzéen pour être reconnu comme tel. Vous vous contenteriez de vous balader sur quelques mesures pour prouver quelque chose, et c'est entièrement différent. Moi, je pourrais, parce que j'en suis un depuis des années, avant même d'avoir entendu parler des Godz. Tout ce qu'il y faut, c'est une obstination démente et une indifférence totale à tout, si ce n'est penser à faire sortir ce glapissement si vous voulez hurler à la lune, et manifestement la grande majorité des gens ne vont pas hurler à la lune rien que pour démontrer quelque chose.

Mais les Godz, si ! Et pas pour prouver quoi que ce soit, mais parce qu'ils *aiment ça* ! Ce qui les met à part. Faut *aimer ça* sinon ça ne marche pas. Dans « White Cat Heat », par exemple, ils ne sont pas exactement là à hurler à la lune, mais à piailler comme une meute de chats de gouttière dans une bagarre où la fourrure vole en tous sens. Remarquez comment ça commence de façon un peu feutrée – un des gars fait même « miaou » d'une voix douce de fausset, comme le tigré de maman ! L'enfoiré ! Mais à ce moment les autres se mettent à démarrer – « SCREEE ! SCRAWWRRR ! RRRAAEEIKKHR ! » – et avant d'avoir compris, il devient aussi homicide qu'eux ! Et appréciez comment tout ça monte jusqu'à cet incroyable climax, avant de mourir doucement selon une parfaite symétrie. La bataille est terminée. Et c'en était une vraie – vous pouvez toujours écouter un de ces albums ringards post-*Freak Out*, avec tous ces bruits animaux débiles et merdeux, mais c'est simple jeu d'enfant. Quand les Godz se mettaient dans la peau de leurs personnages, ils y allaient *pour de bon*, et ceux venus là pour glandouiller avaient intérêt à rester à distance.

Godz Two est un petit peu moins primitif que le premier – il compte plus de chansons, et moins d'explosions telles que « White Cat Heat » – mais c'est quand même un grand album. Greil Marcus vint me voir un jour alors que je l'écoutais. À peine dans la pièce, il demanda : « Qu'est-ce que c'est ? »

« Les Godz ! »

« Hmmmm, répondit-il en tirant sur sa pipe avec ce regard tordu qu'il a, alors c'est les Godz, hé ? Amuse-toi bien ! » Et il sortit aussi sec ! Parfois je ne comprends pas les gens. En particulier du fait que *Godz Two* compte au moins deux classiques absolus du groupe : « Riffin' », la chanson qui passait quand Greil sortit, commence par un hurlement à la Tarzan, un prélassement d'harmonica, un appel porcin, « Melons ! Get your watermelons », une imitation de LBJ, et continue par plusieurs caricatures politiques à quoi se mêlent de bizarres ponctuations de bêlements animaux.

Toutefois, « Now Song » est encore meilleur. C'est une lamentation ivre morte avec de l'alto, de la guitare, et des vocaux vraiment incroyables de McCarthy, qui expectore et crachouille et gargouille comme un vieux poivrot gerbant son cœur, avant de s'effondrer en grognements et en sanglots, juste après ces paroles poignantes : « This is now-ow-ow, this now-olliew, ow ».

Cet album voit également les Godz aborder du matériel relativement conventionnel. « Radar Eyes », « Soon the Moon » et « Permanent Green Light » étaient tous des trucs sombres, bourdonnants, extrêmement simples mais efficaces par leur drumming obsessionnel, leurs réitérations d'accords mineurs et leurs vocaux psalmodiés, et les Godz y acquéraient un *groove* dépouillé rappelant les premières expériences de Tyrannosaurus Rex dans le domaine de la guitare sommaire. Il y a une certaine qualité dans l'approche d'un musicien qui n'est pas totalement familier de son instrument, un son qu'on ne trouve nulle part ailleurs. Parfois mieux vaut moins mais mieux. « Soon the Moon », par exemple, repose presque entièrement sur une psalmodie à voix basse et l'insistante palpitation d'une seule corde de basse, et marche parfaitement comme ça, austère et prêt à remplir sa fonction.

Entre leur deuxième et leur troisième album, les Godz enregistrèrent un single qui, bien entendu, n'eut aucun succès nulle part, mais qui aurait dû. De loin la meilleure chose qu'ils aient jamais faite, « Whiffenpoof Song » était un vrai disque de rock, plein de son, dynamique, aussi entraînant que l'œuvre d'un groupe bien plus important numériquement. Il s'ouvrait par des fioritures de guitare, puis les tristes, tristes paroles résonnaient pitoyablement dans l'espace : « We are poor little lambs / Who have gone astray / We are poor little lambs / Who have lost our way. Et puis brusquement : BAAH BAAH BA BAAAAAHH ! BAAH BAHH BAH BAAAAHH ! BAAH BAAAH BAAH BAH BAAAHH BAAAHH BAAAAHH ! ! ! » Une explosion de bêlements martiaux. Et quand la chanson en revient au plaintif « We are poor little lambs », on peut entendre de vrais moutons faire des commentaires par-dessus (enregistrés à la ferme ? ou une imitation, une fois de plus, des omniprésents Godz ?) De quelque façon qu'on le considère, c'est un grand disque.

L'une des principales clés de l'intérêt des Godz, c'est qu'ils sont un parfait exemple de l'une des traditions musicales suprêmes du rock : le processus par lequel un groupe peut évoluer depuis un illettrisme musical presque insultant, pour finir, plusieurs albums plus tard, par swinguer sans effort, avec une aisance de champions. Pensez à la raideur et à la banalité supercool du premier album de Love, au Velvet Underground né dans la confusion déjà fascinante du bruit arythmique pur, aux Stooges enregistrant leur premier LP alors qu'aucun d'entre eux ne jouait de son instrument depuis plus de deux ans, trois au maximum. Et pourtant, chacun passa à un professionnalisme assuré avec une étonnante rapidité (bien que ce soit moins surprenant dans le cas du Velvet, dont les membres avaient apparemment suffisamment de formation pour produire dès le départ les choses les plus subtiles, mais choisirent de rendre leurs trucs du début délibérément simples, bruts et déjantés).

Bien entendu, les Godz ne sont pas au niveau de ces groupes – en fait, la majeure partie de leur musique *pourrait* manifestement être considérée comme franchement insultante –, mais ils ont toujours témoigné d'aspirations à la respectabilité rock, et semblaient par moments sur la voie, ou tout près, d'y parvenir. « 1+1=? », sur le premier album, montrait McCarthy s'essayant à la ballade à message Dylan-Beatles standard avec des résultats franchement embarrassants, mais « Radar Eyes », « Soon the Moon » et « Permanent Green Light » avaient tous une substance authentique, si primitive fût-elle, et « Whiffenpoof Song », comme sa face B, « Travelin' Salesman », situaient clairement les Godz au niveau d'un exercice dérangeant de pionniers du bizarre. N'étant toujours pas très ferrés musicalement, ils avaient ingénieusement surmonté leurs limitations par des arrangements solides et méthodiques, et des vocaux pleins d'ampleur. Il était passionnant de penser à eux, parce qu'ils promettaient d'aller plus loin, de faire encore plus scandaleux en dynamitant toutes les Normes débiles grâce auxquelles des critiques esthétisants et des musiciens esclaves de la technique cherchaient à faire passer le rock du cri rauque de pygmée à une forme artistique.

Tristement, ils sabotèrent leurs chances de la pire façon possible. *The Third Testament* est un album raté, psychédéliquement stéréotypé, et même complaisant, qui sonne comme tout ce dont leurs détracteurs auraient jamais pu accuser les Godz. Là où les saccages a-musicaux des précédents albums témoignaient d'un génie satanique, ici ils sont entièrement prévisibles, et font écho à plusieurs des banalités les plus téléphonées de l'acid-rock, que les Godz du début avaient prophétisé. On citera la peu édifiante niaiserie (la stupidité de génie est chose tout à fait différente) des récitations d'alphabet « ABC » et « KLM », et la face 1 est presque envahie par « First Multitude », collage boueux de musique enregistrée diverse, de vacarme aléatoire et de gargouillements lointainement cohérents inspirés de « Revolution n° 9 », comme de plusieurs autres atrocités similaires commises par des groupes plus commerciaux, le tout se terminant par la psalmodie nasale haut perchée standard, « The mind, the mind, the mind... »

Toutefois, aussi mauvais qu'il soit, « First Multitude » n'est pas loin d'être le meilleur du lot. Sa confusion même le fait fonctionner dans certains types de délire, et le délire étant ces temps-ci plus commun et plus diversifié que jamais, il y a probablement une place pour lui dans plus d'une sombre galopade en pleine décélération. Peut-être.

Cependant, il n'y a pas de peut-être pour le reste, à une très belle exception près. Parce que, « First Multitude » mis à part, l'équilibre de l'album est lié à une succession continue de chansons « straight » dans la veine « 1+1=? », le tout avec une apparente sincérité, et une médiocrité uniforme. « Ruby Red » marche presque, sur la base d'une mélodie et de paroles fortes, moroses, mais l'interprétation en est si gauchement incompétente que c'est vraiment triste. Les Godz d'avant yodelaient et marmonnaient avec une autorité véritable, mais ils n'ont pas les cordes vocales qu'il faut pour des ballades conventionnelles. « Like a Sparrow », lui non plus, ne passe pas loin avec un mélange de la phase Spanish Harlem de Van Morrison et du chorus « Bu-diddit, Bu-diddit » des Beach Boys mais, de nouveau, sonne comme un jeudi soir dans le séjour de quelqu'un, qui ne fait

d'ailleurs pas beaucoup jeudi soir. Et « Walking Guitar Blues »
profère avec le plus grand sérieux des vers du genre : « Just my
guitar and a song / The policeman said move along / I wonde-
red what have I done wrong ? / Since when did they outlaw
song ? »

Les Godz d'autrefois auraient noyé sous des commentaires
caquetants de telles bondieuseries larmoyantes, et ce sens
primordial de l'humour est ici présent dans une chanson.
« Woman » est un classique de Larry Kessler, une crise de rou-
lage de mécaniques macho qui parodie de manière hilarante
l'impérissable cliché grognement-indistinct-super-émotif, d'Eric
Burdon au tout dernier blues-band anglais à tronche de cake,
expliquant, avec une insistance braillarde débile, comment ils
vont *baiser* leur Petite Écolière : « I wuz... *(arrêt, grognement, hésitation marquée par une respiration rauque)* ... uh-walking with my
woman / An' I said, uh... Woman... I really... love yuh... An'
I said I love yuh becuz... *(arrêt, grognement)* ... of whutcha have.
An' you know whutcha have, woman... you got my, you got my
soul... yeah... you got me... a long time ago... Took muh
mind... and you tole me it wuz... *(seconde de souffrance)* ... all
right. And that I... wuz... *outa... sight...* That's what you said...
Ohh, woman... you... wommmmmmmmun... ungh...
Woommmmununummmmmmuhnnnnnn... erg... unghhh...
(reniflement, voix étranglée) ... yeah... you make it, uh, like you
make it *young*, you make it like you make it all *fun*... you know...
when it's young it's all fun... oh wow, what am I talking
about ?... Wummmmmmmmunnnn... »

Plus vous écoutez ce morceau, plus il sonne non seulement
comme Eric Burdon et tous les Bobby Plant et les Bear Hite,
mais plus il semble même suggérer l'ombre des poses fifties
transmises par Brando et James Dean, toute cette débilité tâton-
nante, marmonnante, ruminante, suante, en plein numéro viril.
Peut-être l'approche des Godz dans leurs plus grandes œuvres,
de « White Cat Heat » et son fracas de pare-chocs à cette chanson, en passant par le pochetron de « New Song », se réduit-elle
à une sorte d'École de la Méthode du rock. Au lieu de reprendre
les composants utilisables des hurlements amorphes sortis de

la jungle ou des gargouillements de ringard avachi, et de les intégrer dans le cadre standard du rythme et des riffs, les Godz passaient leurs larynx à la machette tout du long, jusqu'à *être* ces chats de gouttière délaissés et délinquants, tout comme les acteurs de la Méthode tentaient de « devenir » des arbres en restant immobiles, bras tordus.

Je ne sais pas si les Godz sont toujours en opération. *The Third Testament* conduit à en douter, bien qu'ils puissent nous surprendre demain avec un album encore plus platement conventionnel. Ils pourraient même finir par enregistrer pour Warner/ Reprise (certains des ménestrels rougeauds de cette compagnie ne sont pas très loin devant les Godz pour ce qui est sophistication des ballades folk et des techniques de guitare, et leur style plus sauvage pourrait plaire à un public aussi vaste que celui de Wild Man Fischer).

Pourtant, il serait vraiment formidable qu'ils puissent rester ensemble pour revenir de leur plongée vers une obscurité quasi totale avec de nouveaux raffinements dans ce déchiquetage carnassier de l'oreille rationnelle dont ils furent les pionniers, et ce serait une bénédiction encore plus fabuleuse s'ils l'équilibraient par des hymnes encore plus pétaradants qui aient la clarté de bon aloi, et la cohérence, de « Whiffenpoof Song ». Qui sait, ils pourraient même entrer dans le circuit, se faire acheter, brancher, multi-amplifier et *Circus*-magaziner, tourner avec la prochaine Sensation de l'Année britannique blues poétique-rockabilly, puis revenir à New York enregistrer sous la houlette de Glyn Johns, avec la participation de divers Vous Savez Qui contractuellement anonymes, et finir par des critiques féroces de *Creem*.

Pour un Godz, quel profit y a-t-il à gagner le monde s'il perd son âme d'allumé ?

Bien entendu, rien de tout cela n'a beaucoup de chances de se produire – peut-être les Godz, en dépit de toute leur puissance primitive, étaient-ils très limités et spécifiques, envoyés ici pour faire leur boulot et s'en aller. Dans leurs meilleurs moments, ils faisaient passer les plus cinglés des Cinglés Tant Vantés pour des arnaqueurs de jams bluesy, et rares sont ceux qui, aujourd'hui encore, se sont approchés, même de loin, de leur avant-poste. Une chose au moins est absolument certaine – après eux, la planète ne sifflera, fredonnera, yodèlera, ou même ne chantera sous la douche, plus tout à fait comme avant. Ils nous ont tous transformés en Godz hurlant plus librement que nous n'aurions jamais pu le rêver, et tout couinement, vagissement ou hennissement est un hymne de louange à leur vénérable grandeur.

Creem, décembre 1971

— CREEM —
ESCROQUERIES, RATAGES, FANTASMES

Chicago at Carnegie Hall,
Volumes I, II, III & IV, 1972

Black Oak Arkansas : Keep the Faith, 1972

White Witch, 1972

John Coltrane lives, 1972

Guess Who : Live at the Paramount, 1972

James Taylor : One Man Dog, 1973

Les créatures de plus en plus étranges
qui cessèrent de vivre pour devenir des zombies déboussolés,
ou : Le jour où les ondes entrèrent en éruption, 1973

Jethro Tull au Viêtnam, 1973

Baiser le système avec Dick Clark, 1973

Slade : Sladest, 1973

Ma nuit d'extase avec le J. Geils Band, 1974

Le plus bel entrechat de Johnny Ray, 1975

Barry White : Just Another Way to Say I Love You, 1975

Kraftwerkfeature, 1975

David Bowie : Station to Station, 1976

Chicago at Carnegie Hall,
Volumes *I, II, III & IV*

J'aime cet album parce qu'il est sur Columbia. Je leur fais confiance, je révère leur moindre produit, parce que Columbia est la General Motors de l'industrie du disque. Ils ont toujours le meilleur de tout : meilleur logo, meilleur lettrage du nom des artistes et des titres d'album, meilleure photographie, meilleur carton de pochette. Je sais qu'aujourd'hui certaines âmes ingrates parlent comme si l'univers entier appartenait à la Kinney Corporation[10] et que Columbia n'était plus qu'une vieille has-been tremblotante, mais je crois qu'il faut être fidèle à ses amis. Entendez : qu'est-ce qui a le plus de prestige pour vous – une boîte de biscuits Kix ou Cheerios ?

Mais être sur Columbia n'est pas la seule chose qui fait de *Chicago at Carnegie Hall* un classique. Si acheter en fonction de la marque vous fait reculer, un autre moyen, d'une sûreté éprouvée, de jauger la valeur d'un album est de jeter un coup d'œil aux sillons eux-mêmes. Notez les motifs clairs et sombres. Si les premiers sont plus nombreux que les seconds, cela veut dire que les sillons sont plus larges, ce qui, à son tour, signifie que le disque est plus lourd parce qu'il y a davantage de musique fourrée dans chaque sillon. Non seulement cet album pèse 1,465 kg, mais il est si bourré de sons qu'il a des sillons assez larges pour satisfaire jusqu'aux connaisseurs les plus difficiles. Quiconque vient me dire que ce n'est pas l'album le plus *heavy* de l'année ne connaît rien aux maths.

Toutefois, et bien qu'adorant *Chicago at Carnegie Hall*, je ne le passe pas très souvent. Une seule fois depuis que je l'ai, en fait, et je n'ai aucune intention de recommencer. Mais c'est vrai que personne ne m'y force, ce coffret se suffit en soi, c'est une entité existante, et trop le passer ne ferait que couvrir de taches et d'éraflures ses surfaces immaculées. Alors, quelle importance que ce soit le pire album de Chicago ? Importe-t-il vraiment que tous les titres sonnent exactement comme sur les albums en studio, à ceci près qu'ils sont incommensurablement plus délayés, et bourrés d'interminables solos qui ne vont nulle part ? Ou que les arrangements de cuivres sonnent comme des succès de Stan Kenton joués à l'envers ? Ou que, si techniquement compétent que soit Chicago, il y a trop de fois où l'on entend toutes les parties mieux que l'ensemble ?

Franchement non. Et pour ceux d'entre vous qui reconnaissent le besoin fondamental d'un album tel que celui-là, et ne veulent pas dépareiller leur exemplaire en rompant la cellophane, je citerai les plus grands moments des huit faces :

• Dans l'intro au piano « informelle » de « Does Anybody Really Know What Time It Is ? », Robert Lamm est présenté comme étant « M. Chops », ce qui vient du fait que ses copains de chambrée l'appelaient plaisamment « Chopin » en fac, puis il se lance dans un solo composé à parts égales de Roger Williams, « Slaughter on Tenth Avenue » et « Cast Your Fate to the Wind ».

• Dans « It Better End Soon – Second Movement », Walter Parazaider prend un long solo de flûte sauvagement éclectique, commençant par le « Chant du matin », extrait du *Peer Gynt* de Grieg, déviant abruptement vers « Dixie », sous les acclamations de l'assistance, et de là à « Battle Hymn of the Republic », roulements de tambour martiaux compris.

• L'improvisation vocale « preacher-man » dans le quatrième mouvement de « It Better End Soon » – « We've gotta do it right / Within this system / Gonna take over / But within this system » – se voit décerner le prix Ils Ont les Flingues Mais Nous Avons le Nombre.

• Écouter « I'm a Man » à la radio, se sentir bien, savoir qu'on n'a pas à acheter ou à passer tout le lot pour savoir ce qu'il y a de bien dedans.

• Se demander si « Anxiety's Moment » est piqué à la « Sonate au clair de lune » ou à « Unchained Melody ». Puis se demander si tout ça a vraiment de l'importance.

S'il y a une chose que possède Chicago, c'est la variété. Ils sont par ailleurs pourvus d'une originalité nulle, mais je ne pense pas que ça ait beaucoup d'importance non plus. Ils ont aperçu un vide, sont arrivés et l'ont rempli. Avec du mastic et du plâtre de Paris, mais ils l'ont bel et bien rempli. Et si vous pensez que c'est de la petite bière, examinez les charts du *Billboard*, de *Record World* ou de *Cash Box*, dans lesquels leur premier album marche toujours aussi fort, au bout de deux ans et demi. Jusqu'à une date très récente, aucun de leurs albums précédents n'avait d'ailleurs quitté les hit-parades. Ils ont conquis ce monde, et recommenceront avec cet album conçu pour Noël, qui comporte exactement les mêmes titres que les autres, mis à part l'inclusion d'un nouveau sur Richard Nixon. Ce sera pour les gens un cadeau évident pour les jeunes membres de leur parenté qu'ils ne connaissent pas bien, et vu qu'il se vend à un prix suffisant pour qu'à un exemplaire par magasin ça vaille un million de dollars en bizeness, il devrait devenir disque d'or le jour de sa sortie ou presque. En fait, arrivé là, Chicago n'a plus qu'à escalader un nouveau sommet :

Quand ils en arriveront à *Chicago VII*, ils n'auront qu'à sortir un coffret de *sept* disques, avec un album pour chaque membre du groupe – un disque entier ne contenant rien d'autre que la basse de Peter Cetera, un autre la trompette de Lee Loughnane, etc. – jouant une version de quarante minutes de « Does Anybody Really Know What Time It Is ? », et nous pourrons, avec sept tourne-disques, avoir le plus grand concert de tous les temps.

Creem, février 1972

Black Oak Arkansas :
Keep the Faith

Quand sortit le premier album de Black Oak Arkansas, je commis l'erreur de l'écouter une fois, puis d'en rédiger sous amphés un compte rendu excessivement imagiste, le louant jusqu'aux étoiles. Un peu plus tard, un de mes très bons amis me donna un coup de fil longue distance pour me confier : « Hé Lester, je viens juste d'acheter l'album de Black Oak Arkansas sur ce que tu en avais écrit, et je voulais simplement te dire que c'est *de la merde*! »

Il y a quelques mois, je les ai vus en tournée avec Grand Funk, et si j'ai trouvé atroces les nullardes tentatives du chanteur de faire du mumbo-jumbo Dr Johnesque d'une voix pseudo-Captain Beefheartienne minable, les trois guitaristes et la section rythmique étaient amples, passionnants, compacts et fonçaient tout du long. Mais quand cet album est sorti, j'en avais tellement soupé des pullulations graillonnantes du dénommé Dandy que j'en ai à peine supporté l'audition, et ce n'est qu'en plaisantant à demi que j'ai suggéré à quelqu'un : « Si seulement quelqu'un descendait le foutu chanteur de ce groupe ! »

D'accord. Les critiques de disques virent à la préciosité et l'autopromotion quand elles deviennent trop autobiographiques, mais l'important dans tout ça c'est que j'ai écouté un peu plus de l'album, et si je pense *toujours* que Dandy est aussi odieux qu'on peut l'être, je commence à aimer ça, et pas seulement le travail instrumental. Je me souviens avoir lu dans l'*Atlantic Monthly* un article consacré à la rencontre, à Yale ou quelque chose comme ça, d'universitaires et d'un groupe d'étudiants gauchistes emmenés par Mark Rudd[11]. On entendit un professeur dire : « Ce Mark Rudd est si antipathique que je ne peux supporter d'être dans la même pièce que lui », et un autre, qui sympathisait davantage avec Rudd et ses *Ruddniki*, lui répondit : « Oui, mais on aurait pu dire la même chose de Tom Paine[12]. » Aussi dirai-je la même chose de Dandy. Arrive un moment où certaines choses deviennent à ce point répugnantes qu'elles cessent d'être simple déchet pour paraître intéressantes et même agréables, et *peut-être parce qu'elles sont à ce point répugnantes.*

Eric Burdon en est (en était ?) un bon exemple. Aucun doute là-dessus : depuis qu'il est passé du blues pur et dur des Animals au rock artiste, il est devenu l'un des chanteurs-compositeurs les plus prétentieux, les plus gonflés de sensiblerie et les plus grotesquement boursouflés de l'histoire humaine, et raciste de surcroît. Mais, à l'exception de son boulot avec War, simple travail de bar-band, il a toujours réussi à rassembler de bons groupes, à écrire des chansons intéressantes et, plus encore, à se montrer infiniment distrayant, précisément parce que c'est un bozo.

Dandy n'a pas le don d'Eric pour le commentaire social brillamment maladroit, mais il n'en est pas loin. *Keep the Faith* (dont le sous-titre est : « L'enseignement de Black Oak Arkansas ») poursuit en l'amplifiant son riff juju-hosannah, va jusqu'à reprendre en illustration de pochette de vieux volumes reliés cuir de la Bible, du *Bhagavad-Gita*, de l'enseignement de Bouddha et du *Siddhartha* d'Herman Hesse, et si la musique sonnait un peu moins comme la version sexyfiée d'un folk rock à la Buffalo Springfield-Moby Grape plein de dinguerie, et ne se transformait pas en boucle guitaristique prise de folie mécanique, les paroles pourraient vous faire croire qu'on est revenu en 1967, à cause de passages du genre : « Nous sommes ce dont vous avez besoin, du bon bois solide. Nous sommes votre pouvoir de faire plier le mal, ensemble nous créerons et nous façonnerons notre monde. Nous sommes les enfants de Dieu, alors n'oubliez pas, le Paradis est tout proche et nous y arriverons. Alors nous vous donnerons tout notre amour ; nous ferons de notre mieux. Car après tout, c'est notre amour que nous voulons donner. »

Mais on n'est plus du tout en 67, c'est, euh, une nouvelle époque, alors qu'un soul man vienne et danse le pop-corn – je veux dire, quelque chose de nouveau souffle dans le vent : « We're your freedom, we're your son. We shine a light for everyone. We're your happiness, we're your joy. Your Revolutionary All-American Boys ! »

Oui, les times ils ont a-changé. En décembre dernier, lors de la marche pour réclamer la libération de John Sinclair, à Ann Arbor, John Lennon a déclaré : « Le Flower Power n'a pas marché, alors essayons quelque chose de nouveau », et quand Big John dit ça on sait que quelque chose est en route. Certes, Black Oak Arkansas ne chante pas les motifs cristallins veinés de taches indistinctes dans les toiles d'araignées mouillées de rosée de votre âme – ils chantent « Fever In My Mind » et les tremblements de terre. Dans « The Big One's Still Coming », le moment fort d'un album si chargé de strychnine qu'en soi c'est comme un flash-back d'acide, Dandy s'empare du thème de l'apocalypse qui court dans tous les titres et le transforme en vision d'une catastrophe naturelle imminente : « We're havin' an earthquake / We're goin' insane / A California earthquake / Has been shakin' our brains ». Fort heureusement, toutefois, il admet que ces cataclysmes et désastres apparemment horrifiants peuvent être transformés en quelque chose qui ressemble à un moment vraiment cool, si on y réfléchit et qu'on procède aux manipulations karmiques correctes (« But mystic thoughts can only fly to another plane »), puis qui peut être maîtrisé et chevauché à travers les clochers en ruine de Babylone, jusqu'à la gloire : « California earthquake / Shakin' our heads / Yeah we're havin' an earthquake / On our waterbeds ».

Et c'est un peu ce que m'inspire cet album. Il me rappelle cette scène dans *Un, Deux, Trois* de Billy Wilder, dans laquelle les cocos de Berlin-Est torturent un espion capturé et lui lavent le cerveau en l'attachant à une chaise et en le contraignant à écouter 789 fois « Itsie Bitsie Teenie Weenie Yellow Polka Dot Bikini » de Brian Hyland, passé en 78 tours, le bras du tourne-disque passant dans un trou percé dans le 45 tours à un centimètre du centre, si bien qu'il tombe en rade avec un geignement aller-retour à vous détruire la cervelle, une sorte de comme qui dirait wah-wah, en fait. Après avoir écouté toute la musique psychédélique, artistico-studiotesque, électronique, filtrée, altérée, phasée et jouée à l'envers de ces six ou sept dernières années, Black Oak Arkansas et les amygdales en loques de Dandy venant couronner le tout, je crois que je pourrais dire à mon vieux professeur d'instruction civique du lycée qu'au moins je devrais être insensible à cette forme de lavage de cerveau communiste : sans doute taperais-je du pied.

Creem, mai 1972

White Witch

Le Grand Riff Américain (ou Anglais, à dire vrai) De Sublimation Adolescente constitue une bonne part du punk rock. Entre douze et vingt ans, tout le monde veut tirer son coup, y pense vingt-quatre heures sur vingt-quatre, en fait, mais pour l'essentiel de telles cogitations ne sont que névroses draineuses d'énergie, et il en résulte que nous avons Deux Grandes Écoles de Punk Rock. L'une surcompense la névrose adolescente par des manifestations exagérées d'arrogance macho, qu'emportent des lignes de basse bandantes et vengeresses (Les Troggs en sont l'archétype suprême), l'autre se contente de délirer, submergeant tout le truc sous des paroles à doubles sens des plus embrouillées, avec allusions à la dope à la pelle. L'extase-de-l'acide-trans-cendant-le-corps-en-une-giclée-viens-donc-petite-chérie-tire-donc-sur-mon-gros-joint-et-tu-verras-les-choses-différemment, ce genre de truc.

Enfin, jusqu'à une date récente. C'était la branlette défoncée du milieu des sixties, mais maintenant tout le monde est blasé sur la dope, il faut quelque chose de nouveau pour pouvoir empêcher ces pauvres petits puceaux de devoir chanter la baise et tout foutre en l'air en trahissant leur inexpérience fétide. On ne peut faire passer ça par profits et pertes, parce que c'est envi-ron 40 pour cent de ce dont le rock nous parle. Un sur vingt mille seulement a le génie culotté d'un Iggy ou d'un Jonathan Richman, des Modern Lovers, et se montre désireux de chanter ses gueules de bois adolescentes d'une manière si douloureusement honnête que la moitié du public en sera morte de honte.

Une solution, bon dieu ! Pas le rock bisexuel ou gay, parce que seuls les Rosbifs peuvent faire ça, et d'ailleurs ces mecs ne sont pas gay, ils sont débiles et coincés entre les deux. Vous suivez ? Faire dans le Kozmik. Ragas jujubéens Okkultes et Mystikes, Bouillie Mumbo-Jumbo Merlinesque. Regardez le dos de·pochette de cet album : puis observez le mec debout à gauche. C'est un fait inéluctable que sous tout ce maquillage, soie, perles Belzébuth et attirail hoodoo-voodoo, se dissimule une authentique tête de bite. Un regard le confirme. Il pourrait être, vêtu d'un costume gris à minces revers, sur un album des Astronauts, il y a une décennie ; ou crispé sous un chapeau melon Beatles tout neuf à mi-chemin entre alors et maintenant ; ou solennel, dans sa veste à la Nehru, avec derrière lui un Couvre-Lit Pour Touriste de New Delhi accroché au mur, un an ou deux plus tard ; ou planant d'un air maussade derrière une guitare de heavy blues en 1968... ah, la grande tradition ne meurt jamais, aussi est-il ici aujourd'hui, maquillé comme un travesti sous acide, et non seulement sa masculinité n'en est pas compromise d'un cil, mais c'est, pas moyen de s'y tromper, la même tête de bite, celle qui à l'auto-école était assise sur le siège devant vous et pétait tout le temps. Le reste du groupe n'est pas différent.

Ça sonne comment ? Super ! Du bruit très moche et des abstractions studiotesques mystikes, c'est mieux que presque tout Black Oak Arkansas, les voix, l'orgue et d'autres trucs sont tout à fait comme chez Deep Purple, et si vous avez le moindre sens de l'humour, ou aucune moralité, vous les adorerez.

Creem, octobre 1972

John Coltrane lives

Tout avait commencé si simplement ! Je n'aurais jamais eu l'idée que ça finirait dans un tel bourbier de complications. J'étais là un lundi soir, à jammer et à boire du porto avec mes copains Roger et Tim. Nous sommes en train de monter un groupe de rock à la Stooges, qui s'est déjà appelé Crime Desire, Cannibal Rape Job, Romilar Jag, ou Cigar Box Joe Bob and the Clap, en ce moment c'est National Dust, vu que nous traversons notre période retour-aux-rudiments. Tim est à la guitare rythmique, Roger joue de la flûte et chante, et nous avons aussi deux autres types, absents ce soir-là, qui jouent lead et basse, bien que notre batteur nous ait laissés tomber récemment parce que nous étions trop allumés pour lui. Je joue de l'harmonica et chante sur certains titres. Ce soir-là, nous répétions certains de mes nouveaux originaux particulièrement killers : « Please Don't Burn My Yoyo », « A Race of Citizens », « He Gave You the Finger », « Mabel », « After My Misspent Youth », et « Barracuda Anthem », philippique exaltant le délinquant juvénile révolutionnaire :

> *Hé l'enfoiré !*
> *Hé l'enfoiré !*
> *T'es assis sur ta poubelle*
> *Sors dans la rue, prouve que t'es un mec,*
> *On est assis depuis trop longtemps,*
> *Il est temps de tirer la chasse une bonne fois*
> *Sur ceux qui ont volé le sol à tous les pieds à naître !*

Répéter avec trois membres du groupe, et une seule guitare, n'était pas la tâche la plus facile du monde, mais c'est devenu de plus en plus approximatif à mesure qu'on s'imbibait, et c'est juste quand les choses ont vraiment commencé à se déglinguer que j'ai été saisi d'une inspiration qui sur le moment m'a paru brillante, mais qui devait connaître un lugubre dénouement. Haletant et glapissant à travers mon Hohner Marine Band, j'ai contemplé la chambre de Roger, jonchée de manuscrits maculés, de revues de cul en lambeaux, de bouteilles à demi vides, de disques avec des taches de vin sur les sillons, et tout d'un coup j'ai vu, tout poussiéreux dans un coin, un vieux saxo alto que Roger avait emprunté à son beau-frère il y a des mois, dans l'intention de varier un peu par rapport à la flûte, sans jamais vraiment arriver à s'y mettre.

J'ai aussitôt laissé tomber l'harmonica, qui de toute façon a une palette trop limitée pour un artiste expérimental, et me suis emparé du biniou. Le tenir entre mes mains, jouer avec les clés, a été comme une révélation, qui m'a ramené au temps du lycée et des leçons sur un autre saxo alto également emprunté : assis dans la salle d'exercice du magasin avec un instructeur patient et laborieux qui s'efforçait de m'apprendre gammes et embouchures, quand tout ce que je voulais était lâcher un super pet fulgurant qui aurait fait s'envoler le toit. Pour moi, un saxo a été un symbole de pouvoir depuis le temps où j'étais assis à me balancer en frissonnant sur des trucs comme l'*Africa/Brass* de John Coltrane, tout en contemplant avec une crainte respectueuse les photos du mec sur la pochette, inondé de lumières jaunes et pourpres, soufflant le plus authentique Testament de l'Histoire à travers ce gros biniou braillard.

Certains jours, restant à la maison après avoir feint d'avoir la grippe, je mettais Trane aussi fort que mon Silverstone de chez Sears pouvait le supporter, et me dressais sur un prie-dieu en lisant *Howl* de Ginsberg à pleins poumons, comme si j'étais dans un café de North Beach ou de Greenwich Village. La musique m'alimentait, bien que je commence seulement à me rendre compte qu'au fond j'étais un enfant du verbe. Sous la douche, je hurlais en cognant sur des claviers, des batteries – plus tard des guitares – imaginaires, mais surtout des saxos, émulant mes héros avec des ragas atonals de vingt minutes qui atteignaient leurs paroxysmes les plus déchaînés quand l'eau chaude cessait de couler.

À divers moments, j'ai aussi pris des leçons, avec des vraies guitares, de vrais pianos, une vraie trompette, de vraies batteries et le saxo sus-mentionné, sans jamais connaître grand succès, car j'étais toujours trop animé par les impératifs d'un chant intérieur pour apprendre à jouer des gadoues de manuel du genre « Old Black Joe » ou « My Bonnie ». Certains après-midi, je pratiquais mes gammes à l'alto pendant cinq ou dix minutes, les sentais glisser inéluctablement vers l'improvisation, vagissais un moment puis allumais une Chesterfield, me rasseyais sur ma chaise, le biniou négligemment posé sur mes jambes croisées, les doigts d'une main encore posés sur les clés, à écouter mes disques de Jackie McLean et à rêver. Plus tard, je me mis à fumer de l'herbe et, dans les riffs merveilleusement aléatoires de l'euphorie, réussis bel et bien à me tirer du « Summertime » de Gershwin. Je me joignis, pour un après-midi, à un groupe du type Johnny and the Hurricanes, sans pouvoir jouer « Night Train » ou « Let's Get One », mais pour souffler, ça j'ai soufflé, même si l'anche était fendue et la pointe ébréchée – il en manquait un bon centimètre.

Celle de l'alto du beau-frère de Roger était neuve, mais raide et poussiéreuse : sans doute n'avait-elle jamais servi. Un musicien « professionnel » l'aurait sans doute extraite de l'instrument afin de la sucer jusqu'à ce qu'elle soit assez souple pour donner le bon son, mais j'étais trop pressé pour perdre mon temps à ces conneries de conservatoire à la Juilliard. De toute façon, il y a quelque chose d'infantile à sucer un morceau de bois ; en tout cas, j'ai simplement pris le fichu truc dans son coin et m'y suis mis, HONK ! BLAT ! SQUEEE !, doigts frémissants travaillant les clés, vocalismes râpeux déferlant en trombe, expérimentant de bruyantes redondances rythmiques sur une ou deux notes, des croisements bop entre Illinois Jacquet et Albert Ayler, et des licks voisins des riffs de guitare des Stooges. Ça me paraissait super, et Roger et Tim ont d'abord été follement enthousiastes, mais au bout de dix ou quinze minutes ils ont paru se lasser un peu, ont cessé de jouer et, entre deux goulées de porto, se sont contentés de regarder fixement les peluches du tapis, ou la télé qui, son coupé, passait le « Dick Van Dyke Show ». Ce qui d'ailleurs ne me dérangeait pas le moins du monde, le flux d'une inspiration à haute énergie étant si constant et soutenu que je ne m'attendais pas vraiment à ce qu'aucun de mes pairs puisse me suivre. C'était avec *Trane* ou *Pharoah* que j'étais à riffer !

Quoi qu'il en soit, la soirée s'est achevée dans la plus parfaite confusion, car nous nous sommes tous trois tellement bourrés que nous sommes passés dans cet état d'inconscience ambulatoire parfois heureux, parfois désastreux, qui vous oblige à donner coup de fil sur coup de fil le lendemain matin pour votre propre édification, en espérant que vous n'aurez pas commis une gaffe absurde. Je me souviens vaguement que Tim m'a ramené chez moi en voiture tandis que je ne cessais de bavasser et de glapir dans le saxo, de moins en moins cohérent à chaque note, jusqu'à ce qu'enfin je n'en joue plus qu'une, pure et authentique, parcourue par un rire, ne m'arrêtant que pour respirer. Tim m'a hurlé de fermer ma gueule, ce à quoi j'ai rétorqué : « Tu plaisantes ! », et je ne me suis interrompu que pour m'extraire de la voiture, me traîner jusqu'en haut des marches menant à mon appartement, avant de tomber tout habillé sur mon lit et de plonger dans un oubli total.

Cette nuit-là, j'ai fait un rêve étrange et merveilleux, l'un des meilleurs de toute ma vie. J'étais dans un vaste auditorium inspiré du petit théâtre de mon vieux lycée, rempli de gens jusqu'aux fenêtres poussiéreuses, et j'étais sur scène, seul avec mon saxo, à le tripoter dans tous les sens en bêlant, crachant la gadoue la plus grossière que j'aie jamais entendue. L'audience commençait à s'agiter, et de rares grommellements sans importance à se faire entendre. Mais voilà que tout d'un coup je me suis mis à éprouver un sentiment très étrange, et j'ai compris brusquement que la main d'Ohnedaruth lui-même s'en venait rafraîchir mon front. À cet instant j'ai été frappé de cet aperçu divin que la façon d'en jouer *plus* c'était d'en jouer *moins*, que je soufflais trop fort et dissipais mes énergies. Alors je me suis détendu, et j'ai entrepris de manipuler souffle et doigtés de façon plus calme, plus méditative et délibérée. Et c'est alors que la mélodie la plus sublime et la plus haletante a émané de mon instrument, de *moi*. C'était fantastique, c'était un instant sacré. Je sonnais exactement comme Pharoah Sanders. L'audience a été réduite au silence par une crainte respectueuse. Le fil, doux et fort à la fois, de la mélodie s'est dévidé à n'en plus finir, en se faisant plus divin à chaque mesure, elle était si intense que c'en était presque post-émotionnel. À l'apogée de ladite, je me suis rendu compte qu'à travers détours et virages, j'en étais venu, je ne sais comment, à jouer « The Girl from Ipanema ». Mais cela sonnait toujours aussi sacré.

Je me suis réveillé le lendemain avec l'une des gueules de bois les plus notables du mois et une mémoire en gruyère. La vue du saxophone appuyé contre le mur de ma propre chambre m'a laissé perplexe ; j'ai aussitôt appelé Roger et lui ai demandé :

« Qu'est-ce que ce saxophone peut bien foutre chez moi ? »

« J'en sais rien ! »

« Qu'est-ce qui s'est passé hier, merde ? »

« J'allais te le demander ! »

Aucun espoir de parvenir à la connaissance. C'est la faute de ce minable porto Gallo, ça vous donne une cervelle aussi cramée que celle d'un pochetron. C'est pourquoi nous l'aimons tant, nous autres adolescents. Roger m'a dit qu'il passerait peut-être un peu plus tard avec Tim pour boire un coup et regarder la télé, alors j'ai raccroché et j'ai entrepris de me reprendre un peu. En règle générale, je ne bois pas le matin, mais ce jour-là ma gueule de bois était d'une qualité si extraordinairement intense que j'étais presque aveugle, et j'ai passé près de trois quarts d'heure à tourner en rond dans l'appartement, contemplant dans l'air une tache floue d'un noir violacé, avant de décider de laisser tomber et de me mettre au Jack Daniel's en guise de petit-déjeuner. C'était bon, et tandis que ma tête commençait à s'éclaircir, je me suis assis dans le rocking-chair près de la fenêtre du séjour, en jouant avec le saxo, à me rappeler ma période Jackie McLean. Pour finir, j'ai placé l'embouchure dans ma bouche et j'ai laissé échapper un « TOOT ! » expérimental.

Pas mal. Peu à peu, sans jamais oublier la palpitation dans ma tête, je me suis mis à extirper de l'engin quelques caquètements de basse-cour.

Puis j'ai vu brusquement une ombre desséchée passer sur le store à côté de moi. J'ai cessé de jouer, me suis levé tout doucement, ai soulevé très légèrement une des lamelles du store, et j'ai regardé dehors. Ma propriétaire était là : un mètre trente de vieille bique aux cheveux blancs, appuyée sur sa canne, juste devant la porte de mon appartement, à écouter. J'ai posé le saxo et me suis rassis dans le fauteuil, mains croisées sur les genoux, sans faire le moindre bruit. Elle a fini par s'en aller.

J'avais déjà eu des problèmes avec cette vieille apparition. Les précédents responsables, un couple en retraite, étant partis après que le mari eut eu une crise cardiaque, Mrs. Brown avait repris le flambeau, et depuis elle et moi avions été à couteaux tirés. La première fois, c'était resté des plus courtois. Je passais à fond *The American Revolution* de David Peel and the Lower East Side, elle était venue et m'avait dit très gentiment qu'un autre locataire s'était plaint. Très bien. J'avais baissé le son. La fois suivante, c'était Sir Lord Baltimore. J'en avais écouté toute une face au casque avec les haut-parleurs branchés, avant de me rendre compte qu'elle cognait à la porte de toutes ses forces depuis vingt minutes. Quand je suis allé ouvrir, elle s'est lancée dans une tirade chargée de menaces d'éviction, mais j'avais le sang incendié par un feed-back Sir Lord Baltimoréen, alors je me suis contenté de hurler et de lui claquer la porte au nez.

Deux choses ont compliqué toute l'affaire. La première était son fils, une lavette au visage de bébé, le genre qui a toujours un pansement rougeâtre dans les poils après s'être rasé ; il avait épousé une blonde du genre activiste étudiante, garce au possible, que j'avais connue au lycée, et il passait le plus clair de son temps à s'engueuler avec elle. Tout l'immeuble s'amusait de l'entendre geindre tandis qu'elle le rabrouait, et elle gagnait toujours. De toute évidence il était toujours lié aux cordons de tablier de sa *madre*, car ils acceptaient qu'elle les loge gratuitement, bien que manifestement sa femme la détestât (encore qu'à dire vrai il semblait qu'elle détestât le monde entier).

L'autre facteur qui me rendait difficile de m'éclater en paix, c'est que l'appartement situé juste sous celui que ma sainte mère et moi-même occupions était loué à quelqu'un avec qui j'étais aussi allé au lycée, l'un des cogneurs les plus hideux et les plus débiles que j'aie jamais vus, un nommé Butch Dugger, et voilà qu'il était devenu flic. Un gamin qui vivait dans l'immeuble m'avait confié une fois qu'on avait entendu Dugger dire qu'il se souvenait de moi, ne m'avait jamais aimé, et avait juré qu'il allait « m'avoir », pour reprendre ses propres termes.

Je ne suis pas particulièrement paranoïaque. Tout ce que je sais, c'est qu'un soir, alors qu'un copain était venu picoler, il m'a tapé sur l'épaule en plein milieu de « Sister Ray », et quand j'ai ôté les écouteurs il m'a dit que quelqu'un cognait à la porte. Quand j'ai ouvert, il y avait là *quatre* flics en grand uniforme, affirmant que quelqu'un, ils ne diraient pas qui, s'était plaint du bruit, et que comme on était un dimanche soir passé vingt-deux heures, ils devaient prendre mon nom. Ma chambre était encore pleine de fumée de marijuana, mon copain était défoncé aux reds, alors je leur ai dit qui j'étais pour qu'il restent dehors, et ils sont partis.

Mais tout cela appartenait au passé, je n'avais plus de dope dans la maison, et d'ailleurs ça me gonflait que ma proprio soit devant ma porte à m'espionner, aux États-Unis d'Amérique, où quiconque a le droit de jouer du free jazz en plein midi. J'avais entendu d'autres locataires dire qu'elle et son fils avaient été surpris à des heures indues, courbés près des fenêtres, à écouter pour savoir ce qui se passait à l'intérieur.

Je me suis rassis et j'y ai réfléchi un moment, le temps d'en arriver au milieu de mon cinquième Jack Daniel's, puis j'ai appelé ma copine au téléphone histoire de rigoler un peu. Sa sœur a répondu, je n'ai rien dit et me suis lancé aussitôt au biniou dans une version piaillante de « Mary Had a Little Lamb » dont Yusef Lateef aurait pu être fier. Elle a d'abord été choquée, je pense parce qu'elle croyait que c'était un coup de fil de cinglé, mais quand j'ai dit qui j'étais elle a passé le téléphone à sa sœur, ma copine, et j'ai réitéré ma performance.

Le temps que j'en sois à la moitié de ma première interprétation, ma propriétaire était arrivée au galop, pour autant qu'on puisse galoper avec une canne chromée, et s'est mise à cogner sans relâche à la porte de son poing noueux. Ça donnait un accompagnement rythmique pas mal, en fait, mais Candy et sa sœur ne pouvaient l'entendre. Au moment où je me suis mis à jouer pour ma copine, Mrs. Brown a glapi : « Hé, vous ! Arrêtez ça et ouvrez la porte immédiatement ! »

Mais je suis allé jusqu'au bout de mon récital, pendant que Candy riait, puis je lui ai dit d'attendre une seconde et suis allé ouvrir, biniou à la main. La propriétaire fulminait : « Qu'est-ce que vous faites ? »

« Je pratique le saxophone », ai-je répondu avec un sourire innocent, en l'avançant un peu pour qu'elle puisse le voir. Elle ne s'est pas apaisée pour autant :

« Vous êtes en train de vous soûler ? »

J'ai commencé à m'énerver. Chaque fois qu'elle vient m'embêter elle m'accuse de me « soûler », et le pire, c'est qu'elle ne rapplique jamais quand c'est vraiment le cas. Une fois, elle était venue me dire ça alors que je regardais à la télé un prof d'université plutôt allumé, qui ressemblait à Woody Allen, jouer au piano des sonates dues à un obscur compositeur homosexuel, avant d'expliquer leur contenu programmatique d'un ton grandiloquent. « Non, me suis-je rebiffé, sentant monter l'adrénaline. Je joue du saxophone, comme vous pouvez le voir, merde ! »

Elle a posé le pied à mi-chemin entre l'encadrement de la porte et la moquette, pour se pencher à l'intérieur. « Ne me parlez pas sur ce ton, jeune homme ! »

« N'essayez pas de pénétrer dans mon appartement, je ne vous ai pas dit d'entrer ! C'est une intrusion ! » Nous commencions tous les deux à être un peu partis. Cela faisait des mois que nous rêvions de cette confrontation, bien que la plupart du temps je n'aie pas été là, allant prendre part à des soûleries collectives à Los Angeles. Elle a lancé : « Je pensais que je vous ferais sortir d'ici, jeune fripouille ! »

« Eh ben, ça ne s'est pas produit, vieille garce ! », ai-je gloussé, tandis que les yeux me sortaient passablement de la tête.

« Oooh, a-t-elle écumé en agitant en l'air son petit poing livide et son vieux bras desséché, je... je... je vais vous gifler ! »

« Allez-y ! » ai-je hurlé. Je commençais vraiment à m'y mettre. Je me voyais traînant en justice une vieille infirme de 78 ans pour coups et blessures.

« Je vais appeler la police ! »

« *Et sur quelle charge ?* » ai-je braillé.

« Trouble de jouissance... dans mon immeuble ! »

« Conneries, ai-je dit. En tout cas, pourquoi ne pas la boucler, sortir d'ici et cesser de me gonfler. Je m'en vais dans deux semaines et je ne serai plus jamais obligé de voir votre tronche ! »

« Je vous donne trois jours pour partir ! »

« Allez vous faire foutre, vous n'avez pas le droit ! »

Elle était vraiment frustrée, elle s'est mise à tendre les mains comme pour prendre des choses.

« Je dirai à votre mère ce que vous faites ! »

« Et alors ? »

« Je vais demander à mon fils de venir ici et il *vous cassera la figure !* »

« Ah, votre pédé de fils ne fera rien », ai-je grogné avant de lui claquer la porte au nez. Elle est partie, et je suis retourné au téléphone, au bout duquel Candy attendait avec perplexité :

« Qu'est-ce que c'était ? »

« Rien, ai-je dit. Ma proprio est vraiment cinglée. » Encore que je ne sois pas moi-même dans la meilleure des formes. Ma gueule de bois me faisait vibrer de partout, et il y avait un léger tremblement dans ma voix.

Mais je savais que tout irait bien. Je n'ai plus joué de saxophone, même si, tout en continuant à boire, je n'ai cessé d'avoir d'interminables fantasmes de nouvelles confrontations avec elle. Pour finir, Roger et Tim sont arrivés, et nous sommes sortis pour nous trouver de la gnôle, bien que Tim en soit revenu à son vieux régime de reds et de whites. En fait, comme il sortait fièrement sa camelote pour nous montrer, il s'est planté et a laissé tomber le sac. Les petites pilules ont roulé et se sont dispersées partout, et vu son état il n'a réussi à en ramasser que les trois quarts. J'ai noté mentalement celles qui avaient roulé sous le sofa et le fauteuil, prévoyant de les ramasser plus tard.

Après avoir mis de côté ce qu'il avait récupéré, il a pris le saxo. Je leur avais déjà raconté la scène avec la propriétaire, et Tim a émis quelques couinements flatulents. Roger lui a sauté dessus : « Fais pas ça, mec, on a pas besoin d'emmerdes ici. »

« Ouais, ai-je dit, qu'est-ce que vous allez raconter à ma proprio si elle se repointe à la porte ? »

« Oh, on va lui donner et dire : "Voilà, si vous pensez pouvoir mieux faire, allez-y" ! »

« Non, avons-nous hurlé tous les deux, non ! Essayons d'être cool ! » Et étant cool, Roger et lui se sont lancés dans une jam paisible à la guitare et à la flûte. J'ai d'abord écouté en sirotant mon Jack Daniel's, mais plus j'écoutais plus je voulais jouer, et finalement, saisi par la muse et la gnôle, j'ai hurlé : « Et puis merde ! », ai pris le saxo et me suis mis à souffler.

Il lui fallut encore moins de temps pour arriver que la dernière fois. Sans doute était-elle assise dans son appartement, comme moi, à se demander quand nous aurions l'occasion de nous houspiller de nouveau. Très romantique. Elle a tapé des deux poings, en hurlant à pleins poumons. Je suis allé répondre, comme avant, le saxo toujours en main. Mais cette fois, Trane a posé la sienne sur mon front, une fois de plus, et je n'ai pas eu besoin de misérables mots pour répondre.

« Je vous ai déjà dit que ce vacarme... »

HONK !

« Je n'ai pas l'intention de supporter davantage ce... »

HONK ! HONK ! HONKHONKHONKSQUAKSQUONK !

« Allez-vous poser ce fichu machin et écouter ce que... »

SQUEEE-ONK ! SHKRIEEEE ! GRRUGHRRGLONK-EE-ERNK !

Je me suis avancé vers elle, la repoussant dehors, ne m'arrêtant que pour reprendre haleine. Elle a fait demi-tour et s'est enfuie. « Très bien, a-t-elle hoqueté en courant jusqu'à sa porte et en l'ouvrant. Je m'en vais appeler la police ! »

Je ne sais pas ce qui m'a pris. C'était en partie la gnôle, en partie le rêve que j'avais fait la nuit précédente, en partie inspiration pure et fureur à l'idée de voir mettre en cause mon droit inaliénable à jammer. Je l'ai pourchassée le long de la balustrade, sans cesser de souffler, jusque dans son appartement. J'ai couru vers elle alors qu'elle composait un numéro, et j'ai souri à voir la terreur dans ses yeux tandis que j'avançais, soufflant comme un ouragan. Attention les yeux !

Je suis resté là juste au-dessus d'elle, à lui gémir en pleine figure, pendant qu'elle partait de plus en plus vers l'arrière, laissant tomber le téléphone et grimaçant de frayeur. Mais elle n'a jamais perdu sa canne.

« Qu'est-ce qui se passe ici, madame ? »

C'était Butch Dugger en personne, dans l'encadrement de la porte, en manches de chemise, un sandwich au thon à demi dévoré en main, arraché à sa télé en plein jour de repos.

« Ce garçon m'attaque ! a-t-elle hoqueté. Il est complètement fou ! Faites-le sortir ! »

« Tout de suite, madame », a dit Butch entre ses dents, avant de poser son sandwich sur la table du séjour, à côté d'une tulipe en porcelaine. Et il est venu par-derrière, me saisissant les bras et me les tordant dans le dos, si bien que j'ai laissé tomber le saxo à grand bruit sur la moquette. Comme il me poussait vers la porte, je l'ai vue aller à la cuisine, prendre un napperon et le glisser sous le sandwich. Et je l'ai entendu, lui, lui demander d'appeler le commissariat et d'informer l'agent Betancourt que l'agent Dugger lui disait de venir.

Il m'a fait descendre l'escalier et tomber tête en avant sur la pelouse, j'ai senti son genou dans mon dos. Étendu là, à manger de l'herbe, j'ai entendu une porte claquer ; sa femme lui apportait ses menottes. Il me les a passées sans changer de position, puis s'est levé. J'ai aperçu Tim et Roger de l'autre côté de la rue, se dirigeant tranquillement vers leur voiture, sans me regarder. Je ne pouvais leur en vouloir.

Une minute plus tard, une voiture de patrouille mouchetée d'or a déboulé en rugissant, deux flics s'en sont arrachés et sont arrivés en courant, comme si c'était une urgence n° 1. L'un avait sorti sa matraque. Mrs Brown avait dû donner un sacré coup de fil. Dugger a dit : « Il est là. Voies de fait avec intention de causer des dommages corporels, peut-être tentative de viol, peut-être autre chose. Surveillez-le, c'est un cinglé. Je crois qu'il prend du LSD. Je vais aller chercher un mandat, je crois avoir déjà reniflé des fumées de marijuana. »

Alors ils m'ont emmené et m'ont inculpé, pour voies de fait et ensuite pour possession de drogues dangereuses, puis ils m'ont jeté en cabane. Je me suis assis, j'ai allumé une cigarette et un Noir d'une trentaine d'années, l'air d'un dur, m'en a tapé une.

« Pourquoi t'es là ? »

« Parce que je suis en avance sur mon temps. »

Il m'a regardé et l'espace d'un instant j'ai pensé qu'il allait éclater de rire, mais non. « Ouais, a-t-il dit. Moi aussi. »

Creem, novembre 1972

Guess Who :
Live at the Paramount

Récemment, certains ont commencé à faire valoir que, 1967 étant si loin de nous et tout ça, il n'y avait plus rien de cosmique. Ils disent que la moindre barbiche psychique, évanescente et rare, a disparu de la vie contemporaine. Mais Je Sais Qu'Il En Va Autrement. Et ce depuis jeudi dernier, quand j'ai été réveillé à cinq heures du matin par un éclair venu frapper le réverbère devant chez moi, faisant un tel bruit, avec un sifflement consécutif disparaissant lentement, si proche de celui à la fin de « A Day in the Life », que j'ai été certain que les Popovs ou les Chinetoques nous avaient enfin balancé la Bombe. Je suis simplement resté allongé, attendant que l'onde de choc arrive et me balaie.

Je suis resté comme ça pendant environ quinze secondes, et quand j'ai été finalement et absolument convaincu qu'elle ne viendrait pas, je me suis levé et j'ai passé la version de seize minutes d'« American Woman », sur le nouvel album des Guess Who, un live enregistré à Seattle. Au cours de cette première audition, j'ai été frappé, non par un, mais par deux des premiers vrais *flashes* que je puisse me rappeler avoir eus depuis, oh, au moins quatre ans. J'ai compris simultanément que :

1. Guess Who est Dieu.

2. Burton Cummings est l'héritier légitime et incontesté du manteau spirituel de Jim Morrison.

Il y a un an, j'avais vu les Guess Who jouer cette version d'« American Woman » en public, et jamais un concert ne m'avait scandalisé à ce point. Comme il le fait sur ce disque, Burton

Cummings s'était accordé une longue rumination extrêmement déjantée sur le « Yin » Yankee, dans un style poétique un peu Beat négligé :

Garce américaine
Connasse américaine
Pouffiasse américaine
Lesbienne américaine
Écolière américaine
Ménagère américaine
Cramouille américaine

Etc., etc., etc. Ne seriez-*vous* pas offensés que ce connard Canaque arrive ici pour embarquer notre pognon en débinant nos femmes ? Bien sûr que si ! Jusqu'à ce que vous finissiez par vous rendre compte, comme je l'ai fait, que c'est exactement ce qui rend super les Guess Who. Ils n'ont absolument aucun goût, ça ne les gêne même pas de faire honte à tout le monde dans l'assistance, ce sont des vrais punks, sans même se donner beaucoup de mal pour ça. Tout ça est devenu clair quand je suis allé les voir il y a deux mois, pour être de nouveau fortement choqué par une chanson dans laquelle Cummings braillait : « I got cocaine and morphine too / Lots of stuff to get you all high... »

Je veux dire, ces gars-là ne savent pas quand s'arrêter ! Ce qui les place si loin devant les autres. Ils diront n'importe quoi. D'après vous, que signifie « diesel fixer, fixed a diesel, diesel fixed me, what a weasel ? » Est-ce que ça vous tracasse ? Non ! Est-ce que vous aimez ça quand même ? Bien sûr !

Pour autant que je puisse dire, cet album est à ce jour le magnum opus des Guess Who. À lui seul, « Woman », qui commence par un blues sur tempo moyen un peu mou, prouve que Burton est capable d'improviser les meilleures paroles ringardes-bidon depuis le Roi Lézard lui-même. Qui d'autre que Burton, ou Jimbo, aurait l'audace de commencer une chanson par : « Whatchew gonna do, mama, now that the roast beef's gone ? » Ensuite il a bel et bien le sang-froid, dans le cours de ses divagations, de donner la liste complète des façons dont la Femme Américaine se soumet totalement à lui pour le servir, et là il entreprend de la jeter parce qu'elle se « bousille l'esprit » ! Ça, mon vieux, c'est le vrai punk ; c'est tellement tordu que ça a de la classe jusqu'au cul. Et pour couronner le tout, il se lance dans un scat super, paresseux, incontrôlé, et joue de l'harmonica mieux que quiconque depuis Keith Relf, des Yardbirds.

Au cas où vous vous poseriez des questions sur la pub pour la dope, c'est dans une chanson intitulée « Truckin' Off Across the Sky », dont le héros est la Mort. Elle est là, dominant de la tête et des épaules, souriant, bras tendus et pleins de vous-savez-quoi. Et ce pourrait bien être le meilleur album live de l'année. Que tous ces vieux blaireaux portant leurs goûts hip en bandoulière aillent se faire foutre : achetez-le, passez-le très fort, et soyez le premier de votre immeuble à être un emmerdeur public.

Creem, novembre 1972

James Taylor : One Man Dog

Aujourd'hui je suis une vraie brêle.

Quand, en pleine sécheresse rock, vous cherchez désespérément quelque chose à écouter, pourquoi ne pas abaisser vos défenses et essayer James Taylor ? Je sais qu'il porte ses névroses en bandoulière, fait la retape pour s'assurer la sympathie de son public, et se planque dans un bungalow de Martha's Vineyard[13] beaucoup plus souvent qu'il n'est sain pour un gamin en pleine croissance (en fait, la plus grande partie de cet album a été enregistrée là-bas), et il a sans doute des tas de fans qui éprouvent tant d'empathie pour lui qu'ils aimeraient se rouler en boule fœtale et se contracter jusqu'à disparition complète.

D'un autre côté, tout le monde a besoin d'une petite souffrance par procuration. Où serait le Velvet Underground sans l'*angst* de Lou Reed ? Les fans de Black Sabbath sans les insomnies d'Ozzy Osbourne ? D'accord. Alors qu'est-ce qui rend James différent ? Qu'il soit un gosse de riches trop gâté, qu'il se tape Carly Simon (woo woo) et chante des nullasseries ? Ah, ça ne suffit pas.

Pour commencer, la nullasserie est aussi valide que tout ce qui peut passer à la radio si vous aimez ça en tant que gadoue débile et totalement inepte, tout comme vous aimez des trucs comme Eric Burdon et War. En second lieu, James Taylor est un vrai *punk*, quand on y vient. Il n'a jamais eu honte, d'abord, il se contente de glander et de se faire baiser tout le temps, comme la grande majorité d'entre nous, et je parierais que quand il n'est pas un Génie Sensible, c'est un mec terre à terre qui se fout éperdument de tout. Regardez-le sur la pochette de *One Man Dog*, dans un canoë avec son clébard, portant même une cravate, ce qui est cool par les temps qui courent. Ou ces clichés de lui à un concert pour McGovern[14], dans une veste de sport trop grande, autre revenant : bon dieu, il n'essaie pas de duper qui que ce soit.

Mais, direz-vous, je ne peux toujours pas écouter le disque à l'intérieur. Conneries ! C'est un disque très agréable. Il est plus facile que des tas de ces albums Rock grandes gueules tels que le nouveau Black Sabbath ou la face 2 d'*Exile on Main Street*. Il coule aussi doucement que le miel tout droit dans l'oreille et... s'arrête pour un petit moment de contemplation.

Car ce n'est pas James se vantant d'être chez les cinglés, ou pris de crampes abdominales à l'idée d'être une star. C'est James chez lui, un vrai homme-orchestre, et en tant que tel, c'est un archétype monolithique de notre temps. Il ne se soucie de rien de particulier, exception faite de lui-même, l'amour qu'il a trouvé, son chien, les sentiers et les pâturages de son quartier, et les parcourir à pas lents lui procure une grande satisfaction.

Les chansons sont brèves et il y en a des tas, deux fois plus, ou presque, que sur n'importe quel album en rayon. Pourquoi ? Pourquoi gaspiller de la place avec des chorus répétés, des breaks (sauf à la fin de chaque titre, et dans les instrumentaux, qui sont aussi présents, et exactement aussi atroces, que ceux de Black Sabbath), des jams fastidieuses ou toutes ces conneries ? Ne suffit-il pas qu'elles aient des mélodies agréables, somnifères, des paroles inoffensives ? Il se peut que James n'ait pas l'air d'un économiste, mais quand on en vient à la création il est en fait un vrai rapport qualité/prix vivant. Comme je l'ai dit, question style de vie c'est un punk. À dire vrai, il se peut que ce soit cette insoluble dichotomie qui l'ait déchiré ces dernières années. Alors, sors du placard, James, cesse d'essayer d'être le J.D. Salinger de la culture des lessivés, continue à t'avachir et à radoter près du réverbère et du bar avec les autres *wetbacks*[15]. Tu seras un encore plus grand Américain, et beaucoup plus vivifiant, que tu ne l'es actuellement.

Les créatures de plus en plus étranges qui cessèrent de vivre pour devenir des zombies déboussolés, *ou :*
Le jour où les ondes entrèrent en éruption

J'épluche *TV Guide*, quand je vois ce titre, n° 2 des trois films que KTTV, de Los Angeles, programme toute la nuit. Au fil des années, ils ont fourni une thérapie méconnue, à quoi viennent se mêler Ralph Williams et l'autre péquenot de parking pour voitures d'occasions avec My Dog Storm. Il fallait que je voie ça. Je veux dire, il y a films et FILMS ! En tenant compte du fait que les stations de L.A. et de N.Y. ne peuvent en acheter qu'un certain nombre, il y a encore tout un tas de trucs super que ces fichues chaînes ont en stock et ne montrent qu'une fois dans la vie d'un gnou, et davantage encore qu'elles n'ont jamais achetés ou jamais montrés ! Ce qui, pour qui que ce soit, est un motif suffisant pour un soulèvement du Peuple.

À L.A., le classique d'Albert Zugsmith, *The Beat Generation*, est programmé environ une fois par an, bien que tout film avec Mamie Van Doren mérite d'être rediffusé à intervalles mathématiques.

Mais combien de fois avez-vous vu un *vrai* truc nul tel que *Adolescents venus de l'espace* ou *The Blob*, avec Steve McQueen (il ne jouait pas le Blob comme James Arness jouait *The Thing*, mais la chanson du film était chantée par les Five Blobs, et Columbia l'a sortie en single : « It creeps / and leaps / and glides and slides across the floor... » [*Il rampe / et saute / et plane et glisse sur le plancher...*]) ?

Ces œuvres sont les vrais films rock, enterrés sous une conspiration de *têtes de bites retorses et de méduses mordeuses chauves à cheveux courts en ce moment même* ! D'après vous, qui programmait tout ce baratin dans le tube, du Bulletin Agricole à l'hymne national – le Mod Squad ? Non ! Les mêmes nullards fascistes qui vous empêchent d'acheter de la gnôle au lycée, d'écouter de la musique aux heures tardives, de fumer des herbes de Provence et de descendre la rue tout nu comme un noble sauvage devant le monde entier ! Et je dis qu'il est temps que nous nous levions de nos fauteuils à télécommande et FASSIONS quelque chose à ce sujet ! Une télé cinglée pour des cinglés de télé !

LE FRONT DE LIBÉRATION DE LA TÉLÉ PREND D'ASSAUT CBS, ABC, PBS & DES INDÉPENDANTS TREMBLANTS D'UNE CÔTE À L'AUTRE

Des fanatiques de gauche brûlent des filmothèques,
font part de leurs exigences
La FCC parle de complot maoïste
et appelle la Garde Nationale

WASHINGTON, DC (UPI). M. Susskind, membre de la FCC, a déclaré aujourd'hui que les récents actes de violence et de vandalisme contre les stations de télévision, dans chaque état de l'Union, étaient le fait d'un vaste réseau de conspirateurs « dont l'étendue fait chanceler l'imagination de tout homme raisonnable ». Il a ajouté que ce réseau était essentiellement composé de drogués à l'héroïne, d'étudiants devenus psychopathes suite à l'emploi de drogues hallucinogènes, de maîtres chanteurs politisés, et de prostitués des deux sexes – pour reprendre son ironique formule, « des camés, des fêlés, des fumiers et des pédés » –, menés par une obscure cabale de dissidents des Weathermen, agissant sur ordres spéciaux de la Chine rouge.

Il a également ajouté que, si lugubre que la menace puisse paraître, le Gouvernement prenait déjà des mesures pour « localiser ces bactéries, avec l'aide des grands microscopes du FBI et de la CIA, et administrer une médication appropriée. Et si je peux pousser plus loin la métaphore, messieurs, l'application de ladite médication se révélera beaucoup plus analogue à celle des pubs pour Raid ou Fly-Tox, et le destin des virus pareillement, que n'importe quel spot sur les antihistaminiques, présentés comme une équipe de peintres en bâtiment prenant au piège la sympathique personnification à pois d'un refroidissement estival joué par Morey Amsterdam, dans un recoin des fosses nasales. Parce que nous n'avons pas affaire à Morey Amsterdam, messieurs, mais à la Peste. »

Sur d'autres fronts de ce que le dirigeant de la majorité au Sénat, M. Mansfield, a appelé « la pire crise de la nation depuis l'assassinat de JFK », des stations indépendantes de Paw Paw, Michigan, Clovis, Nouveau-Mexique, et Nome, Alaska, ont été capturées hier suite à une série d'assauts menés par la guérilla, ce qui ne laisse, dans toute la nation, que sept stations encore libres, dont le commissaire de la FCC a refusé de donner le nom et l'emplacement.

Aux dernières nouvelles, la station de Paw Paw ne diffusait plus que des vieux dessins animés de Popeye, Bugs Bunny et Donald Duck, mêlés à 1952 épisodes de *Dragnet* et de *Inner Sanctum*.

La station de Clovis ne montrait rien d'autre que des jeunes gens à cheveux longs errant dans le studio, enlevant leurs vêtements, se livrant à des actes sexuels et braillant des obscénités en direction de la caméra. Au bout de cinq heures environ, déclarent des téléspectateurs, ils ont semblé se lasser et se sont mis à courir vers la caméra en faisant des grimaces. Quarante-cinq minutes plus tard, on n'en voyait plus que quelques-uns avachis contre les murs, vautrés sur des sofas ou sur le sol, fumant de la marijuana ou buvant du vin, et parfois rotant ou faisant des gestes obscènes en direction de la caméra. Les témoins ajoutent qu'aux petites heures de l'aube, un jeune homme aux yeux exorbités, qui ne tenait pas en place et paraissait en proie à une hystérie provoquée par la drogue, a commencé une harangue proférée si rapidement, et qui semblait si incohérente, que rares sont les téléspectateurs qui ont pu en comprendre plus de deux ou trois mots à la fois. Elle s'est poursuivie pendant treize heures et, dit-on, fut brutalement interrompue quand deux conspirateurs costauds et barbus arrivèrent sur le plateau, et s'emparèrent, avant de le rouer de coups, du jeune homme, que personne n'a revu depuis.

Une sorte de coup d'état paraissait avoir lieu, dans la mesure où les hippies jusque-là prédominants ont été largement remplacés par ce que le commissaire Susskind a appelé « des groupes moins crypto, plus ouvertement politiques ». Il s'est ensuivi un déferlement de discours politiques sur des thèmes de la Nouvelle Gauche, par des membres du parti communiste américain, du parti progressiste du travail, des Black Panthers, du mouvement de libération de la femme, du mouvement de libération gay, ainsi que d'autres. Ces discours duraient rarement plus de deux minutes, et aucun ne parvint à son terme. Les témoins rapportent que chacun a été submergé par une telle marée montante d'insultes, une minute environ après avoir commencé, que les débats se réduisaient à une volée d'accusations et de contre-accusations hurlées, ainsi que de slogans. Un sondage indépendant mené dans la région montre qu'à ce moment l'« indice d'écoute » était au plus haut. On rapporte également que plus tard les délégués des diverses organisations politiques parvinrent à un semblant d'ordre, et que les discours et les discussions, bien qu'entièrement orientés à gauche, se poursuivraient toujours. Malheureusement, à l'heure où nous mettons sous presse, il était encore impossible d'obtenir des détails sur leur nature exacte, l'indice d'écoute étant tombé si bas que les sondeurs n'avaient pas réussi à découvrir un seul foyer qui les suivait encore.

On rapporte qu'à Nome, la station prise d'assaut ne passait que des vieilles publicités et des actualités projetées à l'envers, avec par-dessus une bande sonore composée de disques de Redd Foxx et de titres rhythm'n'blues de type « party on » (à forte connotation sexuelle).

Dans d'autres parties de la nation, des stations diffusent des films de propagande dus aux pays, ou à des groupes, communistes, et des lectures publiques des œuvres du Président

Mao par des jeunes de moins de trente ans hirsutes. D'autres ne programment que des films d'Andy Warhol, ou des « films d'amateurs » ou des « films underground » dus aux guérilleros eux-mêmes. À San Francisco, un groupe de rock appelé le Grateful Dead donne depuis dix jours un concert ininterrompu ; chose encore plus étonnante, ils jouent depuis quatre jours pleins, vingt-quatre heures sur vingt-quatre, une chanson intitulée « Turn on Your Lovelamp ». À Los Angeles, une chaîne programme actuellement un homme d'âge indéterminé appelé Kim Fowley, occupé à des actes innommables avec une jeune fille qui n'a pas l'air d'avoir plus de 14 ans, et un boa constrictor, tout en « chantant » d'une voix monotone et gazouillante. Une autre ne diffuse que des « Jesus Freaks » – de jeunes hippies à longs cheveux affirmant s'être convertis au christianisme – faisant du prosélytisme, frappant des tambourins et psalmodiant 24 heures par jour.

Cette tendance a été notée sur beaucoup de stations dans tout le pays. Une autre chaîne de L.A. ne programme que d'interminables psalmodies bouddhistes, sans arrêt, sans interventions publicitaires ni « interruptions d'antenne » requises chaque semaine par le code de la FCC. On a également noté cela dans plus d'une communauté, bien que selon les chaînes il y ait toute une variété de sectes et de chants.

Toutefois, l'indice d'écoute le plus élevé va à une autre station de L.A. qui, presque immédiatement après que les guérilleros s'en sont emparés, a déclaré que son objectif serait la diffusion, par ordre chronologique, de tous les films jamais tournés. Ils ont commencé le 11 mai à 2 h 43 du matin par *The Great Train Robbery*, et ont continué sans pause aucune. On a observé des coursiers roulant régulièrement jusqu'aux portes de service dans des camions de livraison transportant sans doute des bobines de films. Au moment où nous mettons sous presse, ils en étaient à l'année 1927, et on rapporte que la réaction des téléspectateurs était sans précédent, de nombreux citoyens californiens ayant aménagé leur emploi du temps, ou même quitté leur travail, pour recentrer leur vie autour des programmes de la station. Effet secondaire particulièrement choquant : l'hôpital du comté de Los Angeles a fait savoir qu'on assistait à une montée brutale du nombre d'admissions pour dépression nerveuse, frappant, dans la plupart des cas, des téléspectateurs si obsédés par l'histoire cinématographique proposée 24 heures sur 24 par la station qu'ils avaient eu recours à des stimulants artificiels pour pouvoir suivre, ce qui, comme l'a fait observer Charles Champlin, le critique du *Times*, est ridicule, voire franchement délirant, dans la mesure où, même si les rebelles ne sont pas chassés des studios par les autorités (et le propriétaire de la station est si satisfait de la réaction des téléspectateurs qu'ils ne le seront peut-être pas), on peut s'attendre, d'après des calculs effectués sur les ordinateurs de la police, à ce que la série prenne fin quelque part en 1981[16], à supposer qu'elle s'arrête un jour.

Il est intéressant de noter que dans le reste du pays, les habitudes des téléspectateurs ont peu changé, voire pas du tout. Un sondage Nielsen d'urgence a révélé qu'à quelques exceptions mineures et localisées, les postes sont branchés dans les foyers à des heures qui ne sont ni inférieures ni supérieures à ce qu'elles étaient avant le coup de force. Et le magazine *TV Guide*, après avoir suspendu sa publication pendant six semaines pour méditer sur la question, examiner sa conscience et comparaître devant un sous-comité du Congrès, a finalement annoncé des plans précis de reparution, avec des éditions régionales et des programmes pour toutes les chaînes, quels que soient les nouveaux formats. « La seule chose qui nous préoccupe, a déclaré Merrill Pannitt, son rédacteur en chef, est que certains des petits malins hippies qui contrôlent ces stations pourraient nous considérer comme un tas de vieux pépères, et tenter de nous discréditer en nous faisant parvenir de faux programmes. »

Article en première page du *Los Angeles Times*,
23 mai 1976

Bien entendu, actuellement tout ceci est encore un fantasme, mais où croyez-vous que toutes les grandes révolutions ont commencé, sinon par les fantasmes ? Comme Marx tirant sur un joint dans le troisième box des toilettes pour hommes du British Museum, comme le rêve, sorti d'une pipe d'opium Cecil B. De Millesque, du Président Mao de voir des millions de paysans chinois militants dévaler les collines afin d'écraser la tyrannie et la transformer en engrais pour les vastes champs de céréales du plan quinquennal, comme John Sinclair, vibrant à l'idée d'une *nation* entière de jeunes pubères farouchement vivants défonçant les vitrines des boutiques de disques et des magasins A & P pour avoir les produits qu'il leur fallait, et qu'ils méritaient, guidés par le MC5 comme par une Internationale sortie de l'Apocalypse – comme tous ces précurseurs, j'ai la vision d'un pluralisme vidéo infiniment grisant.

On nous disait autrefois que quand les UHF seraient vraiment répandus, nous aurions quelque chose comme quatre-vingt-six canaux, si bien qu'on pourrait regarder *Green Acres* sur le canal 2, le Bolchoï sur le 34 et des rediffusions de vieux concours pour Miss America sur le 63 – quel rêve de péon énurétique ! Que vienne la Révolution, et nous aurons des *milliers* de canaux où vous pourrez voir tout ce que l'esprit humain peut concevoir, de *I Love Lucy* à des beatniks se branlant sur des affiches de campagne d'Eisenhower, de Sun Ra jammant avec Iggy à un yodeler marinant dans le Géritol tout droit sorti de *Ted Mack's Amateur Hour* ! Tout ça, plus des films, des *films*, des FILMS ! Tous, et souvent. Tout le pouvoir à la télé du Peuple, et levez votre gros cul gras, rouillé et poussiéreux pour monter sur ces barricades avec moi ! *Ceci est un complot.*

Les goûts varient à l'infini, mais quand on en vient aux films classieux des années passées, comme *Le Trésor de la Sierra Madre* ou *Je suis un évadé*, on peut généralement parvenir à une sorte de consensus, non seulement avec les branleurs qui choisissent les films à diffuser, mais même avec nos parents, qui ont probablement vu ces trucs au ciné quand ils sont sortis, et se montrent tout émoustillés à l'idée de jeter un pont par-dessus ce vieux gouffre générationnel et de faire copain-copain avec nous grâce à Bogey ou W.C.

La belle affaire ! Et tous les vrais grands films authentiquement trashy, qui sont importants non seulement parce que rien n'est aussi détraqué qu'eux, mais aussi parce qu'ils démontrent que l'intersection occasionnelle des goûts ne prouve en aucun cas le partage commun du Bon Goût sur vingt ou trente ans ? Personne n'aime des films du genre *Adolescents venus de l'espace* ou *Les Lutteuses contre la momie aztèque*, à l'exception de tout cinglé assez sain d'esprit pour comprendre que l'idée même de Bon Goût est concoctée pour empêcher les gens de se donner du bon temps, et de se délecter d'une nullité qui dépasse tout ce qu'on peut imaginer.

Je me souviens avoir lu, dans la page spectacles du journal, un article paru après la sortie d'*Adolescents venus de l'espace*, comme quoi les responsables, à tous les niveaux, avaient été tellement écœurés par ce film que les bailleurs de fonds, et les bureaucrates patrons du studio qui l'avaient parrainé et lancé, s'étaient ligués contre le pauvre gars qui l'avait tourné, et lui avaient passé un bon savon pour lui reprocher de gâcher son talent à usiner pareille gadoue, même si c'était son premier film il aurait dû penser au public, etc. L'article se terminait en disant que le type s'était bel et bien *excusé*, promettant de tirer meilleur parti de l'argent qu'on lui donnerait pour son deuxième long métrage.

Tout le truc était probablement un tas de conneries imaginées par les publicitaires pour pousser les gens à voir le film, mais c'est encore révélateur, tout comme cet après-midi pendant lequel, il y a quelques années, j'ai vu *Adolescents venus de l'espace* ; à chaque interruption publicitaire, le présentateur de Dialing for Dollars hennissait et s'excusait presque en disant : « Euh, c'est ce, euh, film qu'on a aujourd'hui. Je ne sais vraiment pas où ils sont allés le chercher, celui-là ! »

Mais que ces gens qui préféreraient voir *Les meilleures années de nos vies* ou *David et Lisa* aillent se faire foutre. Nous avons notre propre bon goût, ainsi cette bizarre laveuse de planchers irlandaise complètement imbibée, Kitty McShane, vieille bique cinglée qui ressemble très exactement à Samuel Beckett en travelo et qui intimide Bela Lugosi par ses spasmes épileptiques dans *Mother Riley Meets the Vampire*; ou le Blob suintant dans un cinéma qui lui-même passait un film d'horreur devant un public de jeunes mecs s'efforçant à grands coups de coude de peloter leurs copines en sweater, tout comme les kids venus le voir quand il était sorti – et le Blob coule à travers les fentes d'aération, se paie le projectionniste, le projecteur se renverse et le film se met à déconner en même temps que les lumières, puis le Blob suinte à travers la fenêtre de projection jusque dans la salle, tandis que le public s'agite et, en pleine hystérie, tombe les uns sur les autres.

Ce serait un grand moment de l'histoire du cinéma même si le Blob *n'avait pas* entrepris de dévorer non seulement tous les membres de l'assistance, mais le cinéma tout entier. Et ce n'est que l'un des nombreux chefs-d'œuvre d'une tradition aussi longue que vénérable.

Il devient un peu présomptueux de parler de normes quand nous avons d'ores et déjà reconnu que tout ça est pur trash, mais je crois avoir vu un film qui doit être placé tout au sommet de la pile. Je veux dire qu'il ne se contente pas de se révolter contre les normes du goût et de l'art, ou même de n'en tenir aucun compte. Dans l'univers habité par *Les créatures de plus en plus étranges qui cessèrent de vivre pour devenir des zombies déboussolés*, on n'a jamais entendu parler de choses telles que les normes ou la respectabilité. C'est cette pureté lunaire qui lui donne largement son statut de classique. Comme *Beyond the Valley of Dolls* et quelques rares autres, il restera, à l'avenir, un objet vers lequel les érudits et les chercheurs de vérité pourront se tourner pour dire : « *Ça*, c'est du trash ! »

Je suis resté debout la moitié de la nuit à l'attendre, et finalement il a été projeté à 2 h 45 du matin. En premier, pourtant, est venue une pub avec Bing Crosby, baragouinant en espagnol puis disant : « Je parlais simplement à mes amigos des bons d'épargne américains. » Parfait ! Et maintenant, le générique. Seront-ils sérieux à ce sujet ? Hé hé hé, vous pouvez parier que oui. Mais qu'est-ce que c'est que ces rubriques du genre « Les artistes » ou « Les danseuses », avec toute une tapée de noms en dessous ? Hmmm. De plus en plus curieux.

Montage de plans de fête foraine minable, sans doute tournés dans le parc d'amusement de Long Beach. Bande sonore bruyante de saxo rock, erratique et staccato, avec une mélodie un peu semblable à « Too Pooped to Pop » de Chuck Berry. Du rock, ou du moins de la musique apparentée, se fera entendre tout au long du film, l'ensemble étant d'une parfaite médiocrité. Mais qu'est-ce que vous attendiez, *Woodstock*?

Nous voilà sous la tente de la diseuse de bonne aventure. Une voluptueuse jeune femme d'allure féline, aux yeux semblables à des agates enflammées; elle est inexplicablement en train de draguer un vieux con chauve et miteux assis là à biberonner du whisky de baignoire, et qui lui dit : « Tu ne pourrais acheter assez de gnôle pour que j'aie envie de toi. Pourquoi ne pas sortir et te taper un de ces freaks? »

Qu'est-ce qui se passe ici? Ne vous en faites pas, pas le temps de cogiter; les insultes du vieux bonhomme la mettent tellement en fureur qu'elle hurle : « Je vais te mettre avec mes autres petits chéris! », lui jette de l'acide au visage et le traîne derrière le rideau tandis qu'il pousse des hurlements!

On passe à une scène de night-club : pas de deux entre un mec osseux en smoking, et une nana qui porte moins que ce qu'on attendrait à la télé (elle a une inquiétante ressemblance avec la gitane diseuse de bonne aventure). On passe à la loge : la danseuse avale du tord-boyaux comme une éponge. Un chat noir croise son chemin et elle explose hystériquement, hurlant et donnant des coups de pied.

On passe à Jerry et Harold (joués par deux acteurs nommés Cash Flagg et Atlas King), qui sont les héros de ce truc, et traînent dans leur piaule en réfléchissant au sens de la vie. Harold ressemble au punk typique des années 50 qui ne cesse de se recoiffer, mais Jerry a l'air d'un croisement entre Pete Townshend et le frère d'Alice the Goon. Jerry se penche en arrière et dit : « Je me demande ce que c'est que d'avoir un emploi? »

Cut sur la demeure de la petite chérie de Jerry, Angie. Elle a une querelle avec sa mère, qui n'aime pas du tout Jerry. Celui-ci et Harold arrivent pour la prendre et l'emmener à la fête – Jerry klaxonne, sort par le toit ouvrant de la voiture et ouvre la porte d'un coup de pied ! Un mec cool !

Ensuite, on voit Jerry, Angie et Harold à la fête foraine, marchant sur la plage, montant sur les manèges et tout particulièrement sur les montagnes russes, dans des plans qui rappellent *Ça c'est du Cinérama*, le tout mêlé à des miroirs déformants et des poupées criardes qui vont et viennent avec des rires étranges de train fantôme.

Retour à la danseuse qui boit dans sa loge. Son partenaire lui fait un sermon, ils s'engueulent, elle est si bourrée qu'elle se marche sur les pieds, tombe et sort en courant. Le manager vient râler (« Je ne peux pas diriger une boîte dont la vedette est ivre ! »), puis se casse, la laissant à biberonner tout en lisant un livre de poche sur l'astrologie.

On passe à Jerry, Angie et Harold, toujours sur les montagnes russes, hurlant dans la nuit. On en revient à la danseuse qui va voir la diseuse de bonne aventure, laquelle étale les cartes du tarot. La Mort est la première qui sort. « Je le savais ! » hurle la danseuse qui s'enfuit en courant. Mais elle se trompe de chemin, et se retrouve derrière le rideau où la gitane a traîné le vieux pochard. Une main monstrueuse se tend à travers les barreaux.

Jerry, Angie et Harold approchent de la tente de la diseuse de bonne aventure. Ils entrent, et Angie se fait prédire l'avenir. Elle prend la chose au sérieux, mais Jerry lui dit que c'est un tas de conneries. En fait, il se gausse tellement qu'il met la gitane en colère, acte qu'il regrettera.

Commence une musique d'orgue étrangement déjantée tandis que Jerry, Angie et Harold se promènent dans la fête et s'arrêtent pour regarder la danseuse nue, dont le nom est Carmelita, et qui peut, ou non, être la danseuse qui boit tout le temps et vient de rendre visite à la gitane. Un problème, avec ce film, c'est que presque tous les gens qui y apparaissent ressemblent à un autre personnage ; le patron de club qui a engueulé la danseuse parce qu'elle buvait, par exemple, ressemblait plus qu'un peu au débile inconnu et anonyme qui a pris de l'acide dans la figure au début. Alors, qu'est-ce qui se passe ? Ah, je n'en suis pas très sûr – je ne suis même pas sûr que ça ait la moindre importance.

Pendant ce temps, Angie fulmine, vu la façon dont Jerry reluque la danseuse quasiment nue, alors elle s'en va, vexée, suivie de Harold. Jerry achète un billet et entre pour voir le spectacle, et il s'ensuit une danse des plumes comme tu n'en as jamais vu à une heure de grande écoute, mon pote. Filmée dans son intégralité, elle montre une pleine palanquée de pépées pas pourries qui caracolent en tous sens, courent d'un côté de la scène à l'autre, se tortillent et s'agenouillent, tout ça très arty et danse classique, non sans perdre de plus en plus de plumes, jusqu'à ce qu'il ne leur reste plus qu'un petit machin sur le barbu et les nénés ! Et il y en a même une qui ressemble à Mary Tyler Moore !

Ensuite, une fille qui ressemble tout à fait à Angie chante une ballade rock : « J'ai fait comme si notre rupture était sans importance », suivie de l'incomparable Carmelita : « Et voici maintenant notre superbe danseuse gitane exotique ! » Elle aussi chante : « Je suis la joueuse de flûte de l'amour / Suivez-moi... »

Tandis que Jerry salive au quatrième rang, Ortega, le serviteur bossu et borgne de la gitane, qui a un nez à la Fagin, lui tape sur l'épaule et lui tend un billet de Carmelita lui disant de la retrouver dans sa loge après le spectacle. Ce qu'il fait, mais voilà qu'il se plante et entre dans une autre, et se fait flanquer dehors par un tas de danseuses à demi nues furieuses : « Sans blague ! Il croyait avoir droit à un peu d'action avant le spectacle ! »

Redescendant le couloir en titubant, il la voit tout d'un coup, perdue dans l'ombre d'une porte, distante, mystérieuse. « Carmelita ? Vous m'avez demandé ? »

Revoilà l'inquiétante musique d'orgue : « Suivez-moi. »

L'écran tout entier est brusquement envahi par un tourbillon psychédélique... Nous y descendons... la gitane est là, hypnotisant Jerry... Les yeux de celui-ci s'égarent, une maléfique lumière y brûle... Ortega est derrière la gitane, agité d'un rire monstrueux... Carmelita, vêtue d'une veste et d'un chapeau garboesques, entre seule dans la loge... la caméra tournoie follement autour de son visage, tandis qu'elle la contemple hypnotiquement... l'objectif s'égare dans les moindres recoins de la pièce, revenant toujours à ces yeux enflammés...

De retour dans le night-club avec un comique suivi par le maître de cérémonie : « Et maintenant, le Hungry Mouth est fier de vous présenter un nouveau chanteur prometteur : Don McLean ! » Suit une autre chanson sans intérêt, filmée dans son intégralité.

On en revient à Carmelita dans sa loge. Apparaît son partenaire : « Marge, qu'est-ce qui ne va pas ? » MARGE ? Carmelita et Marge sont-elles la même personne ? Ou est-ce simplement qu'elles se ressemblent tout à fait ? Ou bien tout le monde dans ce film ressemble-t-il à tout le monde ? Je suis complètement dans le potage mais je continue à prendre des notes.

Toutefois, tout devient clair brusquement, quand Marge et son partenaire montent sur scène, s'engagent dans un pas de deux, et voilà que Jerry fait irruption, vêtu d'un froc de moine à capuchon, avec un visage couleur de craie, ressemblant exactement au Diable dans *Le Septième Sceau* de Bergman, s'ils avaient laissé Max von Sydow le jouer. Jerry poignarde les deux danseurs, avec un rire saccadé de démon sous jusquiame, et s'enfuit. Je vois ! Pigé ! D'accord ! Marge n'est pas Carmelita, Carmelita est en cheville avec la gitane pour tuer tous les artistes qui se mettent en travers. Élimination de la concurrence. Okay.

Sauf que rien n'est okay du tout. Nous voilà aspirés, tout aussi brutalement, dans un autre de ces montages cauchemardesques… comme dans tant d'autres films où on veut faire Surréel et Délirant, nous voyons un ballet genre jazz moderne… une fille qui ressemble à Angie, coiffée d'une perruque blonde, lance rêveusement : « Jerry… Jerry… [*elle regarde la caméra*] Ah, te voilà ! », et éclate d'un rire hystérique… Jerry s'agite dans son lit… surimpression de flammes, de la gitane, d'Ortega, interminables images de femmes dont l'une danse le twist… rugissement à la King Kong… la marionnette clownesque vue précédemment sur la fête foraine, qui rit… Jerry s'éveille en geignant et se passe de l'eau sur le visage.

Le lendemain matin Harold est dehors, à travailler sur sa voiture, Jerry sort de la maison et lui dit : « Mon vieux, j'ai vraiment passé une nuit agitée, hier ! » Ensuite, il se tire en vitesse chez Angie pour s'excuser d'avoir une tête de cochon. « Très bien, dit-elle. Mais j'aimerais vraiment savoir ce qui s'est passé après que je suis partie ! »

Et là-dessus, coquettement, elle tourne son ombrelle et se met à la faire tournoyer ! Oh non ! Elle devient le tourbillon psychédélique ! Les yeux de Jerry sont fous ! Elle regarde de par-derrière l'ombrelle, et c'est Carmelita ! Montage alterné ultra-rapide de Jerry l'étranglant et étranglant Carmelita ! Le père d'Angie la tire d'affaire juste à temps. Jerry s'enfuit, courant comme un fou, va se promener le long de la voie ferrée et mazette, voilà une autre chanson ! On dirait un truc du genre Sons of the Pioneers.

La nuit. La fête foraine. Dans le Hungry Mouth commence un autre numéro chanté-dansé, avec une douzaine de Gold Diggers en train de twister et de chanter : « Grand-mère s'est remise en forme en dansant le twist ! » Ensuite, nous voyons une danseuse tenant un journal qui porte en gros titre DANSEURS ASSASSINÉS. Elle se rend chez la diseuse de bonne aventure, qui lance : « Si tu cherches ma sœur Carmelita, elle n'est pas là ! » AH AH ! Ainsi donc elles sont *sœurs* ! Cette petite énigme se met en place au poil.

De retour au Hungry Mouth. Le gars présente « la fille à la voix d'or : Miss Terry Randall ! » (mais qui sont tous ces gens ?) Terry chante un truc du genre « Choo Choo Cha Boochie, tu me fais frissonner au moindre contact », le tout accompagné de bizarres ponctuations rythmiques, et de petits cris étouffés. Qui a écrit toutes ces chansons ? Était-ce spécialement pour le film ? Ou a-t-il été écrit pour *elles* ?

Jerry va voir la gitane : « J'ai fait un cauchemar, et je crois que vous le savez ! » La moitié des gens dans ce film étant des poivrots, la gitane a toujours une réplique commode : « Vous buvez ? » Mais Jerry ne va pas se laisser intimider, et lui demande ce qui se passe derrière le rideau. Elle lance d'un air polisson : « Pourquoi ne pas aller voir ? »

Il y va, le taré… Oh non !… c'est encore le tourbillon… les yeux fixes de la gitane… et maintenant elle est rejointe par la danseuse qui vient de s'en aller… Je me mets à espérer une scène lesbienne, mais pas de chance.

Retour à une conférence familiale chez Angie, elle et Harold suppliant ses parents de les laisser retourner à la fête foraine. « D'accord, Angela, tu peux y aller, du moment que Madison t'accompagne. » QUI EST MADISON ? *Harold* Madison ? Pendant ce temps, la danseuse qui a quitté la tente de la gitane voici à peine quelques minutes est déjà de retour chez elle avec une bouteille de vin et la radio en fond sonore. Sourires câlins, de toute évidence elle attend son petit ami. Au lieu de ça, elle a droit à J. Zombie, une fois de plus habillé en moine et tout blanc, il la poursuit dans la pièce, une lame brille dans la nuit et il la poignarde, tandis qu'un plan très bref nous montre le doigt du petit ami appuyant sur la sonnette. Comme elle ne répond pas, il entre et se fait poignarder aussi.

Quelque peu ragaillardi, Jerry rend une autre visite à la gitane. De nouveau elle lui jette un regard entendu : « C'est dommage que vous en sachiez tant – vous ne me laissez pas le choix. » Et elle lui balance de l'acide dans la figure ! « Emmène-le et mets-le avec mes autres petits chéris. » Mais tout d'un coup Ortega se plante et tous les zombies s'échappent ! Trois ou quatre en tout ! Ils étranglent Ortega et la gitane, qui s'appelait Estrella tout du long, ce qui n'est révélé que quand Ortega prononce son nom quand elle meurt. Et voilà Carmelita, peignoir moulant entrebâillé, et quel corps ! Mais les zombies restent de marbre et l'étranglent aussi. Maintenant les deux sœurs mortes sont étendues sur le sol et la caméra s'attarde, avec une adorable morbidité, sur les nénés d'Estrella, lesquels dépassent de sa robe fourreau, ainsi que sur le corps de Carmelita, encore plus nu dans la mort qu'il l'a été pendant tout le truc. Quel film pervers ! Bave, bave. La caméra se lasse enfin de cette séquence fortement nécrophile et s'élève pour contempler les zombies pendant qu'ils foncent vers la porte en quête de nouveaux méfaits, puis revient sur les yeux fixes d'Estrella.

« Salut les gars, ici Guy Fletcher, j'espère que vous avez apprécié notre film ! » Encore des voitures d'occasion. Merci, connard, j'apprécie, sois-en sûr. Après la pub, retour à la fête foraine ; la nuit, nouveau numéro de danse exotique tandis que les zombies rôdent dans les couloirs entre les loges et la scène. Ils se lancent sur la piste de danse et se mettent à pourchasser les danseuses tandis que le public reste impassible, pensant que ça fait partie du show, jusqu'à ce qu'un zombie fasse tomber une fille et commence à l'étrangler. Tout le monde hurle et se carapate vers la sortie. Gros plan des visages des zombies, qui ont l'air d'un croisement entre le kabuki et des masques polynésiens qui auraient forcé sur le papier mâché. Un flic arrive en courant et en flingue un. D'autres flics pourchassent les deux autres dans le hall et les descendent. Angie et Harold arrivent, Angie se met à hurler. Jerry entre en titubant par une porte latérale, il n'a pas l'air en aussi mauvais état que les autres zombies, il est simplement un peu grêlé. C'est normal, après tout, il vient juste d'être engagé. Angie hurle de nouveau. Jerry s'enfuit en courant et saute par la fenêtre ! Le film doit approcher de son point culminant, parce que de toute évidence une grande scène de poursuite se prépare. Et de fait, on passe à Jerry courant sur la route, Angie le poursuit, les flics et les autres les poursuivent tous les deux. Ils courent tous jusqu'à la plage, Jerry plonge comme un fou dans les vagues brutales autour des bancs de sable, saute de pierre en pierre pendant près de cinq minutes pendant qu'Angie hurle son nom depuis le rivage. Pour finir, il grimpe au sommet d'un énorme rocher, un des flics lui tire dessus, il tombe dans les vagues… il est balayé sur le sable… lutte pour se relever et meurt avec acharnement… ils courent tous et se penchent vers lui… la caméra recule et monte vers le ciel… « FIN ». Suivi de « tourné à Hollywood, USA », comme si quiconque pouvait avoir le moindre doute là-dessus, et vient ensuite un générique disant qui a joué qui. Harold ne s'appelait pas Madison, mais il y avait dans le film un acteur qui s'appelait Madison Clarke. Ce qui aurait pu tout expliquer : un des acteurs s'est planté et a appelé « Harold » par son vrai nom, au lieu de celui du personnage qu'il jouait. Le seul problème, c'est que Madison Clarke ne jouait pas le rôle de Harold. Oh, tant pis : je suis sûr qu'il était quelque part dans la fête foraine.

Creem, mars 1973

Jethro Tull au Viêtnam

Un nombre énorme de kids ont séché l'école en novembre dernier quand on a annoncé que Jethro Tull donnerait deux concerts à la Cobo Arena de Détroit. Les files d'attente, les plus longues que la direction du lieu ait jamais vues, se sont formées dès 7 heures du matin. Le temps – trois heures plus tard – qu'ouvrent les guichets, il y avait dehors 4 000 mômes. Un observateur dit que cela ressemblait « au troisième jour d'un festival rock de trois jours ». Les gens achetaient cinquante ou cent billets à la fois, et le premier concert fut complet en trois heures. Le second le fut le lendemain ; entre-temps, on avait évité de peu une émeute, le TAC avait été appelé et des barricades édifiées. Tout cela en dépit du fait que le prix des billets était monté d'un dollar par rapport aux 5.50 dollars de la tournée de mai dernier, quand mille personnes à peine s'étaient vu refuser l'entrée, et que quatre portes d'entrée avaient été brisées par des fans en colère.

La violence n'est peut-être pas typique des tournées de Jethro Tull – pas encore – mais les chiffres signalent une fièvre nouvelle. Le noyau dur du groupe a crû au point de devenir assez vaste pour être considéré comme une des grosses réussites de notre époque. Le groupe n'a pas tardé à évoluer, depuis les dérivations blues du début, vers quelque chose de plus arty, plus mélodique et plus complexe, et dès son quatrième album se lançait dans de grandioses suites conceptuelles sur une échelle inconnue de ce côté-ci des Moody Blues. *Aqualung* comptait deux faces de moralisme social pur et dur, paroles pesantes aux décors musicaux si hétérogènes (rock, Rock, un peu de rock'n'roll, un peu de jazz, pour l'essentiel emprunté, et des échos folk aussi bien anglais qu'américains, ainsi qu'un gambit « classique » de temps à autre) qu'ils en sont devenus un style reconnaissable.

Jethro Tull n'a pas encore eu de hit sur les radio AM de notre pays, et c'est un des cas d'école de groupe « underground » devenu une sensation internationale sur la seule base de ses albums. Du temps d'*Aqualung* il le fallait, parce qu'à cette époque (1970), les scénarios musicaux du groupe s'étaient boursouflés à un point tel qu'il n'y avait plus de place pour le traditionnel single de deux ou trois minutes wham-bam-thank you ma'am. Fallait acheter le gâteau tout entier, ou pas du tout.

Pendant ce temps, Jethro Tull consolidait sa position en resserrant son numéro de scène. Son pouvoir d'attraction crût en bonds géométriques à chaque fois qu'il tournait aux États-Unis, et ce n'était pas dû qu'à la musique. L'élément crucial, le point focal, c'était Ian Anderson, derviche fouetteur aux yeux fous qui jouait en gilet des solos de flûte violents et longs, passés à la chambre d'écho, comme s'il boxait avec l'instrument : l'Eric Clapton du vent.

Anderson a toujours débité des vieux trucs de Roland Kirk : ses vocalismes flûtesques, sa façon de jouer trop fort, et même son sens de la comédie, qui est devenu le centre de son agitation scénique. À ma connaissance, jamais Roland Kirk ne s'est placé la flûte entre les jambes dans un vieux truc de scène phallique des plus grossiers ; mais Roland Kirk a été le Premier Sauvage de la flûte de concert, et Anderson devrait reconnaître la dette qu'il a envers lui.

Je doute qu'il accepte. Je n'ai pas pu discuter avec lui, mais au printemps dernier j'ai parlé avec Barrie Barlow, le batteur, au bar de l'hôtel après un concert, et il s'est gaussé de l'idée que Ian puisse être influencé par Kirk ou qui que ce soit d'autre. La musique du groupe, a-t-il poursuivi, venait totalement des esprits et des expériences des membres de Jethro Tull, n'avait pas de précédents, ne s'insérait dans aucune tradition, elle était complètement originale. Ce qui représente probablement l'opinion générale au sein du groupe.

Quoi qu'il en soit, ils ont gagné le droit d'être arrogants. *Aqualung* a été un énorme succès, et le suivant, *Thick as a Brick*, qui avait demandé plus d'un an de studio, est encore plus gros. Et de toutes les façons : dans l'histoire du rock, il n'y avait eu auparavant qu'une seule chanson qui couvre deux faces d'album – « Refried Boogie » sur *Livin' the Blues* des Canned Heat –, et ce n'était d'ailleurs qu'une longue jam. *Brick* est un orignal d'une tout autre couleur : une série de variations (hélas pas suffisamment variées pour tenir quarante minutes) sur un thème simple, unique, qui commence par une sorte de mélodie folk anglaise mélancolique, puis traverse des tempos de marches, des guitares haute énergie, des glockenspiels, des éclats dynamiques staccato semblant sortis d'une bande sonore de film, et beaucoup de solos d'Anderson, du début de la face 1 à la fin de l'album.

Tout le truc a été construit autour d'un poème un peu longuet d'Anderson, qui par lui-même bat de nouveaux records dans le canon du sentimentalisme élevé, et des vertueuses dénonciations d'allure biblique des mœurs contemporaines, du Tull. Le tout premier vers est « I really don't mind if you sit this one out » [*Il m'est égal que vous manquiez celui-là*], vieil appât qui définit le ton de toute la pièce, bourrée de couplets du genre :

> *The sandcastle virtues are all swept away*
> *In the tidal destruction of the moral melee*

[*Les vertus châteaux de sable sont balayées / Dans la destruction par les flots de la mêlée morale*]

De toute façon, d'où venait ce truc, et qu'est-ce que ça nous disait sur la façon dont, non seulement Anderson et le Tull, mais peut-être la majorité de leur public, se situent par rapport au monde qui les entoure ? Se sentaient-ils vraiment à ce point vertueux envers les choses en général ? Ou bien n'était-ce, comme *American Pie*[17], qu'un tas de mots qui n'avaient que l'intérêt que vous vouliez y investir, et qui se trouvaient convenir joliment à la musique ? Demandez cela à un fan du Tull et vous aurez droit à un regard vide ; presque tous, dirait-on, n'ont jamais pris le temps d'analyser. Ils savent simplement ce qu'ils aiment, ce qui est bien.

En fait, ils l'aiment suffisamment pour que *Thick as a Brick* ait foncé tout droit jusqu'à la première place des charts, et jusqu'à présent le groupe a fait grâce à lui deux tournées à guichets fermés. Lors de la seconde, ils ont donné au Madison Square Garden une série de concerts à guichets fermés pendant une semaine entière. Tout cela sur la base d'un album – et d'un style – qui en surface semblerait devoir lasser l'attention de tout le monde. Aujourd'hui, les concerts du groupe constituent une expérience réelle, et unique, pour le meilleur et pour le pire.

Pas d'erreur, surtout : en matière de professionnalisme pur, Jethro Tull est sans égal. Ils se singularisent en donnant un *spectacle* complet, où ne manque rien, et ils le savent, de ce qu'un môme paierait pour voir : musique, volume, costumes, acrobaties théâtrales, solos flashy, longs concerts, deux rappels. Jethro Tull est habile et discipliné : ils travaillent dur et ils tiennent parole.

Ce qu'ils livrent est l'un des mélanges scéniques les plus curieux qui soient. Si leurs paroles ont généralement des accents moralistes, le groupe lui-même se présente comme de complets cinglés, et le contraste fonctionne très joliment. Tous s'habillent jusqu'aux dents, généralement de gilets victoriens et de collants serrés, et dès l'instant où Ian Anderson surgit sur scène, il travaille le public avec tout le pouvoir du maître marionnettiste à la Merlin qu'il feint souvent d'être. Il tourbillonne et fouette l'air avec une grâce totalement épileptique, créant un maelström autour de lui, lançant les doigts en l'air comme autant d'incantations secrètes destinées au balcon. Dans ses yeux passe une lueur de satyre, ils s'écarquillent et lui jaillissent de la tête. Il se fait passer, très efficacement, pour un fou ballotté par de violents coups de vent venus de lieux inimaginables. Il exploite sa flûte de façon exhaustive : baguette de chef d'orchestre, de magicien, épée, fusil, phallus, gourdin, gratte magique de virtuose. Il la fait tournoyer comme une majorette et, grâce à elle, pousse le public jusqu'à des frénésies écumantes, puis relève la louche et met les auditeurs en transe avec un long solo mélodramatique.

Jethro Tull est composé d'interprètes si solides que, même si vous ne supportez pas la musique, en règle générale ils vous donneront quelque chose devant quoi béer, dont beaucoup de music-hall : pendant une pause, Barlow vient vers le micro, tenant une cymbale-jouet, lève une baguette dont il la frappe avec une exubérance extravagante. Ce faisant, il se dresse sur les doigts de pied gauches, et tend la jambe droite derrière lui, comme un Noureev de BD, roulant des yeux et grimaçant éhontément. Cela lui vaut des acclamations, et un coup de cymbale en écho qui semble venir de nulle part et le plonge dans une perplexité tout aussi exagérée. Il regarde autour de lui, se gratte la tête et frappe de nouveau la cymbale. Encore l'écho. Devenant vraiment déchaîné, il continue à frapper, de plus en plus vite, les échos suivant le même rythme, et tout à coup le reste du groupe converge vers lui, chacun tenant des cymbales identiques à la sienne, qu'il bat sauvagement. Le public avale ça tout cru.

Ils utilisent aussi les costumes, de manière trop calculée et trop réussie pour être improvisée. Mais que penseriez-vous si vous voyiez un groupe s'arrêter en plein milieu d'une longue chanson pour :

Lire un « bulletin météo » bidon.

Courir pendant un passage où un membre du groupe marche vers le micro et commence à haranguer la foule en gesticulant, tandis qu'un autre, déguisé en gorille, se tient derrière lui en imitant chacun de ses gestes.

Sautiller sur scène habillés en lapins.

Arrêter de nouveau la musique, puis briser le silence en faisant sonner sur scène un téléphone auquel un membre du groupe vient répondre : « Allô, oh oui, je vais voir s'il est là. » Puis il se tourne vers le public : « C'est un appel pour un M. Mike Nelson. »

Alors un roadie, ou quelqu'un, habillé en plongeur sous-marin avec palmes, masque et bouteille d'oxygène, arrive depuis le côté gauche de la scène, s'empare du téléphone, mime sans mot dire une conversation, puis repart tandis que le groupe se lance dans un passage particulièrement féroce de *Brick*, sous les folles acclamations du poulailler.

Si c'est l'idée que vous vous faites de l'art du spectacle, trouvez-vous un billet la prochaine fois que le Tull sera en ville. Si vous pouvez en obtenir un, s'entend. C'est très loin de l'idée que je me fais du rock, mais peut-être cette idée est-elle datée. Ou peut-être que ce n'est pas du rock, et que ça n'a pas besoin de s'excuser non plus d'être autre chose. Jethro Tull va être là pour un bout de temps, et sera sans doute encore plus gros qu'il n'est maintenant, et ses productions musicales deviendront encore plus boursouflées – il est difficile de les imaginer appuyant sur un bouton retour du type de l'album blanc des Beatles. Et peut-être y a-t-il pour nous tous une leçon dans ce triomphe.

Si vous êtes un groupe, ou un manager de groupe, que vous vouliez vous faire un tas de pognon, vous devriez suivre les méthodes établies pendant les années 70 par des groupes tels que Alice Cooper et Jethro Tull. Vous devriez trouver un style de musique pour lequel vous avez une certaine affinité, le développer jusqu'à ce qu'il soit bien affûté, puis l'envelopper dans les ready-mades socio-culturels du moment qui sembleront le mieux convenir (indétermination sexuelle chez Alice, colère pompeuse contre les pannes et les schibboleths sociaux chez Jethro).

Ensuite, il vous faudra monter un numéro de scène élaboré. À ce point, vous pouvez y aller au hasard, parce que la plupart des groupes n'ont pas encore commencé d'y penser en ces termes. D'ailleurs, plus vous y allez au hasard, plus il y a de chances que les gens vous traitent de « dadaïste » ou de quelque chose d'aussi impressionnant. De toute façon, tout ce qui compte, c'est de donner aux gens de la couleur et du mouvement à regarder, qu'ils ne s'agitent pas pendant qu'ils vous écouteront.

Le stade final consiste à se discipliner rigoureusement, à répéter tout le machin jusqu'à ce qu'il soit au poil, que vous puissiez y aller et décocher coup sur coup tout au long du concert sans jamais perdre l'équilibre. Polissez tout ça et mettez-le en vente. Ça marche.

Dans la création de quelque chose, on peut atteindre un point où l'apparat, le clinquant, la construction, prennent tant d'importance que ce qui est à l'intérieur n'en a plus vraiment aucune. Le spectacle peut être totalement artificiel : musique ultraformularisée, fragments de baratin à titre de ponctuation, wagons chargés d'accessoires, poses plastiques chorégraphiées, même le public est enrôlé pour intervenir au signal, éduqué chemin faisant par les concerts et les festivals ciné. Tout le truc peut être vide à ce point, et parce que quelqu'un s'est donné la peine de distraire les gens, tout le monde rentre chez soi heureux. Le show-biz est tellement drôle comme ça.

POSTLUDE : APRÈS LA CHUTE

Ainsi donc, j'avais bousculé et embêté tout le monde, et je ne pouvais toujours pas me faire une idée. De toute façon, de quel mur sortaient ces Jethro Tull ? No comprende. Jusqu'à ce qu'un jour, tout à fait par hasard, je ne décide de passer cet album intitulé *Musique du Viêtnam*, qui moisissait dans ma discothèque. C'était un de ces trucs de chez Folkways, voyez, des psalmodies obscures venues de l'intérieur, et je l'avais parce qu'un gauchiste me l'avait prêté une fois avant de disparaître à jamais. Alors je l'ai mis parce que je n'avais plus de quoi danser, de toute façon, et ÇA SONNAIT EXACTEMENT COMME DU JETHRO TULL ! De la musique folk venue des jungles vietnamiennes, parfois vieille de plusieurs millénaires, et que je sois damné si ces bons vieux clusters tonaux ne s'aggloméraient pas en caillots ressemblant fortement à ce que faisaient Ian et ses troupes. Les rythmes étaient semblables, bien que moins raides et moins militaires, et les souffleurs, sur leurs flûtes de bambou, enfonçaient Ian A.

Je sus donc qu'il n'y avait qu'une chose à faire. J'ai obtenu de Warner Brothers Records qu'ils m'envoient à Saigon, juste pour voir clair dans toute l'affaire, tirée tout droit de la bouche du cheval, enfin pour ainsi dire. Quand j'y suis arrivé, je suis allé au Palais présidentiel, hardi comme un buffle, suis entré tout droit et me suis planté bien en face du bureau du Président Thieu. L'Histoire allait se faire ici et maintenant.

Je n'ai pas perdu de temps : « Écoutez, ai-je dit, j'ai ici un album par une bande de crétins britiches appelée Jethro Tull », et je lui tends un exemplaire de *Thick as a Brick*. Thieu est froid comme un cabillaud : il l'ouvre, feuillette avec un demi-sourire quelques pages du livret, lit certaines des paroles, puis se tourne vers un système Garrard très élaboré installé à droite de son bureau, et met le disque. Bientôt la même foutue chanson sort à grand bruit des amplis Marshall géants installés dans les coins est et ouest de la pièce. Directement à ma droite, devant le bureau, l'ambassadeur d'Ouganda, qui conférait avec le Président quand je me suis imposé, et qui est désormais manifestement perplexe, et peut-être quelque peu offensé. Rupture du protocole diplomatique ! Rien à foutre ! Faut qu'on règle cette merde de Tull pour le bien de l'Amérique !

Aussi, pendant que papa Thieu écoute les cinq ou dix premières minutes de *Thick as a Brick*, je lui balance toute l'histoire. Comment Jethro Tull est si loin du mur qu'il n'est même plus dans la pièce. Comment je me suis pressuré la cervelle en essayant de leur échapper, découvrant que c'était impossible, alors c'était se plier ou mourir et j'étais vraiment au bout du rouleau. Comment j'avais trouvé l'album vietnamien de Folkways – que je lui jette. Thieu le regarde en gloussant, puis me le rend. L'ambassadeur ougandais commence à avoir l'air vraiment intéressé. Thieu se rencogne dans son fauteuil pivotant, joint les mains et écoute encore quelques mesures de Jethro Tull. Puis il arrête le disque, fait volte-face et me lance le sourire le plus condescendant que j'aie vu de ma vie.

« J'ai toujours été étonné, dit-il, de la façon dont vous autres Américains pouvez vous nourrir de la pire gadoue et survivre, mais maintenant je pense que je comprends enfin. Je n'aime pas Jethro Tull non plus – je n'ai jamais aimé ça, même quand tous mes amis me cassaient les oreilles avec *This Was* –, mais sans doute pas pour les raisons qui vous ont poussé à de tels extrêmes.

« Je ne les aime pas parce que vous avez raison : ils sonnent bel et bien comme de la musique folk vietnamienne, et *je ne suis pas un folkeux !* Je méprise ce boucan tremblotant, sur-rythmé, sans forme. Le jazz progressif, tant que vous voulez ! Peanuts Hucko, Big Tiny Little, et je suis heureux. Il faut avancer avec son temps, et le temps exige le bop : comment un homme dans ma position peut-il dire que le bop est un genre faux ? Je ne suis pas arrivé là en nageant contre la marée. Je vois chaque jour les GIs américains passer près du palace avec ces disques de bop en main, et de temps à autre je descends leur demander de me les montrer. Je leur parle dans un langage qu'ils comprennent : "Quel est le mot? Thunderbird?" Et ils répondent que c'est "rebop". Ils me montrent tous ces disques, tous ces gens, Chuck Berry, Elvis Presley, les Rolling Stones, j'ai compris, grâce à ma communication avec vos compatriotes, que c'était du rebop, que ce soit bon ou mauvais.

« Mais, comme chacun peut le voir, la musique vietnamienne n'est pas du rebop. C'est tout au plus quelque chose de gauche et de glacé, mais quand même insistant. Ces vieilles cultures ne meurent pas facilement. C'est pourquoi ils jouent encore ce méprisable bruit dans leurs champs de riz, et c'est pourquoi quelque chose comme Jethro Tull est populaire chez vous. Parce que, vous savez, certains ne peuvent se faire au rebop. Et la raison pour laquelle je n'aime pas Jethro Tull, et je suppose vous non plus, c'est qu'ils *n'ont pas de rebop*! »

Ayant ainsi expliqué son cas, il se rencogna de nouveau dans son fauteuil, et sourit. Je réfléchissais encore à tout cela quand l'ambassadeur ougandais se pencha et me tapa sur le genou : « Dites-moi, demanda-t-il, qu'est-ce que c'est que cette obsession du "rebop", de toute façon? »

Creem, mai 1973

Baiser le système avec Dick Clark

Je suis sidéré. Vous le seriez aussi. Je viens de rencontrer un grand homme, un homme d'État, un des pères de la contre-culture. Cela fait maintenant vingt ans que Dick Clark nous concocte un euphémisme acceptable, côté jambes, de l'expérience adolescente dans « American Bandstand » sur ABC-TV, et il a récemment fêté cette réussite en programmant une émission spéciale vingtième anniversaire, avec tout ce qu'on voulait, des habitués repêchés dans les profondeurs du bon vieux temps de l'émission (et qui paraissent vraiment rassis aujourd'hui) aux commentaires de Cheech et Chong sur les disques récemment sortis (ça n'a rien donné, et ils ont laissé tomber). L'émission est parvenue à retenir 42 pour cent de part d'audience, ce qui est sans précédent pour cette tranche horaire, et voilà maintenant que Buddah Records vient de mettre en vente un album compagnon, *20 Years of Rock'n'Roll*, assemblage parfait avec la tronche de Dick en couverture, un annuaire souvenir de 24 pages, un disque bonus sur carte postale avec les « anecdotes confidentielles » de Dick, et trente hits d'époque allant de « Cryin' in the Chapel » des Orioles à « Nice to Be with You » de Gallery (une bonne part du lot étant évidemment propriété de Buddah).

Aussi, en dépit d'accusations d'obsolescence galopante lancées par les gens à la coule, Dick marche actuellement plus fort que jamais, et mérite manifestement d'être entendu en ces temps sargassiques de jeunesse nullarde post-insurrectionnelle, qui, à en croire certains, marqueraient le retour des fifties. Ce n'est pas le cas, bien sûr, mais il se pourrait bien que Dick Clark soit revenu à son point de départ.

On a vite fait d'aller à pied des bureaux de Buddah Records, sur la 7e Avenue, au Ed Sullivan Theatre, où Dick était occupé à enregistrer les mois à venir de « La Pyramide de 10 000 $ », jeu télévisé du matin en semaine qu'il anime désormais, tout en conservant son poste institutionnel sur « American Bandstand » le samedi après-midi. C'est une organisation très affairée, qui enregistre chaque jour une semaine de « Pyramide », mais nous avons réussi à glisser une interview pendant un déjeuner au restaurant chinois d'à côté. J'ai plein de mandrax et de cigares, et je suis prêt.

Nous suivons des yeux les moniteurs tandis que le générique de fin défile sur une « Pyramide » à peine terminée, et Jack Klugman et Tony Randall, les invités, s'engagent dans un échange verbal de dernière minute pour les caméras. Puis ils s'en vont, et je serre la main à Dick, momentanément distrait par le spectacle d'une célébrité encore plus grande, Tony Randall, se ruant dehors avec trois petites vieilles dames en remorque. Il leur tient les mains et leur fait des mamours. *Bon dieu,* pensé-je, *il continue à être Felix Unger en coulisses. Fichue pédale.* Puis nous nous levons pour nous rendre dans le placard à balais virtuel qu'est la loge de Dick, il se met en civil et j'observe l'épaisseur antédiluvienne de son maquillage. Ce mec est remarquablement préservé – il faudrait remonter à Pat Boone, je crois, pour trouver un cas comparable. On voit les rides sous le maquillage, mais il ne porte pas de moumoute – *il a vraiment des cheveux qu'il peigne comme ça.* Il vous parle également d'une voix un peu publique très semblable à celle qu'on entend à la télé. Non dépourvu du sens de l'humour, il se montre néanmoins très grave dans ses commentaires sur l'industrie du disque – et toutes les références qu'il y fait sont marquées, à un niveau dollars-et-bon-sens, par un pragmatisme entrepreneurial un peu personnel. Il prononce des mots tels que « sociologie » avec une précision minutieuse qui leur donne un ton un peu solennel, et laisse entendre qu'il se sent peut-être obligé, vu son rôle de papa générationnel, de se montrer plus oraculaire que ne le veut sa nature. Pour autant, c'est un pro, et si ses réponses sont, à l'occasion, routinières au point d'en être gênantes, elles tombent dans un torrent superbement organisé d'anecdotes, d'aphorismes clarkiens, avec de temps en temps un ironique aveu « franc ».

Comment auriez-*vous* dû être défoncé, par exemple, pour faire concurrence à ce baratin de papa très « vie naturelle » : « L'autre jour, il y avait une dame qui a fait un discours fascinant en acceptant un diplôme honoraire qu'elle a eu dans je ne sais plus quelle université... Dolly Cole, c'est la femme du président du conseil d'administration de General Motors, alors on sait de toute évidence où elle en est politiquement et comment elle pense, mais elle a trouvé une grande formule, c'est une autodidacte, très charmante, j'ai fait cinq émissions avec elle, je la connais relativement bien – elle a dit aux diplômés, elle s'est excusée de son langage de camionneur et a dit : "Tous ceux d'entre vous qui sont inscrits dans cette école, et qui se plaignent d'un monde matérialiste, peuvent être assurés qu'il y a chez vous des parents qui se cassent le cul pour que vous restiez ici." Ce qui est une pensée intéressante. L'autre grande formule que j'ai lue, et qui est fabuleuse, c'est que dans cette génération de jeunes qui veulent tous être individualistes, la devise est "Écoute, je veux être *différent*, comme tout le monde !" ; nous nous dirigeons vraiment vers une génération copie carbone. C'est vraiment unique. J'ai longtemps étudié les jeunes, je n'ai jamais vu, de toute ma vie, un groupe de gens aussi unidimensionnels – dans la pensée, l'habillement, et même dans les habitudes musicales. »

Bon sang de bonsoir, l'auriez-vous cru ! Qu'est-ce que je ne donnerais pas pour parler, non, *écrire* comme ça – quelle incroyable organisation, quelle lucidité. Mais je soupçonnais l'éclat facile du savant généraliste superficiel, aussi lui ai-je foncé droit dessus : Dick, pourquoi vous intéressez-vous à ce point aux jeunes ?

« Cupidité pure. C'est une réponse facétieuse, mais vraie pour l'essentiel. En second lieu, c'est une très belle vie, et je vous serais reconnaissant de ne pas extraire ça du contexte sans publier le reste. Ça me plaît. Si ce n'était pas le cas, tout l'argent du monde ne pourrait me pousser à faire ce que je fais. Et voyons les choses en face, c'est un moyen foutrement intéressant de gagner sa vie. D'un jour sur l'autre, on ne sait jamais ce que les jeunes vont faire. »

Dick, ça me rappelle : Que pensez-vous du fag-rock ?

Regard préoccupé : « Vous croyez que ça va se répandre ? »

Sûr ! David Bowie, Lou Reed, tous ces mecs au sommet des charts, les pédés s'emparent du pays !

Il remâche ça une minute, puis émerge imperturbable, ce qui est bien de lui, porté à philosopher. « Tout ce qui est nouveau prend du temps avant d'être disséminé à travers le pays. On a les modes versions J.C. Penney de ce que portent ceux qui définissent les styles. Il y a dans tout ça une prémisse intéressante, dans le monde des jeunes, on prend la frange allumée, l'avant-garde, les créateurs de styles, les *cinglés*. Et si vous êtes assez prudent pour déterminer ce qui est un courant légitime dans ce qu'ils proposent, vous serez en mesure, finalement, de prédire ce que les gens du milieu, je ne dis pas nécessairement au sens géographique mais dans le cas de l'Amérique c'est beaucoup le milieu, feront dans les mois qui viennent.

« Bisexuel... quelle est l'autre formule, "à voile et à vapeur" ? Je crois que c'est en partie lubie et en partie gobage de lune, comme les manifestations. Tout un tas de kids se sont lancés là-dedans parce que c'était "le truc". À l'époque, il n'était pas très populaire de critiquer les manifs légitimes, mais je reprenais la vanne sur le môme qui a dans le placard de sa chambre une pancarte où on lit "HONTE", et qui l'emporte à tout moment pour aller défiler. La pancarte tenait lieu de quelque chose. Il se peut que ce soit la même chose pour la scène trans-sexuelle-travelo-fêlé. Je crois que ça ne durera pas. Je crois, ce qui est plus important, que ça indique qu'on veut voir le show-business en revenir à la musique. C'est pourquoi vous avez un Elton John, un Liberace, un Alice Cooper. C'est du show-biz. Nous savons tous qu'Alice est bidon, que c'est de l'arnaque. Mais ce qui est drôle, c'est de lire les commentateurs sociaux, et de voir comme le monde normal est mis sens dessus dessous par cette dinguerie. Je ne peux y attacher la moindre importance. »

Alors, voit-il l'espoir d'un avenir du rock dans des groupes relativement sains tels que Slade, ou dans l'androgynie bubble-gum de Marc Bolan ? Naaan. « Je ne pense pas que Slade marchera aux États-Unis pour la même raison qui fait que T. Rex n'a pas marché : il se prenait pour Mick Jagger, il était Donny Osmond. Imprimez ça. Quel taré ! Je suis allé là-bas à l'époque où il nous était nécessaire de pallier notre manque d'idoles pour les moins de douze ans, j'ai essayé de convaincre ses gens [*de Bolan*] que ce serait le bon moment pour s'implanter sur le marché américain dans ce secteur. Le problème, c'est que le pauvre gars croyait à sa propre publicité, Ringo Starr lui tournait autour en le filmant avec une caméra 8 millimètres. Il croyait qu'il allait être Mick Jagger, ce qu'il n'est pas. Il a été tant de choses au cours de sa carrière que je crois qu'il ne sait pas qui il est. Et il a été si mal conseillé – ça arrive à tant d'artistes –, ce type a manifestement beaucoup de talent, mais pas le sens des affaires. Et c'est pourquoi c'était injouable, et il est tombé aux oubliettes.

« Je suis toujours attristé par les gens censément doués qui ne savent pas qui ils sont. Prenez les Monkees, qui se prenaient pour les Beatles. Ils auraient pu se contenter d'une bonne petite activité dans leur secteur pendant deux années de plus, en dépit du fait que c'était une arnaque. C'était un truc monté commercialement pour lequel il existait un public grâce à qui ils auraient pu se faire beaucoup d'argent, puis prendre leur retraite et léguer tout aux enfants. Au lieu de tout ça, Mickey Dolenz a pensé qu'il était Paul McCartney. Il est allé à Monterey et on s'est fichu de lui.

« Pour reparler statistiques, voyez les livres de référence sur le disque, et vous verrez que tous les dix ans, en milieu de décennie, monte une superstar déjantée quelconque. On peut faire remonter tout ça à Rudy Vallee et Bing Crosby, à travers Frank Sinatra et Perry Como, puis on a eu Bill Haley et Elvis, les Rolling Stones et les Beatles, alors maintenant on est de nouveau en plein dedans. Au cours des deux ans qui viennent, il y aura un individu qui sera blanc, de sexe masculin, interprète solo. Probablement américain... »

Changeant de sujet pour aborder son émission, je me suis demandé s'il s'efforçait consciemment de présenter une certaine image de la jeunesse américaine à travers les kids qui constituent le public d'« American Bandstand ».

« Ah, j'en sais rien. Ce sont des mômes assez Middle of the Road, je crois. Ça ne serait pas un public de concert typique parce qu'ils s'habillent différemment. Les seules exigences vestimentaires qu'on ait, c'est que les filles ne peuvent porter de pantalons. C'est uniquement pour une question visuelle, c'est fichtrement plus intéressant de voir une fille en jupe. Et avec les cheveux longs, en gros plan, c'est très difficile de distinguer les mâles des femelles, alors on se sert de cet élément attractif. Simple question pratique, ajoute-t-il. Ce n'est pas un préjugé de ma part, je ne suis pas un amateur de jambes ou quoi que ce soit. »

Dick, pour dieu sait quelle raison, hippies et partisans de la contre-culture semblent penser que vous êtes indigeste. Je lui ai demandé s'il avait une explication et il a répliqué en tirant des deux canons : « Ce genre de truc revenait tout le temps il y a trois ou quatre ans, mais maintenant ça devient un peu dépassé. J'étais une bonne institution avec laquelle s'amuser. Puis beaucoup d'entre eux se sont brusquement rendu compte que j'étais là depuis vingt ans, que je leur servais de larbin et que c'était la raison pour laquelle ils étaient dans le business. Je suis très cynique envers la presse underground, dont vous faites partie. Ma position est que je serai là plus longtemps que vous. Je serais très heureux que vous vous moquiez de moi ou que vous imprimiez tout ce que vous voulez, je m'en fiche.

« Ils ont découvert que pour rester en vie il faut qu'il y ait un semblant d'ordre. C'est pourquoi la radio FM underground, informelle, est morte. Parce que vous ne pouvez pas lâcher sept flippés sur les ondes pour faire tout ce qu'ils veulent quand ils veulent, jouer le même titre dix-sept fois de suite ou passer intégralement un album débile, parce que ça intéresse qui ?

« Un aspect du monde que les kids ne comprennent pas, c'est la politique et l'argent. Quand vous apprenez la politique, l'argent, le monde publicitaire, où sont enterrés les cadavres, alors vous êtes suffisamment mûr pour rester en vie. Ça fait partie du jeu. Et beaucoup de mômes n'apprennent pas avant de se retrouver à la rue à traîner en disant : "Hé, je me demande pourquoi l'endroit où je travaillais a fermé." Ils ont dit à trop de gens d'aller se faire foutre. C'est ce qui est arrivé aux Smothers Brothers[18]. Quel outil merveilleux ils avaient, sauf qu'ils ont coincé un des trois grands réseaux dans un coin et ont dit : "Vous pourrez pas vous en sortir et on va gagner." Ils se font quelques dollars, mais ça ne représentera pas grand-chose une fois qu'ils auront payé les avocats. Ma théorie, c'est qu'il faut toujours apprendre à baiser le système de l'intérieur. »

Okay, Dick, mais rien que pour mémoire, que faisais-tu quand tu étais môme ? « J'étudiais la magie noire. À treize ans j'étais hypnotiseur. J'ai fait ça toute ma vie, j'ai des rayonnages remplis de livres là-dessus. Et quand ça a commencé à être très gros à la fin des années 60, je me suis dit qu'il valait mieux que je sorte de ça, je ne peux plus supporter d'écouter ça encore une fois. J'avais beaucoup de succès dans les soirées, je lisais les lignes de la main, je faisais marcher les gens... »

Alors maintenant, comment l'adulte Dick Clark se voit-il lui-même ? Comme un leader moral pour les jeunes ?

« Je ne suis que le magasinier. Les rayonnages sont vides, je renouvelle le stock. Je ne fais pas de commentaires, ni pour ni contre. Irving Berlin a dit : "La musique populaire est populaire parce que beaucoup de gens l'aiment." Ça ne veut pas dire qu'elle est bonne ou mauvaise – c'est l'équivalent de la discussion des mérites comparés des hot-dogs et des hamburgers. Quelle importance ça peut bien avoir ? »

Creem, novembre 1973

Slade : Sladest

J'ai eu cet album lors d'un dîner à l'abreuvoir du Hilton local, offert par Warner Bruhs pour annoncer qu'ils avaient mis la main sur ces skinheads. Nous étions là à écluser nos Mai Tai, et en plein milieu d'une entrée exotique-pas-de-menu-si-ça-te-plaît-pas-c'est-le-même-prix servie par des coolies, quelqu'un s'est mis à jeter tout autour de la table le brouet cantonais contenu dans nos assiettes. Je crois que c'est un jason des relations publiques de Warner qui a commencé, mais très vite des cœurs de mangue et des filets de poisson se sont mis à sillonner la stratosphère. Ça s'est terminé dans un chaos total, puis ce Warnoïde vraiment super et bien tombé a suggéré que nous montions au troisième pomper l'air aux Francs-Maçons qui tenaient une convention. Aussi nous rendîmes-nous en ascenseur jusqu'à l'entresol, où des chérubins sexagénaires et chauves en smoking escortaient de-ci de-là leurs paisibles épouses. Alors j'ai commencé à me diriger vers les couples au hasard et, tendant la main pour les saluer, un sourire onctueux sur le visage, leur disais, sur un ton de courtoisie rayonnante absolue : « Bouffe de la merde ! » ou, alternativement, « Tranche un téton d'ta mère, Toto ! » Puis je pinçotais parfois amicalement le dôme luisant du pèlerin, comme pour le dépoussiérer.

Tout ça était très marrant, et le lendemain le pilier de la Warner a appelé pour s'excuser de sa conduite « révoltante ». On lui a dit, pas question d'excuses, parce que, face à tous les protocoles et les bienséances, il s'était comporté selon le véritable esprit

sladien. Ce sont des mecs chahuteurs, et en plein milieu de ce
dîner mortel, moins de vingt secondes avant qu'il se mette à jeter
des gâteaux aux ananas partout, Noddy Holder, le Numbah
One de Slade, assis juste à ma gauche, venait de soupirer :
« Pourquoi pas une bonne *bagarre*, pour changer ? »

Parce que c'est de ça que parle Slade. Saccager la cambuse
pour de bon, pour une fois, faire des claquettes sur les guêtres
du portier, fourrer un cornichon bulbeux dans le tuyau de votre
sainte mère. On ne se divertit pas si grossièrement avec Dionne
Warwick, ou même Elton John, mais Slade c'est du rock braillard,
excessif, balancé en tas hirsutes et transformés en gros chevaux
de Troie tapant du pied sur des chants d'allégresse et rockant
farouchement, en provenance des poubelles les plus classiques
de l'armurerie rock. Ça ne mène nulle part, sinon vers davantage d'hystérie en vase clos, et c'est une dinguerie plus qu'un peu
fabriquée, mais ça frappe juste et fort. Ça vous fera galoper tête
la première vers les gonzesses et jaillir de votre fauteuil roulant
comme un heureux moins que rien enfin libéré d'interminables
miasmes le-marchand-de-glace-est-passé[19]. Ils font depuis longtemps fureur en Angleterre, mais doivent encore décrocher la
timbale aux States, alors si vous prenez le train en marche avec
moi et les autres réprouvés peut-être que ça viendra à se produire ce qui épargnera à ces mecs sympa de mourir d'une mort
américaine à la Marc Bolan, ce qui ne devrait pas arriver à un
constipé à la Silas Marner et encore moins à un tas de voyous
Rosbifs qui ont laissé tomber l'atelier rien que pour danser dans
les rues comme des demeurés.

C'est presque la dernière chance de Slade de nous conquérir,
et ce nouvel album devrait faire l'affaire, ne serait-ce que parce
que c'est la sélection de leurs titres les plus tapageurs ayant ces
dernières années foncé tout droit n° 1 dans les charts de Mémé
Albion. Des killers chauffés à blanc tels que « Gudbuy t' Jane »,
« Skweeze Me Pleeze Me », « Look Wot You Dun » et le suprême
« Mama Weer All Crazee Now » parlent d'eux-mêmes et vous le
feront sentir, même en 1973. Ils doivent en sortir un nouveau
très bientôt mais les perspectives sont un peu sombres pour ce

qui est de savoir si ce tas de filous, ou tout groupe reposant à ce point sur une formule aussi étriquée, peut durer longtemps, ou faire mieux que les écorcheurs de sillons tumescents et alcoolisés ici rassemblés. *Racing Form* les soutient à fond, moi aussi, et vous devriez. Et ensuite vous pourrez foutre en l'air vos propres banquets coloniaux tels les derniers mendiants encore en activité.

Creem, décembre 1973

Ma nuit d'extase avec le J. Geils Band

Vous pourriez penser que, pour un rock magazinero prospère à grande gueule, les avantages l'emportent sur les inconvénients, mais contrairement à ce que veut la sagesse populaire, tout n'est pas que paillettes et pots-de-vin en ce bas monde. Certes, on a les albums et les petits machins gratuits, les punkettes et les tee-shirts, mais il vous faut également témoigner d'un minimum de créativité de temps à autre – entendons par là trouver de nouvelles idées d'articles – ce qui parfois nécessite de s'adonner à un *travail* réel.

Exemple : nous étions tous là au bureau à essayer d'imaginer ce que cette fois nous allions bien pouvoir faire du J. Geils Band. Nous les avions abordés sous l'angle desséché-Bostonien-déprimant de l'historique du groupe, nous avions décrit leur jeu de scène dans les plus minimes détails, nous étions même allés jusqu'à écrire qu'ils étaient meilleurs qu'Alice Cooper. Et maintenant nous voilà au pied du mur, Sainte Mère. Devrions-nous putasser avec une double page à la *Circus*[20] : « Les hémorroïdes qui ont failli briser la carrière de Peter Wolf » ? Ou peut-être opter pour une approche à la *Rolling Stone* : « J. Geils évoque l'avenir politique des petits-fils de G. Gordon Liddy » ? Ou nous vautrer dans la grossièreté éhontée, à la *Rock Scene*[21] : « J. Geils assiste à une soirée donnée par Mickey Ruskin, Jackie Curtis, le chauffeur de Steve Paul et treize travelos » ?

Non, nix, nada. Vu les normes journalistiques follement exigeantes qui sont les nôtres, nous nous engageâmes dans une réunion de groupe valiumée, mais marathon, de trente-huit heures, tout en traînant dans le bureau à écouter le dernier Buddy Miles en attendant qu'il nous achève, et nous en sortîmes avec un concept d'une brillance sans précédent : « J. Geils explique la culture des Greasers. »

Vous avez bien lu, nous comptions que Peter Wolf nous enseigne comment on fait démarrer une voiture, que Seth Justman nous détaille la technique d'ouverture d'une canette avec les dents, sans compter énormément d'autres trucs encore plus révélateurs, à l'intention des séquestrés banlieusards (i. e. trouillards) parmi nos lecteurs. Alors nous sommes descendus à leur hôtel quand ils sont arrivés en ville, leur avons refilé le bébé, et la réaction du groupe a été galvanique :

« Vous vous foutez de nous ou quoi ? »

Ainsi donc, tandis que nous étions là, à prendre des photos d'eux en train de s'enfiler de la bière, je fouille dans ce qui est apparemment la seule alternative, une interview « straight », qui discuterait sobrement de l'état du rock aujourd'hui, et des crises que nous, nous autres en tant que culture jeune, avons connues au cours des dernières années. C'était si sobre que c'était sombre, morne, c'était gai comme la mort. Ça ne marchait pas, même moi j'ai fait non de la tête, ils me regardaient tous, et J. Geils a fini par dire : « Lester, est-ce que quelqu'un t'a déjà dit que tu ressemblais à Rob Reiner[22] ? »

J'ai bondi hors de mon fauteuil pour lui sauter à la gorge : « Conneries ! Ne viens pas me dire ça ! Ça n'est pas vrai ! » Ce truc s'était déjà produit trop de fois, et ils se sont tous mis à rigoler. « Alors voilà ce qu'il faut pour l'amener à réagir », a dit Peter Wolf, entre deux vannes homo sur Danny Klein, son bassiste, qui porte des vestes roses.

Nous étions donc en terrain plus réel, nous avons commencé à bavasser, et pour finir j'ai dit : « Bon dieu, la seule différence entre vous autres rockers et nous autres critiques, c'est que les gens peuvent vous *voir* faire ce que vous faites, je ne peux pas remonter la rue en disant : "Hé chérie, t'as aimé ma super critique de Lennon ?", parce que la nana me répondrait : "Va te faire foutre, Jack, comment est-ce que je saurais que t'as écrit ça ?" »

« Très bien, a dit Wolf, alors, pourquoi tu montes pas sur scène avec nous ce soir, pour faire ton truc, et on verra bien ce qui se passe ? »

Ça m'a cloué le bec. Je me voyais là-haut, roulant enfin des mécaniques sous les projecteurs que je méritais depuis si longtemps, les fards, l'odeur des fans, *mes* fans. Car tout rock critic n'est-il pas une rock star frustrée, et ne *méritais*-je pas mes quinze minutes de célébrité instantanée ? Foutre oui, merde. Je les ai pris au mot, et je suis rentré chez moi dans un brouillard d'attente extatique.

Arrivé là, j'ai tenté de me calmer par un peu de méditation transcendantale, mais c'était vraiment trop. Je brûlais d'envie de balancer mes points et mes tirets, alors j'ai mastiqué un sandwich au salami, et fouillé la maison jusqu'à ce que je retrouve une vieille machine à écrire amochée laissée là par un de nos anciens pensionnaires. Accessoire franchement inutile, à dire vrai, sauf pour un rôle théâtral comme celui que j'allais perpétrer. Fallait que je fasse la balance, alors j'ai posé l'objet dans la salle à manger, l'ai branché et ai frappé quelques touches – il imprimait à peine, mais ça en jetait suffisamment sur le papier pour que je sois sûr d'émerger de cette escapade, non seulement avec une gloire et des groupies qui seraient à juste titre miennes, mais aussi avec un chef-d'œuvre. Ma copine est arrivée coiffée d'une perruque et je ne l'ai même pas remarqué, tant j'étais excité. Je n'ai même pas pu me concentrer sur « All in the Family », c'est vous dire.

Quand nous sommes arrivés au Cobo Hall, l'endroit bourdonnait d'impatience. J'ai traîné ma gratte – une Smith-Corona, M. le Publicitaire ! – dans la loge et l'ai posée dans un coin. Quelques femmes aux environs m'ont regardé bizarrement, mais Peter Wolf est arrivé et s'est enquis de savoir si j'étais prêt.

« Tout est prêt ? T'as ta meule ? »

« Tout est *parfait* ! »

« Parfait ! »

Ah, côtoyer enfin mes pairs, les grandes stars de cette génération ! Je suis devenu parano à l'idée de laisser la machine dans la loge fermée à clé pendant que le J. Geils donnait la première partie de son concert (je déboulerais pour le rappel), alors je l'ai prise et cachée dans un coin perdu dans l'ombre des coulisses. Ensuite je suis allé dire à ces seconds couteaux de Brownsville Station ce que j'allais faire, et ils m'ont ri au nez ! Ah, allez vous faire foutre, nullards ! Je jouais en première division, désormais ! J'étais si sûr de mon statut de star que je m'étais même habillé pour l'occasion : veste en toile de jean, chemise blanche et bleue, gilet. J'avais décidé que ça n'irait pas d'arriver fringué mode : réveillez maman et apprenez la nouvelle à Lisa Robinson, la nouvelle mode rock sera le look étudiant, ou alors appelez-moi Carlos Santana.

J'ai rencontré par hasard Robbie, conducteur de limousine fort connu localement, la cinquantaine, que toutes les filles adorent parce qu'il est plus affable que dix Rod Stewart réunis, et en lui serrant la main j'ai lancé, rayonnant : « Attends de voir ce que je vais faire ce soir ! Ils vont en attraper des ampoules ! »

Le concert paraissait interminable, et quand le moment du rappel est venu et que j'ai entendu mon nom, je suis monté sur les planches en me rengorgeant, sans la moindre trace de trac. J'ai posé la machine et ai noué mes mains au-dessus de ma tête, afin de mieux me baigner dans l'adoration de la foule, si semblable à une gueule, parmi laquelle deux personnes ont applaudi, l'une étant Leslie Brown, dont le bureau est juste à côté du mien. J'ai saisi le micro pour brailler « Mercimercimerci », comme dans *Kick Out the Jams*. Je me suis dit qu'inclure tout le truc – « Je veux voir un océan de mains ! » – manquerait de subtilité. Tel quel, personne n'a saisi, mais rien à foutre, la même chose est arrivée des dizaines de fois à Yoko Ono. Alors j'ai commencé à hurler en direction des roadies, comme une vraie superstar : « Branchez-moi cette merde ! Allons-y ! »

Ce qu'ils ont fait, posant la machine sur un banc placé sur scène rien que pour moi, je me suis agenouillé et avec un sens consommé du théâtre j'ai sorti mes lunettes noires de la poche de ma veste et les ai mises. Puis j'ai exhibé une des deux feuilles de papier quadrillé que j'avais apportées, rien que pour que le public reluque, et l'ai glissée dans la machine. J'ai levé les yeux vers le groupe, qui attendait ce signe, et J. Geils m'a rendu la pareille – Hé brother ! serre m'en cinq ! –, tandis que résonnaient les premières mesures de « Give It to Me ».

C'est à cet instant que j'ai compris que ce que j'étais en train de faire devant une salle pleine de milliers de mes pairs ricanants était d'un grotesque absolu. La première décision était de savoir s'il fallait prendre tout ça à la blague et taper sur le bestiau de manière décousue, ou d'entrer vraiment dans le truc funky bluesy et d'essayer de taper dans le rythme. Bon dieu, ils m'avaient filé un micro, alors j'ai commencé à tenter de jouer en mesure, souriant et hochant la tête en direction du groupe qui a fait de même, tandis que le poulailler restait bouche bée et expectorait. Le texte était super aussi : « VDKHEOQSNCHSHNELXIEN (+ & H-SXN + (E@JN ? » J'ai entendu un des roadies, agenouillé à quelques mètres de moi, lancer d'une voix traînante et laconique : « Tu t'en sors super, mec. » Quel salopard rancunier !

J'ai même ajouté un peu de théâtre de la destruction à la Townshend/Alice Cooper : pour le climax du titre, je me suis levé, ai donné un coup de pied dans la machine, le banc et tout le reste. Puis j'ai sauté dessus jusqu'à réduire le tout en miettes, ou du moins en deux. C'était bon, ça avait quelque chose de purgatif.

Pour finir, mon instant de triomphe a pris fin, et je suis allé saluer avec le reste du groupe. Comme Murray the K avec les Stones, j'étais désormais le septième membre du J. Geils Band. Les autres m'ont serré dans leurs bras, j'ai grimacé en direction du public, nous sommes sortis de scène en courant et c'était terminé. Plongeant dans la foule en coulisses, j'ai serré très fort Leslie et ma copine. J'avais l'impression d'être à la fois Mick Jagger et le président du Fan Club des Stooges, et Robbie qui, la veille, avait pris part à un rappel en jouant de la cloche à vache, m'a félicité. Je lui ai de nouveau serré la main : « Quand est-ce qu'on forme notre groupe, mon gars ? »

Il s'est contenté de rire et s'est éloigné pendant que de nouveau les filles commençaient à grouiller autour de lui.

Creem, août 1974

Le plus bel entrechat de Johnny Ray[23]

Ce n'était pas exactement la première du *Sacre du Printemps*. Et ça n'était pas aussi opulent que le mariage de Sly au Madison Square Garden. Ça ressemblait davantage à l'ouverture d'une boîte disco modérément high-energy.

C'était en fait le retour sur les planches de David Bowie, habillé en travelo afro-anglican. Comme nous le savons tous, les hippies blancs, et les beatniks avant eux, n'auraient jamais existé s'il n'y avait pas eu toute une sous-culture générationnelle rongée par le désir de n'être rien de moins que les *nègres* les plus vils et les plus méchants possibles. Et bien entendu, il était inévitable que le baratin profond, et indéniablement séduisant, de la négritude, finisse par pénétrer le royaume du clinquant. Tout le monde sait que les pédés n'aiment pas la musique du genre Bowie ou Dolls – c'est bon pour les ados et les pathophiles. Les pédés préfèrent les comédies musicales et la soul music. Aucun bar gay n'a « Rebel Rebel » dans son juke-box, c'est tout Barry White et ce gros beat disco qui résonne tandis que tout le monde danse à s'en démonter le cul. Je ne suis pas en train de dire que les cultures black et gay ont une mystérieuse affinité particulière l'une pour l'autre – je laisserai ça aux spécialistes d'explications profondes, disons le Dr David Reuben –, mais par contre je constate que tout le monde se promène depuis un an environ en faisant comme si les pédés dominaient le monde, alors qu'en réalité ce sont les *nègres* qui contrôlent et dirigent tout, comme toujours et comme ça aurait toujours dû être. Si vous ne le croyez pas, allez donc demander à Lou Reed, commentateur social des plus respecté, qui a écrit et enregistré pour *Sally Can't Dance* une chanson intitulée « I Wanna Be Black », qui malheureusement est devenue, en définitive, une simple chute de studio (il s'est sans doute rendu compte qu'il en avait trop dit).

Il était donc naturel que Bowie prenne le train en marche tôt ou tard. Après tout, ça n'est pas un imbécile, tant s'en faut.

Mais il est vraiment bizarre. C'est ce que disait le kid derrière nous dans la file d'attente tandis que les émeutiers qui ont filé cinq dollars chacun à Tony De Fries, le manager, revenaient pour la troisième fois en prenant d'assaut la rue menant à l'entrée. « J'aime la musique de Bowie, mais pas sa personnalité. Il est trop bizarre. » Il a ajouté qu'il voulait acheter l'album des New York Dolls, mais n'en avait rien fait parce qu'il avait peur que quelqu'un ne voie la pochette traînant quelque part chez lui et ne se fasse des idées fausses. Comme la majorité du public, le gamin penchait beaucoup plus pour le denim que pour les paillettes. En fait, ils étaient franchement miteux. Au sens traditionnel.

Ce qu'on ne peut certainement pas dire de Bowie. Que penseriez-*vous* d'un type qui arrive sur scène maquillé en Noir avec des gants blancs, un chapeau haut-de-forme et une queue de pie sur des chaînes à la Isaac Hayes, et un godemiché orné sur la pointe d'un portrait de Joséphine Baker, chantant « Old Folks at Home » et « Darktown Strutters » dans un fouillis Rosbif à trilles se faisant passer pour un rot de crapaud-buffle sudiste, tout en agitant ses mains en l'air et en faisant tournoyer sa canne, tandis que soixante ou soixante-dix négrillons sosies de Michael Jackson psalmodient *Hi-de-ho! Hi-de-ho!* derrière lui, tous massés devant une toile de fond de magnolias et de baraques de métayers?

Vous penseriez que le gars a une certaine imagination, dans son genre, mais vous ne le pourrez pas, car ce n'est pas le cas. Du moins quand il est question de fanfreluches noires. Parce qu'il n'a rien fait de tel. Ce qu'il a fait, par contre, c'est de s'offrir un soutien étroitement professionnel pour un mélange bizarre, et parfaitement incongru, de sentimentalisme clinquant, de caparaçons négritudinaires, d'extase cocaïnée et de sensiblerie Las Vegassienne.

Nous sommes entrés dans la salle au son d'un extrait sorti tout droit des *God's Trombones* joués par les Ohio Players. La scène était couverte de Noirs – deux percussionnistes (Emir Ksasan, Pablo Rosario), un bassiste (Dennis Davis), le flamboyant Mike Garson au piano, deux guitaristes (Carlos Alomar et Earl Slick), l'omniprésent Dave Sanborn au saxo, et une couvée de « danseurs/chanteurs », pour s'exprimer comme mon informateur de chez MainMan : Guy Andressano, Geoffrey MacCormack, Luther Vandross, Anthony Hinton, Ava Cherry, Robin Clark et Diana Sumler. Pour être honnête, tous ne sont pas Noirs, mais tous, bien entendu, sont des artistes, et ils sont v'aiment funky. Ouvrant avec « Love Train », ils ont fichtrement funkifié le public, qui n'a cessé de discuter pendant leur numéro.

Après la fête générale d'ouverture, Garson s'est lancé dans un solo de piano grandiose bien dans sa manière, qui, comme toujours, m'a évoqué le rejeton d'une baise abjecte entre Liberace et Cecil Taylor. Il y a eu un bruyant solo de batterie qui a vaguement excité l'assistance, dont l'âge moyen était de dix-sept ans, bien que la fille devant moi n'ait cessé de glousser d'une voix haletante : « Daaaaaaa-vid ! Daaaaaavid ! Oh, quand il va arriver je vais le... *toucher* ! » Ava Cherry, jeune Noire toute en courbes à la chevelure d'un blond agressif, a chanté une ballade soul sentimentale, suivie par Luther Vandross (qui est gras et porté à des roulements d'yeux à la Stepin Fetchit[24]) et une des autres filles noires, tous deux fredonnant et se jetant des regards comme April Stevens et Nino Tempo jouant à l'Apollo maquillés en Noirs. Ava et Geoffrey MacCormack, Blanc mince aux boucles noires et à la chemise de soie noire qui émet le genre de vibrations show-biz gay qui tiennent à crier sur les toits qu'il est *positivement* enchanté de toute l'affaire (j'ai cru plus tard qu'il allait se baisser pour baiser l'orteil de Bowie alors qu'il lui tendait une guitare acoustique), se sont lancés dans une sorte de routine scat-jazz à la Pointer Sisters. Il y a eu deux chansons en solo : Vandross a chanté quelque chose qui, je crois, était intitulé « Funky Music », et MacCormack, assis sur le piano un genou levé, « Stormy Monday », à l'intention de l'orchestre. Étrange qu'un groupe de cocktail-bar fasse l'ouverture d'une anomalie autoproclamée telle que Bowie, non? Ça dépend de ta perspective, kid.

À ce moment, dans mes notes de concert, il y a la remarque « gros cul en face », faisant allusion au patron du concert qui se trouvait passer à ma hauteur à cet instant. Tout cela ayant l'air aussi en phase que le reste de la soirée.

L'entrée de Bowie était loin d'être aussi chargée de pompe magistrale que la routine *2001* de Presley : Garson a joué quelque chose qui ressemblait au thème de « The Edge of Night », Sanborn s'est lancé dans un beau solo de sax à la King Curtis, et les chanteurs/danseurs, désormais devenus, à l'issue d'une mutation, chœur de gospel, ont commencé à brailler quelque chose comme quoi « The star machine is coming down / We're gonna have a party ».

Et il est arrivé, tout maigre, grésillant : un visage blanc tout luisant, des cheveux brillantinés coupés court et coiffés en arrière pour un effet début des fifties, veste grise lui arrivant à la taille, chemise bleue, cravate légèrement desserrée. Ce n'était pas franchement époustouflant, bien qu'il ait bel et bien réussi à émettre des vagues d'énergie nerveuse – j'insiste sur nerveuse –, et assez de sueur pour faire naviguer une flotte entière de gondoles. J'ai scruté, scruté, en essayant de saisir la vibration ultime… *Johnny Ray*. Johnny Ray sous cocaïne, chantant 1984. Sauf que sa première chanson a été « John, I'm Only Dancing », transformée par un nouvel arrangement puissant dans le style PAAAAAARTY le plus houleux. Ça marchait, ce qu'on ne peut pas dire de ses tentatives de danse, raides et sautillantes – par moments il se mettait vraiment à ressembler à Jobriath. Parodie de parodie, à ceci près que Bowie n'a jamais sombré dans l'autoparodie, parce que dès sa création il était une parodie.

Pourtant, il a travaillé la foule dans la meilleure tradition, claquant des mains toute la soirée, acceptant d'abord un verre, puis une pleine bouteille de vin de quelqu'un (« J'espère qu'on a mis du LSD dedans ! » a dit un de mes voisins), courant d'un bout de la scène à l'autre, tombant à genoux, s'agenouillant pour se balancer d'avant en arrière dans « Rock and Roll with Me », s'accordant diverses sortes d'anglais bidon, y compris, à un moment, une franche parodie de biker.

Grimaçant, agitant les mains en des arcs qui auraient pu être sensuels si on n'avait pu le *voir* penser à quel point ils l'étaient, il en jetait vraiment, mais tout ça avait quelque chose de fragile, tout comme il y avait quelque chose de creux quand je l'ai vu il y a deux ans lors de sa première tournée post-Ziggy, trottinant légèrement aux environs pendant que Ronson servait tous les mouvements, et comme, sans les accessoires ringards et le tou-tim scénique, le récent album live est une lugubre flatulence. Bowie a toujours pris soin de se montrer distant à tous les niveaux, de la façon dont il traite son public à la tactique pain-dans-la-tronche que ses nervis mettent en œuvre sur les photo-graphes. Maintenant, voilà qu'il pose au mec qui redescend sur terre, comme s'il venait juste de décider que nous ne nous ferions plus avoir, qu'après tout il existe bien un « nous », ce qui peut ou non être vrai, mais de toute façon n'a aucune espèce de rapport avec lui.

Tout cela était particulièrement apparent dans la partie du show où il a chanté ses nouvelles chansons, celles de l'album à venir, lequel, a-t-il affirmé, est le truc « le plus personnel » qu'il ait jamais fait, bla, bla, bla, et vous voyez d'où il vient avec un truc comme ça, tout comme vous pouviez déchiffrer les pro-nunciamentos du genre « J'ai roulé ma bosse, j'ai vu qui gouverne le monde, et j'ai peur. » Le nouveau matériel de Bowie semble se composer principalement de « chansons d'amour », de ballades mélodramatiques sur des ados, garçons et filles, apparemment bien propres sur eux, et de la quête de sincérité de David sur cette pitoyable salope de planète. Le plus mémorable, parce que le plus caractéristique, est « Young Americans », et bien entendu vous ne pouviez manquer le vers : « Ain't there one damn song that can make me break down and cry ? » [*N'y a-t-il pas une fichue chanson qui puisse me briser et me faire sangloter ?*] Touchant, touchant, un peu comme si Johnny Ray arrivait déguisé en Frankie Lane, sauf quand il se mettait une main devant l'entre-cuisse et touchait délicatement le micro, mutant au moins en Tina Turner. Il a aussi recouru à ce tabouret duquel Perry Como

tombait dans le Steve Allen Show, pour une vignette particulièrement poignante. En ce qui me concerne j'aurais préféré
Charles Aznavour.

Mike Garson n'a cessé de regarder autour de lui, comme
émerveillé, déjà orné d'un début de barbe et porteur de vibrations
de type Richard Carpenter, contemplant Bowie avec révérence
et roulant des yeux en direction de l'orchestre tout en jouant du
piano de façon si boursouflée que c'en était franchement dynamique. Et les chanteurs/danseurs étaient tous massés à l'arrière
comme le Chœur du Tabernacle de la Grande Église Mormonne,
claquant des doigts, levant les bras et agitant leurs fesses dans
un parfait rassemblement plein d'énergie à la Stoneground/Mad
Dogs & Englishmen.

Ce show va les vouer à Las Vegas, et il est certain qu'il n'a pas
mal rendu à Détroit. Mais ne vous faites pas avoir : Bowie est aussi
froid que jamais, et si vous décollez sur sa marque d'anticorps
lunaire, vous pourriez bien être déçu par sa dernière incarnation,
parce qu'il se contredit, et ça lui va à peu près aussi bien que ces
gants de boxe qu'il avait sur scène la dernière fois. On ne commence pas comme étant M. Sordide, pour arriver ensuite comme
Jerry Lewis au téléthon, à moins de comprendre qu'on est à peu
près aussi plein de sincérité que Lewis, et qu'on pourrait la suin-
ter par chaque pore, votre public s'en fout, parce que tout ce
qu'ils veulent c'est que vous les cogniez dur, vite, avant de revenir les frapper de nouveau, en changeant un peu, un peu plus à
droite cette fois-ci. Pour ce qui est de la PAAAAAARTY, Bowie
a simplement changé d'accessoires : lors de sa dernière tournée,
c'étaient des gants de boxe, des crânes et des mains géantes,
cette fois-ci ce sont des Noirs. En ce qui me concerne, si ce petit
trouillard au visage brouillé et aux dents de traviole ne m'accorde
pas une interview très vite, je vais cesser de lui faire toutes ces
faveurs.

Creem, janvier 1975

Barry White :
Just Another Way to Say I Love You

J'ai été converti. Je suis allé voir ce monument à la bulbosité éhontée, et à la voix de mélasse, à l'Olympia Stadium, ici même à Détroit, me suis plongé en plein milieu d'un public qui évoquait l'Afrique en coiffure de sport, avec un assortiment de gays et de Blancs qui avaient l'air vraiment *allumés* – vieux papis, vieilles mamies, piétaille échappée de la chaîne de montage, charmantes jeunes filles pubères... La seule raison d'y aller, bien entendu, est que les billets étaient gratuits, et je voulais sortir cette fille qui était vraiment branchée sur Mr. B. Elle se révéla être une nulle (refusa de m'embrasser à minuit le soir de la Saint-Sylvestre, en disant quelque chose du genre : « T'as mauvaise haleine » – j'aimerais voir Barry écrire une chanson sur *Ça*), mais d'une certaine façon, tenter de lui caresser la jambe et avoir droit à des regards bizarres pendant qu'on se fait endormir par les Ohio Players, puis contempler, avec une version réduite de quelque chose d'assez proche de la crainte respectueuse (faut pas que je me laisse emporter par les superlatifs, c'est comme ça que nous autres critiques perdons notre crédibilité), le Barry White Show dans toute sa grâce opulente... d'une certaine façon, quelque part de ce côté-ci de l'arc-en-ciel, il y a une place pour nous, pour nous tous, et Barry White dessine ce qui est pour ainsi dire un terrain vierge.

Voyez, il y a d'abord tout ce massif orchestre qui arrive, tous vêtus de smokings et de cravates noires (même les femmes), et commence à scier du bois (même la harpiste s'y mettait) sur « Love's Theme », que j'avais trouvé vraiment agréable les cinq mille premières fois que je l'avais entendu à la radio. Ils prennent le large comme ça un moment, puis Barry fait sa première *Grandiose Apparition*, et que mes plombages soient maudits s'il n'est pas vraiment canon, neuf cent cinquante kilos de pur animal somnolent, à côté de qui Leslie West ressemble à Steve Tyler, et qui est enveloppé dans une cape rouge vif destinée à vous faire exploser les pupilles. Mais ceci n'est qu'une sorte de préliminaire à l'avant-première, en fait voilà qu'il présente les Love Unlimited Singers. Quel gentleman, il transcende l'individu jovial qu'il est aussi, il est vraiment à la hauteur de son image, peut-être même meilleur que Lou Reed en ce domaine ; il entraîne de force les pauvres petites choses sous son aile immense, rien que pour veiller à ce que leur mignon petit cul ne soit pas en butte aux assauts de tous les pervers déchaînés qui pourraient être à mater dans un public de fans de Barry White par ailleurs flegmatique, simple, honnête et droit, *adorant*. Puis les L.U. Singers se lancent dans une franche imitation des Supremes en réalité tout à fait fastidieuse, et au bout de vingt ou trente minutes L'Homme revient, Lui-Même, Bien En Chair, dans toute sa splendeur magistrale quand il s'empare de la scène, l'orchestre balançant un hit après l'autre, tandis que tout (*tout*) ce qu'il fait, c'est de se promener sur la scène (installée au centre de l'arène) en décrivant un cercle, geignant sans fin le mot *love* d'une voix de basse au caractère insinuant stupéfiant, tandis qu'il promène ses gros yeux aimants sur diverses petites nénettes dans le public, de temps à autre il tend la main pour prendre une rose, et simplement serrer la louche de ces mignonnes pantelantes, pour une seconde tremblante qu'elles porteront avec elles, contrairement à certaines maladies transmissibles, pour le restant de leurs jours.

Le vieux débile nous fait ça pendant environ une demi-heure, puis s'éclipse vers sa loge. « Loooooove… looooove… looove… » *Et ça y est ! Quel concert facile !* Je n'ai jamais été aussi jaloux depuis que j'ai manqué l'occasion de produire *Four-Way Street*. La foule, bien entendu, avale tout.

Je n'ai jamais rien vu d'une vacuité à ce point immaculée, et après une expérience comme celle-là (dont la meilleure partie fut de voir un type se faire descendre à quelques mètres de notre voiture pendant que nous attendions de nous sortir des embouteillages d'après-concert) toute mon attitude envers le Big B a connu un bouleversement radical. Il m'est bel et bien arrivé de ne pas changer de station quand ses chansons passaient. Je comprenais d'où le gars venait, où il allait, et en fait plus il y arrivera rapidement mieux ce sera, mais entre-temps je vais me vautrer dans chaque nouveau single de B.W. comme dans une cuve de beurre de cacao, même si je ne sais toujours pas faire la différence. À titre de bonus encore plus spécial, j'ai un *album* nouveau entier de chefs-d'œuvre de Barry White, et vous pouvez parier que je le passe tout le temps. Faut bien faire quelque chose quand on s'est lassé des Dictators parce qu'on les a remis treize fois de suite.

Je n'ai pas besoin de vous dire quel genre de festin vous attend si vous claquez votre pognon durement gagné pour *Just Another Way to Say I Love You* – Barry White est un artiste à qui on peut *faire confiance*. Mais il y a à l'intérieur une surprise particulière pour ses fans et ceux d'entre nous, ces cadres de l'élite spéciale, qui en sont venus à le considérer non plus comme un numéro globuleux de plus, mais comme quelque chose de plus proche d'un *dieu*; Barry a proféré *looove* de tant de façons différentes qu'on penserait qu'il aurait du mal à en trouver une nouvelle, mais il y a réussi. Sa technique : glisser très doucement – comme, dans un film d'amateur, une main descendant une épaule en direction d'un sein – de simples déclarations de dévotion éternelle à des domaines plus lascifs, et enfin à de la franche SOUL PETITCULDÉLIQUE BEURRÉE BRÛLANTE ET DÉGOULINANT PARTOUT, euh... enfin, ça se produit pendant « Love Serenade (Part I) » : ça commence par une intro instrumentale typiquement B.W. et tropicale, le gros mec déballe ses amygdales et les charge de trucs vraiment titillatoires : « Enlève ça... Baby, enlève *tout* ça... Je te veux comme tu es venue au monde... Je ne veux pas sentir de vêtements... Je ne veux pas voir de culotte... Enlève-moi ce *soutien-gorge*, chérie... Tout est parti... Nous allons décrocher le téléphone... parce que baby, toi et moi, *hé*... cette nuit, on va s'y mettre... »

Bon dieu, n'est-ce pas franchement explosif ? Si vous considérez ça en vous contentant de lire froidement les paroles, ça pourrait être interprété comme une scène de viol. À écouter la voix onctueuse, suintante, il est concevable que cet homme soit dangereux ; en tout cas, il ne fait absolument aucun doute qu'il aura ce qu'il cherche.

Creem, août 1975

Kraftwerkfeature

L'autre jour, un plumitif quelconque appartenant à l'un des journaux locaux est venu ici préparer un article « sous l'angle humain » sur le phénomène que vous tenez entre vos mains, et naturellement notre bienfaisant rédacteur en chef m'a traîné dans son bureau pour répondre à l'éternel : « Où va le rock ? »

« Il est en cours de capture par les Allemands et les machines », ai-je répondu sans hésiter. Ce que je crois jusqu'au fond de mon âme funky. Tout le monde a entendu parler du kraut-rock ; et le succès à la Stüpnagel[25] d'*Autobahn*, de Kraftwerk, est la toute dernière preuve, mais bien plus encore, de l'entourloupe teutonne ; plus qu'un simple disque, c'est un *réquisitoire*. Un réquisitoire contre tous ceux qui voudraient résister à la volonté de fer et à l'ordre, également dépourvus de sang, de l'aube inéluctable de l'Âge de la Machine. Réfléchissez-y un peu :

On parlait de Chuck Berry comme d'un « guitariste mécanicien » (du moins ai-je entendu une fois un fan des Moody Blues dire ça). Pourquoi ? parce que le premier idiot venu pouvait jouer ses lignes de guitare. Ce qui, comme nous le savons tous depuis la préhistoire du punk rock, est ce qui fait leur beauté même. Mais songez-y : si n'importe quel idiot peut les jouer, pourquoi ne pas éliminer entièrement de telles bourdes génétiques, fourrer « Johnny B. Goode » dans un ordinateur, et laisser les *machines* s'en charger dans un total acquiescement passif à la cybernétique ? Inévitable ? Un saut quantique en direction de ce noble objectif fut l'avènement d'une sorte d'équivalent sonique grossier de la Ford Modèle T nommé Alvin Lee, qui non seulement pouvait reproduire les riffs de Chuck Berry à pleins tombereaux, mais de surcroît les jouer en 78 tours ! Comme on le sait, ce sont les Allemands qui ont inventé la méthamphétamine – laquelle, de tous les outils accessibles, a mené les humains le plus près possible de la machinité, et sans méthamphétamine nous n'aurions jamais eu de telles figures haute énergie de la contre-culture comme Lenny Bruce, Bob Dylan, Lou Reed et le Velvet Underground, Neal Cassady, Jack Kerouac, le *Howl* d'Allen Ginsberg, Blue Cheer, Cream et *Creem*, ainsi que toutes les bonnes interprétations, dans les films d'Andy Warhol, qui ne soient pas inspirées par l'héroïne. On peut donc voir aisément que ce sont en réalité les *Allemands* qui sont responsables de *Blonde on Blonde* et de *Sur la route* ; le Reich n'est jamais mort, il s'est simplement réincarné dans des archétypes américains pondus par des mannequins aux yeux vides, enchaînés à leurs machines à écrire et à leurs guitares, tremblotant comme des rhinocéros en pleine copulation.

Bien entendu, comme très peu de speedfreaks dominent leur vice, il a fallu du temps avant qu'on reconnaisse que la machinité était la source de nos meilleurs artefacts culturels. De nos jours, tout le monde prend le train en marche. Les gens se plaignaient de groupes comme les Monkees et les Archies de la même façon que les électeurs des « appareils politiques », et tout récemment, un de mes amis, exposé pour la première fois à Kiss, a battu en retraite, révulsé : « C'est tout ce qui me dégoûte dans le rock d'aujourd'hui – ce sont des automates ! »

Ce qu'il ne parvenait pas à piger, c'est que parfois les automates fournissent les plus parfaits spécimens d'un consommable de masse, jetable, tel que le rock. Mais l'Histoire finira par l'emporter, et il était tout simplement inévitable que des groupes comme Blue Öyster Cult s'en viennent chanter la déshumanisation en jive-chic, tout en accomplissant inconsciemment leur propre prophétie, bien qu'un peu confusément, se comportant comme de simples robots dont leurs producteurs pousseraient les boutons. Désormais les machines ont pour de bon fait sortir les vu-mètres du placard, et nous avons tout récemment eu droit au spectacle de messagers de la grande révolution à venir tels que le « Ork Alarm » de Magma (« les gens sont faits de matière indescriptible qui est aux machines ce que les machines sont à l'homme… ») – et, bien sûr, le *Metal Machine Music* de Lou Reed, un ramasse-pognon-vite-fait critiqué ailleurs dans la présente revue.

Mais la Cybernétique Inévitable ne se réduit pas à cette sorte de méthanasie. Selon les mots du poète, il y a « des machines d'une grâce adorable ». Il y a, planant, immaculé, très loin de la puanteur de métal brûlé des stars qui ont explosé, le baume compliqué de Kraftwerk.

Peut-être vous demanderez-vous comment je peux relier l'hystérie amplifiée de pathogènes compulsifs tels que Bruce, Dylan et Reed, avec les lignes nettes et froides de Kraftwerk. C'est simple. Les Allemands ont inventé le speed pour que les Américains (et les Anglais – n'oublions pas Rick Wakeman et Emerson, Lake & Palmer) se détruisent avec, ouvrant ainsi le monde de la pop music à une conquête définitive. Un ami m'a demandé une fois comment je pouvais supporter l'audition de la version que Love Sculpture donne de « La Danse du Sabre », sachant que les producteurs avaient passé la bande en accéléré ; j'ai répliqué : « Tout ce qu'un groupe peut faire, une machine le fera mieux. » Il semble nécessaire d'ajouter : tout ce qu'un groupe peut faire dans la crispation, une machine le fera sans effort. Quand avez-vous entendu, pour la dernière fois, un groupe allemand galopant à 1 500 km/h sur les talons de l'oubli ? Non, ils ont compris que le pouvoir absolu doit s'exercer *calmement*, qu'il s'agisse de Can avec leurs interminables connexions rotatives, de la plomberie des profondeurs sargasséennes de Tangerine Dream, ou de Kraftwerk voguant dans sa bulle sur l'Autobahn.

Au début fut le feed-back : des machines parlant toutes seules, répondant à leurs maîtres supposés par des hurlements de mésalliance. Peu à peu, les humains ont appris à le contrôler, ou du moins c'est ce qu'ils ont cru, et le pas suivant fut l'introduction de formes plus hautement raffinées de distorsion et de son artificiel, par le biais du synthétiseur, que les humains cherchèrent également à contrôler. Dans la musique de Kraftwerk, et de groupes comme eux, présents et à venir, nous voyons enfin la culmination nécessaire de cette révolution, car les machines ne se contentent pas de dépasser les humains en puissance et de les jouer, mais les *absorbent*, jusqu'à ce que le savant et sa technologie, ayant développé une conscience supérieure bien à elle, ne fassent plus qu'un.

Kraftwerk, dont le nom veut dire « centrale électrique », a un mot pour désigner cette union extatique : *Menschmaschine*, qui signifie « homme-machine ». Je converse avec Ralf Hutter et Florian Schneider, co-leaders de Kraftwerk, dont ils tiennent à préciser que ce n'est pas un groupe mais un-vous-l'avez-deviné. Nous venons de rentrer à l'hôtel après un concert, où Kraftwerk a joué son hit Top Ten, « Autobahn », ainsi que d'autres standards galactiques tels que « Kometen-Melodie », « Mitternacht » (« Minuit »), « Morgenspaziergang » (« Promenade matinale », avec oiseaux gazouilleurs enregistrés sur bande, et l'imitation parfaitement synthétisée d'un train qui siffle), qui, de toute évidence, doit être la suite programmatique de *Autobahn*, pour un public réduit mais ravi, mesmérisé jusqu'à la somnolence (en fait, la moitié des gens que j'avais emmenés se sont endormis. Mais c'est très bien comme ça.). Maintenant, les bandes ont cessé de tourner, les ordinateurs ont été remballés en attendant le prochain concert, et les deux percussionnistes du Werk, Wolfgang Flur et Karl Bartos, qui jouent de batteries électroniques à peu près de la taille d'une table tournante, ont été dispatchés dans leurs chambres respectives, interdits d'interview parce que leur anglais n'est pas fameux. (On m'a raconté que des membres de groupes sur la même affiche que Kraftwerk ont approché ces gentlemen en disant : « Alors vous aimez bousiller tous nos roadies... » Les Allemands sourirent et leur tapèrent dans le dos : « *Ja, Ja...* ») Maintenant Ralf et Florian me font face, très sobres dans leurs costumes noirs, leurs cravates étroites et leurs cheveux coupés court, expliquant paisiblement la modification du comportement par la technologie.

« Je pense que le synthétiseur réagit fortement à quelqu'un », dit Ralf dont le visage enfantin est un tout petit peu moins sévère que celui de Florian, qui, comme le disait un ami, a l'air de « pouvoir construire un ordinateur, pousser un bouton ou faire sauter la moitié de la planète avec le même degré d'émotion ». « On y voit une machinerie froide, poursuit-il, mais dès que vous placez quelqu'un de différent dans le synthétiseur, il réagit vivement aux différentes vibrations. Je crois qu'il est beaucoup plus sensible qu'un instrument traditionnel comme la guitare. »

Ce qui explique peut-être pourquoi, juste avant leur première tournée américaine, Kraftwerk s'est purgé de son guitariste/ violoniste Klaus Röder, insérant Bartos à sa place. On doit en tout cas prendre soin de se montrer poli – j'ai demandé à Hutter si un synthétiseur pouvait dire quel genre de personne vous êtes et il a répondu : « Oui. C'est comme un miroir acoustique. » J'ai remarqué que logiquement le prochain pas, pour les machines, serait de vous jouer *vous*. Il a hoché la tête : « Oui. C'est ce qu'on fait. C'est comme une histoire de robot, quand il arrive à un certain stade, il se met à jouer... Ça n'est plus vous et moi, c'est *Ça*. Toutes les machines n'ont pas cette conscience, cependant. Certaines sont limitées à un genre de travail, mais des machines complexes... »

« Le complexe que nous utilisons », poursuit Florian, faisant allusion à leur équipement et à leur quartier général de Düsseldorf, où ils sont nés, « peut être considéré comme une machine, bien qu'il soit divisé en nombreuses pièces différentes. » Y compris, bien entendu, les humains qui sont à l'intérieur. « La Menschmaschine est notre concept acoustique, et Kraftwerk, c'est la centrale électrique – si vous branchez l'électricité, ça se met à marcher. C'est le feed-back. Vous pouvez jammer avec une machine automatique, parfois rien qu'elle et vous seuls dans le studio. »

Ils ont également parlé de leur studio comme de leur « laboratoire », et je me suis demandé à voix haute s'ils ne se heurtaient pas à certains périls dans leurs expériences. Qu'est-ce qui doit empêcher les machines, ai-je demandé, de finir par prendre le contrôle, ou au moins de vous mettre au chômage ? « C'est comme une voiture, a expliqué Florian. Vous avez le contrôle, mais c'est votre décision de savoir quel contrôle vous voulez exercer. Si vous laissez aller le volant, la voiture ira quelque part, et sortira peut-être de la route. Nous avons eu des accidents électroniques. Et il est également possible de vous abîmer l'esprit. Mais c'est un risque qu'on prend. Nous avons le pouvoir. Tout dépend de ce que vous en faites. »

J'ai demandé s'ils voyaient certaines ramifications dans ce qu'ils pourraient faire avec. « Oui, a dit Ralf. C'est notre musique, nous manipulons le public. Voilà ce que c'est. Quand vous jouez de la musique électronique, vous avez le contrôle de l'imagination des gens qui sont dans la salle, et ça peut aller jusqu'au point où c'est presque physique. »

J'ai mentionné les théories de William Burroughs, selon qui on peut lancer une émeute avec deux magnétophones, et leur ai demandé : s'ils pouvaient créer un son capable de provoquer une émeute, de saccager la salle, est-ce que ça leur plairait de s'y mettre ? « Je suis d'accord avec Burroughs, a dit Ralf. Nous n'aimerions pas faire ça, mais nous en sommes conscients. »

« Ce serait très dangereux, dit Florian en le mettant en garde. Ça pourrait être comme un boomerang. »

« Ce serait beaucoup de publicité », ai-je insinué.

« Ça pourrait être la fin, dit Florian, calme et sans ciller. Quelqu'un qui fait de la musique expérimentale doit être tenu pour responsable des résultats des expériences. Elles pourraient être très dangereuses affectivement. »

Je leur ai dit que je considérais leur musique comme plutôt anti-émotionnelle, et Florian a expliqué, calmement et patiemment, que « "émotion" est un mot étrange. Il y a une émotion froide et une qui ne l'est pas, et toutes deux sont également valables. Ce n'est pas une émotion corporelle, mais mentale. Nous aimons ignorer le public pendant que nous jouons, et mettre toute notre concentration dans la musique. Nous sommes très intéressés par son origine, sa source. Le son pur est quelque chose à quoi nous aimerions beaucoup parvenir. »

Ils pourchassent la queue du s. p. depuis pas mal de temps. Commençant par vouloir être des compositeurs électroniques classiques dans la tradition Stockhausen, ils ont grandi en écoutant, d'un côté, des retransmissions nocturnes, à la radio, de musique électronique, et de l'autre de la pop music américaine importée via la radio et la télé – en particulier les Beach Boys, qui les influencèrent fortement, comme il est évident à l'écoute de « Autobahn », bien que « nous ne visons pas tant la musique, mais la structure psychologique de gens comme les Beach Boys ». Ils se rencontrèrent dans une académie musicale, entreprirent en 1970 de monter leur propre studio, « et avons commencé à travailler sur la musique, en accumulant l'équipement », en vue du réarmement final de leur mère-patrie.

« Après la guerre, explique Ralf, le monde du spectacle allemand a été détruit. Le peuple allemand s'est vu voler sa culture, sur laquelle on a mis une tête américaine. Je pense que nous sommes la première génération d'après-guerre à bousculer tout cela, et à savoir où ressentir la musique américaine et où nous ressentir nous-mêmes. Nous sommes le premier groupe allemand à enregistrer dans notre langue, à recourir à un arrière-plan électronique, et à nous créer une identité centro-européenne. Voyez par exemple un groupe comme Tangerine Dream, bien qu'ils soient allemands ils ont un nom anglais, aussi créent-ils sur scène une identité anglo-américaine, ce que nous rejetons. Nous voulons que le monde entier connaisse notre passé. Nous ne pouvons nier que nous sommes d'Allemagne, parce que la mentalité allemande, qui est plus avancée, fera toujours partie de notre comportement. Nous créons à partir de la langue allemande, la langue maternelle, qui est très mécanique, nous en faisons la structure de base de notre musique. Et aussi les machines, qui viennent des industries d'Allemagne. »

Pour ce qui est de la prise de pouvoir par les machines, ce sera parfait. « Nous nous servons de bandes préenregistrées, et aussi dans nos concerts. Quand nous sommes passés à la télé, on nous l'a interdit, parce que le syndicat des musiciens avait l'impression qu'ils seraient mis au chômage. Mais je pense juste le contraire : avec de meilleures machines, vous serez en mesure de faire du meilleur travail, et de consacrer votre temps et votre énergie à un niveau supérieur. »

« Nous n'avons pas besoin d'un chœur, ajoute Florian. On se contente d'appuyer sur cette touche, et le voilà. »

Je me suis demandé à voix haute s'ils aimeraient qu'on en arrive au point où des électrodes seraient branchées dans le cerveau de telle sorte que tout ce qu'ils pourraient penser passerait à travers un haut-parleur. « Oui, a dit Ralf, enthousiaste, ce serait fantastique. »

La solution finale au problème de la musique, ai-je suggéré. « Non, non, pas la solution. La prochaine étape. »

Ils ont ensuite confié qu'ils allaient consacrer tout l'argent de cette tournée à un équipement meilleur, et plus important, qu'ils travaillent dans leur labo/studio pour se distraire, et que leur allure vestimentaire à la Wernher von Braun faisait « partie de l'approche scientifique allemande ».

« Quand la fusée est partie vers la Lune, dit Ralf, j'ai été si excité, affectivement parlant... Quand j'ai vu ça à la télévision, j'ai pensé que c'était l'un des meilleurs spectacles que j'aie jamais vus. »

Parlant spectacle, et gardant à l'esprit leur allure générale et leur comportement, je leur ai demandé à quel genre de groupies ils avaient affaire. « Aucune, a lancé Florian. Ça n'existe pas. C'est totalement une invention des médias. »

D'accord, d'accord, quelle est votre opinion des groupes anglais ou américains qui recourent, soit à des synthétiseurs, soit à des résonances germanico-croix gammées ? Avez-vous l'impression d'avoir une dette envers le Pink Floyd ? « Non, c'est l'inverse. Ils s'inspirent du classicisme français et de la musique électronique allemande. Et un spectacle comme Rick Wakeman n'a rien à voir avec notre musique, a insisté Ralf. C'est quelque chose d'autre... de la distraction. Ce n'est pas de la musique électronique, ce sont des jeux de cirque sur un synthétiseur. Je trouve ça paranoïaque. Je ne veux démolir personne, mais je ne peux pas écouter ça. Ça me rend nerveux. C'est traditionnel. »

Il n'est pas surprenant que leur goût pour les groupes américains aille à tous ceux qui sont séduits (et débilités) par l'adrénaline. « Le MC5, le heavy metal de Détroit, je crois qu'Iggy et les Stooges se préoccupent d'énergie, et il y avait sur le Velvet Underground une forte influence germanique – Nico était de Cologne, tout près de là où nous vivons. Ils ont cette influence dadaïste allemande des années 20 et 30. J'aime beaucoup « European Son ». Nico et John Cale avaient vis-à-vis de leur musique cette attitude teutonique que j'aime beaucoup. Je crois que Lou Reed, dans *Berlin*, reprend la situation d'un film d'espionnage, avec l'espion perdu dans le brouillard et fumant une cigarette. On m'a aussi parlé de « Hogan's Heroes[26] », mais je ne l'ai pas vu. Nous pensons que, quoi qu'il arrive, les Américains ne peuvent pas comprendre. C'est toujours le pop-corn chewing-gum américain. Ça fait partie de l'Histoire. Je trouve le Blue Öyster Cult assez drôle. »

Toutefois, ils n'ont pas trouvé drôle que je termine l'interview en leur demandant s'ils poseraient le lendemain matin près de l'autoroute de Détroit. « Non, a dit Ralf avec emphase. Nous ne posons pas. Nous avons nos photos. »

Et pourquoi ? « Parce que nous sommes paranoïaques », a-t-il répondu franchement.

Il commençait à peine à expliquer les ramifications de la paranoïa allemande quand Florian s'est levé brusquement, a ouvert la fenêtre pour chasser la fumée, puis a marché vers la porte et l'a ouverte, expliquant avec une curieuse sécheresse polie que « nous avons eu aussi une interview avec *Rolling Stone*, mais elle n'était pas aussi longue que celle-là. Maintenant il est temps de se retirer. Il faut nous excuser. »

Il nous a reconduits dans le couloir, a paisiblement refermé la porte avec un cliquetis étouffé, et nous nous sommes regardés, un peu choqués. Il était pourtant assez réconfortant de savoir qu'apparemment ils dormaient bel et bien.

Creem, septembre 1975

David Bowie : Station to Station

C'est dur d'avoir des héros. Il n'y a rien de plus difficile au monde. C'est même encore plus dur que d'en être un. On attend généralement d'eux qu'ils produisent telle ou telle chose qui confirmera l'étreinte de leurs ongles de mandarin sur les miches brûlantes de la muse, cette salope, ce qui parfois en vient à ressembler d'assez près à des traînées de griffes au bord d'un précipice schisteux. Au coucher du soleil, même. Et c'est pas du bidon, petit.

Mais les adorateurs de héros (les fans) doivent vivre avec la crainte, sans cesse confirmée, de leurs faux pas et de leurs compromis personnels humiliants – selon vos normes et votre bon sens – environ, oh, deux ou trois semaines après que le nouveau LP-chef-d'œuvre est parvenu sur nos tourne-disques.

Un très grand homme (je crois qu'il s'agissait des Isley Brothers) a dit une fois que le véritable truisme fondamental, s'agissant de la vie sur cette planète, c'est qu'elle se réduit à un simple processus de déceptions séquentielles. Il n'y a donc aucune raison de romantiser, ne serait-ce que vos trahisons. Suffit de payer ses dettes, kids. Je me suis fait avoir, par conséquent je suis. Aucune parole dans l'histoire du rock en tant que genre poétique, de Dylan à Bernie Taupin[27], ne l'a mieux dit que le catalogue lapidaire de Sandy Posey dans « Born a Woman » : « Née pour se faire marcher dessus, mentir, tromper et traiter comme de la merde. » Et ne sommes-nous tous pas, en un certain sens, des femmes, les nègres du monde selon les commentateurs sociaux contemporains (j'ai tenté de téléphoner à Toynbee pour confirmer la chose, en bon journaliste, mais ce fumier a eu l'audace de *mourir* la même semaine, *ma* semaine) ?

Oui, en effet. Beaucoup de fans de Bowie se sont sentis grugés, transformés en véritables femmes (dévirilisés, dirait Paul VI), quand David a sorti *Young Americans*. Pourquoi ? Parce qu'ils pensaient, ce qui est assez intéressant, qu'il essayait de se transformer *lui-même* en nègre. Je ne faisais pas partie du lot, cependant.

Comme tout fidèle lecteur de cette revue le sait sans doute, Bowie n'a jamais été mon héros. J'ai toujours pensé que ces histoires de Ziggy Stardust homo-venu-d'Aldébaran n'étaient que ramassis de merde, surtout de la part d'un type qui n'est même pas foutu de monter dans un avion. Je crois qu'il a écrit les pires paroles que j'aie jamais entendues de la part d'une personnalité pop, exception faite de Bernie Taupin : des vers du genre « Time takes a cigarette and puts it in your mouth », proférés avec un visage si raide qu'on aurait dit qu'il allait se fissurer au moindre mot, au moindre geste spontané, me paraissaient simplement ringards. S'agissant de sa musique, c'est un éclectique (i. e. un voleur) aussi accompli qu'Elton John, ce qui signifie que, bien qu'occasionnellement déposé sur scène après avoir apparemment été plongé dans des cuves de vase verdâtre et poursuivi par des hommes-crabes vénusiens, il avait « Pro du Show-biz » écrit sur toute la figure. Une façade aussi cassante que glaciale, ce qui, je crois, veut dire qu'elle était vouée à fondre ou à se fendre, et que tout ce qui pouvait se trouver en dessous de potentiel artistique authentique devrait tenir bon ou s'évaporer.

Et de fait, Bowie a bel et bien craqué, aux environs de l'année dernière, et le résultat en fut *Young Americans*. Ce ne fut pas un album très aimé des Bowiemaniaques purs et durs, mais pour quelqu'un qui, tel l'auteur de ces lignes, n'avait jamais rien parié sur le vieux débile, c'était un exemple parfaitement acceptable de produit hautement écoutable. Plus, même, en fait : une déclaration musicale profondément personnelle, déguisée en coup éhonté vers le marché disco, le côté travelo étant peut-être utilisé comme fausse piste. *Young Americans* ne montrait pas Bowie faisant joujou avec la soul music ; c'était un pont entre la mélancolie et la franche déprime, un compte rendu honnête fait par un individu profondément perturbé, mentalement brisé, qui parvenait même, pour l'essentiel, à éviter l'apitoiement sur lui-même. Comme nombre de ses pairs, Bowie avait craqué – ce qui était bon pour lui, car cela l'a amené à laisser tomber les conneries. *Young Americans* fut son premier album humain depuis *Hunky Dory*, et selon moi le meilleur disque qu'il ait jamais sorti.

Jusqu'à aujourd'hui. La première chose à dire sur *Station to Station*, c'est qu'il sonne comme si Bowie avait, de nouveau, un vrai groupe live (même si le guitariste Earl Slick, dit-on, l'a plaqué entre les séances d'enregistrement et la tournée), et que ce n'est pas non plus un album disco (ce que les revues corporatives, et sans doute beaucoup d'autres gens, en écriront pour le débiner), mais une tentative honnête, de la part d'un artiste de talent, de prendre des éléments du rock, de la soul music, ainsi que ses prédilections *camp* et comédie musicale, capricieuses et parfois pompeuses, puis de transformer ce mélange de styles d'apparence contradictoire en quelque chose de neuf et de puissant qui n'ait pas à s'encombrer d'attitudes futuristes, ou de riffs d'Anthony Newley ou du Velvet, parce qu'il a enfin trouvé sa propre voix.

C'est le premier album de Bowie auquel on n'a pas joint les paroles, et j'en suis heureux car, hormis les réserves émises plus haut, j'ai toujours été de l'avis de Fats Domino : c'est bien plus marrant d'essayer de les comprendre soi-même. Le premier vers de l'album est le pire : « The return of the thin white duke / Throwing darts in lovers' eyes » [*Le retour du mince duc blanc / Jetant des fléchettes dans les yeux des amants*]. Du temps où j'étais à l'École de Formation des Rock Critics et qu'on m'y enseignait la « poésie pop », je ne pensais pas, et ne pense toujours pas, qu'on parlait de trucs comme ça, qui ne sont pas seulement prétentieux et vaguement déplaisants, mais – terrible paranoïa avec laquelle je lutte en ce moment – qui pourraient bien être Bowie parlant de lui-même. J'ai en tête une vision cauchemardesque : il ouvre le set de sa nouvelle tournée en entrant lentement sur scène pour proférer ces mots, un regard plein de souffrance dans les yeux, avec un projecteur qui le suit. Et pour parler franc, l'idée me terrifie. Parce que si c'est vrai, cela veut dire qu'il est toujours aussi idiot qu'avant, et qu'il a besoin d'encore un peu plus de coke pour se remettre les idées en place.

Mais je ne suis pas vraiment inquiet. Parce qu'on peut toujours ignorer les paroles si on veut, car c'est l'un des meilleurs albums de *guitare* depuis *Rock'n'Roll Animal*, il geint et palpite sans jamais s'arrêter, et roule comme avec des pneus-neige par-dessus les paroles. Alors, on se fout de ce que « TVC 15 » veut dire, c'est un grand moment de rock. Et quand des mots émergent bel et bien de la propulsion instrumentale comme des nageurs pris dans le courant et qui ne savent pas s'il faut appeler au secours ou simplement prendre leur pied, en de tels moments, ô lecteurs aimés, je sais que vous n'allez pas me croire, mais *en règle générale ils veulent dire quelque chose !* En fait, dans un langage relativement simple, sans complications (enfin, pour Bowie), ils signalent une transition de la profonde déprime qui marquait le meilleur de *Young Americans* (et nous avons là une preuve scientifique que la déprime ne devrait jamais être évitée ou combattue, c'est un moyen de mettre un terme à une division d'avec soi-même, i. e. une rémission), vers une mélancolie superbe, épanouie, intensément romantique, dans laquelle la conscience divisée peut non seulement se réconcilier avec elle-même, mais aussi réussir à faire le saut qui la mènera à *reconnaître que d'autres êtres humains existent réellement !* Et peuvent être aimés pour quelque chose d'autre que l'avidité avec laquelle ils se nourrissent du narcissisme de l'artiste.

Il n'est pas difficile de trouver des exemples de cette rémission. Des vers tels que « Don't have to question everything in heaven or hell » [*Pas besoin de tout interroger au paradis et en enfer*], en même temps que l'ambiance mélodique qui leur tient lieu de contexte, peuvent être intensément émouvants selon *votre* humeur, et il importe peu que « Wild Is the Wind » soit un vieux thème de film de Dmitri Tiomkin – même si Bowie l'a repris par amour du *camp* et pour satisfaire un caprice personnel ; ça n'en a pas l'air, ça sonne bien avec le reste de l'album.

Ce qui est si impressionnant – un si grand album de rock, qui promet tant d'être d'une durabilité excédant même *Young*

Americans –, que je vais prendre des risques et dire que je crois que Bowie a enfin produit son (premier) chef-d'œuvre. Rien à foutre de *Ziggy Stardust*, qui revenait à faire jouer Judy Garland dans *The Reluctant Astronaut*, rien à foutre d'un type qui essaie d'être à la fois George Orwell et William Burroughs alors qu'il n'a lu que la moitié de *Nova Express* – cet album, et *Young Americans*, sont les premiers de lui qui ne sonnent pas comme des arnaques. Bowie a renoncé à ses prétentions, ou du moins à la plupart d'entre elles, et ce faisant je crois qu'il est enfin devenu un artiste et non plus un poseur, un collectionneur de styles et un producteur (certes toujours super, exception faite de *Raw Power*). Il n'a toujours aucune chance de devenir mon héros, parce qu'il n'est ni assez drôle ni assez Noir, mais j'attends avec impatience d'entendre ce qu'il aura à dire ensuite.

Creem, avril 1976

TUER LE PÈRE

Extrait de notes sans titre sur Lou Reed, 1980

Louons maintenant les célèbres nains mortifères,
ou : Comment je me suis castagné avec Lou
sans m'endormir une seule fois, 1975

Comment devenir tortionnaire sans effort,
ou : Louie, rentre à la maison, tout est pardonné, 1976

Le plus grand album jamais enregistré, 1976

Extrait de notes sans titre sur Lou Reed, 1980

Extrait de notes sans titre
sur Lou Reed

Au printemps dernier, je sortais avec une fille qui était roadie d'un groupe de rock. Quand elle leur a raconté qu'elle sortait avec moi, ils ont dit : « Ah, tout ce que veut Lester, c'est sucer la bite de Lou Reed. »

Je sucerais la bite de Lou Reed, parce que je baiserais également les pieds de ceux qui ont rédigé la Grande Charte[28]. Je vous laisserai juger cette déclaration comme vous l'entendrez, parce que ce n'est pas à Lou Reed, mais à toi que je me rends, ô toi qui lis ceci. Je me fous d'à peu près tout, mais je sais qu'avec toi je suis toujours en de bonnes mains.

Je suis un réaliste. C'est pourquoi j'écoute Lou Reed. Et c'est pourquoi je l'idolâtre. Parce que les choses qu'il a écrites, chantées et jouées avec le Velvet Underground ont été pour moi le début d'une véritable révolution dans tous les rapports entre hommes et femmes, hommes et hommes, femmes et femmes, humains et humains. Et je ne parle pas de clones. Je parle d'une diversité qui s'étend jusqu'aux étoiles.

Tout le monde part du principe que corps et esprit s'opposent. Pourquoi ? (Laissons de côté six mille ans d'histoire.) Le troglo contre le cérébral. C'est d'un fastidieux ! Mais nous marchons toujours dans la combine, tous autant que nous sommes. Le Velvet Underground est le plus grand groupe qui ait jamais existé parce qu'il a commencé à laisser entendre que ça n'était pas comme ça, dans le fait-acte même de la reconnaissance tragique d'une telle opposition au niveau le plus fondamental et sous ses angles les plus extrêmes. Des angles ? Ah ! Quelle est la différence entre la courbe mammaire d'une déesse du sexe, les fémurs des cuisses d'un mec, et les ailerons d'une Chevrolet 57 ? Introduire la Chevy dans la comparaison fut l'idée de l'Amérique, idée plus tard perfectionnée par Andy Warhol, et c'est pourquoi il est le prophète de notre funeste destin. Lou a compris très tôt que tout ce que vous avez à faire, c'est toucher la joue des autres et vous contenter de leur faire un petit signe de reconnaissance, puis de les laisser être et peut-être de l'enregistrer et par là, peut-être, de justifier leur tragédie par les moyens de l'art. Et tout art est un acte d'amour envers toute la race humaine. Ah, Lou, c'est la meilleure musique jamais faite, l'intro instrumentale de « All Tomorrow's Parties » c'est comme de voir l'aube se lever sur une rangée de bâtiments à travers les fenêtres de ces cages élégamment hermétiques, ce qui a l'air un peu trop bien formulé, ce qui, je le soupçonne, est l'autre lame qui vous taillade les tripes, les continents qui divisent la littérature et la musique sans se soucier de l'une et de l'autre.

L'avant-veille, mon ami John Morthland était là, et nous avons parlé de l'Iran, et de l'avenir de cette ambassade où nous vivons. Nous avons fini par tomber d'accord sur le fait que nous étions des expatriés dans notre propre patrie, et qu'est-ce que ça faisait de nous ? Des exilés dans la grand rue. Ce qui est exactement là où tu as toujours été, Lou, ce qui n'est pas un mauvais endroit pour vivre. Si tu te sentais *chez toi* là-bas, tu serais vraiment psychotique. Mais tu as appris ça il y a longtemps.

Nous finirons là-bas d'une façon ou d'une autre, probablement à boire des bières avec nos parents à nos côtés, et ils sauront ce que personne d'autre ne doit savoir, que l'innommable péché, l'amour qui n'ose pas dire son nom, le camé, se sont finalement retournés contre eux.

Inédit, 1980

Louons maintenant les célèbres nains mortifères, ou : Comment je me suis castagné avec Lou sans m'endormir une seule fois

Ego ? Ce n'est peut-être pas le plus grand mot du XXe siècle, mais c'est à coup sûr le poison qui court dans les veines de chaque pop star.

Qui d'autre que Lou Reed se laisserait aller au point de devenir gras comme un cochon, puis embaucherait le groupe de cavités corticales adolescentes le plus crétin qu'il puisse trouver, avant de le traîner dans tout le pays pour une tournée travelo mortifère sans précédent ?

Qui d'autre franchirait la Grande Mare en somnolant des mois durant dans une capsule de sécobarbital géante en compagnie de gens tels que Bob Ezrin, Steve Winwood et Jack Bruce pour gerber *Berlin*, gargantuesque pavé de rancœur véreuse qui est peut-être l'album le plus déprimé de tous les temps ?

Qui d'autre se fourrerait alors dans le bras tant de vitamines revigorantes qu'il perdrait toute cette graisse en une nuit, puis se traînerait sur scène en fauteuil roulant en pleine crise de coliques spasmodiques alors que tout le monde s'attendait à ce qu'il bouffisse et meure ? Qui d'autre aurait fait de ce gig une sorte de croisement bizarre entre Jerry Lewis et un babouin sous cantharide ? Qui d'autre que Lou Reed aurait survécu au ridicule dont il s'est si longtemps couvert, au point d'arriver à prendre au lasso un grand groupe rock chargé de seconder toutes ses singeries ?

Nommez-moi quelqu'un qui, émergeant de ce bourbier qu'était *Berlin*, ferait *Sally Can't Dance*, album qui se brisait les chevilles à vouloir abandonner tous les fans endurcis de Reed pour faire toutes les concessions possibles à un commercialisme pris au niveau le plus bas de la bouillie comestible, et réussirait à placer cette galette merdeuse dans le Top Ten ?

Qui d'autre écrirait des volumes entiers de culture capillaire : coupant ses boucles crépues et se rasant le crâne en vue d'acquérir un certain charme simiesque ; puis couronnant le tout en taillant des croix de fer dans ce minable petit tas de chaume (caprice qui lui valut d'être cité dans la rubrique de Rona Barrett : « On disait que c'était impossible, mais quelqu'un a réussi à inventer une coupe de cheveux entièrement nouvelle... »), et en teignant en blond son dôme à la Hitler Jugend de façon à ressembler à un Kenneth Anger bubble-gum, ce qui est, de toute évidence, une fichue façon d'avoir l'air cool pour une pop star, surtout si elle ressemblait à un tas de merde boudeuse depuis aussi longtemps que Lou ?

Qui d'autre que Lou Reed pourrait ajouter un chapitre entier tout neuf aux annales du manque de goût scénique en se faisant un garrot en plein milieu d'« Heroin », feignant de se shooter avec une vraie seringue – qu'à une occasion au moins, il tendit en souvenir à un membre de l'assistance ?

Quel autre rocker accorderait une interview à l'auteur de ces lignes, lirait avec approbation le féroce vitriolage qui en résulterait, et m'inviterait pour un second round, car, bien entendu, il est tellement masochiste qu'il a adoré ce coup de poignard dans le dos ?

Personne d'autre, voilà qui.

Pourquoi ce type, qui a fait carrière sur ses sursauts d'agonie depuis qu'en 1966 le Velvet Underground a fait son arrivée déjà mort, est-il encore là ? Ah, pour commencer, les gens du Velvet ont émergé de sous l'une des nombreuses ailes entrepreneuriales d'Andy Warhol qui, dans cette culture, a réussi à en faire plus que quiconque des sixties en se comportant (publiquement du moins) comme un débile profond totalement autiste. Lou a beaucoup appris de lui, avant tout comment devenir célèbre en vendant ses propres bizarreries intimes à un public toujours plus friand de phénomènes de foire. La première leçon qu'il reçut

fut que pour réussir à devenir ce genre de non-entité destinée à
la consommation de masse, il fallait savoir ériger mur sur mur
pour renforcer ceux que votre propre vulnérabilité perverse avait
déjà dressés.

En d'autres termes, Lou Reed est un pervers complètement
dépravé, un pathétique nain mortifère, et tout ce que vous voudrez penser qu'il est. Par-dessus tout cela, c'est un menteur, un
talent gâché, un artiste toujours entre deux marées, un mercanti
qui vend sa propre chair. Un pousse-au-crime qui exploite le
nihilisme débile d'une génération seventies qui n'a même pas
l'énergie de se suicider. Lou Reed est le type qui a donné poésie,
dignité et rock'n'roll au smack, au speed, à l'homosexualité,
au sado-masochisme, au meurtre, à la misogynie, à la passivité
alcoolisée et au suicide, avant de se renier en replongeant dans
le bourbier pour transformer tout ça en monumentale plaisanterie de mauvais goût dont il serait lui-même l'objet, posant au
Henny Youngman avec une insistance patraque, et marmonnant
des vannes toujours plus vannées.

Lou Reed a fait carrière en solo en passant pour le réprouvé
le plus lessivé des environs ; ce n'était pas, et de loin, pur spectacle. Les gens s'attendaient toujours à ce qu'il meure, qu'il
puisse perversement revenir non pas les hanter, comme peut-
être lui-même aimerait le penser (bien que je croie plutôt qu'il
préférerait avoir un autre hit, même s'il devait chanter qu'il ne
pleut jamais en Californie pour ça), mais pour taper dans le
mille, au sens marketing du terme. Un de mes amis, qui travaille
chez un disquaire de Cambridge, Massachusetts, me parlait
des gens qui achètent ses disques : « On a ces mecs de vingt-huit
ans très cadre divorcé, qui demandent *Transformer* et le Velvet
Underground... mais le plus étonnant, c'est que tout d'un coup
voilà qu'arrivent des mecs *de quatorze ans*, les yeux écarquillés :
"Hé, heu... Z'auriez pas des disques de *Lou Reed* ?" »

D'accord. Ce cinglé spectral, booga booga. Entre-temps, ses
abus corporels et mentaux chroniques montent et descendent
en fonction du temps. Il a eu la tremblote tout au long de sa
tournée gros lard, en dépit d'ingestions massives de valium. Blue
Weaver à propos de l'enregistrement de *Berlin* : « On s'y est mis

et on a enregistré toutes les pistes instrumentales, tout le truc était fait et ça sonnait super. Puis ils ont amené Lou. Il ne peut pas s'y mettre tout de suite, il faut qu'il descende au bar renifler ceci ou cela, puis ils l'installent dans un fauteuil et il se met à chanter. C'était censé être géant, mais quelque chose a foiré quelque part. »

Un de mes amis travaillait comme serveur au Max's Kansas City, quand Lou transitait du stade de gros lard à son actuelle émaciation, et il m'avait appelé un jour : « *Ton gars* était là hier soir... Bon dieu, *il a l'air d'un insecte*... ou de je ne sais quoi qu'on devrait placer en réanimation... presque plus de peau sur les os, et le peu de chair qu'il a pendouille, comme morte, il lance des regards perçants partout, il a le crâne rasé et il est tout blême sous ses épis, on dirait qu'il s'est fait implanter des plaques d'acier dans le crâne... Tout le monde était d'accord pour dire qu'on n'avait jamais rien vu d'aussi bousillé. Et puis, toutes les serveuses le détestent parce qu'il ne laisse jamais de pourboire. »

Lou Reed est mon héros parce qu'il incarne les choses les plus déglinguées que j'aie jamais pu imaginer. Ce qui sans doute ne témoigne que de mon manque d'imagination.

Le déglingué fut le mythe héroïque au centre des sixties. Vivre vite, jouer au méchant, tout saloper, mourir jeune. Plus qu'un simple « I hope I die before I get old », c'était là toute une démarche cool que nous adoptions, ou tentions d'adopter. Ce qui était en partie lié à la non existence absolue de héros réels, objectifs, honnêtes et droits, tête haut levée, nobles, positifs. Moi-même, j'ai toujours voulu imiter le pire enfoiré autodestructeur du coin, aussi longtemps qu'il agissait avec une certaine classe. D'où Lou Reed. Se défoncer par procuration à diverses formes de conduite déviante compensait quelque peu la vacuité de nos propres vies tristement « normales ». C'est comme de ne jamais vouloir voir la réalité ; c'est trop glauque d'observer quelqu'un s'injecter une quelconque merde et devenir tout bleu. Ça n'est pas la même chose que d'écouter des disques.

C'est pourquoi Lou Reed était nécessaire. Et ce qui est peut-être plus important encore, c'est qu'il avait le bon sens (ou peut-être était-ce le simple effet d'une pourriture cérébrale, c'est dur à dire) de comprendre que tout le concept de sordide, « décadence », dégénérescence, n'étant que plaisanterie, autant se transformer en clown, et l'Enfer en flaque d'eau. N'importe quel taré peut faire le dégénéré mais, aujourd'hui encore, il y en a qui ne s'en rendent pas compte. Comme Jim Morrison, Lou a compris l'implicite absurdité qu'il y a à poser au chieur agressif, cette bête noire du rock, et l'a parodié, traîné dans la boue. Encore que ce soit peut-être lui accorder trop de crédit. Il est plus que probable qu'il n'avait pas la moindre idée de ce qu'il faisait, ce qui était la moitié de sa mystique. De toute façon, il faisait un bozo parfait, une sorte d'Eric Burdon du sordide. Il se peut que la persistante suffisance des récents communiqués de presse de Lou – comme quoi il est « le poète rock de la rue » – soit vraie, mais pas comme il voudrait nous le faire croire. Après tout, la rue n'est pas l'endroit le plus intellectuel de la planète. En fait, elle est pleine de branleurs défoncés et d'empaffés de tous plumages. La Ville des Nullards. Une vague ivresse caoutchouteuse. Et Lou est leur roi à tous, bande de rats.

Ouais, le Champ était en ville, et j'étais prêt à la bataille. Je descendais le scotch à la caisse, et mâchais les valiums comme des cachous. J'ai aussi tenté de me shooter au speed, mais le toubib marron qui rend service aux allumés et aux ménagères de Woodward Avenue m'a flanqué dehors. Pour l'essentiel, je me suis contenté d'écouter mes disques du Velvet et ce que je pouvais supporter de *Sally Can't Dance*, en potassant mes insultes. Il avait filtré jusqu'à moi que le Scélérat Originel avait pris un pied d'acier au dernier de mes éreintements. Les gens parlaient à voix basse d'une « relation d'amour-haine... incroyable », comme le bégayait Dennis Katz, le manager de Lou, dont le frère Steve, diplômé de Blood, Sweat and Tears, a été chargé de produire les albums de Lou Reed, ce qui vous donne une petite idée de ce qui est arrivé au Mouvement Underground américain.

Je dois certes reconnaître avoir été flatté qu'un de mes héros soit devenu un de mes fans (comme plusieurs autres, en fait ;

à dire vrai, cela coïncide d'ordinaire avec ma conclusion selon laquelle ledit héros est une vraie merde) (et, s'il vous plaît, n'allez pas en inférer la moindre mégalo ; je suis étonné de voir que je peux échapper à toute ces conneries), mais je dois récuser platement cette gadoue « amour-haine », qui est pure hype, coup monté par les promoteurs. Le fait est que Lou, comme tous les héros, est là pour prendre des coups. Ils ne seraient pas des héros s'ils étaient infaillibles, et en réalité s'ils n'étaient pas de misérables pauvres diables, les parias de la terre, au demeurant la seule raison de se donner une idole est de la bousiller ensuite, comme tout le reste. Pour commencer, avoir un héros est chose foutrement nulle, un blocage général de tout ce que pourriez faire vous-même. De surcroît, une bonne part du bonheur qu'il y a à admirer des gens pour leurs réussites artistiques est *de ne pas aimer ça*, parce qu'ils ne sont jamais vraiment au niveau de ce que vous attendez d'eux. Et en plus, ils adorent les insultes, ils sont encore pires que les universitaires, alors la seule chose qui reste à faire est de devenir nihiliste comme un fou et de mettre en pièces tous ceux que vous avez jamais respectés. Qu'ils aillent se faire mettre !

Je m'apprêtais donc, en grinçant des dents, à réduire Lou en purée dès l'instant où il se pointerait en ville. ON Y ÉTAIT ! LE GRAND JOUR ! LE SEUL VIEUX HÉROS, ET SURTOUT CHEZ LES ROCKERS, AVEC LEQUEL IL VAILLE ENCORE LA PEINE DE SE CHICORNER !

Je suis donc allé au Hilton, localisant Lou et son entourage au restaurant, et me suis assis à une table voisine. Puis je me suis levé et j'ai marché vers eux. Il est assis là, en tee-shirt noir et lunettes noires, à émettre des vibrations, aussi maussade qu'une maison en flammes dont on vient juste d'éteindre l'incendie, marmonnant pour lui-même tout en piquant dans son assiette, de façon décousue, des caillots de nourriture indistincte : « Foutu endroit à la con… quel taudis… trou… foutus nerfs… trous du cul… » Il s'est révélé qu'on lui avait refusé l'entrée d'un restaurant chic à cause de sa tenue, et il en était fumasse. Je marche vers lui, tends la main : « Salut, Lou… Je crois que tu te souviens de moi. »

Poignée de main de poisson mort. « Malheureusement. »
Et il reste là. Sans se lever. Sans sourire. Sans même ricaner.
Mauvaise humeur de béton en revêtement massif, avec du
ciment derrière. Les gens avec moi venaient juste de s'asseoir et
commandaient quand soudain Lou s'est dressé d'un bond et a
quitté la pièce d'une démarche dédaigneuse, en marmonnant
qu'il lui fallait un journal. Quand nous avons pris un verre après
avoir fini de dîner, il n'était toujours pas revenu. On arrivait dangereusement près de l'heure du, euh, spectacle, et Barbara Fulk,
sa road-manager, commençait à devenir nerveuse : « Où est-ce
qu'il a pu aller, bon sang de bonsoir ? » Plus tard, il s'est révélé
qu'il était parti se promener autour du bloc, et avait perdu son
chemin. Une vieille chanson m'a ricoché dans la tête, un lointain souvenir d'une fois, en 1968, où j'avais parlé à mon neveu
de ce môme qui me vénérait parce que je l'avais branché sur
les albums du Velvet Underground, le speed, etc. « Je ne veux
pas être le foutu *héros* de qui que ce soit ! », avais-je grondé à
l'époque.

Mon neveu a improvisé sur-le-champ une chanson de deux
lignes :

> *J'veux pas êt' un héros*
> *J'veux juste êt' un zéro*

Le concert était super. Rien à foutre. Plus tard, nous revoilà
à l'hôtel, et Barbara me dit que Lou est enfin prêt, aussi des-
cendons-nous le hall en direction du *sanctum sanctorum* (au
moins temporel) du Grand Homme.

Et il était là, vautré sur son lit, entouré de ses cohortes, de ses
roadies et de ses sycophantes, ainsi que d'une chose étrange,
plus ou moins féminine, qui était à table avec lui au dîner, qu'en
fait j'avais d'abord pris pour Barbara, et que j'ai eu ainsi l'occasion d'observer de plus près.

On était simultanément tenté de détourner le regard et de
béer pour ainsi dire subrepticement. Au premier coup d'œil,
j'aurais cru à une grande Européenne basanée, dont l'épaisse
chevelure brune lui tombait sur les épaules. Puis j'ai remarqué
qu'elle avait une barbe, et me suis dit : très bien, cool, la femme

à barbe avec Lou Reed, ça va bien dans le décor. Mais je me suis approché et c'était presque sans aucun doute un mec. À ceci près que sous son corsage semi-transparent, ça semblait avoir des seins. Ou un truc du même genre. C'était au-delà du bizarre, entre l'ombre et la lumière. C'était grotesque – et non seulement grotesque, mais abject, comme quelque chose qui serait gaiement entré en rampant un matin que Lou ouvrait la porte pour ramasser les journaux et le lait, et qui aurait décidé de rester là. Comme un chien qu'on peut frapper, ou caresser sur la tête, ça n'a aucune importance parce que, dans un cas comme dans l'autre, c'est reconnaître son existence. Tout à fait étrange, un bloc de crainte respectueuse à l'état pur. Si *Berlin* avait été fondu dans un creuset, avant de se voir donner forme humaine, ç'aurait été cette créature. C'était comme l'incarnation physique de toute la graisse et la crasse que Lou doit avoir perdues en s'injectant toutes ces vitamines l'hiver dernier. Aussi étrange qu'un yéti venu des douillettes neiges brunes de l'Orient. Plus tard, je l'ai remarquée, en plein milieu de l'interview, qui tournait les pages d'un livre. Mais vu la façon dont ça s'y prenait, il était évident que ça ne lisait pas. L'image figée d'une incertitude tremblotante. À un moment, j'ai hurlé à Lou : « Va te faire foutre, je ne te parle plus, je vais l'interviewer *elle* ! »

« C'est un mec, a dit Lou, et pas question que tu l'interviewes, mon gars. » Tout ça sur ce ton monocorde, maussade, parfois venimeux, qu'il a gardé toute la soirée.

Plus tard on m'a dit que cette créature, dont le nom était Rachel mais que ceux qui étaient avec moi appelaient, dès le lendemain, la Chose, avait été présentée au public comme « la baby-sitter de Lou ». Hmmm, ça paraissait bien loin de Betty, l'épouse blonde qu'il avait emmenée lors de sa dernière tournée, qui paraissait plutôt saine à la voir avaler du café et tenir la liste des choses que Lou perdait. Enfin, on ne sait jamais. Ce qui est vraiment intéressant, c'est que voilà Lou Reed, ce mec est homo, il est vachement connu, il voyage, il a plein de fric, il est évident qu'il pourrait s'entourer de beaux garçons ou de tout ce qu'on veut. Il faut donc en conclure qu'il voulait cet être étrange, grand, apeuré, qui ne disait jamais un mot et levait à peine la tête. Il y avait dans cette relation un sentiment de permanence, voire de protection.

Moi, j'étais ivre. J'avais descendu près d'un demi-litre de Johnnie Walker Black en attendant que Lou soit prêt à discuter, et alors ? La dernière fois que Lou était en ville c'est *lui* qui en buvait, et des doubles, tandis que j'étais là à faire durer mon Bloody Mary, en essayant de penser à des questions pendant qu'il délirait comme un malade, à dire des trucs du genre : « Est-ce que Yoko quittera Paul ? » ou « J'admire beaucoup Burt Reynolds. »

Nous étions de nouveau sur le ring, et il était assis là, trop foutrement cool, bien que je sois presque certain qu'il s'était astiqué la cervelle à la coke ou au speed. De toute évidence, il me considérait comme un parfait péquenot, et je l'ai joué à fond, exigeant davantage de scotch (qu'il m'a refusé : « Assez bu. Stop. Tu ne tiens pas le coup. Je ne veux pas que tu te bousilles »), racontant des conneries avec un accent pseudo-négro et braillant des choses (qui me paraissaient follement drôles) du genre : « Oh pardon m'sieur, j'pense pas à ça, j'cherche un HA HA HA[29] ! »

Lou a commencé par un compliment ambigu qui s'est transformé en insulte en plein milieu. « Tu sais qu'au fond je t'aime bien, malgré moi. Le bon sens m'amène à croire que tu n'es qu'un débile, mais je ne sais comment, les trucs épistémologiques que tu sors trahissent parfois le fait que tu t'exprimes par onomatopées, comme un reptile cavernicole.

– Bon dieu, Lou, ai-je dit d'un ton enthousiaste, tu parles comme Allen Ginsberg !

– Et toi tu parles comme son père. Tu devrais faire comme Peter Orlovsky et essayer une thérapie de choc. Tu n'en sais pas plus que quand tu as commencé. En fait, tu cours après ta queue.

Bon sang, c'est lui qui venait de porter le premier bon crochet du gauche.

– C'est ce que *je* m'apprêtais à te dire ! Tu n'as jamais l'impression d'être une autoparodie ?

– Non. C'est ce qui m'arriverait si je vous écoutais vous autres connards. Vous n'êtes que des BD.

– D'accord, ai-je rétorqué d'un air important, perdant déjà du terrain à toute allure, je me fous d'être une BD. *Transformer* était une BD qui se transcendait elle-même.

Il m'a dit de la boucler et nous sommes restés là à nous regarder d'un air mauvais, comme deux vieux blaireaux autour d'un crachoir.

– D'accord, ai-je dit en rassemblant toute mon esbroufe, maintenant décidons si on va parler de toi ou de moi.

– De toi.

– D'accord. Tu commences.

– D'accord… ummmm… qui va gagner le championnat?

Je ne connais foutrement rien aux sports.

– J'ai vu Bowie l'autre jour, ai-je dit.

– Quelle chance tu as. Ça a dû être bien triste.

– Il t'a piqué tous tes plans, manifestement.

J'entendais ça comme une grosse pomme de discorde, bien qu'en fait j'aie voulu en sous-entendre davantage. Jetez un coup d'œil dans votre exemplaire de *Rock Dreams*[30] et vous verrez le Mythe lui-même : Lou Reed, d'allure plus jeune, innocent, qui se passe un doigt sur les lèvres, les yeux écarquillés, perdu dans une brume de Quaalude, tandis que Bowie rôde derrière lui, véritable Lugosi, les yeux brillants, prêt à frapper.

Lou n'a pas marché :

– Tout le monde pique des plans. Tu piques bien les tiens. David a écrit plusieurs chansons vraiment super.

– Ah, laisse tomber, ai-je hurlé à pleins poumons, tout le monde peut en écrire! Sam the Sham en a écrit! Est-ce que David a jamais écrit quelque chose de meilleur que "Wooly Bully"?

– T'as déjà écouté "The Bewlay Brothers", connard?

– Oui, *empaffé*, j'ai écouté ses paroles de merde, connard!

– Cites-en un vers.

– Je n'ai pas éc… je l'ai entendue… mais ce que moi et des millions de fans, dans le monde entier, voulons savoir sur Bowie c'est : d'abord toi, puis Jagger, puis Iggy. Qu'est-ce que ça lui rapporte?

– Jagger et Iggy?

– Ouais, tu sais bien qu'il baise avec tout le monde dans le circuit rock. Il est encore plus groupie que Jann Wenner !

Impassible :

– C'est lui qui se fait baiser.

– Tu te l'es fait ?

Pure bravade. Mais c'est comme de vouloir toréer sur un terrain de handball.

– Il se baise lui-même. Mais il ne s'en rend pas compte, remarque.

D'un ton. Égal. Émettant comme un bourdonnement inaudible.

Je me suis dit que mieux valait changer de sujet. Derrière le lit de Lou se trouvait un lecteur de cassette dont émergeait un interminable flot de ce genre de Muzak funky synthétisée qu'Herbie Hancock débite en ronflant.

– Hé Lou, pourquoi t'arrêtes pas cette merde jazz ?

– Ça n'est pas de la merde, et de toute façon tu serais incapable de faire la différence.

– Je te dis que…

– T'y connais rien, t'as jamais écouté.

– … que Bowie – et ici je me suis mis à chanter d'une voix de baryton à la Ezio Pinza – a piqué toute sa merde à peu près décente à toi, toi et Iggy !

– Qu'est-ce qu'Iggy a à voir avec tout ça ?

– C'est vous les originaux !

– Les originaux de quoi ?

J'ai continué sur Iggy et Bowie, et là il m'a surpris par un coup de pied en vache tout à fait inattendu au Pop :

– David a essayé d'aider ce gars-là. David est brillant et Iggy est… débile. Très gentil mais parfaitement débile. S'il avait écouté David, ou moi, s'il avait posé des questions de temps à autre… Je lui aurais dit : "Mon gars, fais un petit changement d'un cinquième, et je mettrai tout ça en forme pour toi. Tu peux t'en attribuer le mérite. C'est très simple, mais vu la façon dont tu t'y prends, tu ne fais que passer pour un imbécile. Et ça va être de pire en pire." Ça n'est même pas une bonne imitation d'un

Jim Morrison en mauvaise forme, qui de toute façon n'a jamais été très bon lui-même...

Iggy, un imbécile. Ceci venant de l'homme qui a provoqué des ricanements de masse sur deux continents, deux ans durant, avec *Transformer* ("You hit me with a flower") et *Berlin*! J'ai décidé que j'en avais marre de ces conneries, aussi ai-je foncé tout droit :

– Tu t'es shooté au speed, ce soir, avant le concert?

Il a paru réellement surpris :

– Du speed? Non. Le speed, ça tue. Je ne suis pas un speed-freak.

Me servant, pour l'essentiel, la même salade qu'il m'avait refi-lée une fois où j'étais allé voir le Velvet au Whisky, en 1969, assis dans une loge à boire du miel en pot et parlant à fond les potards de toute "l'énergie des rues de New York", me refilant un vrai sermon sur les dangers de la drogue. Tous les speedfreaks sont des menteurs : quiconque a à ce point besoin de garder la bouche ouverte ne peut dire la vérité tout le temps, sinon il se retrouverait à court. Et voilà qu'il devenait franchement clinique :

– Tu ferais mieux de définir le terme. Quel genre de speed, hydrochlorure d'amphétamine, de méthamphétamine, combien de milligrammes...?

La conférence pharmacologique battait son plein, et je n'ai guère pu que glousser d'un ton de dérision :

– Je me shootais à l'Obétrol, mec, merde!

– Mon cul que tu te shootais à l'Obétrol.

Lou s'échauffait peu à peu sur son sujet, le moteur s'emballait. Se rapprochant pour frapper. Démasqué, connard.

– Tu serais mort, tu te serais viandé. Tu devais être très con et tu ne te les injectais même pas à travers un coton. On peut choper la gangrène comme ça...

Et voilà que de nouveau il insiste, faux jeton :

– C'est quoi, l'Obétrol?

De nouveau je m'énerve :

– C'est voisin de la Désoxyne. Tu sais bien ce que c'est qu'un Obétrol, menteur! Tas de merde! C'est la *quatrième* fois que je viens t'interviewer et tu m'as menti à chaque fois! La première...

– C'est quoi, la Désoxyne ?

Rien de plus, du même ton monotone et mort, pour la quinzième fois, m'interrompant tous les deux mots dans la tirade ci-dessus mentionnée, avec une insistance froide, sûr de lui-même, avec l'inflexibilité humide et glacée d'un technicien qui connaît le moindre centimètre de son labo, les yeux fermés.

Mais j'ai été cool :

– C'est un dérivé de la méthédrine.

La mise à mort :

– C'est quinze milligrammes d'hydrochlorure de méthamphétamine pure, avec un peu d'excipient autour.

On aurait dit un vieux fichier métallique verdâtre se refermant à grand bruit.

– Si tu prends vraiment du speed, a-t-il ajouté, tu es un bon exemple des raisons pour lesquelles les speedfreaks ont mauvaise réputation. Il y a les amateurs d'amphés et les speedfreaks. La Désoxyne, c'est quinze milligrammes d'hydrochlorure de méthamphétamine avec un excipient, l'Obétrol quinze milligrammes de...

– Hé Lou, t'as quelque chose à boire ?

– Non... tu ne sais même pas ce que tu fais, t'as pas étudié la question. En fait, tu nous rends service à nous autres, tu ramasses toute la merde qui traîne sur le marché. Et en plus, t'es pauvre.

(Je vous avais bien dit qu'il ne reculerait devant rien. C'est ce genre de truc qui représente peut-être le dernier lien ténu de Lou avec le panthéon des héros. Et je ne veux pas dire l'héroïsme.)

– Et même si tu n'étais pas pauvre, tu ne saurais même pas ce que t'achètes. Tu ne saurais pas le peser, tu ne sais rien de ton métabolisme, de ton quotient de sommeil, tu ne sais pas quand manger et quand ne pas manger, tu ignores tout de l'électricité...

– L'essentiel c'est l'argent, le pouvoir et l'ego, ai-je dit, citant je ne sais trop pourquoi un vieil édito de Ralph J. Gleason. Je devenais un peu hagard.

– Non, tout est lié à l'électricité et à la structure de la cellule...

J'ai décidé de changer de tactique une fois de plus :

– Lou, on va devoir y aller franc. J'enlève mes lunettes [des Silva-Thin grotesquement macho parodiant celles qu'il arborait sur les premiers albums du Velvet, et que j'avais portées toute la soirée], si tu enlèves les tiennes. Ce qu'il fit. Ce que je fis. Mise au point sur un corps desséché vautré sur le lit, me faisant face, la Chose derrière occupée à contempler des araignées sur la Lune, la peau blême de Lou est presque aussi jaune blanchâtre que sa chevelure, le visage et le corps sont si transcendantalement émaciés qu'il a bel et bien pris une allure d'insecte. Des yeux rouillés, comme deux pièces de monnaie perdues dans les sables du désert, tandis que les fils téléphoniques bourdonnent au-dessus d'elles, mais il m'a regardé bien en face. Et peut-être à travers moi. Peut-être que c'était un bon jour pour lui. La dernière fois que je l'avais vu, son œil gauche ne cessait de partir sur le côté, et ça n'était pas du flan. De toute façon, j'étais prêt à poser ma Grande Question, celle sur laquelle j'avais réfléchi des mois durant :

– Est-ce que tu en veux aux gens pour la façon dont tu as vécu pour eux ce qu'ils considèrent peut-être comme le versant obscur de leurs vies, par procuration, dans ta musique ou ta vie ?

Il n'avait pas l'air d'avoir la moindre idée de ce que je voulais dire, et a secoué la tête. J'ai insisté :

– Comme quand j'écoute tes disques : se shooter au smack, se shooter au speed, se suicider…

– Ça représente trois pour cent sur une centaine de chansons.

– Comme toute cette merde décadente, les paillettes, rien de tout ça ne serait arrivé sans toi, et pourtant je me demande si tu…

– Je n'ai rien à voir avec ça.

– Conneries ! C'est toi qui as tout lancé, chanter le smack, les travelos, etc.

– Qu'est-ce que ça a de décadent ?

– D'accord, définissons la décadence. Tu me dis ce que tu penses être la décadence.

– Toi. Parce qu'autrefois tu savais écrire et que maintenant t'es plein de merde. Tu ne suis pas la musique, tu n'es pas informé de ce qui se passe, tu ne sais pas qui joue ou qui fait quoi. C'est du baratin, tu deviens vraiment égocentrique.

J'ai laissé pisser. L'artiste authentique ne s'abaisse pas à répondre sur le même ton aux quolibets d'un vieil escroc.

D'ailleurs, il avait à moitié raison. Mais je ne pouvais tout simplement pas croire qu'il pourrait renier si allègrement tout ce qu'il avait semé, non, *représenté et exploité*, depuis tant d'années. C'était comme de voir un dinosaure faire retraite dans une grotte. Il avait déjà fait le même truc. Lors de la précédente interview, il avait simplement nié toute association avec le mouvement gay, et il est vrai qu'il n'a rien à voir avec. Mais désormais, après *Sally Can't Dance* et apparemment prêt à édulcorer jusqu'à l'exosquelette de son numéro pour "réussir le gros coup" (*Mais tu te shootais sur scène. Mais c'est qu'un concert de rock. C'est pas Altamont. Ou l'Exploding Plastic Inevitable*), il balaie le tout comme si c'étaient des pellicules sur son tee-shirt noir. "J'ai congédié la décadence quand j'ai fait 'The Murder Mystery'." De grandioses déclarations hâtives comme celles-là sont le genre d'âneries pour lesquelles cette pop star a une faiblesse particulière. Comme toutes les autres, je le crains.

– Conneries, mon gars, quand t'as enregistré *Transformer* tu jouais à la pseudo-décadence, pour un public qui voulait acheter une forme recyclée de décadence.

– Lou, il se fait tard, intervient Barbara.

Et soudain tout le ton de la scène a changé. Il était un enfant turbulent, ayant dépassé l'heure d'aller se coucher, pas vraiment braillard, toujours insectiforme, mais aussi ostensiblement dorloté, cajolé, surveillé, tenu en laisse, réprimandé, à moins qu'il ne décide de faire une scène et de se mettre en pétard.

– Oh, c'est marrant de discuter avec Lester.

– Mais, il faut que tu te lèves, demain matin, concert à Dayton.

– Oh, j'y survivrai.

Vieux busard endurci, que soufflent les vents, tout ça. D'ailleurs, il avait autre chose en tête. Il voulait me passer certains disques. En fait, l'Artiste voulait me soumettre diverses choses à moi, le Critique, pour avoir mon opinion et mon verdict ! Je me suis senti honoré. Ainsi donc, que voulait-il me soumettre ? L'album solo de Ron Wood.

Bon dieu. S'il y a une chose que je déteste entendre, de la part d'un musicien, c'est un bavardage sur la musique. Il n'y a rien de plus atrocement fastidieux. Surtout quand le seul album qui soit plus nul encore que la merde à la Herbie Hancock qu'il passait avant est précisément celui de Ron Wood. Insignifiance de l'insignifiant. Je lui ai hurlé d'arrêter ça – "J'ai déjà entendu cette merde !" –, mais il était lâché de nouveau, sur un autre sujet qui l'intéressait *lui*, cet égocentrique fils de pute, et ne m'écoutait pas du tout.

– George Benson, il y a des années de ça, était bassiste, et il a inventé l'ampli Benson, absolument aucune distorsion, un son totalement propre, totalement pur. C'est intéressant ce qu'Hancock fait avec l'Arp.

Ça commençait à empirer. Il avait été patient avec moi, mais je commençais à avoir des visions de futurs albums de Lou Reed : les vaillants Andy Newmark et Willie Weeks, apparus sur chaque album enregistré récemment par chaque pop star *has-been* du monde entier, jouant avec Lou, de telle sorte que le successeur de *Sally Can't Dance* sonne comme l'album de Ron Wood, comme le *Dark Horse* de George Harrison, comme tous ces LP sans visage où sévit le jeu à la con de tâcherons à la technique impeccable. Et par-dessus tout ça bavasse une araignée Herbie Hancock Moog funky, tandis que par-dessus *tout ça* Lou marmonne son truc habituel de cette voix brouillée et fondamentalement dépourvue de rythme : "Vous êtes tousss baisés... J'peux faire tout c'que j'veux... affront, affront... speed, speed, New York, New York..."

– Je déteste Herbie Hancock, ai-je dit.

– J'ai quelque chose ici, a-t-il répondu, c'est ce que je veux faire, c'est ça que j'appelle du heavy metal. Il m'a fallu attendre un an ou deux pour avoir l'équipement, maintenant je l'ai et c'est fait. J'aurais pu le vendre comme étant de la musique classique électronique, sauf que celui que j'ai de terminé est heavy metal, et je ne déconne pas.

J'étais trop ivre pour être prêt à l'écouter, mais ça n'a pas eu d'importance parce qu'il a remis le lecteur de cassette en marche, et c'était *l'album de Ron Wood*! Je le lui ai fait arrêter et il a poursuivi :

– Je pouvais avoir Hendrix. C'était un grand guitariste, mais j'étais meilleur que lui. Mais c'est seulement parce que je voulais faire un certain truc, et ce que je voulais faire lui aurait fait sauter la tête, je le colle à RCA quand on en aura fini avec ce bazar rock. La plupart des gens peuvent en supporter disons cinq minutes...

Ça a l'air prometteur, mais ce qui m'intéressait le plus, c'était de parler attitude et non musique. D'ailleurs, ça fait si longtemps que Lou raconte des conneries que je le coupe :

– Je crois que la plupart des gens pensent que tu es mort. Parce que tu les as encouragés à le croire.

Ça ne l'a pas intéressé. Me souvenant du soir où je venais d'acquérir *Berlin* (je l'avais emporté à l'anniversaire d'un copain, où chaque nouveau venu voulait l'entendre, ce qui fait que nous avons dû l'écouter dans son intégralité vingt-cinq fois de suite dans la soirée. Laquelle s'est terminée dans une pièce pleine de parfaits inconnus se lançant de féroces coups de poignard verbaux. Mais le disque nous avait fait rire aussi), j'ai demandé :

– Quand tu as enregistré *Berlin*, pensais-tu qu'il pourrait faire rire les gens ?

Lou a pris son air hautain et s'est emparé d'une noix de coco :

– Je m'en fous éperdument.

– Tu sais, Lou, un truc qui m'agace un peu à propos de *Berlin*, c'est que tu ne donnes jamais le point de vue de la nana. C'est un album très égoïste : "I'm beating you, bitch. You're dead, bitch."

– Elle se tapait un dealer.

Espérant extorquer un peu de gadoue autobiographique (ce à quoi se réduit une bonne part de *Berlin*) à Lou, je l'ai interrogé sur Betty, son ex-épouse, et j'ai eu droit à une réponse pleine d'effusion bien dans sa manière :

– Elle était secrétaire et à l'époque il m'en fallait une.

Elle était bonne d'enfant, mais il est vrai que beaucoup de gens qui entourent Lou semblent devoir tenir ce rôle. Nous avons un peu discuté du contenu personnel de ses chansons, et Lou a affirmé, comme il fallait s'y attendre, qu'elles n'étaient pas autobiographiques, mais existaient dans une zone bien à elles, et de surcroît ne pouvaient être comprises que par une audience d'élite choisie. Je lui ai dit que selon moi la plus grande

part de son œuvre en solo souffrait principalement de son caractère évident, que la subtilité s'était fait la malle il y a des siècles
et qu'il n'était plus qu'un vieux cabotin cajolant son aspic. Je lui
ai demandé si, toutes ses chansons ayant un sens élitiste, il pourrait m'expliquer la signification secrète d'"Animal Language",
dans *Sally*, plus connue sous le nom de Bow Wow Song (un chien
rencontre un chat, ils essaient de baiser, ça rate, ils se shootent
à la sueur d'un gros mec) (à dire vrai, un parfait spécimen de
pourriture mentale).

– "Animal Language" n'a rien d'évident. Qui sont les animaux,
d'après toi ? Tu crois que c'est un chien et un chat ? Qui est le
chien, qui est le chat, qui sont ces animaux à ce point bousillés
qu'ils doivent se shooter la sueur de quelqu'un d'autre pour
décoller ?

J'en sais rien, Lou, tu m'expliques. Il y a huit millions d'histoires dans la Cité Nue... Une chose que j'aime chez toi, ai-je
interjecté, c'est que tu n'as pas peur de te rabaisser. Par exemple,
"New York Stars". J'ai cru que tu t'abaissais en aspergeant tous
ces gens, les Dolls et tous ces petits groupes débiles, de ton spleen
en free-lance, mais j'ai compris ensuite que ça fait des années
que ça dure.

Riposte :

– T'es vraiment un trou du cul. T'as dépassé la connerie pour
te retrouver dans je ne sais quel conduit urinaire. La prochaine
fois que tu trouveras une phrase aussi bonne que "curtains laced
with diamonds dear for you", au lieu de toute cette merde de
Détroit[31], fais-le moi savoir.

– De toute évidence, ai-je dit, ce que tu vends maintenant sous
ton nom, c'est de la décadence pasteurisée. Autrefois, t'étais
vraiment un chieur, Lou, mais maintenant tout ça est pasteurisé.

Il m'a dit que j'étais blasé.

– Tu as fait carrière en chiquant au dégénéré, ai-je dit, et je
crois que tu devrais le reconnaître. Fondamentalement, tu ne
t'es pas vraiment distingué en tant que musicien, bien qu'on te
doive quelques grands riffs ; et je ne sais pas pourquoi tu essaies
de me jouer toute cette musique de merde high-tech, parce
qu'au fond t'es un intello. Dans tes pires moments, on pourrait

te considérer comme une mauvaise imitation de Tennessee Williams.

– C'est comme de dire que dans tes pires moments on pourrait te considérer comme une mauvaise imitation de toi-même.

– Tu ne te sens jamais victime de toi-même ?

– Non.

Barbara me chuchote à l'oreille :

– Vous pensez vraiment que ça va s'arranger ?

– Sûr, ai-je dit avant de me tourner vers Lou : d'après toi, est-ce que le sentiment de culpabilité qui se manifeste dans presque toutes tes chansons est lié au fait d'être Juif ?

– Je ne connais personne qui soit Juif.

Barbara commence à mettre la pression pour de bon :

– Il est trois heures et demie, Lou.

– Ouais, c'est vrai, il est trois heures et demie. Et… alors ? Qu'est-ce que tu aimerais que je fasse, fermer la porte à clé, mettre les pieds au plafond et écouter un demi-canal de ma stéréo ?

– Oui.

– Il veut discuter, a marmonné Lou. Je crois que tu te trompes. Dennis m'avait dit que je pouvais, si je voulais. J'avais dit d'accord. Des directives venues d'en haut. Vas-y et appelle-le. Appelle-le donc.

Elle s'est contentée de grogner que non. J'avais du mal à croire que ce type dise à cette femme d'appeler son manager et de le réveiller à trois heures et demie du matin, pour lui demander s'il pouvait rester debout un petit moment pour discuter avec moi. Et bien entendu, ça n'avait aucun rapport avec moi. Un simple gamin irritable, mais il est vrai qu'une bonne part du charme de Lou a toujours été liée à son total infantilisme. Voilà qu'il était prêt à parler toute la nuit, bien qu'aucun de nous deux n'ait écouté l'autre :

– Je crois que c'est se montrer dur avec lui, personnellement. Je te dis non, je m'intéresse à certains trucs qu'il a à dire, bien que je pense que c'est un crétin.

– Nous pensons la même chose l'un de l'autre, ai-je dit, commençant à me sentir las.

– C'est un minable, a poursuivi Lou, et je crois qu'il faut prendre son pied avec quand on en a l'occasion.

— *Mais ça fait près de deux heures!* a insisté Barbara.

– Eh bien j'ai envie de remettre ça. Il y a une merde que je veux lui passer, contre sa volonté.

Il s'est tourné vers moi :

– George Benson a inventé la basse électrique sans aucune distorsion...

– Uh, écoute, Lou, ai-je dit, Barbara a raison. Faut qu'on y aille. Ça pourrait durer une éternité.

J'ai rassemblé mes affaires et me suis dirigé vers la porte. En sortant, j'ai entendu derrière moi sa morne voix de basse, un badinage vachard et rance qui voletait quelques instants avant de se disperser en poussière :

– Vous autres à Seattle, vous êtes tous les mêmes... de la merde... corn flakes... »

Je n'ai jamais rencontré de héros que je n'aie pas aimé. Mais il est vrai que je n'en ai jamais rencontré. Mais il est vrai que peut-être je n'en cherchais pas.

Creem, mars 1975

Comment devenir tortionnaire sans effort, ou : Louie, rentre à la maison, tout est pardonné

Ce n'est pas le troisième round.

Je suis sûr qu'à l'heure qu'il est beaucoup d'entre vous se sont peut-être un peu fatigués du sujet Lou Reed. Pour dire la vérité, je suis moi-même presque lassé de Lou, et il n'est certainement plus mon héros. Mon nouveau héros est le Président Idi Amin Dada.

Toutefois, vous vous étonnez peut-être qu'un album tel que *Metal Machine Music* ait pu être vendu, d'abord par l'artiste à sa maison de disques, puis par ladite maison de disques aux consommateurs « hard rock » d'Amérique.

Au cas où vous viendriez d'arriver, ou penseriez que *Metal Machine Music* se réfère à quelque chose d'assez proche de Bad Company, laissez-moi expliquer brièvement que nous avons là un double disque d'une heure de rien d'autre, absolument rien d'autre, que du feed-back hurlant enregistré à des fréquences diverses, rejoué sur diverses autres couches de bruit, fendu en deux sur deux canaux totalement séparés de cris perçants et de sifflements parfaitement inhumains, et vendu à un public qui y était, pour nous exprimer aussi posément que possible, fort médiocrement préparé. Parce que les humains sensibles trouvent tout simplement impossible de ne pas évacuer toute pièce où on le joue. Avec certaines exceptions isolées : mutants, pensionnaires d'asiles, maniaques du cri, masochistes, sadiques, accrochés aux amphés, amateurs de haine, barjots trop abrutis par les médicaments et trop camisolés par les produits chimiques pour ressentir quoi que ce soit, individus dont le système nerveux est déjà tellement tordu qu'il leur paraît parfaitement acceptable, cette dernière catégorie comprenant peut-être l'auteur du présent article, qui aime à ce point *Metal Machine Music* qu'il a acquis (mais pas acheté) une cartouche 8 pistes de chez RCA (sur laquelle on lit PRIX SPÉCIAL!), de façon à pouvoir l'écouter dans sa voiture.

La sortie de *Metal Machine Music* est un véritable événement dans l'histoire de l'industrie du disque, et nous autres de *Creem* sommes fiers de le fêter. C'est la première fois depuis le bon vieux temps de Bruce Springsteen que le public est à ce point divisé (que 98 pour cent soit d'un côté, maussade et crachant sur les 2 pour cent restants, ne signifie rien; *Creem* défendra toujours les droits des minorités, et il est impossible de trouver un groupe plus réduit, et plus fervent, que les fans de *MMM*). Au moment où j'écris ces lignes, on dirait que *MMM* va être un candidat poids lourd dans deux catégories du vote des lecteurs de notre revue, celle de « Déception de l'année » et celle d'«Arnaque de l'année ». Mais il est vrai que, de temps à autre, nous parvient un bulletin comme celui d'une certaine Carole Pressler de Rocky River, Ohio, qui a non seulement élu *MMM* dans les trois meilleurs albums, mais aussi les faces A et D meilleurs singles, et la face B meilleur single Rhythm'n'Blues.

Oui, de tels gens existent, et il serait injuste, envers eux comme envers Lou, de faire de *Metal Machine Music* la vedette d'un *snuff movie*. Ce qui est exactement ce que RCA fait en ce moment. Mais ne sautons pas le sillon, il nous faut *tout* écouter. La présente autopsie commence quand je reçois un coup de fil d'une charmante attachée de presse dont le nom est celui d'un sédatif hypnotique anglais, et qui me dit travailler en free-lance comme agent publicitaire de Lou. Elle ajoute qu'il ressent très mal « l'incompréhension » consécutive à la sortie de *Metal Machine Music*, qu'il veut l'éclaircir et s'excuser auprès de tous les fans qui pourraient avoir été pris par surprise (Mais c'est justement l'intérêt! crache l'Ange du Bizarre). Elle ajoute ensuite que Lou prépare un nouvel album, *Coney Island Baby*, attendu depuis si longtemps, et dont les titres donnent des indications suffisantes sur le contenu et le ton : « Glory of Love », « A Gift to the Women of the World », « Crazy Feeling », « She's My Best Friend », « Charley's Girl » (le single), « Nobody's Business », « Born to Be Loved », « OO-ee Baby », « You Don't Know What It's Like », et « A Sheltered Life » – qui, m'informe-t-elle du bout d'une langue si longue qu'elle s'en vient lécher les rivages du New Jersey, est un « reggae ».

D'accord. Je ne me fais avoir par personne. Je me fais avoir par tout le monde. Je crois tout ce que je lis, vois ou entends. Si des larbins proches de la cellule disent que Lou va faire un album de chansons pleines de sensibilité destinées aux amis et aux amants, je dis qu'il est juste que le mec fasse en sorte de le sortir pour la Saint-Valentin. J'appelle donc le vieux blaireau au dernier hôtel dans lequel il s'est enfermé, chambre 6 du Gramercy Park. La susdite attachée de presse m'avait dit d'appeler « à la troize », donc j'appelle à la troize, et la standardiste me répond que la ligne est occupée. J'attends quelques minutes et je recommence. Mêmes résultats. Et je recommence. Les mêmes. Pendant ce temps, la copine de Lou m'appelle sur l'autre ligne pour me dire qu'il vient juste de lui téléphoner pour lui demander où était ce foutu interviewer. Alors je rappelle l'hôtel, tout ceci en longue distance bureaucratique, attention, et c'est toujours occupé, alors je dis à la garce au standard de sonner l'enfoiré et de lui dire que Bangs veut lui parler. Je n'obtiens que du silence. Alors on rappelle *une fois de plus*, buzz, clic, chrk, clac, et il est là : « Bon dieu, les standardistes dans ce foutu endroit, c'est pas possible ! »

« Sûr, dis-je. Je me disais bien que quiconque viendrait de sortir un album comme *Metal Machine Music* serait du genre à dire à quelqu'un de l'appeler à une heure précise et puis répondrait par un signal occupé. »

J'entendais ça comme une simple entrée en matière, mais il s'est aussitôt préparé pour la bagarre : « Va te faire foutre », etc., etc., etc. Je lui ai dit, laisse tomber papa, c'est l'heure de la mi-temps, alors cessation des hostilités. Il baisse sa garde, ouvre son treillis de Frankenstein, et qui en sort ? Jimmy Stewart ! Un type sincère, amical, prêt à vous aider, adorable. C'est *Ça* le vrai Lou Reed : un gars de Long Island très casanier, qui ment si effron-tément que nous pourrions tout aussi bien élire le vieux braco à la Présidence. « *Metal Machine Music* est probablement l'un des meilleurs trucs que j'aie jamais faits, lance-t-il, rayonnant, et j'y pense depuis que j'écoute LaMonte [Young, dont Lou n'a même pas été capable d'écrire le nom correctement au dos de la pochette]. J'avais aussi beaucoup écouté Xenakis. Tu connais le coup du bourdonnement ? Bon, faire ça avec un groupe, fallait toujours dépendre d'autres gens. Et on se rend compte inévitablement qu'une personne est plus forte qu'une autre. »

Notez le ton d'humilité. Pour autant, il fallait que je soulève une objection sur ce morceau de musique précis, qui n'a pas de direction. C'est ainsi que chaque face fait seize minutes et une seconde, prenant fin aussi abruptement qu'elle a commencé : la bande est coupée net.

« J'ai fait ça parce que je voulais que ça reste excitant, dit Lou. Et puisque je travaille sur certains types de distorsion jusqu'à un certain niveau d'harmoniques, il fallait que j'aie des sillons aussi larges que possible, parce que plus ils sont proches, plus le gain est faible.

– Alors, pourquoi n'as-tu pas fait des faces de huit minutes, comme un vieil album d'Elvis ?

– Ç'aurait été de l'arnaque. Telle qu'elle est, la promotion de l'album est mauvaise. Il y a eu une panne d'information. Ils voulaient le sortir sur Red Seal, j'ai dit non, parce que ç'aurait été prétentieux. Je ne voulais pas le sortir du tout. Mais un de mes amis, dans une autre compagnie de disques, a demandé à l'écouter et a dit, pourquoi ne pas le passer à [appellation supprimée]. Ce type était responsable de la musique classique chez RCA. Je crois que *Metal Machine Music* lui a valu de se faire virer. Je le lui ai passé et il a adoré ça. J'ai pensé qu'il était fou, mais il m'a dit il faut vraiment qu'on le sorte. Il a contourné les responsables, est allé tout droit à Glancy, il a dit "Faut qu'on sorte ça sur Red Seal". J'ai dit pas question. Il a dit pourquoi, j'ai dit : "Parce que ça a l'air dilettante et hypocrite, comme de dire : 'Les trucs compliqués, vraiment classe, c'est là, dans le rayon classique, tandis que la merde rock est ici, là où sont les tarés'." J'ai dit : "Allez vous faire foutre, si vous voulez le sortir vous le sortez sur le label normal avec tout le reste. Il suffit de mettre une mise en garde."

Ce qui ne s'est pas fait, malheureusement. En d'autres termes, si un kid voit la pochette, où je suis avec un micro, et se dit : "Ouais, un album live !", on va s'écrier : "Quelle arnaque !" Ils auraient dû mettre une mise en garde disant avant d'acheter, écoutez-le pendant deux minutes, parce que vous n'allez pas aimer ça, et j'ai dit dans les notes de pochette vous n'allez pas aimer ça. »

Ici respire un fan dont l'âme est si blasée qu'il ne concéderait pas à Lou le manteau de l'Honnête Homme. Du Patricien, même. Et pourtant, une vanité contrariante fait naître un : qui c't'empaffé essaie-t-il de duper ? Il se peut qu'il ne soit pas un charlot, mais il sait mentir, ça c'est sûr. Le charabia c'est le charabia, et il parade et tape de ses paumes de singe sur la rive de la 6ᵉ Avenue et de la 44ᵉ Rue. Quand on essaie de parler de *Metal Machine Music* aux gens de RCA, ils deviennent nerveux, demandent à ne pas être cités, puis commencent à sculpter des armoires dans une langue de bois d'où il ressort que Lou est un artiste et un intellectuel qu'ils respectent grandement, cet alinéa reconnaissant son droit à « faire des expériences ». Puis ils affirment avec ferveur que je ferais une faveur à Lou et à tout le monde si je laissais *Metal Machine Music* mourir en paix et sombrer dans l'oubli, parce que, bien entendu, son prochain album sera « le meilleur truc qu'il ait jamais fait », et tout le monde va adorer ça.

Je leur dis que je pense que ce genre d'attitude est injuste envers Lou et ses fans. Ils sont là, en appel longue distance, à me dire que si vraiment j'ai de l'affection pour Lou, comme ils le soupçonnent, je ne voudrai pas lui causer de tort en déterrant *Ça* maintenant. Vous pigez ? Un des anonymes a qualifié mes travaux ici même d'« acte de nécrophilie ». Il m'a aussi approuvé, bien qu'à mi-voix, quand j'ai qualifié *MMM* de sorte d'ultimatum schizophrène. Il a émis des bruits bizarres quand j'ai brandi cet album comme une preuve décisive dans la dénonciation de cette curieuse pratique appelée « contrôle de l'artiste ». Un seul responsable de RCA a freiné des quatre fers – Ernie Gilbert, nouveau directeur artistique de Red Seal : « Je professe une ignorance totale et absolue. »

Mais une image commence à émerger. Lou a porté ce truc jusqu'au grand patron. Le gars qui dirigeait Red Seal quand il est entré avec ses bandes travaille maintenant pour une autre compagnie, il n'a pas été viré comme le dit Lou et, tout en exigeant que son identité demeure strictement confidentielle, il n'a pas eu peur de dire la vérité sur cette arnaque : « Bon, dès qu'il est entré dans mon bureau, j'ai bien vu que ce type n'était pas vraiment connecté à la réalité. Ç'aurait été un gars venu de la rue avec cette merde, je l'aurais flanqué dehors. Mais il fallait que je le manipule avec des gants de chevreau, parce que c'était un artiste envers qui la société s'était engagée à long terme. Il ne dépendait pas de moi, je ne pouvais pas le hérisser, lui dire que c'était de la merde. Je lui ai donc dit que c'était "un violent assaut sur les sens". C'était de la foutue musique de tortionnaire, merde ! Il y avait quelques cadences intéressantes, mais il était prêt à lire n'importe quoi dans tout ce que j'aurais pu dire. Je l'ai poussé à croire que ça n'était pas si mauvais que ça, parce que je ne pouvais pas m'engager. J'ai dit que je ne voulais pas sortir ça sur Red Seal, puis je lui ai donné tout un tas de disques classiques dans l'espoir que la prochaine fois il écrirait quelque chose de mieux. Tout ce que j'ai entendu là-dessus par la suite, c'était qu'il était censé rédiger une mise en garde très claire, ce que, je crois, il n'a jamais fait. »

Nous avons désormais notre scénario. Imaginez simplement cette petite belette speedée entrant dans les bureaux de l'un des plus gros conglomérats médiatiques du monde, ses bandes à la main, non seulement confiant, mais *persuadé* qu'il apporte là le plus grand chef-d'œuvre (et il le fallait, vu que c'est le plus insupportable) de l'histoire de la musique. Lou a porté *Metal Machine Music* jusqu'au sommet, chez Kenneth Glancy, le président de RCA Records, et il est redescendu à partir de là. D'un bureau à l'autre, et chaque fois qu'il rencontre quelqu'un il appuie sur le bouton et on entend ZZZZZZZRRRREEEREEE EEGGGGGGGGGGGRRRRRAAAAARRRRRGGGGG GGGGHHHHHHHNNNNNNNNNNNIIIIIIIIIIIEEEEEEERR RRRRRRRRRRR... Tous les cadres dans la file, du haut jusqu'en bas. « D'accord, tout ce que vous voulez, mais par pitié, sortez de mon bureau ! » Exact ! Et dans la RUE ! Juste d'où ça venait. Ça vous rappelle un peu Melville, non ?

Bon, j'ai dit à Lou que je pensais que *Metal Machine Music* était un album *rock*. « Je le pense aussi, murmure-t-il dans ce code gériatrique personnel très particulier qui passe pour de la parole (que périsse la conversation). J'ai compris à un certain point que pour faire vraiment des trucs comme "Sister Ray" ou "I Heard Her Call My Name" comme il fallait, un, ça devait être enregistré correctement, deux, il fallait certaines machines pour ça.

– Sauf que ça manque de certaines choses. Comme le beat, les paroles...

– Ça n'est pas vrai. Si t'avais un petit esprit, tu le manquerais, mais le beat est à peu près comme... – et ici il s'est mis à imiter un cœur qui bat très fort – très, très rapide. Et sur chaque face il y a une progression harmonique, et je me fous que les gens le croient ou pas. Il fallait que ça soit très soigneusement maîtrisé, parce que si c'était mal fait ça serait parti en couille parce que ça file vers la distorsion. Ça recourt à la distorsion mais ça n'est pas distordu.

Que les gens le sachent ou non, il y a une différence entre chaque face, il y a une raison pour que ça fasse 16 minutes et 1 seconde, c'est parce qu'il fallait que ça reste en dessous de 17 minutes. Ce que les gens ne semblent pas voir, c'est qu'il ne faut pas écouter ça sur les haut-parleurs, parce que sinon on perd la moitié du pied, dit-il d'un ton ravi. Ça devrait être écouté au casque, parce qu'il y a une gauche, une droite, mais pas de centre. Ça change constamment, et parfois un canal disparaît complètement. Il existe une infinité de façons d'écouter ça.

Parfois je monte beaucoup le canal de gauche, un peu celui de droite, puis je remonte encore le gauche et coupe presque entièrement le droit, et c'est comme si on prenait un pain en pleine tête ! Mais si on écoute sans casque, on n'aura pas cet effet. Chaque fois il y a davantage d'harmonies ajoutées sur les basses et les aigus, et je suis allé aussi loin qu'on peut sans faire sauter l'aiguille sur le disque, ce qui explique pourquoi j'ai gardé ça tout le temps. J'ai coupé à 16 minutes 1 seconde pour essayer de faire comprendre que je tentais d'être aussi précis que possible avec toutes ces conneries. »

J'ai sommairement résumé mon sentiment vis-à-vis de *MetMachMus* : qu'en tant que musique classique, ça n'ajoutait rien à un genre qui pourrait bien être épuisé. En tant que rock, c'est du rock de garage électronique intéressant. En tant que déclaration de principes c'est super, en tant qu'ALLEZ VOUS FAIRE FOUTRE géant, ça montre de l'intégrité – malade, tordue, malveillante, pervertie, psychopathe, mais de l'intégrité quand même ; dire c'est ça que je pense et c'est ça que je ressens en ce moment, et si vous n'aimez pas ça tant pis. « Bien entendu, ai-je ajouté, c'est aussi un suicide commercial. Ce qui, je suppose, est la raison de cet appel téléphonique.

– C'était un Allez vous faire foutre géant, mais pas vraiment comme tu le dis. [L'ancien responsable de Red Seal] m'a donné l'idée de voir comment ça se tiendrait face à LaMonte, Xenakis, etc. Et je pense que ça se tenait bien, en fait c'est bien meilleur. Mais je ne m'intéresse pas aux opinions de qui que ce soit, seulement à la mienne. Quand tu dis "musique de garage", bon, c'est peut-être vrai pour une oreille peu formée, mais il y a dedans toutes sortes d'emprunts symphoniques, qui courent à travers, des petites parties pastorales, mais elles disparaissent – bop ! en cinq secondes. Comme la Troisième de Beethoven, ou Mozart…

– Ouais, mais c'est par accident.

– Tu veux parier ? Tu ne fais pas un truc symphonique note pour note par accident. Impossible.

– Bon, bon, comment les y as-tu mis ? Avec une pince à épiler ?

– Non, j'ai fait en sorte que les machines s'en chargent. C'est très simple pour quiconque sait de quoi je parle. Bach et Beethoven ont tous deux écrit des morceaux qui n'étaient pas censés être joués par les gens. Maintenant les gens les jouent, et je suis sûr que si tous deux revenaient, ils seraient surpris, mais ils joueraient aussi avec les machines, parce que personne ne peut jouer ça. Mais on n'a pas par accident un bout de la *Musique pour harmonica de verre* là-dedans. On n'a pas un bout de l'*Eroica* par accident.

– Où sont-ils ?

– Ah, ils se développent sans arrêt. Le truc, c'est qu'il faut écouter pour ça. Mais la plupart des gens sont arrêtés par ce qu'ils entendent en premier, ce qui ne me gêne pas.

– Ce qu'ils entendent en premier n'est pas extrême à ce point, ai-je remarqué. Ça n'est pas très loin, disons, du "L.A. Blues" des Stooges. Et ça, c'est sorti en 1970.

– Quand j'étais au Japon, ils ont aimé ça. Il y a environ sept mille mélodies à un moment ou l'autre, et à chaque fois il y en a davantage. Par exemple les harmonies augmentent, les mélodies aussi, selon une combinaison différente. Je ne m'attends pas à ce qu'une personne dépourvue de connaissances musicales s'en rende compte. J'ai étudié le piano classique pendant quinze ans, merde, la théorie, la composition, tout le truc, et je commence à en avoir foutrement marre des gens qui disent : "Oh, c'est un rocker qui déconne avec la musique électronique." Conneries. Un de ces jours, je vais sortir mes diplômes et dire : "Est-ce que ça suffit à me légitimer ?" Mais je ne veux pas le faire, parce que ça aussi c'est du flan. Neil Sedaka est allé à Juilliard, et alors ? Mais comme je l'ai dit à des publicitaires de chez RCA, ils me disaient c'est tordu, j'ai répondu en effet, et *L'Oiseau de feu* de Stravinsky aussi.

Pour ce qui est de prendre ça au sérieux, c'est un truc individuel, mais quand les gens se mettent à dire : "J'ai la formation", ils commencent à déconner un peu, et c'est très mauvais de déconner avec moi quand on en vient là parce que... Je n'ai jamais joué les John Cale et parlé d'avoir étudié au conservatoire, mais si je disais quelle est vraiment ma formation, tout un tas de gens seraient obligés de se sortir le pouce du cul et de dire : "Il nous fait marcher !" Ah, n'en soyez pas trop sûr. Il se trouve que j'aime le rock. Mais ce que je suis en train de dire, c'est que je suis navré pour le môme qui crache du pognon pour ce genre de musique, alors que je sais qu'il n'aimera pas ça. Mais quand les gens me tombent dessus en opposant leur formation à la mienne, bon, je ne suis pas allé en fac que pour éviter le service militaire. »

Toujours aussi modeste. Très bien. Et *Coney Island Baby*?

« Ce n'est pas ce que les gens estiment être du Lou Reed arché-typal, mais ils ont oublié, comme pour le premier album, "I'll Be Your Mirror", "Femme Fatale". J'ai toujours aimé ce genre de truc, et maintenant vous allez en avoir un plein album. »

Lou Reed, le clair de lune et vous.

« Tout à fait. "The Many Moods of Lou Reed", juste comme Johnny Mathis, et s'ils n'aiment pas ils peuvent aller se faire mettre.

– Tu parles sérieusement? C'est un album de chansons pleines de sensibilité sur l'amour et l'amitié?

– Absolument. Ça va être le genre de truc que tu mettrais si t'étais dans un bar et que tu ne veuilles pas en entendre parler. C'est l'axe Brooklyn-Long Island en pleine action. Comme le wap-dou-wap des Harptones, tu sais, "Glory of Love", je vou-lais leur piquer mais pas me servir de la chanson, écrire la mienne... »

J'ai observé que Lou semblait vraiment se réécrire lui-même, à l'exception de *Metal Machine Music*. « Oh, je réécris la même chanson depuis longtemps. Sauf que ma merde vaut mieux que les diamants des autres. *Sally Can't Dance* est bidon et fasti-dieux. S'il avait été fait comme il fallait... »

J'ai noté que la production était très classe. « Ça a été produit de la façon la plus crasseuse possible. Je pense que c'est de la merde. J'aime la perte. J'aurais souhaité que tous les Dolby soient virés du studio. J'ai passé un temps fou à me débarrasser de cette foutue merde. J'aime tous les vieux albums du Velvet, je n'aime pas ceux de Lou Reed. J'aime bien *Berlin* et j'adore positivement *Metal Machine Music*, parce que c'est une idée que j'ai eue il y a des années, mais je n'avais ni l'argent ni les machines pour le faire. Je ne comptais pas le sortir, sauf que Clive [*Clive?*] m'a envoyé voir [appellation supprimée], et [même chose, c'est M. ex-Red Seal] était incroyable. Parce qu'il a deviné tous ces trucs et m'a dit : "Ah, qu'est-ce que vous faites à mettre la *Pastorale* de Beethoven là-dedans", et ça m'a scié qu'il sache ça. Parce que par exemple il y a des tonnes de trucs comme ça, mais si tu ne les connais pas tu ne les saisis pas. C'est dedans, à peu près vers le quinzième harmonique, tu vois. Mais ce n'est pas le seul, il y en a environ dix-sept autres qui passent en même temps. Ça dépend simplement de celui que tu saisis. Et quand je dis Beethoven, tu sais, il y en a d'autres... Vivaldi... J'ai repris les évidents...

– Un de ces jours, ai-je dit, faudra qu'on s'assoie avec une cassette ou le disque, et tu me les montreras.

– Uh-uh. Pourquoi?

– Parce que je ne suis pas convaincu.

– Eh bien je m'en fous. Pourquoi est-ce que je ferais ça? C'est difficile, parce qu'ils arrivent en même temps. Ils se superposent, et celui que tu entends dépend de ton humeur. Je veux dire, par exemple, tu auras Vivaldi par-dessus un des autres, et celui-là par-dessus un autre, et pendant ce temps il y a tout le bourdonnement harmonique qui continue. »

Curieuse image que celle de tous ces compositeurs morts empilés les uns sur les autres, carcasse sur carcasse pourrie, poussiéreuse et post-pustulante, par couches, par strates en fait, affalés et pourtant alignés, sur un escalier menant vers les étoiles, ici même dans ce vieil entrepôt, l'Harmonic Building, juste à côté du Brill Building. Ou bien est-ce que j'interprète de travers? Il faut être prudent quand on progresse à travers les champs de riz de l'avant-garde, de peur qu'une pleine décharge de napalm ne descende en hurlant le long de votre colonne vertébrale. R.I.P., John Rockwell.

« Il y a aussi là-dedans des fréquences dangereuses. Je parle d'un truc comme le canon sonore qu'ils ont en France. C'est une arme. Ce machin émet des fréquences qui tuent les gens, tout comme ils font des opérations avec le son. Pour une opération au cerveau très délicate, ils ont des instruments chirurgicaux sonores. Ils ont cette arme depuis 1945. Hitler ne l'avait pas, mais les Français si, qui l'eût cru! C'est peut-être pour ça qu'ils jouent si mal le rock.

– Ils t'aiment bien là-bas.

– Le seul truc qu'ils aient aimé, c'est "Heroin", parce que c'est le centre de tout. Mais de toute façon, si tu examines les règles de la FCC, il y a certaines fréquences qu'il est illégal de mettre sur un disque. Le graveur ne peut les y mettre, il n'en fera rien, et tu ne peux les enregistrer. Mais j'ai eu ces fréquences sur le disque. J'ai testé le truc pendant des concerts, au cours des entractes. Nous l'avons passé très doucement pour voir ce qui se passerait, et il s'est produit exactement ce que je pensais : bagarres, beaucoup d'irritation – il se met à rire –, c'était fabuleux, j'ai adoré ça. Les gens devenaient nerveux et ne savaient pas pourquoi, parce que nous l'avons passé à très faible volume. »

Après ça, il a continué à délirer pendant un moment, pour l'essentiel sur son ancien manager, Dennis Katz, dont Lou s'est séparé récemment de manière plutôt acrimonieuse (« J'ai pris ce youpin à la gorge », affirme Lou, qui est Juif lui-même. « Si tu t'es jamais demandé pourquoi ils ont des nez comme ceux des porcs, maintenant tu sais. C'est comme le personnel dans cet hôtel, c'est des Nègres, à quoi veux-tu t'attendre ? »). Pour finir, nous avons raccroché. Pour moi, le grand moment de cette conversation particulière avec Lou fut de voir JoAnn, une copine de dix-sept ans qui idolâtre positivement le vieil escroc, écouter les dix premières minutes avant de demander : « Lester, pourquoi Lou était-il si *ennuyeux* ?

– Ça n'est pas sa faute, ai-je dit. C'est simplement son côté débouche-tuyaux. C'est comme de sentir mauvais ou quelque chose du même genre. »

Elle a compris, et je me préparais à écrire mon article quand, moins de deux jours plus tard, le téléphone a sonné, fils brûlants venus tout droit de RCA New York jusqu'à nos plaines, c'était mon agent de publicité favori, et après que nous eûmes brièvement parlé de John Denver, il m'a dit : « J'ai là quelqu'un qui veut te parler. »

Bien sûr, bien sûr. Et en pleine forme, encore. « Je ne vais pas m'excuser auprès de qui que ce soit pour *Metal Machine Music*, a grondé le Nouveau Vieux Lou, et je ne crois pas qu'une mise en garde quelconque aurait dû être placée sur la pochette, rien que parce qu'un kid a payé 7 dollars 98 cents pour ça, je me fous qu'ils paient 59 dollars 98 cents ou 75 dollars pour l'avoir, ils devraient être *reconnaissants* que j'aie sorti ce foutu truc, et s'ils n'aiment pas qu'ils bouffent de la merde. Je fais des disques pour moi. Même chose pour ce nouvel album. J'ai écouté les nouvelles chansons hier, et elles sont foutrement super.

– Tu veux dire que tu as changé la liste des morceaux, et qu'on peut attendre plus de sordide et de vitupérations ?

– Ouais. Les nouveaux titres sont : "Kick", "Dirt", "Glory of Love", "I Wanna Be Black", "Leave Me Alone (Street Hassling)" et "Nowhere at all". Oublie les conneries à la Dennis Katz du genre : "Oh, ouais, désolé, kids, le prochain album aura des chansons que vous aimerez."

– Alors, et tout ce que tu m'as dit hier ?

– Oh, tu sais, vingt minutes de sommeil, un verre de jus de carotte et je suis en forme. Je n'ai jamais caché que je prenais des amphètes. Toute personne sensée en saisirait la moindre occasion. Mais je ne suis pas en faveur de la légalisation, parce que je ne veux pas que tous ces idiots viennent me traînailler autour en grinçant des dents dans ma direction. Je ne prends que de la méthédrine, dont les gens ignorent presque tous que c'est une vitamine, la vitamine M. S'ils ne comprennent pas combien c'est marrant d'écouter *Metal Machine Music*, qu'on les laisse fumer leur foutue marijuana, qui n'est jamais que du mauvais acide, de toute façon, on a déjà connu et oublié ça. Je ne fais pas de disques pour ces foutus flower children. »

Je commençais à avoir l'impression d'être Johnny Carson[32] : « À propos de foutre, Lou – est-ce que ça t'arrive de baiser sur *Metal Machine Music* ?

– Je ne baise jamais. Ça fait si longtemps que je ne me rappelle même plus la dernière fois.

– Mais écoute, l'autre jour je roulais en voiture avec *Metal Machine Music* à fond, quand une très belle fille traversant aux feux a souri et m'a fait un clin d'œil ! » (anecdote authentique)

Il a gloussé : « Est-ce que tu es sûr que c'était une fille ? »

Ben, ah, aussi raisonnablement qu'on le peut ces temps-ci. Et je suis également raisonnablement certain de plusieurs choses liées à toute cette séquence d'événements supposés. De la façon dont je vois tout ça, *Metal Machine Music* est la suite logique de *Sally Can't Dance*, plutôt que de marquer une contradiction. La dépersonnalisation en acte : d'abord vous faites un album que vous n'avez pas produit (bien qu'on vous donne la moitié des crédits), sur lequel vous n'avez joué de la guitare que sur un titre, utilisant comme matériel soit des vieilles merdes sorties des fonds de tiroir, soit de la daube griffonnée dans le taxi en route vers la séance, et vous avez fait tous les vocaux en une seule prise à une ou deux exceptions près. Après ça, le seul moyen possible de vous éloigner encore davantage de ce que vous produisez, c'est d'entrer dans une pièce, de brancher des magnétophones, de pousser certains boutons, d'ajuster des micros, de laisser voltiger l'électricité statique, et de couper une heure plus tard. Et la raison de tout ça est tout simplement que ça fait mal de ressentir quoi que ce soit, alors plus il y a de distance mieux c'est. Cela indique également un artiste qui témoigne d'un mépris total pour son public (et donc, selon toutes les lois de la symbiose *et* du parasitisme, pour lui-même). Notez que si nous pouvons croire Lou quand il dit n'aimer aucun de ses albums solo exceptés *Berlin* et *Metal Machine Music*, il commence à éclairer son public sur la nature de sa relation avec lui, relation qui est, pour nous exprimer pudiquement, quelque peu tordue. Chaque fois qu'il fait quelque chose qu'il aime, ou dont il se soucie vraiment, il se plante, chaque fois qu'il balance un peu de décadence bidon-prisunic-tout-venant, les petits merdeux se jettent dessus. Et jamais les deux ne se rencontreront.

Ce qui, en fait, parle en sa faveur. Parce que maintenant, et seulement maintenant, alors que tout un chacun, dans le monde occidental, ne voit plus en lui qu'une mauvaise plaisanterie ou une victime de la drogue, il est enfin libre de *faire* un disque qui ressent, qui souffre, qui pourrait être réel, et pas seulement lancer d'autres vannes. Parce qu'il a soulevé une telle tempête de boue que tout le monde est déjà aveuglé, de toute façon, ils attendent simplement que le vieux cinglé se bourre de speed à en crever, et s'il faisait un disque qui ait la profondeur et la sensibilité de ses meilleurs trucs pour feu le Velvet Underground, ils ne s'en rendraient positivement pas compte. Désormais, j'espère que *Coney Island Baby* – au moment où j'écris ces lignes, il l'a réaligné sur le mode du package Saint-Valentin promotionné à l'origine – sera ce disque. Bien entendu, je ne le crois pas, pas plus que je ne crois que Lou n'écrira plus jamais que de la musiquette, parce que trop de cellules nerveuses se sont fait la malle de cet organisme qui les traitait avec tant de haine. Mais tout ça est très bien aussi, parce que je n'aime rien tant que rire, ce qui est pourquoi j'adore Lou. Pour ce qui est de *Metal Machine Music*, je l'écoute tout le temps, mais je n'oublierai jamais ce qu'Howard Kaylan m'a répété de ce que Lou lui avait dit pour tenter de vendre à Flo and Eddie le concept des couches-et-des-couches de fréquences sonores (qui n'est d'ailleurs qu'un speed trip) : « Bon, quiconque arrive à la quatrième face est plus débile que moi. » Aussi, toute créature visqueuse qu'il soit, nous en sommes revenus là d'où nous étions partis. C'est à toi de rire, gamin. Et si j'étais toi, j'en tirerais profit.

Creem, février 1976

Le plus grand album jamais enregistré

On a laissé entendre que dans mon rapport annuel aux actionnaires, publié ici même le mois dernier, j'avais négligé, en cinq mille mots, de mentionner ne serait-ce qu'une fois que *Metal Machine Music* est un *bon* album. En voici donc les raisons, surtout à la lumière de *Coney Island Baby* :

1. Si vous avez jamais pensé que le feed-back était la meilleure chose qui soit jamais arrivée à la guitare, bon, Lou vient juste de se débarrasser des guitares.

2. Je me rends compte que n'importe quel crétin disposant de l'équipement nécessaire aurait pu faire ce disque, y compris moi, vous ou Lou. C'est l'une des principales raisons qui font que je l'aime à ce point. Comme avec les Godz ou Tangerine Dream, non seulement il vous rapproche de l'artiste, mais un de ces jours, si dieu le veut, je pourrai faire mon *Metal Machine Music* à moi. En ce sens, c'est de la musique populaire.

3. Quand vous vous réveillez le matin avec la pire gueule de bois de votre vie, *Metal Machine Music* est le meilleur remède. Parce que quand vous vous levez, vous êtes sans doute si bousillé (c'est-à-dire encore bourré) que ça ne fait pas vraiment mal (non que ce soit fait pour), aussi devriez-vous passer cet album immédiatement, non seulement pour nettoyer toute la merde que vous avez dans la tête, mais pour vous préparer à ce que le reste de la journée a en rayon pour vous.

4. Puisqu'on parle de nettoyer la merde, j'avais un ami qui disait : « Je prends de l'acide au moins tous les deux mois et JE VIRE TOUTE LA MAUVAISE MERDE DE MA CERVELLE ! »

Je dirai donc la même chose de *MMM*. Sauf que j'en prends environ une fois par jour, comme les vitamines.

5. Dans ses excellentes notes de pochette, Lou affirme que ni lui ni les autres speedfreaks n'ont provoqué les deux premières Guerres mondiales, « ni la Baie des Cochons, d'ailleurs ». Et il a raison. Si tout le monde prenait des amphés tout le temps, chacun comprendrait l'autre. Ou bien personne ne prendrait la peine d'écouter l'autre fils de pute, tout le monde étant trop occupé à tracer, trois jours durant, des lignes psychédéliques sur du papier jusqu'à ce qu'il soit entièrement noir, à écrire à sa mère des lettres de quatre-vingts pages sur des événements insignifiants, ou à enregistrer *MMM*. Il n'y aurait plus de guerres, la paix et l'harmonie régneraient en tous lieux. Imaginez Gerald Ford sous speed – il pourrait témoigner d'un vague soupçon de personnalité. Ou Ronald Reagan – un vaisseau sanguin péterait aussitôt dans ses lèvres de tortue, nous débarrassant peut-être de cet enfoiré. Comme on le sait aujourd'hui, JFK avait droit à des injections régulières de vitamines et de méthédrine grâce à de joyeux toubibs. Point n'est besoin d'en dire plus. Il se peut qu'il n'ait pas, en fait, *accompli* grand-chose (sauf la Baie des Cochons – hé, une minute, Lou n'a pas révisé), mais il avait la classe et un sourire vainqueur.

6. J'ai entendu parler de ce disque comme étant « antihumain » et « anti-émotionnel ». En un sens, c'est le cas, puisque c'est de la musique due plus à des magnétophones, des amplis, des haut-parleurs et des modulateurs qu'à quelque ensemble de mains et d'émotions humaines que ce soit. Et alors ? Presque *toute* la musique d'aujourd'hui est anti-émotionnelle, et faite par des machines. D'Elton John à la disco en passant par *Sally Can't Dance* (Lou ne s'en rend pas compte, mais c'est un de ses meilleurs albums, précisément parce qu'il est si froid), ce n'est qu'une saloperie obéissant à une formule de production informatisée, où le cœur humain joue rarement, voire jamais, le moindre rôle. Au moins Lou est franc là-dessus, ce qui le rend *plus* humain que le reste de ces enfoirés grand public. D'ailleurs, tout disque qui amène ses auditeurs à fuir la pièce en hurlant qu'on mette un terme à cette flagellation orale (ou alternativement, se laissant

aller au point de *briser* ce fichu machin) peut difficilement être accusé – du moins par ses résultats – de manquer de contenu émotionnel.

Pourquoi les gens vont-ils voir des films comme *Les Dents de la mer*, *L'Exorciste* ou *Ilsa, la louve SS* ? Pour se faire péter la tête à coups de battes de base-ball, se faire broyer les nerfs pendant qu'on branche des électrodes sur leur moelle épinière et, de façon générale, pour se faire maltraiter au moins une fois tous les quarts d'heure environ (le temps entre le visage tombant au fond du bateau coulé, et la jambe tranchée net du gars heurtant le fond de l'océan). Aujourd'hui, c'est ça qu'on considère généralement comme distraction, rigolade, et même comme de *l'art* ! Alors il faut avoir beaucoup de culot pour tomber sur Lou à cause de *MMM*. Au moins, ici, il n'y a pas quinze minutes de conneries en guise de rembourrage entre deux passages à tabac. Quiconque a pris son pied à *L'Exorciste* devrait aimer ce disque. Et c'est certainement un produit infiniment plus moral.

7. Le charisme. Celui de Lou a récemment décliné, mais pour ceux qui se souviennent du Mythe, de la Légende – à savoir qu'il était l'emblème du négativisme absolu –, *MMM* a plus de charisme qu'une cage pleine de porcs-épics n'a de piquants.

8. Tous les proprios sont des salopards doucereux qui laisseraient les ruines de Pompéi s'effondrer sur votre lit à baldaquin sans lever le petit doigt. Ils méritent tout ce qui leur arrivera, et *MMM* est le briseur de bail garanti. Tout locataire d'Amérique devrait posséder un exemplaire de cet album. *Soyez prémunis !*

9. Spud, mon bernard-l'ermite favori, qui parfois reste des jours durant blotti dans sa coquille, si bien qu'il faut vérifier qu'il n'est pas mort, aime beaucoup *MMM*. Chaque fois que je le passe, il sort et se met à ramper joyeusement sur le sable, en grimpant aux barreaux. En fait, c'est la seule fois où je le vois prendre un peu d'exercice. Ou alors il danse.

10. On m'affirme que les disques de Lou, et plus spécialement celui-là, sont devenus une sorte de culte secret parmi les jeunes pensionnaires d'asiles psychiatriques de tout le pays. On m'a dit aussi que ceux de ces adolescents soumis aux électrochocs ressentent une affinité toute particulière avec *MMM*, qui

paraît-il leur « apaise les nerfs », et qu'en définitive c'est pour eux une sorte d'hymne. Si quiconque lisant ceci en sait davantage sur ce phénomène, qu'il entre immédiatement en contact avec moi.

11. Je l'ai passé au Président ougandais Idi « Big Daddy » Amin Dada quand il nous a fait venir en avion, Lisa Robinson et moi, afin que nous l'interviewions pour des articles de fond dans *Creem* et *Hit Parader*, et il a positivement adoré. Je lui en ai laissé un exemplaire et désormais il le fait diffuser par décret spécial sur les haut-parleurs de tous les supermarchés (trente-cinq en tout) et les salles d'attente (huit) des médecins de sa grande nation, de telle sorte que les citoyens puissent atteindre des hauteurs patriotiques toujours plus farouches pour son régime et tout ce qu'il représente. Il voulait en faire l'hymne national ougandais, mais je lui ai dit que je devais d'abord discuter avec les toubibs américains spécialistes des thérapies de choc chez les adolescents. Étant un politicien diplomate et avisé, soucieux d'équité, il a, bien entendu, accepté sur-le-champ et, en hôte plein de jovialité, nous a entraînés à toute allure assister à un *snuff movie* réalisé sans pellicule ni caméra. « Nous ne pouvons nous les offrir, a-t-il expliqué. D'ailleurs, la prochaine fois que vous aurez une conversation avec Paul Simon, vous pourrez lui apprendre que l'art du théâtre n'est pas vraiment mort. »

12. Je crois que, en ces temps de Récession/Dépression, où toute l'industrie du disque se serre la ceinture, il est réellement réfléchi, de la part de Lou, de réduire les coûts de production autant que ceux de *MMM* ont dû l'être, surtout quand on prend en compte l'autocomplaisance stupéfiante de tant de « chefs-d'œuvre » rock d'aujourd'hui, grotesquement surproduits, avec une opulence qui transforme tout en clinquant. Seul James Brown, selon moi, approche la réussite de Lou en termes de pure économie et de temps de location minimal de studios coûteux. *MMM*, en fait, et loin d'être un quelconque saccage nihiliste, est un bouton GAGNANT géant. Ou, plus précisément, deux, puisque c'est un double album.

13. Et *pourquoi* donc, vous entends-je demander, de tous les albums de Lou Reed (et la prodigalité créatrice de l'individu est

vraiment étonnante : « Enfermez Lou dans une pièce pendant une heure, m'a dit une fois Dennis Katz, et quand vous l'en sortirez il aura quinze chansons nouvelles ! » La raison pour laquelle il ne cesse d'enregistrer de vieilles chutes du Velvet Underground qu'il a écrites il y a plus d'une décennie, c'est qu'il garde ses meilleurs trucs pour 863 LP, qui paraîtront, à raison d'un tous les deux mois, après sa mort, à condition bien sûr qu'il meure jamais. « Je ne vais pas laisser tous ces vampires me dépouiller et ternir ma mémoire, comme c'est arrivé à ce pauvre Jimi, m'a-t-il confié chez McSorley, par-dessus deux Schaefer's drafts. Mes fans n'auront jamais moins que la première qualité, comme dirait Bob Christgau, et d'ailleurs il est plus que probable que je vivrai éternellement, parce que moi et certains copains médecins avec qui je traîne venons de découvrir qu'il y a dans la méthamphétamine un ingrédient secret, inconnu jusque-là, qui retarde le processus de vieillissement. Si bien que théoriquement, si on peut avoir et s'injecter ce truc, on pourrait vivre tout le reste de l'histoire humaine, ce qui explique que nous fassions quelques expériences de synthèse pour voir si nous pouvons donner à cet ingrédient un petit peu plus d'importance dans le composé. Je crois que ça s'appelle l'atropine. Ça fait longtemps que ça existe, les Indiens le connaissaient, mais ils ont dû admettre, vu leur infériorité, qu'il était plus moral d'oublier tout ça et de se soumettre à l'extermination par les Européens blancs, lesquels étaient les seuls à posséder les connaissances technologiques permettant d'extraire la matière première et de la raffiner sous une forme préparable et injectable. Mais de toute façon, c'est là qu'on a eu toutes ces histoires de Ponce de León et le seul problème c'est que cet empaffé, étant un espingouin débile, n'avait naturellement aucune idée sur la façon de la préparer sous une forme assez puissante. Tout le monde en a donc conclu que c'était un mythe, et c'est tombé dans l'oubli jusqu'à ce que j'arrive, et mon nom est puissance. Tu peux donc maintenant apprendre à tes lecteurs un petit secret : je suis le queutard le plus féroce, le plus méchant et le mieux monté du show-business, uniquement parce qu'en 1973 je suis allé en Suède me faire faire une greffe, et maintenant j'ai une seringue de véto à la place de la bite, et en plus il y a vachement de chances que je batte ce taré de Cagliostro à son propre jeu, et que je vive éternellement. Bien entendu, on ne peut jamais éliminer les circonstances imprévues, les accidents d'avion et tout ça, c'est pour ça que j'ai huit cents albums en réserve, juste au cas où. Il y a des tas de trucs, comme quand j'ai réécrit ma version de *Rigoletto*, tu sais, cet opéra de Scriabine, seulement ça se passe dans un bar cuir portoricain dont les clients sont amputés à hauteur de la taille et se déplacent dans des petites caisses à roulettes. Ils veulent se chicorner sans arrêt, sauf que les caisses rebondissent les unes contre les autres, ce qui fait qu'ils ne peuvent se frapper. Alors ils sont tout à fait frustrés. Je chante tous les rôles moi-même, j'ai piqué les paroles au vieux dialogue de "Lucas Tanner", mais personne ne remarquera rien parce que la musique est *salsa*, et si forte qu'on ne peut rien entendre des mots. Mais je ne vais pas sortir ça tout de suite. Va falloir attendre un moment. Mon prochain album, c'est la suite de *Metal Machine Music*, qui sonne exactement pareil, sauf que ça va être un concept album sur tout ce que je viens de te raconter sur le vieillissement ; cinq disques dans un coffret incrusté d'or, avec dedans un livret contenant des agrandissements de Polaroid SX-70, où on me verra fignoler, bosser, stériliser mes œuvres à l'alcool, puis partir faire des courses de Noël pour Andy et tous les mômes de Bloomingdale et du Pleasure Chest, le dernier cliché me montre en train de glisser un anneau sur ma pine de cheval. Je prédis que quand le grand public se sera trouvé des oreilles, et sera devenu assez branché pour apprécier *Metal Machine Music*, cette suite, que je vais appeler *Triomphe de la Volonté*, sera le plus grand best-seller de tous les temps, et tous les enfoirés de Chicago peuvent me lécher le cul, en même temps que cette petite tache d'Elton John qui peut recourir au speed à peu près autant que Leslie West, mais qui n'aura pas du mien car, comme l'a dit Pat Ast, je crois, dans ce *fabuleux* compte rendu de *Coney Island Baby*, dans le *Soho Weekly News* : "J'ai vu l'avenir du rock et son nom est Lou Reed" »), celui-là est-il double ? C'est simple : les deux disques, selon Lou, symbolisent des tétons (« il n'y en a jamais plus de deux », explique-t-il), afin de signifier que, bien que mécanisé, c'est un album très *sexy* conçu en vue de mordre férocement sur le marché de Barry White.

14. Chacun sait que les drogues ont un sexe. Les calmants sont féminins, le speed masculin. Les premiers vous rendent tout doux, tout gentil, malléable et attendri comme du pain de mie, tandis que le second vous rend agressif, viscéral et franc ; vraiment responsable de ce que vous êtes, mec ou nana (ce qui ne fait aucune différence, parce que tous les humains sont du même sexe, exception faite des albinos. Ce sont les drogues qui, de toute évidence, déterminent le genre de l'individu). Celle que vous prendrez le matin en vous levant dépend de si vous voulez être Donna Mills ou Joe Don Baker ce jour-là. C'est entièrement de votre ressort.

De la même façon, *Coney Island Baby*, sincère et beau comme il est, est un album « downer ». Ce n'est pas un affront – les chansons du Velvet comptant parmi les favorites de Lou ont toujours été les ballades, et il a le droit d'être sympa avec lui-même. L'amour est gadoue. Quiconque a jamais pris des Quaaludes et fini en aimant le reste de l'humanité à un point tel qu'il se retrouve au lit avec un navet humain le sait. Les paroles sont meilleures que tout ce que Lou a pu faire depuis un bout de temps, mais notez que depuis *Transformer* c'est la première fois que tant d'entre elles sont explicitement préoccupées par la, euh, scène « gay ». Ce qu'on ne peut certainement pas dire du prédécesseur immédiat de *Coney Island Baby*. Moi, j'aime le sexe avec les légumes, mais je nourris la tenace paranoïa qu'un jour, par une nuit d'ivresse, je pourrais trouver un radis entre les draps et me rendre compte qu'il est homosexuel. C'est pourquoi je me sens menacé par *Coney Island Baby*, comme par le valium, le Tuinal, le Seconal, les Quaaludes et le Compoz. *Metal Machine Music,* au contraire, renforce le sentiment que j'ai d'être un homme. Avec lui, je peux tuer, même des Portoricains, ce qui est la bar-mitsva ultime. Sous mon poster phosphorescent de la campagne présidentielle de Hunter Thompson, je reste raide comme un piquet, mon fusil négligemment couché sur les genoux, écoutant *MMM* et rêvant de My Lai[33] avec Fritz the Cat en vedette. Alors, merde aux *downers*, évitez *Coney Island Baby* comme les gens vêtus de vert le jeudi, et gardez-le haut levé (je parle de votre poing).

15. *MMM* est l'âme de Lou. S'il y a une chose qu'il aimerait voir enterrée dans une capsule temporelle, c'est bien ça.

16. Il sonne mieux sous Romilar que tout ce que j'ai pu entendre.

17. C'est le plus grand album jamais enregistré dans toute l'histoire du tympan humain. N° 2 : *Kiss Alive!*

Creem, mars 1976

Extrait de notes sans titre
sur Lou Reed

Lou, j'ai cru comprendre que tu voulais être « dominant ».
Okay, domine-moi. Vas-y, réduis-moi en purée, pire, gouverne
ma vie, fais tout ce que ton esprit peut concevoir ou que ton
cœur et tes sinus brûlent de faire... est-ce moi qui ne peux l'accepter, ou toi ? Qui aimerais-tu vraiment tuer ? Pas toi-même,
car tu n'aurais pas fait tous ces albums, sinon. D'autres gens,
trop nombreux, des gens spécifiques – c'est trop limité, trop
débile. Tu sais que ta haine est tout à fait semblable à celle de
n'importe qui. La vraie question est de savoir pour quoi vivre.
Et je ne peux y répondre. Excepté par un autre de tes disques.
Et une autre occasion pour moi d'écrire. L'art pour l'art, c'est
aussi ringard que ça. Et je parie qu'Andy y croit aussi. Sinon il
se serait tué il y a longtemps.

Inédit, 1980

TUER LES ENFANTS,
ENTERRER LES MORTS, SIGNES DE VIE

Iggy Pop : *Lampe à souder sado-maso*

Selon toutes les normes établies, le concert d'Iggy Pop au Palladium, vendredi soir, a été un triomphe. Iggy lui-même était férocement en forme, et le public d'un enthousiasme vorace – il aurait pu avoir autant de rappels qu'il voulait. Mais les normes établies n'ont jamais semblé s'appliquer à Iggy – des tout premiers jours, quand les Stooges montaient sur scène sans même savoir jouer, jusqu'à aujourd'hui, où il paraît enfin sur le point de devenir une des stars les plus étranges qu'on ait jamais vues. Quel genre d'individu essaierait, pour sa troisième tentative, la plus cruciale, de percer sur le marché des pointures du rock avec un album intitulé *The Idiot*? Le même, je suppose, qui, à un moment, avait pour habitude de plonger littéralement tête la première du bord de la scène en plein milieu du public, et qui, vendredi soir, n'a cessé de se tordre le visage et le corps, comme autant de masques et de gestes symboliques de l'« idiotie », du tourment et, plus que tout, du sado-maso.

Dans un défilé apparemment inépuisable de rockers professionnellement anomiques, Iggy est réellement isolé, et cet isolement se traduit par un désespoir qu'on dirait frappé par la foudre. C'est l'artiste le plus intense que j'aie jamais vu, et cette intensité lui vient d'une impulsion meurtrière qui, dans le passé, en a fait aussi l'artiste vivant le plus dangereux qui soit : plonger dans le troisième rang, se rouler et se couper sur du verre brisé, se lancer dans des affrontements verbaux, et parfois physiques, avec son auditoire. Quand Iggy chantait : « I'm losing all

my feelings / And I'm runnin' out of friends » [*Je perds tous mes
sentiments / Et je suis à court d'amis*] (dans « I Need Somebody »,
sur *Raw Power*), il décrivait succinctement, comme à son habitude, le problème : l'anomie. Qu'il n'y ait d'autre solution que
la mort explique pourquoi tout le reste arrive. C'est un individu
qui se sent profondément non-vivant ou, inversement, si brutalement vivant, et si emprisonné de ce fait même, que tout sentiment est perçu sous forme de douleur. Mais le sentiment est
toujours sollicité, dans les termes les plus apocalyptiques, qui
sont vraiment les seuls que l'intéressé puisse ne serait-ce que
comprendre, et le spectacle ressemble de plus en plus à une véritable crise chaque fois qu'il se jette sur scène.

Ce n'est pas minimiser tout cela que de dire que pour Iggy,
cela signifie ambiguïté. Un autre vers de « I Need Somebody »,
« I'm dying in a story / I'm only living to sing the song » [*Je meurs
dans une histoire / Je ne vis que pour chanter la chanson*], traduit la
forte ambivalence que lui inspire son public, et son art même.
L'apocalypse n'est pas censée être gérable, et une fois le carnage
accompli ce n'est pas l'assistance qui saignera. Mais gérer l'apocalypse est exactement ce qu'Iggy essaie de faire, parce que
cet idiot-là n'est pas le dernier des imbéciles, et qu'il sait qu'un
Armageddon gérable est pur mensonge, mais également le seul
moyen de percer dans le show-biz rock et de survivre. C'est bien
pourquoi David Bowie s'en vient faire l'andouille, taillant la
démence ici et là à petits coups de ciseaux bien propres, et c'est
pourquoi *The Idiot*, le nouvel album d'Iggy (produit et influencé
à tout point de vue par Bowie, qui joue aussi du piano dans le
groupe qu'Iggy emmène en tournée) sonne si faux.

On dispose d'un document, infiniment plus fort, sur l'holo-
causte iggyen à son summum de déferlement nihiliste avec
Metallic KO, pirate officiel français (sur Skydog Records) du tout
dernier concert des Stooges, au Michigan Palace de Détroit en
janvier 1974. J'ai assisté au gig qui l'a immédiatement précédé,
deux soirs auparavant, dans un petit club de Warren, Michigan,
où la relation d'amour-haine que les Stooges avaient depuis si
longtemps avec leur public a finalement dérapé jusqu'à ses inévi-

tables conséquences. L'auditoire, essentiellement composé de bikers, témoignait d'une hostilité inhabituelle dont Iggy, comme d'habitude, s'est nourri, qu'il a absorbée et rendue, avant de s'en imprégner de nouveau dans une terrifiante symbiose à donner le frisson. « D'accord, a-t-il fini par dire en s'arrêtant en plein milieu d'une chanson, ce que vous autres connards voulez entendre, c'est "Louie, Louie", alors vous allez l'avoir. » Les Stooges ont donc joué une version de « Louie, Louie » qui a duré trois quarts d'heure, avec de nouvelles paroles improvisées au fur et à mesure par le Pop, du genre « Vous pouvez me sucer la queue / Bande de bikers pédés », etc.

La haine dans la salle n'était plus qu'une énorme vague livide, et voilà qu'Iggy s'en prend à un mec qui s'était montré particulièrement insultant : « Écoute, connard, tu m'emmerdes encore une fois et je descends te botter le cul. » « Va te faire enculer, petite pédale », répond le motard. Iggy saute donc en bas de la scène, traverse la foule en courant et le gars le roue de coups, mettant un terme aux festivités musicales de la soirée en renvoyant le chanteur vers son motel, voire vers un médecin ou l'hôpital ou les deux. Je passe en coulisses, où je rencontre le manager du club, qui menace de virer à coups de poings tout membre du groupe qui viendra le chercher. Le lendemain, le gang des bikers, qui se surnomment les Scorpions, téléphone à WABX-FM et promet de tuer Iggy et les Stooges s'ils montent sur la scène du Michigan Palace le jeudi soir. Ce qu'ils font (monter, s'entend), et personne ne se fait descendre, mais *Metallic KO* est le seul album de rock que je connaisse sur lequel on peut réellement entendre des canettes de bière se briser sur les cordes de guitare.

À un certain niveau, je suppose que tout cela est très drôle, mais si on regarde plus loin que la violence superficielle et les simples injures à l'individu au centre, ça n'est plus drôle du tout. La raison n'en est pas l'ambivalence susmentionnée. La guerre de jungle avec les gangs de bikers est une chose, mais ça se complique un peu quand ceux d'entre nous qui aiment être aux environs (au moins par procuration) doivent s'arrêter pour réfléchir à ce que nous aimons là-dedans, et pourquoi. Parce que la haine de soi est une des choses que nous adorons, et qu'une autre pourrait bien être de voir un être humain se suicider. Voici une citation d'un compte rendu, paru dans l'hebdo rock anglais *Sounds*, du nouveau show d'Iggy : « Iggy est un danseur, et plus encore un paquet de muscles et de nerfs hyperactif, tout droit sorti d'une pollution nocturne de Michel-Ange… qui saute et griffe l'air, le public, le micro, dans une insurpassable démonstration qui ne veut dire qu'une chose : la VIANDE. » Sans même tenir compte du caractère fleuri de cette petite prose, je voudrais demander au gars qui a écrit ça s'il aimerait qu'on le considère comme un morceau de viande, s'il pense à ce que peut ressentir la viande. À supposer qu'elle ressente quoi que ce soit. D'accord, Iggy a un corps fantastique, si fantastique qu'il hurle dans chaque nerf sa volonté d'exploser pour accéder à une liberté inimaginable. C'est comme si quelqu'un, se tordant de souffrance, en faisait une sorte de poésie, et que nous le contemplions, envahis d'une crainte respectueuse devant la beauté de ces contorsions, si impressionnés que peut-être nous oublierions ce qui a bien pu les inspirer.

Pour ce qui est de l'intéressé, il porte cette souffrance comme des épieux dans le cœur, mais il y a aussi, simultanément, un fort élément inconscient dans son art, ce qui est l'une des grandes raisons de sa beauté et de sa force. Vendredi soir, lors du second rappel, Iggy a chanté « China Girl », tandis qu'un roadie tenait une lumière en dessous de lui pour un effet dramatique à la Fu Manchu, tout en se tirant sur le visage à deux mains pour avoir les yeux bridés, et en sautillant comme pour donner une imitation bizarre d'un coolie enchaîné. C'était à la fois grotesque et charmant, évoquant en quelques gestes simples un pathos si immense que, j'en suis certain, Iggy en aurait été mortifié s'il avait pu voir de quoi il avait l'air à cet instant. Parce qu'il y avait là une vulnérabilité si nue qu'elle vous brisait le cœur. J'ai compris à ce moment-là que ce type ne savait pas ce qu'il faisait, et que c'était peut-être à cause de ça que c'était un des trucs les plus *vivants* auxquels j'aie jamais assisté, tout comme ce qu'il fait sur *Metallic KO* est obscènement vivant, tout comme le type qui chante sur *The Idiot* donne l'impression d'être mort et enterré. Il se peut qu'Iggy finisse par devenir la superstar dont nous avons toujours su qu'il pouvait l'être, et l'homme a déjà transcendé le punk rock auquel il a donné naissance presque à lui seul, mais certaines questions, dont une vie entière dépend, sont restées sans réponses, et je ne suis même pas sûr que ces réponses existent.

Village Voice, 28 mars 1977

J'ai vu Dieu et/ou Tangerine Dream

J'avais décidé que ce serait une idée vraiment marrante de me défoncer et d'aller voir Tangerine Dream avec le Laserium. Alors j'ai bu deux bouteilles de sirop antitoux à la codéine et me suis rendu à l'Avery Fisher Hall pour une nuit que je n'oublierai pas de sitôt. Pour commencer, émerger du métro dans cet Élysée pour esthète raffiné est comme de ramper hors d'un fossé pour se retrouver dans l'iris de Jackie Onassis – expérience qui en soi suffit à vous dilater l'esprit. Une femme qui était là m'a dit que la direction était très aigrie vis-à-vis de la clientèle rock, et il était facile de voir pourquoi : voici ce coin d'acier des corporations culturelles, et qui y entre en titubant, sinon le lumpen vérolé du Madison Square Garden ? Quand deux univers entrent en collision, quelqu'un doit bien encaisser le choc.

Quel genre d'individu se rend à un concert de Tangerine Dream ? Voici un groupe comptant trois ou peut-être quatre synthétiseurs, pas de vocaux, pas de section rythmique ; ils sonnent comme le limon suintant au fond de l'océan – et le concert est plein, complet, sold out. Les places gratuites sont monnaie courante, et pourtant je ne crois pas que le gamin devant moi, bourré sur son siège, soit entré pour rien. Alors je demande à certains fans des Tangs ce qu'ils trouvent à la musique de leur groupe favori, et j'ai droit à beaucoup de baratin cosmique à la Todd Rundgren. Je dis à un type que je crois que ça n'est qu'un torrent de merde, le Fripp & Eno du pauvre, il me regarde et répond : « Ah, faut avoir de l'*imagination*... »

Tout le monde est défoncé. Certains conversent des mérites comparés de certains éléments de l'œuvre des Tangs – un gars déclare que le double album *Zeit* est leur chef-d'œuvre, un autre est plutôt partisan de *Alpha Centauri*. Il y a au moins trois fois plus de mâles que de femelles. Assis à côté de moi, un type ayant la trentaine, avec une barbe et un sweater également miteux, se souvient d'un précurseur de 1968, le Tonto's Expanding Head Band, et me parle de la fois où les Tangs ont joué dans la cathédrale de Reims (le programme relate fièrement cette péripétie : « 6 000 personnes se sont entassées dans le vénérable bâtiment, qui ne peut en contenir que 2 000 »). « Il n'y avait pas de toilettes dans la cathédrale, dit le fan en riant, alors les kids ont pissé partout. Après, les pères, monsignores ou je ne sais quoi, ont dit que c'était le diable et ont demandé un exorcisme. »

Alison Steele, la DJ, survient, silhouette de mannequin dans une lumière verte étouffée, et annonce que la direction interdit de fumer dans la salle. Dès qu'elle dit qui elle est, les gens qui m'entourent se mettent à crier : « Bouffe de la merde ! » ou « T'es qu'une prune ! » Le microphone dont elle a fait usage restera là, sans qu'on s'en serve, pendant toute la soirée, mince ligne noire fendant l'altérité psychémodale du Laserium.

La musique commence. Trois monolithes technologiques émettant dans l'obscurité des urps, des sifflements, des pings et des chuintements, des petites rangées de lumière clignotant de manière futuriste tandis que les trois gars aux claviers, qui ne disent jamais un mot, envoient des blips de sonar à travers l'air qui se congèle. Ouais, nageons jusqu'à la sortie, en traversant la confiture pour arriver au calcaire. Je ferme les yeux et me rencogne dans la vase de mon fauteuil, sentant le pouvoir du sirop pour la toux se diffuser peu à peu tandis que la fumée de marijuana se glisse à travers les fissures de l'air, s'efforçant de faire naître un film secret de la paupière intérieure. Oui, ça y est, les tourbillons sous la surface de ma vie prennent la forme de : Daniel Patrick Moynihan[34], caricaturé par Ronald Searle. Il se dissout comme un spectre sur un store de fenêtre, et se voit remplacé par un tube au néon qui se tortille lentement en lignes et en formes jusqu'à ce que je croie qu'il va épeler un mot, mais non, il n'y parvient pas tout à fait; bon dieu, je crois qu'il va falloir que j'essaie plus fort. D'un autre côté, pas de nouvelles, bonnes nouvelles, enfin peut-être.

Je rouvre les yeux. Maintenant le Laserium, que j'avais complètement oublié dans mes méandres embrumés par la défonce, a commencé à monter des profondeurs et fait son numéro sur l'écran au-dessus des synthétiseurs. D'abord, un tas de caillots aux couleurs variées fondent lentement les uns autour des autres, ça pourrait être n'importe quoi, de nuages fâcheusement montés en graine à des toiles d'araignée en barbe à papa ou à des corps en décomposition. Puis deux cercles laser flambant neufs apparaissent devant la gadoue, l'un rouge et l'autre bleu, s'étendant et se contractant et se plissant mutuellement. Ils deviennent de plus en plus grands jusqu'à ce qu'ils tournoient et rebondissent dans toute la salle, avec une frénésie curieusement reposante. Pendant ce temps, les synthétiseurs chuchotent doucement. La musique continue pendant longtemps, et paraît descendre à marée basse plutôt que prendre fin.

Entracte. Beaucoup de gens dans le public ne sont d'ailleurs pas sûrs que c'en soit vraiment un, ou s'ils devraient simplement prendre leur stéthoscope et marcher[35].

Et on recommence pour encore un peu de la même chose, mais cette fois en plus agressif, si du moins on peut décrire ainsi les sables mouvants. Le Laserium commence à flasher plus violemment, explosant en taches, en points, en lignes qui vous perforent la rétine tandis que les synthétiseurs vous aspirent, et que d'imposants miroirs, sur les côtés de la scène, tournent lentement, réfléchissant des rayons de lumière blanche tout à fait irritante, qui apparaît et disparaît en un éclair. Je ferme les yeux pour vérifier le poste de contrôle intérieur, pour voir si quelques petites visions de cire malaxée ont pu coaguler. Rien. Gris vide. Je les rouvre et m'offre totalement au Laserium. Flash, flash, flash – l'intensité croît jusqu'à ce que je sois totalement aplati. J'ai l'impression d'être une cartouche 8 pistes qu'on vient juste de mettre en place à coups de pied. Après ça, je commence à m'ennuyer un peu et à m'agiter, bien que les autres corps qui m'entourent soient ravis. J'ai vu Dieu, et vous savez quoi?

L'avantage, c'est qu'on peut toujours regarder ailleurs. Dieu s'en fout.

Ainsi, finalement, reprenant ma veste et traînant mes bouteilles de sirop qui s'entrechoquent, je me fraye un chemin en repoussant les corps vautrés et mous – dehors, dehors, dehors, jusqu'à la travée. Comme je la remonte, je suis frappé par une silhouette bizarre qui avance en tremblotant devant moi, pliée en deux sous des vêtements en loques et des cheveux délavés. Je ne peux en croire mes yeux dextrométhorphanés, alors je me rapproche jusqu'à ce que je puisse la voir, sans risque d'erreur, rampant presque jusqu'à l'entrée... *une clocharde*!

Qu'est-ce qu'elle faisait à un concert de Tangerine Dream, *elle*? Est-ce que quelqu'un de CBS lui a refilé un ticket, ou est-ce qu'elle en a trouvé un, jeté par un rock critic revenu de tout, dans une poubelle de la 14ᵉ Rue? Vous en faites pas – il y aura une place pour elle dans le montage du meilleur des mondes. J'avais moi-même pensé plus tôt en donner un à un pochetron, qu'il puisse dormir un peu dans un fauteuil confortable. Écoutez, il faut qu'il y ait un endroit où envoyer tous ces chiens battus, qu'on ne soit pas obligé de les voir, et quel meilleur endroit que l'Avery Fisher Hall? Qu'ils tripotent les déchets d'un monde meilleur, écoutant les bips, les blips, et les sifflements, et amusant leurs yeux pâlis avec les mires et l'électricité statique pour lesquelles nos grands cartels de communication n'ont, de toute façon, pas trouvé de meilleur usage. Juste avant de partir, je me suis retourné pour avoir une dernière idée des Tangs et du Laserium, et mazette, j'ai eu ma première hallucination depuis que, l'après-midi, j'avais bu du Romilar : j'ai vu une salle entière pleine de clochardes.

Village Voice, 18 avril 1977

Où étiez-vous quand Elvis est mort ?

Où étiez-vous quand Elvis est mort ? Que faisiez-vous, et qu'est-ce que ça vous a donné comme prétexte pour glander le reste de la journée ? C'est ce dont nous parlerons plus tard quand nous nous souviendrons de ce grand événement. Comme Pearl Harbor, ou l'assassinat de JFK, toute l'affaire se réduira à des souvenirs individuels, et ce n'est peut-être pas plus mal comme ça, parce qu'en dépit de sa grandeur, etc., etc., Elvis a laissé chacun de nous aussi seul qu'il l'était lui-même ; entendez par là qu'il n'était plus exactement un Homme du Peuple, si vous voyez où je veux en venir. Si vous ne voyez pas, j'irai même encore plus loin, loin d'Elvis, jusqu'à la question de savoir pourquoi tous nos héros publics semblent renforcer notre propre solitude.

Le plus grand péché de tout homme de spectacle est le mépris pour son public. Ceux qui y succombent finiront par récolter en retour ce qu'ils ont semé, qu'ils vivent éternellement comme Andy Visage-Pâle Warhol ou, comme c'est la mode, meurent tôt, façon Lenny Bruce, Jimi Hendrix, Janis Joplin, Jim Morrison, Charlie Parker, Billie Holiday. Les deux choses qui distinguent ces morts de celle d'Elvis (eux et lui ayant vaguement en commun certaines habitudes de dope), c'est que tous sont morts à l'extérieur et regardant à l'intérieur, et qu'aucun d'eux ne pensait que son public lui fût acquis. Ce qui explique qu'il m'est simplement un peu plus difficile de voir en Elvis une figure tragique. Je le vois plutôt comparable au Pentagone, énorme institution blindée dont personne ne sait rien, sinon que son pouvoir est légendaire.

Manifestement, nous aimions tous Elvis davantage que le Pentagone, mais voyez à quel niveau minable nous en sommes. En définitive, son mépris pour ses fans, tel qu'il se manifestait dans des albums « nouveaux » pleins de trucs déjà sortis, avec une chanson inédite pour être sûr que nous autres pauvres poires les achèterions quand même, se reflétait dans le mépris que, secrètement ou non, nous éprouvions pour un homme qui s'était approché plus près de la divinité que Carlos Castaneda, jusqu'à ce que le service militaire le mate et révèle en lui le laquais borné que de toute façon il avait toujours été. Ensuite, pendant presque deux décennies, nous avons attendu qu'il redevienne sauvage, imbéciles que nous étions, et il savait sans doute mieux qu'aucun d'entre nous, au plus profond de lui-même, que ça ne se produirait jamais, n'étant de toute évidence rien d'autre qu'un pauvre gamin sudiste pas très futé, avec un manager Papa-Gâteau pour voir le monde à sa place, et filtrer tout ce qui pourrait éroder son statut de gros bébé trapu chargé de faire bouillir la marmite, et se voyant finalement célébré un peu perversement, au moins par les rock critics, pour son parfait mépris envers quiconque avait de la sympathie pour lui.

Et Elvis était foutrement pervers : seul un authentique dépravé peut sortir quelque chose du genre *Having Fun with Elvis on Stage*, album paru il y a près de trois ans, qui consistait *entièrement* en boniments scéniques entre deux chansons, un truc tellement superflu qu'il pourrait faire rougir Willy Burroughs et Gert Stein en même temps. Elvis était déjà dans le marketing de l'ennui quand Andy Warhol dessinait encore des pubs de godasses, le péché d'Elvis ayant toujours été son incapacité à comprendre que ses fans n'étaient pas pervers – ils l'adoraient sans réserves, quoi qu'il puisse leur balancer ils le gobaient fidèlement, et c'est pourquoi je me sens beaucoup plus navré pour ces pauvres crétins que pour Elvis lui-même. Pour qui d'autre pourraient-ils passer toute la nuit sous la pluie ? Personne, et la vraie tragédie est celle d'une génération entière qui refuse d'abandonner son adolescence, bien qu'elle sente que la panse de la ménopause commence à s'épanouir, et que sa chevelure se dégarnit par-dessus l'horizon – en même temps qu'Elvis et tout le reste, tout ce à quoi ils ont pensé croire autrefois. Dans cinq ans, se préoccuperont-ils de ce qu'il a fait pendant les vingt dernières années ?

D'accord, la mort d'Elvis est une variante ironique, relativement mineure, de la mazurka du choc du futur, et peut-être que le plus important, dans sa réalité, c'est que toute l'histoire des années 70 est rechapage et brutale démystification ; trois de ses anciens gardes du corps se sont récemment associés à un tâcheron du *New York Post* pour bâcler un ouvrage qui a ouvert les vannes à toute la boue que nous désirions depuis si longtemps. Elvis fut la dernière de nos vaches sacrées à se voir mutiler publiquement ; tout le monde sait que Keith Richards aime sa dope, mais quand Elvis montait sur scène en pleine léthargie abrutie, personne ne soufflait « valium... » D'une certaine façon, c'était à la fois bon et mauvais, bon parce qu'Elvis n'encourageait pas les autres à croire qu'il était cool d'être une armoire à pharmacie ambulante, mauvais parce qu'il incarnait cette Vertu Nixonienne du Secret qui pendant quelques années a passé pour l'essence même de l'Américanisme. En un sens, on pouvait voir en lui non seulement un phénomène qui avait explosé pendant les fifties pour aider à façonner le grand chambardement psychologique des sixties, mais aussi, en définitive, une parfaite expression culturelle de ce que furent les années Nixon. Non qu'alors il ait davantage prospéré, mais sa passion pour l'intimité des potentats lui permettait de se voir tout passer ou presque, notamment le viol symbolique de ses fans, ce qui veut dire que nous ferions tous mieux de lui dire adieu le majeur levé.

J'ai appris la nouvelle de la mort d'Elvis alors que je buvais une bière avec un ami journaliste sur son escalier d'incendie dans la 21ᵉ Rue, à Chelsea. C'est un bon quartier ; bien que la folle du dessus le réveille toutes les nuits avec ses délires, mon pote reste là parce qu'il en aime le sentiment de communauté au sein de la diversité : dans son bâtiment, de vieux communistes encartés vivent à côté de gens de toutes sortes, qualifiés par le bon peuple d' « ethniques ». Quand nous avons su, nous avons compris qu'une veillée funèbre s'imposait, alors je suis allé au drugstore pour acheter un pack de bière. Comme je quittais l'immeuble, je suis passé devant des Latinos qui traînaient devant la porte. « Z'avez entendu ? Elvis est mort ! » leur ai-je dit. Ils m'ont regardé avec une indifférence méprisante. Peut-être que si je leur avais appris la mort de Donna Summer, j'aurais eu droit à une réaction ; je me souviens bel et bien m'être promené dans le coin avec un tee-shirt sur lequel on lisait « La disco c'est de la merde », provoquant dans mon sillage un vaste murmure agacé, ce qui montre qu'Elvis n'était plus le Roi du rock pour tout le monde, et qu'en fait le rock n'était plus la musique dominante pour tout le monde. À l'heure qu'il est, chaque citoyen a trouvé son petit coin obsessionnel pour se faire péter la cervelle : les années 60 étaient suprêmement narcissistes, les années 70 se réduisent au solipsisme, et ce n'est nulle part mieux démontré que dans le monde de la musique « pop ». Et il se pourrait bien qu'Elvis ait été le plus solipsiste de tous.

J'ai demandé deux cartons de six bières à l'épicier, et lui ai appris la nouvelle. La cinquantaine, grisonnant, gros ventre, encore de la vie dans le regard. Il m'a dit : « Merde, c'est moche. Je crois que désormais notre seul espoir c'est que les Beatles se reforment. »

Cinquante ans.

Je lui ai dit que je pensais que ce serait le plus grand anticlimax de l'Histoire, et que le mieux que les Stones puissent faire, à ce stade, c'était de splitter et de nous épargner des hontes supplémentaires.

Il a ri, et m'a indiqué comment aller au marché de la viande en bas de la rue. J'y ai posé la même question à un type derrière son comptoir ; je l'avais posée à tout le monde. Ce mec aussi avait la cinquantaine, et il m'a répondu : « Vous savez quoi ? Je me fous que ce salopard soit mort. En 1973, j'ai emmené ma femme le voir à Vegas, le billet coûtait quatorze dollars, il est venu et a chanté pendant vingt minutes. Ensuite, il est tombé par terre. Il s'est relevé, il a chanté une ou deux chansons de plus, et il est retombé. Il a fini par dire : "Bon, merde, je ferais mieux de m'asseoir." Alors il s'est accroupi sur scène et a demandé à l'orchestre quel titre ils allaient jouer, mais avant même qu'ils répondent il a commencé à se plaindre des projecteurs. "La lumière est trop forte, ça me fait mal aux yeux. Éteignez tout ou je ne chante plus." Alors ils éteignent, et ma femme et moi on est là, dans l'obscurité totale, à écouter ce type chanter des chansons qu'on connaissait, qu'on adorait, et je ne parle pas seulement des vieilles, mais il les a toutes complètement *bousillées*. Qu'il aille se faire foutre. Je ne dis pas que je suis heureux qu'il soit mort, mais je sais une chose : je me suis fait niquer quand je suis allé voir Elvis Presley. »

Moi aussi, je me suis fait avoir la seule fois où je l'ai vu, mais d'une façon entièrement différente. On était à l'automne 71, et deux billets pour un concert d'Elvis ont fait leur apparition dans les bureaux de *Creem*, où je travaillais alors. Il fut décidé qu'ils iraient aux membres de la rédaction n'ayant jamais eu le privi-lège de le voir, ce qui explique que Charlie Auringer, le direc-teur artistique, et moi, ayons fini quasiment au premier rang de la plus grande arène de Détroit. Un peu plus tôt, Charlie avait dit : « Tu te rends compte le pognon qu'on pourrait se faire si on revendait ces foutus billets au marché noir ? » Non. Mais dès l'instant où Elvis est arrivé tout doucement sur scène, il est devenu parfaitement évident que nous avions eu raison de venir. De tous les interprètes masculins que j'ai vus, c'est le seul auquel j'aie jamais réagi sexuellement ; ce n'était pas une véritable exci-tation, plutôt une érection du cœur, quand je l'ai regardé je suis devenu fou de désir, d'envie, d'adoration et d'autoprojection. Je veux dire, Mick Jagger, que j'ai vu dès 64, et deux fois en 65, ne lui est jamais arrivé à la cheville.

Elvis était là, vêtu de ce ridicule costume blanc qui ressem-blait à un château arthurien planté de clous, il était trop gras, et sa boucle de ceinture était aussi grosse que votre tête, à ceci près que votre tête n'est pas en or massif, et dans un tel harna-chement tout individu de moindre prestance aurait été l'image crachée d'un Neil Diamond débile, mais sur Elvis ça allait. Comme le reste. Peu importe à quel point ses disques étaient minables, peu importe avec quelle obstination il recherchait la médiocrité, il y avait encore un écho, un flash rescapés du temps où... bon, je n'y étais pas, donc je n'aurai pas l'audace de faire des commentaires. Mais je dirai ceci : Elvis Presley est celui qui a apporté une frénésie sexuelle vulgaire, patente et affirmée, dans l'art populaire américain (et de cette façon à la nation elle-même, puisque rapprocher « art populaire » et « américain » dans la même phrase semble presque redondant). On a dit et ressassé qu'il avait été le premier Blanc à chanter comme un Noir ; au niveau strictement factuel c'est faux, mais en termes d'impact culturel parfaitement exact. Toutefois, ce qui est plus crucial encore c'est que, quand Elvis a commencé à tortiller des hanches, et qu'Ed Sullivan a refusé de le filmer en dessous de la ceinture, le pays tout entier a connu un paroxysme de frustration sexuelle débouchant sur un mécontentement persistant qui a culminé dans l'explosion de ce folklore psychédélico-militant que furent les sixties.

Et viens pas me parler de Lenny Bruce, mon gars – Lenny Bruce proférait des mots grossiers en public et il a récolté le martyre consensuel qui allait avec. De surcroît, il était hip, beaucoup trop, si vous voulez mon avis, ce qui fut sa perte, tandis qu'Elvis n'était pas hip du tout, c'était un foutu camionneur qui vénérait sa mère et n'aurait jamais dit « merde » ou « foutre » en sa présence, mais il a averti l'Amérique qu'elle avait un bas-ventre avec des impératifs qu'on avait étouffés. Lenny Bruce a montré jusqu'où on pouvait pousser une société aussi répressive que la nôtre, et jusqu'à quel point on pouvait s'en tirer, mais Elvis a viré « Combien pour ce chien dans la vitrine[36] » de la vitrine, et l'a remplacé par : « Baisons ». Nous chancelons tous encore sous l'impact. Actuellement règne le chaos sexuel, mais il peut en découler une compréhension et une harmonie authentiques, et dans un cas comme dans l'autre c'est Elvis qui, presque à lui seul, a ouvert les vannes. Ce soir-là, à Détroit – soir que je n'oublierai jamais –, il lui suffisait de déplacer de presque rien un muscle d'épaule, sans même la hausser, et les filles du poulailler frappées par son rayon criaient, tombaient dans les pommes ou en chaleur, et hurlaient. Chaque fois que ce type bougeait d'un minime centimètre la moindre partie de son corps, des dizaines ou des dizaines de milliers de gens devenaient complètement cinglés. Ni Sinatra, ni Jagger, ni les Beatles, ni n'importe lequel de ceux que vous pourriez citer n'a jamais suscité autant d'hystérie chez autant de gens. Et ce, après une décennie et demie de disques merdeux, en prenant bien soin de ne pas se donner du mal.

S'il est vrai que l'amour est à jamais démodé, ce que je ne crois pas, alors avec notre indifférence calculée l'un envers l'autre en viendra une autre encore plus méprisante pour les objets d'admiration des autres. Je croyais que c'était Iggy, vous pensiez que c'était Joni Mitchell, ou qui vous voulez, qui semblait parler pour les nombreuses souffrances, et les rares extases, de votre situation, intime et entièrement circonscrite. Nous continuerons à nous fragmenter de cette façon, car à présent le solipsisme détient toutes les cartes; c'est un roi dont le domaine envahit même celui d'Elvis. Mais je peux vous garantir une chose : jamais plus nous ne tomberons d'accord comme nous avons pu le faire au sujet d'Elvis. C'est pourquoi je ne prendrai pas la peine de dire adieu à son cadavre. Je vous dirai adieu à vous.

Village Voice, 29 août 1977

Peter Laughner

Peter Laughner est mort.

Peut-être que ce nom ne vous dit rien. Si c'est le cas, j'espère que vous lirez quand même ce qui suit, parce que l'une des raisons pour lesquelles je l'ai écrit, c'est qu'il y a en moi, et peut-être en vous, plus qu'un peu de ce qui a tué Peter. Ceci est un magazine consacré aux musiciens de rock, créé par des critiques de rock pour des fans de rock, et Peter était les trois à la fois. Avant de mourir le 22 juin à l'âge de vingt-quatre ans, d'une pancréatite aiguë, il avait fondé Rocket from the Tombs, le premier groupe de rock underground de Cleveland, Ohio. Ils jouaient un mélange amphétaminé de Velvet et de Stooges, et Peter balançait des textes du genre « I can't think / I need a drink / Life stinks ». Plus tard, ils ont plus ou moins muté pour devenir Pere Ubu, qu'on entend (avec des solos de guitare de Peter) sur la première compil *Max's Kansas City*. Je trouve très intéressant que lors d'une interview récemment parue dans le présent magazine, les Pere Ubu n'aient pas mentionné une seule fois leur fondateur viré corps et biens.

Mais peut-être voulaient-ils se montrer gentils. Peter était un grand écrivain et un musicien de talent. On peut se faire une idée de son style d'après ce qui est sans doute le meilleur truc qu'il ait jamais publié, son compte rendu du *Coney Island Baby* de Lou Reed, paru dans le numéro de mars 1976 de *Creem* :

> Cet album m'a rendu à ce point morose et déprimé quand je l'ai reçu que je n'ai pas dessoûlé pendant trois jours.

Je ne suis pas allé travailler. J'ai eu une bagarre horrible avec ma femme, à propos d'un stupide flacon de valium (elle m'a jeté un cendrier, une brique et un candélabre d'un mètre cinquante, mais je l'ai fait tomber et lui ai cogné la tête contre le plancher). J'ai appelé (à mes frais) le rédacteur en chef de la présente revue et, trois heures durant, n'ai fait qu'éructer du graillon en pleine stupeur alcoolisée, en souhaitant, quelque part au fond de ma cervelle hébétée, qu'il puisse me donner une vague raison d'aimer ce disque. Je suis allé trouver ma belle-sœur : « Amène-toi et taille m'en une pendant que je tombe dans les pommes. » J'ai extorqué à boire à tous ceux qui passaient aux environs, ou qui me laissaient entrer chez eux. J'ai mis un terme à toute cette débâcle en tombant raide après m'être vomi et pissé dessus lors d'une répétition du groupe, le chanteur a dû me réveiller à coups de pied... avant de m'enfiler six valiums (et trois complexes de vitamine B, si bien que je devais penser pouvoir me réveiller, ou du moins que l'autopsie révélerait que mon foie était OK).

Ce n'est pas là simple vantardise d'un camé post-adolescent. Je crois qu'on peut trouver la clé de la vie et de la mort de Peter (du moins dans la mesure où elles s'appliquent à nous) dans ce compte rendu autobiographique. Un peu plus loin, il s'y souvient de son passage en fac : « Tous mes devoirs n'étaient que bavassages délirants sur les parallèles entre les paroles de Lou Reed et n'importe quel auteur que nous étions censés analyser dans le cadre de notre accession à la connaissance : j'ai comparé « Sweet Jane » à Alexander Pope, « Some Kinda Love » aux *Hommes creux* de T.S. Eliot... de plus j'avais un groupe de rock et nous jouions tous ces titres, chargés pharmaceutiquement... De cette façon, j'ai évité toute responsabilité intellectuelle et créatrice à la jonction de deux décennies... À quoi bon la fac et une carrière ? Lou Reed était mon Woody Guthrie, et avec assez d'amphétamine je pourrais être le nouveau Lou Reed ! »
À l'origine, j'ai fait la connaissance de Peter par ce qui devait être le premier de nombreux coups de fil à trois heures du matin.

À l'époque, j'écoutais *White Light/White Heat*, et il m'a dit qu'il écoutait *Berlin*. C'était le genre de truc dont naissent de longues amitiés. Plus tard, il m'a souvent rendu visite à Détroit, et il ne m'a jamais paru bizarre qu'à chaque fois que nous nous retrouvions, nous terminions la cervelle complètement bousillée à la gnôle, au speed ou aux deux; pas plus qu'il ne m'est venu à l'idée de me demander exactement ce que pouvait être une amitié dans laquelle les deux parties devaient être totalement assommées pour se fréquenter. À l'issue de l'une de nos virées, qui duraient toute la nuit, Peter a fini à l'hôpital de Cleveland, il en a même parlé dans un article sur Rory Gallagher paru dans *Creem*.

À vrai dire, il a souvent été à l'hôpital pendant les deux dernières années de sa vie. À peu près à l'époque (l'automne dernier) où j'ai quitté Détroit pour New York, il m'a appelé pour me confier que les médecins l'avaient informé qu'il mourrait s'il n'arrêtait pas de boire et de se camer. « À partir de maintenant, ça va être herbe et valium, m'a-t-il dit. Faut bien avoir quelque chose, merde! »

Mais c'est aussi à ce moment-là que ses coups de téléphone nocturnes ont commencé à prendre une tournure effrayante. Parfois il bafouillait, défoncé à la morphine ou aux antalgiques, parfois il avait la voix rauque, suite à plusieurs jours de speed, de cognac et de bière. Lors d'une de ses dernières visites, à l'automne, il était à peine entré qu'il s'est effondré en plein milieu du séjour, a sorti de sa poche une flasque de Courvoisier, m'a demandé une canette de Rheingold prise dans le frigo, et s'est mis à alterner les deux à toute berzingue. C'est à ce moment que nos rituels machos gnôle et dope ont commencé à me paraître un peu répétitifs.

Nous avons terminé la nuit, moi à me pressurer la cervelle en bâclant de médiocres comptes rendus de disques que j'avais à peine écoutés, et Peter sur le sofa, en plein coma alcool-valium. La fois suivante, il était à peine arrivé qu'il m'a demandé mon *Physician's Desk Reference* – il voulait des renseignements sur une pilule. Il ne savait même pas ce que c'était, mais il voulait se shooter avec. Je lui ai conseillé d'y aller mollo, si bien qu'il s'est décidé pour un coma provoqué par des ingestions orales d'alcool, de codéine et de valium.

À cette époque, j'ai commencé à avoir des réserves sur nombre d'aspects de notre amitié, aussi avant qu'il revienne en ville – ce devait être la dernière fois –, je l'ai prévenu au téléphone : je lui ai dit que je pensais qu'il était en train de se suicider, et que je ne pouvais plus l'y encourager en me défonçant avec lui. J'ai ajouté que je le verrai, mais sans boire en sa compagnie, et qu'il ne pourrait plus squatter chez moi. Je n'ai pas dit que j'avais peur qu'il crève sur mon plancher. Il a promis de respecter mes vœux.

Il n'en a rien fait. La dernière fois qu'il est venu en ville, Peter avait son père en remorque, presque littéralement. Je suis entré dans mon appartement et ils étaient là, père et fils, costume trois pièces et cuir noir, tous les deux bourrés, tous les deux souriant dans leur horreur. C'était un tableau qui mériterait plus de mots que je n'en ai. Il m'a dit que son père était le sergent Machin de la police new-yorkaise, je l'ai cru, et j'ai demandé au sergent Machin ce qu'il pouvait bien foutre chez moi. Les choses sont devenues un peu hostiles, puis confuses, puis l'autre est parti presque aussitôt après que j'eus compris qui il était vraiment, encore que ce soit peut-être lui accorder plus de sournoiserie qu'il n'en avait, me laissant seul, une fois de plus, avec Peter. À l'époque, je me préparais à former mon propre groupe, aussi avons-nous passé un après-midi à travailler sur des arrangements qui iraient avec les paroles que j'avais écrites. La musique est venue très vite, parce que Peter était quelqu'un de brillant, mais il avait une petite bouteille de vin et ne cessait de boire au goulot. Je n'ai pas eu le cran de lui dire quoi que ce soit. Le lendemain, nous nous sommes totalement bourrés en jammant, et il m'a donné quelques Dalmanes, qui sont une variante de Librium, avant de partir en courant, non sans rencontrer devant la porte la fille qui vivait avec moi, et lui dire d'un ton haletant : « Je viens juste de donner des Dalmanes à Lester, alors tu ferais mieux d'aller voir, parce qu'il est peut-être mort ! Faut que j'aille voir Patti Smith ! »

Ce soir-là, il y avait au CBGB un concert au bénéfice du magazine *Punk*, et c'est là que s'est produit le fameux incident au cours duquel Peter, tentant de monter sur scène pour jammer avec le groupe de Patti, s'est fait jeter à coups de pied par le frère de celle-ci et par Lenny Kaye. J.D. Daugherty raconte que pendant le reste de la soirée, Peter n'a cessé de traîner dans le club en bouillonnant de fureur blessée, jetant à tout le monde des regards mauvais, avec des yeux rougis qui paraissaient en morceaux. Le lendemain il est passé chez moi rapporter un truc quelconque qu'il m'avait emprunté (chaque fois qu'il venait il m'empruntait quelque chose, un album, une paire de lunettes noires, qu'il emportait comme si c'était une sorte de souvenir ou de fétiche...), et quand je l'ai vu dans la rue (je n'ai pas voulu qu'il monte), il avait l'air atroce : vêtu de son habituel uniforme à la Lou Reed (veste et gants de cuir noir), il avait aussi un tee-shirt rouge dans lequel on avait taillé des trous aux ciseaux, et un chapeau en simili cuir noir vraiment ringard, que je ne l'avais pas vu embarquer la veille (Lester est mort, mais je porte son chapeau), et qu'il m'a supplié de le laisser emporter à Cleveland. J'ai dit non, ajoutant qu'il pouvait acheter le même pour cinq dollars chez Korvette. Il a pensé que je me fichais de lui ; il était dans un tel état qu'il ne pouvait plus faire la différence entre l'original et un truc qui me valait des rires quand je l'arborais au CBGB. Il avait l'air d'un déterré pathétique : le tee-shirt et la coiffure de travers donnaient l'effet cauchemardesque d'un môme de huit ans horriblement malade. Je me suis vraiment mis en colère et lui ai balancé : « Tu es en train de te *tuer*, de façon à être comme Lou Reed et Tom Verlaine [lequel ne se drogue même pas, mais qui était l'idole de Peter], alors que tout le monde en ville sait que ce sont deux parfaits connards ! »

C'est la dernière fois que je l'ai vu. Ç'aurait été la dernière de toute façon, car s'il avait rappelé je comptais lui dire que ma propre volonté était trop flageolante : je ne pouvais me faire confiance, si j'étais avec lui, pour ne pas me bourrer ou prendre de la dope, et je n'avais donc pas d'autre choix que de ne plus jamais le revoir. Pour dire la vérité, être son ami était devenu si atroce et poignant que de toute façon je cherchais un moyen d'en sortir.

Quand il est rentré à Cleveland, il a immédiatement atterri à l'hôpital. J'ai vu Patti deux jours après, l'ai interrogée sur l'incident au CBGB, et elle m'a dit : « C'est rien. Ça n'est pas à cause de Peter, tout le monde se fait jeter de scène. » J'ai appelé la mère de Peter, lui ai dit de transmettre le message que Patti n'était pas du tout furieuse contre lui ; plus tard elle m'a écrit que la seule fois où elle l'avait vu sourire, c'était quand elle lui avait répété la chose.

Maintenant, il est mort, et j'espère que vous ne prendrez pas tout ceci comme simple sensiblerie, ou comme un sermon anti-drogue de plus. J'aimerais simplement essayer de préserver un peu du sens de la vie et de la mort de Peter pour ceux d'entre nous, sur scène ou non, qu'il a tant voulu imiter qu'il s'est immolé lui-même. J'aimerais tout spécialement m'adresser à un certain petit con de Cleveland qui a ri quand, le soir de la mort de Peter, je suis allé au CBGB apprendre la nouvelle à tout le monde. Parce que la mort de ce môme n'était pas sans signification, Peter n'était pas un imbécile qui avait pris trop de drogues, et-alors-nous-savions-tous-que-ça-devait-arriver. Peter Laughner avait ses souffrances et ses compulsions intimes, mais il est mort, en partie du moins, parce qu'il voulait être Lou Reed. Ce qui n'est certainement pas la faute de Lou ; c'était celle de Peter. C'est une victime de l'époque, mais il l'a cherché.

En un sens, Peter me rappelait un personnage d'un vieux texte de Terry Southern, « You're Too Hip, Baby ». C'est l'histoire d'un type des milieux marginaux parisiens, vers 1960, qui suit l'exemple de tous les jazzmen, poètes et hipsters du coin, qui prend toutes les drogues qu'il faut, dit tous les trucs qu'il faut. À la fin, il devient si rigidement correct qu'un autre hipster lui dit : « T'es trop hip, mec, je peux plus te supporter. » Il y a quelque chose de cet aspect de Peter en moi, comme dans pratiquement tous ceux que je connais. Attendu qu'aujourd'hui, je ne traverserais pas la rue pour cracher sur Lou Reed, non à cause de Peter, mais parce que sa mort a marqué pour moi la fin d'une époque – celle de la plus intense adoration du nihilisme et des trips de mort sous toutes leurs formes commercialisables. (Et peut-être un signal de plus que les concepts jumeaux du nihilisme et de l'antihéros ont fait leur temps. Ce qui a commencé avec *L'équipée sauvage* et James « personne ne me comprend » Dean, a couru, avec un nihilisme de plus en plus véhément, à travers les Stones, le Velvet, Iggy, a finalement culminé dans le baratin bidon de groupes comme Suicide, qui ne sont pas seulement oppressants et répugnants, mais si *ennuyeux* qu'ils vous font penser qu'il est peut-être temps, en dépit de toutes les indications en sens contraire de la société au-dehors, de se remettre à penser en termes de héros, d'amour et non de haine, d'énergie et non de violence, de force et non de cruauté, d'action et non de réaction.)

Mais je soupçonne également que c'est le début d'une autre époque – la « New Wave » peut se targuer de sa première victime, et étant donné la prédilection du milieu pour la drogue et, plus généralement, l'autodestruction, on peut parier qu'il y en aura beaucoup d'autres après lui. Il paraît tout simplement trop ringard de dire qu'on pourrait préférer choisir la vie et la recherche d'énergies positives. Je me souviens, en 1971, d'avoir été dans le salon de ma mère avec un copain qui se shootait au speed, et de lui avoir dit que j'allais laisser tomber la dope (ce que bien entendu je n'ai pas fait), en expliquant d'un ton hésitant : « Ben... c'est simplement que... je veux me consacrer à la *vie*, tu vois ? » J'étais un peu gêné. Il a ri pendant un quart d'heure. Trois mois après il était mort. Mais si Peter Laughner est mort, en partie, pour mes péchés, je préfère vous dire que je ne prendrai plus jamais d'amphés (de toute façon, ça ne me fait jamais écrire que de la merde), et si vous voulez vous tuer, allez-y, mais restez à distance parce que c'est trop triste, et d'ailleurs *je n'ai pas le temps*. Peut-être la meilleure épitaphe que je pourrais offrir à Peter vient-elle de la conclusion de son compte rendu de *Coney Island Baby* : « Je suis là, sobre et peut-être même lucide, par un de ces jours d'hiver qui vous font comprendre que le Nouvel An approche, que vous ne pouvez pas vous targuer de grand-chose pour l'occasion, mais que si vous avez l'intention de faire quoi que ce soit sur cette planète, vous feriez mieux de retrousser vos manches et de LE FAIRE VOUS-MÊME. » Adieu, baby, et amen.

Vous savez quoi ? Peu m'importe qu'il soit mort. C'est ce que j'ai écrit dans une lettre à sa belle-sœur après avoir terminé le texte ci-dessus, et après je suis sorti la poster, mais en descendant la 6ᵉ Avenue, quelque chose dans la lumière du soleil m'a frappé, une lueur dans les feuilles m'a donné le vertige, les sons, le fait de respirer, le sentiment d'être soulevé au-dessus de moi-même en pleine rue, et je ne sais pas si Peter me regardait d'en haut, mais le ciel pleurait du sang tiède, et il se peut que cela n'ait été que le battement dans mes veines à l'idée de connaître cette extase : être vivant. Voyez-vous, en définitive, peu m'importe qu'il soit mort, bien que j'éprouve un certain sentiment de complicité, parce qu'à part cela il ne resterait que colère, une colère contre la vie, contre notre sang qui jaillit de notre faiblesse pour tomber dans l'auge de l'indifférence. Si je me laisse aller, je ne ferai que déblatérer et menacer tous ceux qui peignent la mort sous de belles couleurs, mais il y en a une dans la balance, et vous feriez mieux d'y regarder à deux fois, de vous regarder vous-mêmes, connards débiles, vous qui traitez la vie comme une plaisanterie *camp*, vous qui avez perdu la capacité de vous demander ce que c'est, en soi, d'être vivant, JE VOUS AURAI, je sais qui vous êtes, je vous descendrai avec les armes dont je dispose, et je ne parle pas de flingues.

Et pour finir tout le blâme doit retomber sur moi-même, et je n'ai rien à dire pour ma défense, pas plus que je ne peux honnêtement dire que je ne toucherai plus jamais à la dope à cause de Peter, ce qui serait seulement une terrible injure à sa mémoire. Quand on comprend que la vie est chose précieuse, on a naturellement tendance à marcher dessus, c'est comme de rire à un enterrement. Mais il y a des réactions volontaires. Je me porte volontaire pour ne plus rien ressentir à son sujet à partir d'aujourd'hui, mais je n'oublierai pas que ce môme s'est tué pour quelque chose que représentaient des tee-shirts déchirés dans les batailles de ses sentiments en lambeaux, et ça ne fait pas de vos propres tee-shirts quelque chose de profond ; bien au contraire, ça ne fera de vous qu'un tas d'abrutis si vous adhérez à ce à quoi il s'est raccroché pour soutenir sa longue souffrance mortelle, et si je n'éprouve plus rien pour les morts je peux aussi dire sincèrement qu'à partir de maintenant je ne m'intéresserai plus qu'aux sentiments authentiques, à la recherche d'un moyen définitif d'échapper à tout ce qui a tué Peter, ce qui est tout ce que je sais vraiment de sa vie, sinon que le plus dur, en ce monde, est d'affronter sa propre souffrance et d'en venir à bout, mais d'une certaine façon la vie n'est pas chose misérable, après tout, à côté de l'héritage de noir éternel de ce gamin. Alors, que personne n'essaie de lui dire adieu.

New York Rocker, septembre-octobre 1977

Les Clash

L'Empire est peut-être en phase de stagnation terminale, mais chaque fois que je débarque en Angleterre on a l'impression que des changements massifs sont en cours.

La première fois, en 1972, c'était pour Slade, qui faisait hurler les mômes, mais votre scène musicale était, de façon générale, dans un si misérable état que la plupart des hits de la radio étaient des vieilleries ressuscitées. La deuxième fois, c'était pour David Essex (ha ha ha) et Mott (soupir), il y a presque exactement deux ans ; je n'ai même pas pris la peine d'écouter la radio, et bien que je me sois donné du bon temps, une conférence de presse d'Edgar Froese (l'entropie incarnée) fut ce qui, au cours de mon séjour, ressembla le plus à un grand moment musical. Je n'ai jamais eu grand-chose à cirer du pub rock, qui était à peu près le seul truc que vous ayez eu à l'époque, et j'allais juste vous considérer comme morts quand le punk est arrivé.

Et me voici donc de retour ici grâce aux bontés de CBS International pour voir les Clash, écouter des groupes New Wave à la radio (un régal pour des oreilles américaines), et découvrir qu'enfin l'Empire sautille de nouveau.

Et il était presque temps. Je ne sais pas ce que vous en pensez, mais en ce qui me concerne, pour le rock les choses ont commencé à tourner en eau de boudin vers 1968 ; je daterais tout ça de la montée de Cream, qui a été le premier groupe de superstars bidon, le premier signe de fatigue dans ce qui avait culminé l'année précédente. Depuis lors les choses n'ont fait qu'empirer, grâce à Grand Funk et James Taylor et à des années merveilleuses comme 1974, quand Roxy Music était le seul truc intéressant en cours, tout ceci culminant l'année dernière dans la domination de machins comme la disco et le jazz-rock, bidules assez morts pour laisser suggérer la fin de la musique populaire, qui n'était plus guère que déodorant ménager.

À cette époque, je songeais à renoncer entièrement à écrire sur ce sujet quand, tout d'un coup, je me suis mis à recevoir des coups de fil de tous ces journalistes de magazines classieux qui voulaient savoir ce qu'était ce phénomène nouveau appelé « rock punk ». Au début, je suis resté un peu perplexe, parce que de mon point de vue c'était quelque chose qui avait pour la première fois dressé son groin crasseux vers 1966, avec des groupes comme les Seeds et les Count Five, et qui était mort et enterré depuis la séparation des Stooges et le plantage du premier LP des Dictators.

Je veux dire qu'il est facile d'oublier qu'il y a un peu plus d'un an, il n'y avait *qu'un seul truc*, le premier album des Ramones.

Mais qui aurait pu prédire que ce disque aurait un tel impact – il n'a fallu que ça et le *tranchant* féroce de « Anarchy in the UK » des Sex Pistols, et tout d'un coup c'était comme si quelqu'un avait ouvert les vannes : dix millions de petits groupes, dans le monde entier, sont arrivés comme un ouragan, réduisant les habitants en bouillie avec leurs guitares et gueulant des trucs sans suite et râleurs comme quoi ils en avaient ras-le-bol de tout.

J'en avais marre aussi, et vous aussi – c'est pourquoi nous sommes sortis, au printemps et à l'été derniers, acheter tous ces singles merdeux par les mecs des Users, des Cortinas, de Slaughter and the Dogs, parce que mieux valait Slaughter and the Dogs, si nuls soient-ils, qu'*un autre* machin miaulé-mignard-pleurnichard de Linda Rondstadt. Acheter des disques était redevenu marrant, et une des raisons pour ça, c'est que tous ces groupes incarnaient l'esprit qu'est-ce-qu'on-en-a-à-foutre-on-va-leur-balancer-dans-la-tronche-du-grand-rock. Malheureusement, nombre de ces merveilleuses tranches de vinyle ne possédaient aucun autre de ses composants, ce qui a eu pour résultat (pour moi, aux environs du *Live at the Roxy*) que beaucoup de gens en ont tout simplement EU MARRE. Ce qui signifie qu'il est foutrement trop facile de se harnacher collier de chien et veste en cuir noir pour se mettre à gerber dans toute la pièce que vous allez sniffer de la colle et poignarder quelques dos.

Le punk a répété les attitudes mêmes qu'il dénonçait (ENNUI et INDIFFÉRENCE), et nous attendions qu'un groupe se pointe qui, au moins, se donne la peine de SE SOUCIER de QUELQUE CHOSE.

Ergo, les Clash.

Tu vois, cher lecteur, une grande part de ce qui est fourgué comme punk se réduit à dire, je pue, tu pues, le monde pue, qu'est-ce qu'on en a à foutre – à part se demander, euh, si ce n'est pas quelque peu *insuffisant*.

Me demandez pas pourquoi ; je ne suis vraiment qu'un observateur. Mais tout observateur pouvait dire, pour l'exprimer en termes de Nous contre Eux, que ce qui précède est exactement ce qu'Ils veulent que vous fassiez, parce que ça revient à une capitulation. Il est innommablement fastidieux et décourageant d'essayer de trouver un peu de signification, ou de quoi se marrer, en pelletant à travers toute cette merde qu'on nous a balancée ces dernières années, mais se gerber dessus n'y changera rien (je sais, j'ai essayé). Je suppose que ça se réduit à :

(a) On ne peut pas aimer des gens qui ne s'aiment pas vraiment ; et

(b) on va aimer des gens qui défendent ce en quoi ils croient, du moment que ce en quoi ils croient est

(c) juste et droit.

Ce qui est juste et droit est chose aussi précieuse que fuyante. Inutile de dire que là-dessus la grande majorité du rock punk ne risque pas exactement l'overdose. En fait, presque tous les punk rockers pensent sans doute que c'est une idée de hippies, à moins que vous vous trouviez être Noir et rasta, auquel cas la droiture et la vertu recouvriront tout le pays, sans doute quand les punks en seront arrivés au No Future.

C'est assez dur de mettre tout ça en simples mots, mais je crois devoir dire qu'être juste et droit signifie que vous êtes plus ou moins du côté des anges, préparant Armageddon pour la victoire ultime des forces du Bien sur le Royaume de la Mort (voyez-vous à quel point nous frôlons dangereusement le monde hippie?), travailler à éclairer les autres sur leurs propres potentialités, plutôt que de se contenter de se vautrer dans la merde à yodeler que tout est chiant.

Le ménestrel juste et droit peut être plein de lamentations et de critiques de l'ordre existant, mais même s'il n'a pas de programme cohérent en vue de changements sociaux, il sait ce qu'est l'espoir. Le MC5 était juste et droit, pas les Stooges. Le troisième et le quatrième albums du Velvet Underground étaient justes et droits, pas les deux premiers (inutile de dire que Lou Reed ne l'est pas). Patti Smith est juste et droite. Les Stones ont flirté avec la vertu (cf. « Salt of the Earth »), mais quand ils étaient bons les Beatles étaient son incarnation même. Les Sex Pistols ne sont pas justes et droits, mais les Clash si, plus peut-être que n'importe quel groupe New Wave.

La raison en est que sous leur paysage sonore âpre et tout excité se dissimule un humanisme obstiné. Il est difficile de mettre le doigt dessus dans les paroles, qui sont pour l'essentiel vraiment désespérantes, mais c'est dans le genre de truc qui pouvait faire écrire à Mark P. que leur premier album était sa vie. Pour vous en rendre compte dans la musique des Clash, vous devriez être le genre d'individu qui verrait Joe Strummer appelant à l'émeute comme quelqu'un faisant une déclaration positive. C'est ce qu'on perçoit pendant que cette musique bouillonne de souffrance et de fureur, elle ronge aussi son frein devant l'état des choses actuel, se précipitant vers quelque aperçu d'un monde nouveau et meilleur.

Je sais qu'il est facile de se montrer cynique envers tout ça ; en fait, l'une des choses les moins cool que vous puissiez faire ces temps-ci, c'est d'être engagé dans quoi que ce soit. Les Clash sont à ce point engagés qu'ils sont carrément militants. C'est à cause de ça qu'aujourd'hui ils parlent aux jeunes chômeurs anglais de leurs préoccupations immédiates avec une autorité que personne d'autre n'a su rassembler. Et à cause de ça, je doute qu'ils diront quoi que ce soit à la plupart des auditeurs américains.

Mais on en reparlera plus tard. Pour le moment, pendant que nous sommes sur le sujet de la politique, j'aimerais qu'une chose ou deux soient parfaitement claires :

1. Je ne connais foutrement rien au système de classes anglais.
2. Je me fous éperdument du système de classes anglais.

Attention, j'en ai entendu causer. On m'a dit que c'était lié au fait qu'aujourd'hui Rod Stewart fait de la musique pour ménagères, et que Pete Townshend est complètement bousillé. Je crois également que ça explique qu'un journaliste du *NME* m'ait dit en ricanant : « Joe Strummer a une foutue éducation petite-bourgeoise, mec ! » Je conjecture que c'est censé indiquer qu'il ne vaut pas un pet, et que toutes ses chansons ne sont que graffitis urbains bidon. Ce qui me va tout à fait : Joe Strummer est un bluffeur. Ça ne fait que le placer aux côtés de Dylan, Jagger et Townshend et de presque tous les grands auteurs rock, parce que tous ou presque étaient, d'une façon ou d'une autre, des bluffeurs. Townshend a eu une éducation petite-bourgeoise. Lou Reed est allé à l'université de Syracuse avant de s'inscrire aux trottoirs de New York. Dylan a bluffé toute sa carrière ; la seule différence, c'est qu'autrefois il était bon et que maintenant il pue.

L'important est que, comme le dit Richard Hell, le rock est une arène où vous vous recréez, et que tout ce baratin sur l'authenticité n'est que tas de merde. Les Clash ne sont authentiques que parce que leur musique charrie autant de conviction brutale, non parce qu'ils sont de Nobles Sauvages.

Note à CBS International : détendez-vous, j'ai plus aimé les Clash, en tant qu'individus, que tout groupe que j'ai rencontré à la possible exception des Talking Heads, et leur musique, cela va sans dire, est super. (C'est ce que *vous* pensez aussi, non ? Bien, alors sortez leur album en Amérique. Ça ne sera joué nulle part sur les radios, et alors ? *Clive*[37] savait subventionner les arts.)

Voilà un superlatif pour les pubs : « Le meilleur groupe anglais » – Lester Bangs. En voilà un autre : « Et merci pour ces merveilleuses vacances ! » – Lester Bangs (Ellie, tu sais que je t'aime). D'accord, maintenant que c'est fait, allons-y...

Juste avant mon départ de New York, j'étais assis dans le terminal de British Airways, à lire *La Guerre contre les Juifs, 1933-1945*, quand j'ai levé les yeux juste à temps pour voir, à quelques mètres de moi, une infirme en fauteuil roulant. Mes yeux sont retombés sur mon livre dans ce honteux réflexe nerveux que nous connaissons si bien, mais quelques instants plus tard elle s'était éloignée de quelques mètres de l'endroit où j'étais, et quand je n'ai plus pu repousser la conscience de ma gêne à l'idée qu'elle soit là, j'ai de nouveau levé les yeux et nous nous sommes dit bonjour.

C'était une toute petite femme d'environ trente ans, avec un joli visage, des cheveux blonds et des yeux bleus enflammés. Elle a dit qu'elle avait passé trois mois de vacances aux États-Unis et qu'elle retournait en Angleterre, un peu à contrecœur.

« J'aime tellement plus les gens en Amérique. Bon dieu, c'est tellement agréable d'être quelque part où ils reconnaissent que vous *existez*. En Angleterre, si vous êtes handicapé, personne ne vous regardera ou ne vous parlera, sauf les gens âgés. Et ils se contentent de vous caresser la tête. »

Quatre jours se sont écoulés, et je suis conduit de Londres à Derby avec Ellie Smith, de CBS, et le manager des Clash, Bernard Rhodes, pour le premier des trois soirs et des deux jours que je dois passer avec le groupe. Je ne suis pas dans la meilleure des formes, parce que je subis encore les effets du décalage horaire, que j'ai eu en moyenne deux ou trois heures de sommeil par nuit depuis mon arrivée, et que la soirée précédente j'ai été largué à Aylesbury pour le Greatest Hits Tour de Stiff, avant de demander à un roadie de me ramener à Londres, trajet au cours duquel nous avons été arrêtés par la police du coin en quête de dope, et contraints de vider toutes nos poches, ce qui ne m'était pas arrivé depuis l'apogée hippie en 1967.

Ce matin, passant chez Mick Farren récupérer mon sac, il m'a dit : « Tu ressembles à *La Nuit des morts-vivants.* »

Néanmoins, après être passé à la poste de Derby, j'ai pris soin d'assister au premier concert de la soirée, quelle que soit ma condition, sous le camouflage le plus réfléchi. Voyez-vous, ce qu'on apprend aux États-Unis sur votre scène punk m'avait conduit à attendre un public bouillonnant de petits scélérats enragés, assoiffés de sang à tout prix, et naturellement je m'imaginais que les chances d'en ramener un grand article seraient meilleures si je me trouvais être cannibalisé. J'ai donc enlevé ma veste en cuir noir et me suis habillé aussi straight que j'ai pu, le coup de grâce (pensais-je) étant un sweater promotionnel bleu sur le devant duquel on lisait « Capitol Records », ce qui, fantasmais-je, pourrait me valoir un peu d'hostilité résiduelle anti-EMI de la part des fans des Sex Pistols cherchant fiévreusement la cogne. Je dois aussi mentionner que j'avais également décidé de ne pas me couper les cheveux, ce dont j'aurais eu bien besoin, avant de quitter les États-Unis, au cas, pas si impossible, où je serais pris pour un hippie. Quand Ellie et la photographe Pennie Smith m'ont vu sortir de ma chambre, elles ont ri.

Quand je suis arrivé au concert, je me suis frayé un chemin à travers les masses pogotantes, en plein ventre de la Bête, et suis resté là pendant la première partie – les Lous et Richard Hell and the Voidoids –, en attendant que les soldats de l'Apocalypse anarchiste me fassent rentrer le crâne dans les chevilles sous une nouvelle vague de retour.

Ai-je besoin de mentionner que rien de tel ne s'est produit?

Écoutez : si j'étais vous, je prendrais les armes et je marcherais sur les centres médiatiques de la vieille Angleterre, le *NME* inclus, et je les saccagerais jusqu'à ce qu'ils soient méconnaissables. Parce que ce dont j'ai fait l'expérience, ce soir-là et tous ceux qui ont suivi, était si loin de ce que nous autres Américains lisons dans les journaux, ou voyons à la télé, que ça revient à une diffamation de masse, voire à un génocide culturel. Personne n'a rien eu à cirer de mes cheveux longs, tout le monde s'est foutu éperdument de mon sweater débile. D'accord, les groupes ont eu droit aux crachats et aux canettes de bière, et la foule poussait vers le côté, d'abord à droite puis à gauche, mais je suis navré de décevoir ceux qui n'étaient pas là, ça n'est ni *Orange mécanique* ni *Sa Majesté des mouches*. Quand je me suis lassé de la poussette de groupe en avant-en arrière, j'ai simplement dressé les coudes, et un espace s'est formé autour de moi.

Ce que je veux dire, c'est que j'ai assisté en Amérique à des festivals rock en plein air, à l'époque hippie, où les vibrations et la violence étaient dix fois pires qu'à n'importe lequel des concerts que j'ai suivis pendant la tournée des Clash, et les groupes ont dit plus tard que Derby était le pire du lot. Ce que je veux dire, c'est que, contrairement à pratiquement tous les articles publiés ailleurs, j'ai découvert que les punks anglais, partout où je suis allé, étaient fondamentalement, sans pour autant toujours le manifester, des gens *doux. C'est un tas de gamins et de gamines sympa, et ne laissez personne (eux compris) vous dire le contraire.*

Ouais, ils aiment pogoter. Sur le sujet de cette étrange danse du tapis tribale, bien entendu, la première chose que j'ai vue en entrant dans la salle, c'était près de deux cents petites têtes près du bord de la scène, montant et descendant comme des pistons anthropomorphes dans un dessin animé de Max Fleischer consacré à la révolution industrielle.

Quand j'avais entendu parler du pogo, j'avais pensé que c'était le truc le plus débile dont on m'ait jamais parlé, mais dès que je l'ai vu en acte, il m'a paru parfaitement raisonnable. De toute évidence, ça n'est pas plus débile que la danse d'idiot sous Seconal popularisée il y a cinq ans par le public de Grand Funk. En fait, c'est la logique pure (à défaut de poésie) en mouvement : quand on est entassé dans un atelier d'usine avec dix mille autres petits corps pressés les uns contre les autres, il est évident qu'on ne peut pas danser de manière traditionnelle (i. e. en ondulant sur le côté).

Non, manifestement, si vous voulez danser le boogaloo sur ce que vous conseille la nouvelle génération, par simple effet d'une explosion populationnelle, secouez-vous le cul et le corps selon une trajectoire *verticale*. Ce qui de toute façon ne sera pas strictement inflexible, vu que ça implique nécessairement de perdre pied toutes les deux secondes, le pas suivant consistant à retomber vers la terre légèrement de côté et à vous enchevêtrer avec vos voisins, ce qui est un moyen comme un autre de se faire des amis, sinon d'effleurer un téton.

Toutefois, la reconnaissance du public a un autre aspect qui est loin d'être aussi sympathique : les glaviots. Pour je ne sais quelle raison, ça a l'air d'être une nouvelle pour tout le monde, alors je vais vous avertir ici même à l'instant même : ÉCOUTEZ-MOI PETITS NULLARDS, C'EST DÉBILE ET RÉPUGNANT, ET JE N'ENTENDS PAS SAINEMENT DÉBILE, JE VEUX DIRE TARÉ, LES GROUPES DÉTESTENT ÇA (du moins ceux avec qui j'ai discuté), ET JOUERAIENT BIEN MIEUX ET SERAIENT PLUS HEUREUX SI VOUS TROUVIEZ UN MOYEN PLUS ORIGINAL DE TÉMOIGNER DE VOTRE SATISFACTION.

(À l'issue de la seconde soirée, j'ai posé la question à Mick Jones et il a eu l'air de vouloir gerber.

« Mais est-ce que ça n'ajoute pas à l'ambiance générale de chaos et d'anarchie ? »

« Non, a-t-il dit. C'est foutrement dégueulasse. »)

Fin du sermon. Les Clash ont été un peu décevants le premier soir. Ils ont bien joué, tout était en place, mais le show semblait manquer, allez savoir pourquoi, d'énergie. Un collègue qui les avait vus il y a un an était revenu aux États-Unis en me disant que, de tous les groupes qu'il avait vus sur scène, c'était le seul qui ait réellement *du jus*. C'est ce que je cherchais, et à la place j'ai eu un simple professionnalisme, et bon dieu, si c'était tout ce qui me préoccupait, je n'aurais qu'à laisser les Stones me replonger dans le sommeil une fois de plus.

De retour dans la loge, je les ai vannés : « Un peu craignos, hé les gars ? », et ils ont ri, mais on voyait bien qu'ils ne trouvaient pas ça drôle. J'ai découvert par la suite que Joe Strummer souffrait d'un abcès dentaire qui s'était transformé en fièvre glandulaire, et comme le reste du groupe tire son énergie de lui, tous souffraient. En toute justice il aurait dû prendre une semaine de congé et se diriger tout droit vers l'hôpital le plus proche, mais il avait refusé d'annuler le moindre concert, ce qui n'est pas un simple geste d'intégrité.

Un processus d'admiration croissante pour ce groupe avait commencé pour moi, et devait se poursuivre jusqu'à atteindre quelque chose d'un peu semblable à une crainte respectueuse. Voyez, il est facile de *chanter* la justesse de votre politique, mais comme nous le savons tous, les actes parlent plus fort que les mots, et les Clash sont, de tous ceux que j'ai vus, un des très rares cas de gens qui préfèrent donner l'exemple par leur comportement personnel que d'en *parler* toute la journée.

Exemple. Quand nous sommes revenus à leur hôtel, j'ai pu apprendre une ou deux leçons intéressantes. En premier lieu, ils sont remontés dans leurs chambres tandis qu'Ellie, Pennie, un groupe de fans et moi nous asseyions dans le lobby. J'ai commencé à faire ma geignarde, parce qu'il y a une chose que j'ai appris à détester au fil des années, c'est d'être assis dans un fichu lobby d'hôtel comme une fichue merde de parasite attendant qu'un groupe de rock aussi minable que hautain *puisse peut-être daigner* faire une apparition impériale.

Et puis voilà que quelques minutes plus tard, les Clash sont redescendus, nous ont rejoints, et je me suis rendu compte que contrairement à presque tous les groupes que j'ai rencontrés, ils n'étaient pas snobs, ni en plein trip de star, et qu'en fait ils s'intéressaient réellement à l'idée de rencontrer et de faire la connaissance de leurs fans sur une base personnelle dépourvue de condescendance.

Mick Jones était tout particulièrement sociable, alors je me suis jeté sur lui et me suis lancé dans ma seconde connerie mal informée de la soirée. Un jour ou deux auparavant, j'avais demandé à un ami quel genre de questions appropriées, d'après lui, pourraient être posées aux Clash, et il avait dit : « Oh, tu pourrais faire ce que tu as fait avec Richard Hell et leur demander exactement quel est leur *programme* politique, ce qu'ils comptent *faire* une fois dépassée leur rhétorique à la noix. Fais gaffe, ça peut te valoir de te faire jeter de la tournée. »

Alors, aussi vaniteux que jamais, je fonce sur Mick et commence d'une voix pâteuse à l'asticoter avec ce qui me paraissait être des vannes dévastatrices. Il s'est contenté de me rire au nez et a paré tous les coups d'une plaisanterie, tandis que les fans gloussaient de joie au spectacle de ce Riquemolle débile avec tous ses traits d'esprit à la con. Pour finir, il m'a regardé droit dans les yeux et m'a dit : « Hé Lester, pourquoi tu me poses toutes ces foutues questions à *moi* ? »

En un éclair j'ai compris qu'il avait raison. Moi, adulte, ayant traversé l'océan Atlantique pour me voiturer dans les provinces anglaises, je me retrouvais là rien que pour demander à un foutu groupe de rock quel était le sens de la vie ! Il y en a vraiment qui n'apprennent jamais rien. Et je fais partie du lot, sans aucun doute, parce que je lui ai aussitôt servi mon rap génocide culturel standard : « Bla bla bla dépersonnalisation bla bla bla solipsisme bla bla yip yap etc. »

« Mais de quoi tu parles, merde ? »

« Bla bla personne ne veut plus avoir d'émotions bla blip le cœur humain est une espèce en danger bla bla fascisme culturel bla blurb etc. etc. etc. »

« Ah, a dit Mick, t'en prends pas à *moi*. Si ça te préoccupe tant, pourquoi tu fais pas quelque chose ? »

« Ouais, dit une des fans, une jeune punkette noire aussi mignonne qu'on peut l'être, tu nous déprimes tous ! »

Dix-sept têtes à piquants de fans de punk s'agitent pour acquiescer. Mick continue à me rire au nez.

Ayant pompé l'air à la quasi-totalité de la population d'une pièce, je suis allé faire mon cirque dans une autre : le bar, où je me suis assis à une table avec Ellie et Paul Simonon et ai commencé à les entreprendre. Paul se lève et sort. Ellie dit : « Lester, tu as l'air un peu fatigué. Tu es sûr de vouloir une autre Lager ? »

Plus tard, je suis de nouveau dans le lobby avec eux tous, dans un état assez proche du coma ambulatoire, quand Mick fait un geste en direction d'un fan assis là et dit : « Lester, ma chambre est pleine ce soir ; est-ce qu'Adrian peut loger avec toi ? »

J'ai fini par flipper. J'étais là, coincé au beau milieu d'une nation mourante, avec tous ces *enfants* d'allure bizarre qui ne se rendaient même pas compte que le monde touchait à sa fin, et voilà que maintenant, par-dessus tout ça, ils s'attendaient à ce que je transforme ma chambre en auberge de jeunesse hippie !

J'ai conjecturé, à travers toute ma confusion mentale, qu'on me jouait une blague monstrueuse, alors ça m'a rendu irritable ; Mick a répété la question et j'ai fini par dire que *peut-être* Adrian pourrait rester mais qu'il devrait aller au téléphone, appeler mon hôtel et voir s'il y avait de la place. Et c'est ce que le pauvre gosse humilié a fait, tandis qu'un silence gêné, pour ne pas dire franchement sinistre, est tombé dans la pièce, et Mick m'a fixé, choqué, comme s'il n'avait jamais vu cette espèce particulière de soi-disant être humain.

Le pauvre Adrian est revenu en disant qu'il y avait de la place, alors j'ai accepté à contrecœur et nous sommes rentrés à l'hôtel. Le lendemain matin, comme j'étais d'humeur plus posée (bien que souffrant toujours du décalage horaire), il m'a montré un exemplaire de son fanzine sur les Clash, *48 Thrills*, que j'ai acheté pour 20 pence, et pendant la conversation qui a accompagné le petit-déjeuner, j'ai appris que les Clash avaient pour habitude d'inviter les fans à venir avec eux après les concerts, puis allaient même jusqu'à leur permettre de dormir sur le plancher de leurs chambres.

Maintenant, cher lecteur, je ne sais pas combien de temps tu peux avoir réellement passé à traîner autour des grands groupes de rock – et tu ne le croiras peut-être pas, mais moins tu en as passé, plus tu as de la chance –, mais laisse-moi t'assurer que la façon dont les Clash traitent leurs fans est si éloignée du cours normal des choses en ce domaine qu'elle en est carrément révolutionnaire. Je m'en vais le répéter, et lentement, encore : la plupart des rock stars sont des foutus gorets qui disposent de l'habituel contingent de brutes sanguinaires baraquées pour tenir à tout prix les fans à l'écart, à l'exception du non moins habituel contingent choisi d'heureuses (?) jeunes filles nubiles qu'ils daigneront peut-être accepter dans leur chambre, pour avoir le privilège de sucer leur précieuse bite, avant d'être, la plupart du temps, flanquées dehors pour rentrer chez elles sans même qu'on leur ait donné de quoi prendre un taxi. Tout le truc est pourri jusqu'à la moelle, et je ne pouvais tout simplement pas croire qu'un groupe, surtout aussi brutal *musicalement* que les Clash, puisse rompre à ce point avec cette norme fétide.

J'en ai parlé à Mick ce jour-là dans la camionnette tandis que nous roulions vers Cardiff, aussi pour faire un peu amende honorable suite à ma propre conduite : « Écoute, mec, je vais pas dire que je vous *respecte* vraiment... je veux dire, j'avais pas idée qu'un groupe pouvait être aussi sympa que ça avec ses fans... »

Il s'est contenté de rire : « Oh, alors c'est ça qui va faire l'accroche de ton article ? »

Et pour moi, là est l'essence de la grandeur des Clash, par-dessus et au-delà de leur musique, c'est pourquoi je suis tombé amoureux d'eux, pourquoi il a été inutile de faire avec eux des interviews fastidieuses sur la politique ou le système de classes ou tout ça ; parce que voilà enfin un groupe qui non seulement prêche quelque chose de bon, mais le met également en pratique, et au lieu de parler changements de comportement social met en œuvre le modèle d'une société réellement égalitaire.

Que Mick ait réduit tout ça à une plaisanterie ne fait que montrer jusqu'où ils vont vers la réalisation de tous les espoirs que nous avons nourris pour le rock, un rêve utopique – parce que si le rock est vraiment la forme d'art démocratique, alors la démocratie doit commencer chez soi ; c'est-à-dire, les murs éternels, et parfaitement répugnants, entre artistes et public doivent tomber, l'élitisme doit périr, les « stars » doivent être humanisées, démythifiées, et le public traité avec plus de respect. Sinon, tout est arnaque et escroquerie, et la musique est aussi morte que celle des Stones et de Led Zep l'est devenue.

Tout le monde sait désormais que si presque tout l'establishment du rock s'est desséché, créativement parlant, c'est parce qu'il s'est coupé du monde réel de l'expérience quotidienne tel que l'incarnent les fans. La question ultime est de savoir combien de temps un groupe comme les Clash peut continuer à pratiquer un total égalitarisme, face à une popularité qui explose. Les murs *doivent*-ils finir inévitablement par se relever, et si oui, quand ? Des groupes comme le Grateful Dead ont, au moins dans le passé, mis en pratique ce principe de liberté d'accès, mais le Dead n'a jamais eu le glamour dont, qu'ils aiment ça ou pas (et je parie qu'ils aiment), les Clash sont chargés – je veux dire que ce n'est pas pour rien que Mick Jones ressemble à un Keith

Richards jeune et déjà vaguement bousillé –, d'ailleurs le Dead n'est pas vraiment un groupe de rock, alors que les Clash ne sont rien d'autre. Et comme Mick me l'a dit le premier soir, ne me demandez pas pourquoi je cherche, obsédé, du côté des groupes de rock en vue d'un modèle de société meilleure... Je crois que c'est simplement parce que j'ai aperçu une fois quelque chose de beau dans un moment d'illumination, et peut-être que, le prenant par erreur pour une prophétie, j'ai cherché son accomplissement depuis. Et peut-être que rien d'autre au monde n'a jamais semblé détenir autant de promesses.

J'ai peut-être l'air d'accorder trop d'importance à tout ça. Nous pourrions peut-être abandonner toute signification à l'image de Mick Jones : rien qu'un guitariste en treillis blanc, un môme rock parti sur la route qui manifestement se prend le pied de sa vie, et que toutes les prétentions politiques soient damnées, mais il y a toujours une atmosphère autour des Clash, appelez ça comme vous voulez, qui reste positive, d'une façon que je n'ai jamais ressentie auprès d'aucun autre groupe ou presque, et je les ai pratiquement tous fréquentés. Quelque chose de moral, sans prétention aucune, à la fois une affirmation de soi et de la vie – par opposition, disons, au simple hédonisme féroce et à l'avarice de tant de superstars, ou à l'ambition monomaniaque, lugubre et pincée de presque tous ceux qui prétendent à leurs trônes.

Mais suffit. Le grand moment du trajet de la première journée s'est produit quand j'ai mentionné négligemment que j'avais une cassette du nouvel album des Ramones. Le groupe tout entier m'a pratiquement sauté à la gorge : « Pourquoi tu nous as pas dit ça avant ? Mets-le *tout de suite*, merde ! » Ce que j'ai fait, et en un instant ils étaient tous à sautiller dans le van sur « Cretin Hop ». Par la suite, *Rocket to Russia* est devenu la bande sonore de la partie de la tournée que j'ai suivie.

Je suis également heureux de pouvoir dire à tout le monde que les Clash sont des fans résolus des Muppets (ils m'ont même demandé si je connaissais des gens pour passer dans l'émission). Kermit est leur favori, ce qui me paraît un choix assez conventionnel – je suis moi-même un fan de Fozzie. Ce soir-là, alors que nous entrions dans la salle à Cardiff pour le concert, Paul a dit : « Hé, Lester, je viens de comprendre pourquoi t'aimes Fozzie – vous vous ressemblez vachement tous les deux ! » Après quoi il m'a tapé dans le dos.

D'accord, arrivé là j'aimerais dire quelques mots sur ce Simonon. En particulier qu'IL A L'AIR D'UN MUPPET. Je ne sais pas trop lequel, une sorte de composé, que ce visage pensif sur les photos ne vous trompe pas – ce type est un vrai clown (après tout, c'est une parole de connaisseur). Il fume beaucoup, et quand il est vraiment parti, il se lance dans des trucs sans suite, dignes d'un dessin animé, qu'il est le seul à comprendre (et qui ont souvent à voir avec Bernie, le manager), mais défoncé ou pas quand il vous parle et que vous regardez ce visage, vous contemplez un cartoon rayonnant, aux grands yeux et aux mèches rouges, dont il ne serait sans doute pas erroné de dire qu'il ne vit que pour les farces. Sur scène, il est différent ; il s'accroupit pour mieux bondir, sourit rarement, paraît ruminer sur son manche, se déplace d'un air menaçant, et prend une allure nettement simiesque : le chaînon manquant, Cro-Magnon, l'homme de Piltdown, le géant de Cardiff.

C'est sans aucun doute cette combinaison de gamin espiègle et de primate paléolithique qui a fait s'évanouir en tremblotant des cœurs féminins aussi disparates que ceux de Patti Smith et de Caroline Coon – pas de doute là-dessus, Paul est le tombeur du groupe sans même s'en donner la peine, et je doute qu'il y ait de nombreux concerts qu'il ne termine pas en pogotant du tuyau dans une ruche accueillante. Fais gaffe quand même, Paul – ce serait indigne d'un Muppet d'avoir la chaude-pisse.

Le concert de Cardiff est tout à fait différent de celui de Derby. C'est dans une fac, et quiconque a déjà fait de la prison dans l'une de ces mornes institutions vouées au pédantisme de bas étage sait quel genre de tue-l'amour ça laisse présager. Une fois de plus, le groupe donne peut-être 60 pour cent de ce dont je les sais capables, mais avec un public comme celui-là on ne peut les en blâmer. Je ne suis pas en train de dire que tous les étudiants sont des sous-humains – je dis simplement que si

vous entendez passer quelques années à maîtriser l'art de la prétention, ce sont des endroits où des experts incontestés vous
l'enseigneront.

À Cardiff, il y a environ cinq individus, tous mâles, qui po-
gotent, tandis que le reste du corps étudiant reste autour à les
regarder avec, collées sur la tronche, des expressions étudiées
de vague amusement. Une fois que c'est terminé, un type revient
interviewer Mick, et la question la plus intelligente qu'il trouve
à poser, c'est : « Que pensez-vous de David Bowie ? »

Pendant ce temps, je fais connaissance avec la chanteuse
des Lous, un bon groupe parisien entièrement féminin. Elle dit
qu'elle s'agace d'être considérée comme « une femme qui fait
de la musique », au lieu d'une musicienne, purement et simplement, faisant ainsi écho à un sentiment que m'avait déjà exprimé
Tina Weymouth, des Talking Heads. « Tout ça, c'est des conneries », dit-elle. J'en tombe d'accord ; je ne lui dis pas que je suis
en train d'éprouver un intérêt nettement charnel, que je serai
trop timide pour aborder avec elle. Je l'invite à notre hôtel ; elle
dit oui, puis disparaît.

Quand nous y arrivons, c'est la scène habituelle dans le lobby,
sauf que cette fois la direction a judicieusement fourni sandwiches et bières. Celle-ci nous descend dans le goulet, et je
m'apprête à faire suivre le même chemin au sandwich quand je
découvre que quelqu'un a eu une autre idée : une masse de pain
et d'œufs en salade vient en sifflant *s'écraser* en plein sur ma
nuque ! Je regarde autour de moi et fais face à une muraille de
visages innocents. Alors j'avale une bouchée et *wham !*, en voilà
un autre.

En quelques instants les sandwiches se mettent à voler en tous
sens, tout le monde est bombardé, j'ai une tranche de chou sur
la tête et je viens juste de me faire à ce niveau de chaos quand
je sens que quelque chose brûle.

« Hé Lester, dit quelqu'un, tu ne devrais pas tant fumer ! » Je
tends la main pour tâter ma nuque et – un petit plaisantin a mis
le feu à ma chevelure ! Je pivote sur mon siège ; Paul me regarde
en gloussant. « Simonon, empaffé ! », commencé-je, avant de
sentir encore davantage de fumée, de regarder sous ma chaise

où un bout de papier de vingt centimètres sur trente se recroqueville en brûlant. Poussant des jurons à pleins poumons, je saute en l'air et me trouve une chaise de l'autre côté de la table, où je n'ai personne dans le dos et où je peux garder l'œil sur ce Muppet au dôme rougeâtre. Le seul problème est que je découvrirai, un jour ou deux après, que ce n'est pas lui qui avait mis le feu, mais Bernie, le manager du groupe. Pour finir, nous nous retrouvons à court de bière, Mick dit qu'il a faim. Bernie refuse de le laisser partir avec le van chercher des endroits où manger, ce que de toute façon nous ne pourrions trouver à Cardiff à 4 heures du matin, et nous partons tous nous coucher coiffés d'œufs en salade.

Le matin suivant nous voit roulant vers Bristol, grande ville industrielle où nous descendons dans un Holiday Inn, au grand ravissement de tout le monde. Le temps qu'on en soit là, l'atmosphère entourant le groupe s'est combinée avec mon tenace décalage horaire et de libérales ingestions d'alcool pour me placer dans une sorte d'état extatique que je n'avais encore jamais connu sur la route.

Passé la gloire et les concerts eux-mêmes, tourner, sous quelque forme que ce soit, est une entreprise salement morne et fastidieuse, mais avec les Clash je sens que j'ai de nouveau perçu la vision momentanée, ci-dessus mentionnée, d'un Monde Meilleur aux possibilités infinies, aussi, inspiré et quelque peu délirant, renoncé-je à ma sieste habituelle entre le voyage et l'heure du concert, grâce à laquelle j'espérais virer finalement le décalage horaire, et passe l'après-midi à boire du cognac et à écrire.

Maintenant, je suis prêt à suivre le courant, ou n'importe quoi, car il a commencé à me sembler, que ce soit trompeur ou non, qu'un état de grâce recouvre tout ce projet, quelque chose au fond de l'âme qui fait que tous les problèmes quotidiens de logistique pratique, si chiants et juste bons à provoquer des maux de tête, se passent aussi paisiblement que l'humeur des gens impliqués, toute l'entreprise fait route en parfaite harmonie, dans un contraste éblouissant avec la brutale logistique des tournées de

Led Zeppelin, bien qu'à un niveau beaucoup plus réduit... d'une façon ou d'une autre, que ce soit vraiment ça, ou une simple bonne santé de la part de tous, et renforcée par mon état mental, j'ai commencé à voir ce voyage comme une sorte de pèlerinage symbolique vers cette Terre Promise qui fait si cyniquement ricaner le rock depuis l'effondrement des sixties.

À ce point, dans ma chambre d'hôtel, à supposer que six chevaux blancs et un chariot d'or se soient matérialisés dans le couloir, je n'aurais pas été plus surpris que par le service, j'aurais grimpé et me serais lancé dans cette ascension, depuis longtemps promise, vers des semaines astrales sans fin dans le royaume céleste.

Au lieu de tout ça, j'ai eu droit, vers 18 heures, à un coup de fil de Joe Strummer me disant de le retrouver dans le lobby d'ici cinq minutes si je voulais venir assister à la balance. Alors j'ai flotté à travers les ascenseurs et quand je suis arrivé, j'ai vu un groupe embarrassé de petits para-punks tous blottis sur un seul sofa. Ils étaient ornés d'insignes, une épingle à nourrice ici et là, un ou deux petits slogans tracés à la craie sur leurs blazers d'école, les cheveux graissés et tordus en une approximation superficielle de piquants. « Hé, ai-je dit, vous êtes des fans des Clash, les gars ? »

« Ben... ont-ils marmonné... pour ainsi dire... »

« Comment ça ? Z'êtes des punks, non ? »

« Ben, on aimerait bien... mais on a la trouille... »

Quand Joe est descendu, je l'ai pris à part et, montrant les petits malheureux, lui ai répété ce qu'ils avaient dit, lui demandant également s'il voulait les emmener au concert avec nous et ainsi leur offrir un peu d'encouragement, qu'ils fassent le pas, ultime et crucial, vers le monde de parias du punk authentique, et vers un respect d'eux-mêmes dont ils avaient bien besoin.

« Laisse tomber, a-t-il répondu. S'ils n'ont pas le courage de le faire, je vais pas leur tenir la main ! »

Sur le chemin de la balance, j'ai mentionné que je pensais que les deux soirs précédents, le groupe n'avait pas été aussi bon qu'il pouvait l'être, en ajoutant que je n'avais pas voulu en parler.

« Et pourquoi pas ? » a-t-il dit.

J'ai compris que je n'avais pas de réponse. Je raconte cette histoire pour signaler quelque chose sur les Clash, et sur Joe Strummer en particulier, qui, en même temps, m'a impressionné et a révélé en moi le « diplomate » hypocrite que je peux être parfois. Je veux parler de leur honnêteté, simple et directe, de leur souci sans dogmatisme de vérité et de pourquoi s'inquiéter de marcher sur les orteils des autres parce que si nous ne sommes pas francs les uns envers les autres nous n'arriverons jamais à faire quoi que ce soit, de toute façon.

Ça paraît si simple, et je suppose que ça l'est, mais c'est contraire à presque tout ce sur quoi tourne le business : hype, pognon, cirage de pompes. Et ça contribue fortement à créer l'ambiance précédemment mentionnée de clarté positive et de moralité sans sermon. Strummer lui-même, qui est à la fois le « leader » du groupe (bien qu'il le nie) et le moins volubile (encore que sa maladie puisse avoir joué un grand rôle là-dedans), a un impact physique et personnel immédiat, de franchise et d'honnêteté élémentaires, un souci d'aller droit au cœur des choses, le tout sans se montrer ni brusque, ni impatient, mais concis et manifestement dépourvu de frivolité.

Sérieux sans être solennel, calme sans être lointain ou hautain, Strummer contraste vivement avec l'esprit volubile et le clignement d'œil de Mick, comme avec l'espièglerie de Paul. Il est presque certainement l'âme du groupe, et je souhaiterais pouvoir dire que je suis arrivé à mieux le connaître.

Dès l'instant où nous entrons dans la salle pour la balance, nous sentons que le concert de ce soir va être chaud. L'endroit lui-même ressemble à un abattoir abandonné – grand, vide, avec un sol de pierre glacé et des murs d'un blanc cru. C'est franchement lugubre, et – c'est l'une des ironies les plus répandues du rock – l'atmosphère est parfaite et l'acoustique super.

Tandis que les Clash s'échauffent pendant la balance, ils jouent quelque chose de très funky qui, je le découvrirai plus tard, est un vieux titre de Booker T., ce qui m'implante dans la tête une idée qui par la suite devient une conviction : en dépit de la brillance qui se manifeste dans des trucs comme « White Riot », ils jouent mieux, en fait, et de façon certainement plus intéressante, quand ils *ralentissent* et deviennent, euh, funky. On l'entend dans la version live (et non en studio) de « Police and Thieves », comme dans « (White Man) In Hammersmith Palais », qui est probablement le meilleur truc qu'ils aient écrit.

Quelque part, dans leur assimilation du reggae, se trouve ce qui est encore la plus proche approximation de l'accord perdu, le chaînon manquant entre la musique noire et le bruit blanc, un rock capable de saluer les formes noires sans saloper tout. C'est dans l'intro de Mick à « Police and Thieves » et, implicitement, dans toute l'attitude scénique du groupe. Je comprends pourquoi tous les autres, ces deux dernières années, pensaient devoir jouer à 150 km/h – pour nous sortir du marécage créé par tout ce qui les avait précédés au cours de la décennie –, mais c'est fait, et en ce qui me concerne j'aimerais bien un peu de funk, surtout de la part de gens aussi bons pour ça que les Clash. De toute façon, pourquoi un grand groupe de rock ferait-il ce qu'on *attend* de lui ? Les Clash sont une certaine idée dans les esprits de beaucoup de gens, ce qui n'est qu'une raison de plus pour la *détruire* et aborder quelque chose d'autre. C'est jamais qu'une opinion de critique, comprenez, mais c'est pour ça que Dieu nous a mis là.

En tout cas, ce soir est le jour de paie. Le groupe est tout terreur crispée dès l'instant où il monte sur scène, tout ce qu'il est censé être, et davantage. Je songe pour la première fois que je n'ai jamais vu de groupe qui *bouge* comme celui-là : dans la plupart des cas, on voit les pas rock chorégraphiés cinq minutes à l'avance, mais les Clash, eux, sautillent les uns autour des autres dans toutes les configurations, de façon totalement naturelle, galvanisés par leur seule musique, Jones et Simonon changent de place selon les caprices du boucan qui sort de leurs guitares, avec des ressorts dans les semelles de leurs tennis.

Strummer, manifestement poussé à compenser pour ce public la perte d'énergie des deux derniers soirs, est un fil électrique

furieux qui fouette le centre de la scène, se délestant de sa guitare pour tomber sur un genou, non pour parodier Elvis, mais
par pure frénésie hors de soi, grondant à travers les débris de son
champ de manœuvres dentaire, le visage déformé par toute la
rage dont vous aurez jamais besoin pour vous convaincre de l'authenticité des Clash, un désespoir sans rien d'artificiel, ni de mis
en scène, une fureur libérée sur scène qui se tord de souffrance
et se lie aux nerfs du public comme des coups de tonnerre en
été, et cette fois le pogotage se révèle une réponse pitoyablement
insuffisante à un type pris au piège et hurlant, et ce n'est pas
votre système de classes, ce n'est pas l'Angleterre-en-bout-de-
course, ce n'est même pas la fièvre glandulaire, c'est la cage de la
vie elle-même et l'angoisse de s'en échapper qui parfois traduit
un flash ou quelque chose d'aussi mesquin, mais, en tout cas,
est la moelle brûlante du rock.

C'est l'une de ces performances pour lesquelles tous les
termes critiques dont on dispose sont pathétiquement inadé-
quats, et après qu'elle eut pris fin j'ai compris qu'il était futile
de contacter Strummer pour cette interview, que je ne cessais
de remettre à plus tard, sur la « politique » de la situation. Celle
du rock, en Angleterre, aux États-Unis ou partout ailleurs, est
que tout un tas de kids veulent sortir de leur peau en se faisant
cramer par ce qu'ils pourront trouver de plus brûlant, pour une
soirée dont ils pourront faire semblant de croire qu'elle est le
reste de leur vie, et si le lendemain ils retournent à leur boulot
dans une boutique, à l'ennui du chômage, ou à la déprime de
la télé américaine dans le living-room de papa-maman, rien ne
pourra annuler la réalité de cette soirée dans des flammes revi-
vifiantes quand, pour une fois (serait-ce la seule) dans votre vie,
vous avez été expulsé hors de vous-même et de la monotonie
qui caractérise l'existence partout, et tout le temps, quand vous
vous êtes nourri d'éclairs, et que rien d'autre dans le domaine
des vivants ou des morts n'a la moindre importance.

DEUXIÈME PARTIE

De retour à l'hôtel, tout le monde décide de se rassembler dans le bar de l'Holiday Inn pour fêter ce concert de retour en forme. Je m'arrête à hauteur de ma chambre et, assis dans les chiottes, me mets à lire un article de *Newsweek* intitulé « L'Amérique vire-t-elle à droite ? » (réponse : oui). Il est étrange d'être là, en plein milieu d'un pays étranger, à lire des trucs sur l'Amérique, et de se rendre compte à quel point on se sent à l'aise ici, à quel point votre pays natal est un monde étranger.

Plus je suis resté en Angleterre, plus ce sentiment m'a pesé lourdement sur les épaules – lors de mes précédentes visites, j'étais toujours impatient de rentrer aux États-Unis, et le mal du pays pour New York est devenu une maladie congénitale chaque fois que je voyage. Mais je sens depuis si longtemps que quelque chose est mort, pourri et froid dans la culture américaine, pas seulement dans la musique, mais aussi dans la société à tous les niveaux, jusqu'aux stases et aux entropies répétitives, et la suprême ironie est que tout ce que je lis dans le *NME*, c'est que la vie est vraiment pourrie pour vous autres, quand pour moi votre désespoir semble être la santé, et la complaisance indigente de mon pays la mort.

Je veux dire par là qu'au moins vous avez certains enjeux. *Notre* National Front a déjà gagné, aussi insidieusement invisible qu'une prise murale. La différence est que pour vous, No Future veut dire être jeté sur le tas d'ordures de l'économie, alors que pour moi c'est une infinité de miroirs télévisuels qui profèrent les mensonges les plus hideux, et qu'avale ma nation de méphistos technocratiques. Un petit avant-goût de la mort dans chaque vaccination de masse contre la bactérie du doute.

Mais quand j'ai jeté un coup d'œil derrière le rideau de la douche, Marisa Berenson était là. « J'ai des films de toi en train de chier », ai-je dit.

« Et alors ? a-t-elle répliqué. Je viens de vendre les négatifs à WPLJ pour leur prochaine pub télé. Ils vont les mettre au laser de néon. Je serai *immortelle*. »

Voudriez-vous être un larbin ? C'est ce que ressentent toutes les familles télévisées, et c'est ce que je ressens quand je vais dans les boîtes disco, endroits où les gens *cultivent* leur larbinisme. En Amérique, s'entend. Alors, pourquoi suis-je descendu ensuite dans l'idée que l'Holiday Inn de Bristol (vous vous souvenez de Bristol ?) se fait d'une vraie disco swinguante où des Americanskis en vacances pourraient se sentir chez eux. J'ai eu envie de grimper aux murs, mais il y avait des filles, le groupe semblait amusé et ne pas avoir peur de s'aventurer dans le chaudron de sorcière de l'ionisation disco, qui est génocide de mon point de vue, camarade, mais il est vrai que nous autres Américains avons tendance à pousser les choses un peu trop loin.

Ce club m'a rappelé tout ce à quoi j'ai été follement heureux d'échapper quand j'ai quitté New York : des pistes de danse clignotantes, de la musique de machine à volume massif, les lumières aveuglantes, tout ça est orgone d'ampoule électrique avec des FUN FUN FUN à chier de quoi faire cligner des yeux les gamins des villes jusqu'à ce que papa emporte la console. Je commence à découvrir une franche hostilité : grincements de dents, respirations sifflantes, coups de poing sur la simili moleskine. Ça te fera vachement de bien, kid. Les discothèques sont des camps de concentration, comme l'Île des Plaisirs dans le *Pinocchio* de Walt Disney. Hé, p'pa, joue encore une fois ce fichu disque de Baccara et ton nez va grandir et on le découpera à la scie pour en faire des cure-dents.

Je bouillonne d'une fureur difficilement réprimée quand Glen Matlock, un gniard malicieux avec plus qu'un peu de ruse dans le regard, se penche par-dessus la table en lucite incrustée d'ampoules et dit : « Hé, tu veux écouter une précopie de l'album des Rich Kids ? »

« Sûr ! » On voit immédiatement pourquoi Glen s'est fait jeter des Pistols : jamais je ne ferais confiance à un de ces petits malins de la clean pop, même avec des pincettes. Mais je leur dirais de dire bonjour. Je me fous éperdument des Raspberries et Glen ressemble fichtrement à Eric Carmen – sauf que je ne peux m'empêcher de préciser qu'il est beaucoup moins efféminé – et de toute façon tout ça est la faute de McCartney, et je veux parler des merveilleux enregistrements dudit Mc circa Beatles, que nous avons si bien épuisés, mais en dépit de toutes les fichues pagailles glougloutantes, il nous faut continuer à traiter avec ces émissaires du pays de Bide-a-Wee et Son Impériale Pop le Dragon Magique, d'ailleurs je venais juste de danser sur James Brown et j'avais besoin d'huile solaire et de sparadrap.

Voyons, comment pourrais-je insulter ce type, qui s'en vient chourer la force galvanique de notre flotille PUNK avec ses manœuvres courtoises dans le domaine de la mélodie, des harmonies, des Hollies, tous ces bobards ? Alors il met en route son magnétocassette, et voilà que c'est le vieil air des Monkees écrit par Neil Diamond, « I'm a Believer ».

« Hé ! dis-je. C'est foutrement *bon* ! C'est *super* ! T'as un fichu groupe, là ! C'est meilleur que l'original ! »

Ol' Puck reste assis là à siroter son verre en me riant au nez à travers des dents éblouissantes. Ce moutard a-t-il seulement entendu « Muskrat Love » ?

« De quoi tu ris ? cancané-je. Je suis *sérieux* ! Glen, quiconque peut battre les Monkees à leur propre jeu est OK pour moi ! »

Puis vient le titre suivant. C'est aussi un truc des Monkees. « Hé, qu'est-ce que c'est ? Tu vas faire de ton premier album *The Monkees' Greatest Hits* ? »

Bon, je sais que je ne suis pas l'être humain le plus rapide du monde... de sa sortie jusqu'à il y a environ six mois, j'ai cru que Brian Wilson, dans « Good Vibrations », chantait « She's giving citations » (et non *excitations*). Je croyais que la chanson parlait d'une nana de la police dont il était tombé amoureux, quelque chose comme ça. D'après moi, les Rich Kids DEVRAIENT faire, en guise de premier album, *The Monkees' Greatest Hits* (et lui donner ce nom, ça enfonce *Never Mind the Bollocks*, et de loin). *Je* l'achèterais – *tout le monde* l'achèterait. Et ça n'est pas tout, on peut compter sur tous les rock critics du *NME* pour rédiger de longues analyses du bourbier conceptuel derrière tout cet utile entassement d'arnaques – je veux dire, voyons un peu si Malcolm peut faire mieux que ça. À y repenser, le truc le plus cool que les Pistols auraient pu faire quand ils sont enfin arrivés à sortir leur album aurait été de l'appeler *Eric Clapton*. On s'en fout que ça ait ou non poussé les ventes, pensez à la part la plus importante : *l'insulte*. Plus une agréable surprise pour les abonnés de *Guitar Player*, les pseudo-Djangos Holmstrommés de placard et de feu à l'âtre, etc. *Ils* n'auraient jamais voulu qu'on leur refile un bébé comme ça, même si son nom de famille était Gibson. Les Paul, où es-tu ? Parti faire du skateboard, sans doute. Avec Dick Dale.

Ah ouais, les Clash. Eh bien, l'heure de fermeture est arrivée comme elle a l'habitude de le faire en Angleterre, à des heures obscènement matinales – qu'est-ce que c'est que cette merde de onze heures du soir ? Pour moi, l'anarchie, c'est des bars qui restent ouverts vingt-quatre heures sur vingt-quatre. Hmmm, je crains que ça ne fasse de Las Vegas le modèle d'une Société Anarchique. D'accord, Malcolm, Bernie, et quiconque s'occupe de ces petits enfoirés, c'est le moment de tout déraciner, laissez tomber tout le foutoir en plein milieu du Palais de César, et vu que Johnny Rotten est manifestement beaucoup plus malin que Hunter S. Thompson, nous allons nous retrouver avec un tout nouveau Rêve Américain. Non, je crois que ça ne marcherait pas, des groupes au chômage ne peuvent rien se permettre au-delà des machines à sous, arrêtez tout. Nous remontons dans la chambre de Mick pour boire une bière et discuter.

Il est exalté et drôle, bien qu'un peu éteint. Je fais remarquer que je n'ai pas vu de groupies lors de la tournée, et lui demande si parfois il emmène au lit une des petites chéries locales, et si oui, pourquoi pas ce soir ?

Mick a l'air plus fatigué et dévasté qu'il ne l'est vraiment (contrairement à son héros guitaristique, il s'abstient en permanence de drogues sous la plupart de leurs formes – un sacré tas de gens sains, ceux-là – pas un seul amateur de cuillères tordues ou de périlleuses dingueries dans le tas). « On n'est pas très branchés là-dessus. Tu as vu les filles dehors – presque toutes sont trop jeunes » (ce qui est parfaitement exact, on y reviendra). « Mais les groupies... Je ne sais pas, je n'en vois jamais tant que ça, je crois. J'ai une copine que je vois environ une fois par mois, mais à part ça… » Il hausse les épaules : « Quand on joue autant que ça, on n'en a pas tellement besoin. Parfois j'ai l'impression que je perds tout intérêt pour le sexe. Attention, on est un groupe de mecs normaux. C'est simplement que tout ce dont tu parles ne semble pas… avoir de rapport. »

Alors, ne vous avais-je pas dit que c'était le Royaume Céleste ? Non seulement les Clash ne sont pas sexistes, mais de surcroît ils sont si sains qu'ils n'ont même pas besoin de vous *dire* à quel point ils ne sont pas sexistes ; pas de prêchi-prêcha, pas de bidonnages, rien que des poneys et des kilomètres d'herbe galloise bien verte où rebondissent des balles.

Je vais maintenant me répéter (cf. première partie) pour dire que c'est exactement et précisément ÇA que j'entends quand je dis les Clash = un modèle de Société Nouvelle ; une société de gens *normaux*, ce par quoi je veux dire que nous sommes entourés d'enculés, et je ne parle pas de gays, je parle… ah, quand les agneaux attirent l'Angleterre avec des crayons de couleur Sesame Street, nous ne voyons pas d'amants se caresser, croyez-moi. Que ceci ou cela aille se faire foutre, mais faites l'amour quand les marées sont hautes, et je veux vraiment un bébé qui ressemble à ça. Tout comme William Blake, qui sourit secrètement sous la pluie.

Le lendemain, long trajet vers le sud-ouest. En fait, comme c'est dimanche et que mon *affectation* de trois jours est arrivée à terme, je suis censé rentrer à Londres, mais hier soir quand j'ai dit ça à Mick, il m'a demandé de rester et que je sois maudit si je ne l'ai pas fait – ce qui pour moi est une première. D'ordinaire, on veut simplement rentrer chez soi, torcher l'article et tourner la tête vers une bière.

Mais comme vous pouvez tous vous en rendre compte, mes sentiments pour les Clash ont depuis longtemps dépassé toutes les conneries professionnelles, nous aimons traînailler ensemble. D'ailleurs, j'ai conservé une longue-vue pour les couleurs de cette Terre Promise si sûre d'apparaître à chaque nouvelle courbe de colline, hé les vaches de lune dites bonjour de ma part à James

Joyce, les carcasses tordues des arbres la veille m'avaient rappelé les voix du Bois Lacté... terre pleine de fantômes qui ne déboulent pas en fredonnant près des bureaux de poste bien après minuit avec Automatic Slim et Razor-Totin' Jim, la réalité est que vous pourriez faire la tournée de l'Atlantide et ça aurait encore l'air d'une autoroute : : bagages-essence : : arrêt-pipi : : boutique de souvenirs : : etc., à mourir...

Joe tue la mornitude des heures en camionnette avec des thrillers à sujets nazis de Sven Hassel, Mick va se mettre à commencer à lire *Les Souterrains* de Kerouac mais emprunte mon exemplaire du nouveau bouquin de Bukowski, *L'Amour est un chien de l'Enfer*, et ça le remue tellement que les deux jours suivants il ne cesse de le faire circuler, en essayant d'amener les autres à lire certains poèmes, comme celui sur le poète qui monte sur scène pour lire ses textes et vomit dans le piano à queue (et est prêt à recommencer), mais ils n'ont pas l'air très impressionnés – Joe enveloppé dans son treillis, Paul tirant sur un spliff, avec l'allégresse d'un primate spatial aux yeux immenses, écoutant et réécoutant l'album des Ramones, et chaque fois que Joey, au début de la deuxième face, crie « LOBOTOMAAY ! ! », il donne un coup sur la tête de quelqu'un, le pogo commence à avoir l'air d'un jeu de spirogyra, bondissant de partout, tant il est vrai qu'on ne peut empêcher les crétins de sautiller, une fois qu'ils ont commencé ils sont comme des *microbes* sauteurs. Pendant ce temps, le batteur, le pauvre petit Nicky Headon, que je ne parviendrai pas vraiment à connaître au cours de ce voyage, resserre sa veste sur le siège avant, occupé à avaler du sirop pour la toux en essayant vainement d'écarter une misérable bronchite. À un moment, Mickey, le chauffeur, un gros bœuf au cou épais avec une coupe de douilles de skinhead, laisse Nicky prendre le volant et nous nous mettons à errer sur toute la route.

Bon sang, vous devez vous ennuyer à lire ce genre de truc. Saviez-vous que ce machin coûte à IPC (qui, pour autant que je sache, sort non seulement le *NME*, mais aussi une lettre d'information mensuelle du genre tiens-vous-êtes-toujours-vivant destinée aux contre-amiraux en retraite de la flotte Guyanaise) sept cents et demi le mot ? Arrangement équitable, pourriez-vous penser, jusqu'à ce que vous réfléchissiez au fait que selon ce cadre de référence, des organismes aussi divers que « salicy-lique » et « euh » ont droit à une récompense égale, parlez-moi de votre système de classes, ou de son absence ! MAINTENANT vous savez pourquoi 99 pour cent de tous les journalistes impri-més publiquement sont des tâcherons, parce que les clichés sont aussi bien payés que les perles, bien qu'il y ait une certaine logique inéluctable parfaite à la Ramones dans la façon dont ces interminables rames de copie se contentent de labourer toutes ces revues musicales merdeuses comme un épais trait de crayon fonçant tout droit d'ici jusqu'aux cieux.

Écoutez, reconnaissez-le, le lecteur comme le journaliste sait que presque tout ce qui va passer du second au premier est un simple tas de conneries, de toute façon, alors pourquoi ne pas renoncer au fantôme de prétention à la forme et au sujet, et se contenter de faire en sorte que ces divagations torchonnesques s'adaptent au trolley dans lequel vous les lirez probablement... vous pourrez dire que je prends des libertés, et vous aurez rai-son, mais j'aurai fait ma bonne action de la journée si je peux vous faire voir que toute la question c'est VOUS DEVRIEZ EN PRENDRE AUSSI. Rien n'est inscrit si profondément dans la terre qu'un peu de collyre ne puisse le déraciner, c'est ça l'idée de base de la prétendue « New Wave » – RÉINVENTEZ-VOUS VOUS-MÊME, ET CE QUI VOUS ENTOURE, CONSTAM-MENT, surtout depuis que tout ça est déjà un truc dépassé, les Clash sont par le travers un pamphlet un prospectus dans un poing crispé, les gens du *NME* se présentent comme un groupe de rock depuis tant d'années que personne ne peut plus le leur dénier, pendant que vous écrivez l'histoire que je lis, comme vous êtes il et moi nous, en belettes toutes ensemble, Jésus me transformerais-je en Steve Hillage ou en David Allen, au-dessus des chutes en tout cas mais au moins nous avons fait fondre les murs laissant l'argenterie de la maison libre pour une partie de base-ball dans la neige[38].

Êtes-vous un imbécile ? Si oui, demandez dès aujourd'hui des fascicules de jardinage gratuits dans la station de métro de votre choix. Pensez à la carrière prometteuse qui peut passer à votre hauteur *en ce moment même* comme un autobus Greyhound. Personne n'aimera un nazi sorti d'un asile de pauvres. Les chiens sont plus vifs que la plupart des employés.

Plan 9 : Il y a en Amérique un besoin pressant de pupitreurs informatiques ; en fait, ils passent des pubs à la télé pour supplier les gens de signer. La jeunesse britannique est massivement au chômage. Installez tous les moins de vingt-cinq ans de Grande-Bretagne dans des centres de formation du New Jersey et du Massachusetts. Enseignez-leur à taper des codes. Donnez-leur beaucoup de speed et laissez-les jouer jour et nuit avec leurs ordinateurs. Puis passez-les à la télé, à sourire avec des yeux en billard électrique : « Salut ! Autrefois j'étais un feignant ! Mais ensuite j'ai découvert COMPUTROCIDE DYNAMICS INC., et ça a bouleversé ma vie ! Je suis heureux ! Je suis utile ! Je marche, je parle, je m'habille, j'agis comme quelqu'un de normal ! Je suis un ambitieux qui monte dans une industrie en expansion ! Bon dieu, Mabel, j'ai un *boulot* ! » Il se met à brailler en pleurnichant, et bavasse tandis que de son nez s'écoule un mucus sentimental. « Et penser que... il y a juste deux mois j'étais coincé en *Angleterre*... au chômage, sans perspectives, sans respect, un tas de merde humaine sans valeur ! Merci, Oncle Sam ! »

Alors viens pas me dire que les États-Unis t'ennuient, mon pote. J'ai entendu cette merde punko-socialo trop de fois. On va se boire ces deux bières et ensuite on ira trouver un bar où tu sais que tout le monde boit des bières avec de l'argent gagné à la sueur de son front, en *travaillant*, tu saisis, mon pote ? Parce que j'ai le droit de travailler. Et les Nègres aussi. Comme les Blancs. Quand on a le nez sur la meule, on a pas le temps de s'inquiéter sur les dimensions du groin des autres. Car vous savez, comme moi, comme le Vienna Boys Choir et le type qui vend des montres volées au coin de la 6ᵉ Avenue et de la 14ᵉ Rue, que nous sommes nés pour un but et un seul : TRAVAILLER. *Soulève-moi* ces scories ! Mets bas cette muette, et regarde-nous, regarde cette incontestable NOBLESSE : notre FIERTÉ nationale biologique, notre ESPÉRANCE stéroïde impassible.

Qui a dit que notre vieux monde était compliqué? Je vais te dire à quoi ça se réduit, mon pote, en un mot : BOULOT. T'en as un, parfait, t'es peinard, un prince, en fait, dans ton domaine durement gagné! T'en as pas, t'es qu'une misérable limace, un emmerdeur dans les conduits d'évacuation, économiquement rouillés, de cette grande nation. Tu ferais mieux de te noyer dans la boue. Il nous faut conserver l'eau pour d'honnêtes gars qui travaillent! Des gars qui ont le bon sens de traiter ce boulot comme de L'OR. Parce que c'est exactement ce qu'il représente et POUR QUOI D'AUTRE PENSEZ-VOUS QUE JE VOUS DIS QUE C'EST LE TRUC LE PLUS IMPORTANT DE L'UNIVERS? Votre ticket pour la citoyenneté humaine.

Un homme, un boulot. Un chien, un tabouret.

L'hôtel a un lobby et un café qui donnent sur un plan d'eau. Personne ne sait si c'est ou non la Manche. Même les serveuses l'ignorent. Je me sens bien, ayant dormi l'après-midi, et il y a dans l'air le sentiment que tout le monde est prêt pour un sacré concert. Les énergies ayant été consolidées la veille, ce soir devrait être super.

Nous tournons dans des rues étroites en direction d'un petit club qui me rappelle fortement les rades vaguement minables où des groupes comme Iron Butterfly ou Strawberry Alarm Clock, euh, apprenaient sur le tas, ou, euh, en bavaient, comme on l'attendait d'eux quand ils montaient et que j'étais à l'école. Le genre d'endroit dont on peut écrire le scénario avant même d'être descendu du bus; le patron est une grosse brute d'âge mûr qui regarde du même air mauvais serveuses et groupes de rock, déteste la musique et les kids mais se dit qu'il y a du blé à faire. À l'intérieur, le décor est du genre tropical bidon, laissant entendre que, il y a peu de temps encore, le lieu était consacré à des usages très éloignés du rock punk. Vibrations du genre Enrico Cadillac.

J'entre dans la loge, qui en fait n'est pas une loge mais un espace minuscule séparé par des cloisons, et où trois groupes sont censés se préparer, littéralement l'un sur l'autre. Bob Quine, des Voidoids, entre, jette un œil et pose son étui de guitare par terre : « Je crois qu'on y est. »

Aucun des deux groupes qui font l'ouverture n'a obtenu du public, au cours de cette tournée, la réaction qu'il mérite. L'assistance est composée de fans des Clash, qui connaissent leurs chansons par cœur, n'ont jamais entendu parler des Lous et, tout au plus, savent vaguement qui est Richard Hell. Richard est déprimé parce que son groupe n'a pas droit au soutien qu'il espérait de la part de leur maison de disques. L'album *Blank Generation* n'est pas encore sorti – les Voidoids pensent que c'est parce que Sire veut fourguer encore quelques exemplaires en import, bien que j'aie entendu dire un peu plus tard, au cours de la même semaine, que des grèves avaient entraîné la fermeture de toutes les usines de pressage d'Angleterre. Il en résulte que les kids dans le public ne connaissent pratiquement aucune chanson, aucune des paroles, rien sauf le 45 tours Ork/Stiff, si bien qu'ils décident de cracher sur le groupe, et réclament les Clash en hurlant.

Je dis à Hell et à Quine que je n'ai jamais entendu le groupe jouer si serré, ce qui est vrai – il n'y a pas de meilleur moyen que de jouer soir après soir, fût-ce dans des circonstances aussi dégradées qu'on veut, pour mettre davantage de nerf et de feu dans votre musique. Il est intéressant de noter qu'Ivan Julian et Marc Bell, le guitariste rythmique et le batteur de Hell, sont tous deux de bonne humeur : ils ont déjà tourné, ils savent à quoi s'attendre.

Un de ces jours, Quine sera reconnu comme la figure centrale qu'il est sur son instrument – c'est le premier guitariste à prendre les innovations du Lou Reed et du James Williamson des débuts, et à travailler dessus pour en arriver à un vocabulaire neuf, individuel, mené dans des endroits bizarres par une passion obsessionnelle pour le Miles Davis de l'époque *On the Corner*. Bien entendu, j'ai des préjugés, parce qu'il a aussi joué sur mon disque, mais c'est un des rares guitaristes de ma connaissance capable de manier la super technologie qui menace d'engloutir tout entiers musiciens et instruments – « Tu devrais écouter cette boîte nouvelle que j'ai, commence-t-il généralement pour

présenter sa dernière découverte, elle donne un bruit parfaitement insupportable... » –, sans perdre contact avec ses émotions
musicales chemin faisant. Sur scène, il reprend l'attitude froide
et lointaine apprise de ses mentors jazzeux – lunettes noires,
barbe, visage sans expression, crâne chauve, vieille veste de
sport –, mais ses solos brûlent toujours, et ce d'autant plus qu'ils
ont toujours quelque chose d'étranglé, d'entravé, en attente
d'être libéré.

Le public de ce soir est bon – ils réagissent instinctivement
aux Voidoids, bien qu'ils ne connaissent guère les paroles, et il
ne semble pas du tout bizarre de voir des mômes pogoter sur
les riffs à la Miles Davis de Quine (il pique dans *Agharta*! Et il
arrive à ce que ça *marche*!). Hell et son groupe ont droit au seul
rappel auquel j'aie assisté pendant mon séjour sur la tournée,
et ils en font bon usage, amenant Glen Matlock pour qu'il joue
de la basse. Le set des Clash est vif, brûlant, propre – le consensus parmi nous autres qui les suivons est que c'est solide mais
que ça manque de la vengeance tranchante de la veille.

Même sur une petite scène – et celle-là est minuscule – le
groupe est constamment en mouvement, entrant et sautant
par bonds du territoire de chacun, avec des sprints électrifiés et
des sauts en avant qui ont une élégance propre, sans que personne ne se cogne les genoux ou se heurte de l'épaule, comme
les Voidoids dans certains états qu'ils détestent, et qui je crois
comptent parmi leurs meilleurs tournoiements dans des quasi-
collisions d'un cheveu totalement dépourvues d'élégance mais
suprêmement dynamiques. On voit vraiment pourquoi Tom
Verlaine voulait que Hell quitte Television – il se jette à travers
toute la scène comme s'il se battait furieusement aux portes
verrouillées d'un paradis quelconque, et si Ivan et Bob savent
quand esquiver, on voit aussi franchement pourquoi Hell était
dans un groupe appelé les Heartbreakers – parce que ce fils de
pute est dur comme le chêne, et qu'il est à la recherche de la
bonne hache parce que quelque chose en lui bouillonne comme
un poison qui veut se libérer.

J'ai rencontré quelques fans dans la loge. Il y avait là Martin,
qui a quatorze ans et un groupe à lui qui s'appelle Crissus. J'ai

cru que c'était une fille jusqu'à ce que j'entende son prénom (te vexe pas, Martin), mais voyez ça comme ça : ici, sur quelque rivage lointain au sud de la vieille île, voilà un môme qui entre juste dans la puberté, cet *enfant*, et qui a été si inspiré par la New Wave qu'il commence déjà à agir par lui-même. Je lui ai demandé si Crissus avait enregistré et il a ri : « Tu plaisantes ? »

« Pourquoi pas ? Tous les autres l'ont fait. » (Ceci dit sans cynisme aucun non plus.)

J'ai demandé à Martin ce qu'il aimait en particulier chez les Clash, par opposition aux autres groupes New Wave. Sa réponse : « Leur résistance physique et psychologique totale, à tous les niveaux, aux ennemis fascistes et impérialistes du peuple, et leur compréhension de la distinction entre art et propagande. Ils savent que celle-ci doit être accessible au Peuple si l'on veut qu'il puisse (a) l'écouter, (b) la comprendre, (c) y réagir, se lancer dans la guerre populaire. Ils se rendent compte que la forme doit être aussi révolutionnaire que le contenu – à Cuba c'est ce qu'ils ont fait avec la radio, les ice-creams, le base-ball et la boxe, comprenant que sports et musique sont les vecteurs les plus efficaces de l'idéologie communiste. En tant que forme, le rock est anarchiste, mais si nous pouvions trouver un moyen de rendre le *contenu* aussi irrésistible que la forme, alors nous pourrions aller quelque part ! Pour le moment, nous devons admettre que l'information révolutionnaire n'existe que pour autant qu'elle est transmise dans un espace et un temps très circonscrits, aussi devons-nous nous satisfaire de savoir que la puissance de la forme assure l'efficacité du contenu, c'est-à-dire que le rythme primitif africain et les guitares-verrats continueront à ramener le public à des auditions hypnotiques répétées, jusqu'à ce que le message révolutionnaire placé dans les paroles ne puisse faire autrement que de lui entrer dans la tête ! »

Martin était vif pour son âge. Pas aussi vif que ça, pourtant. Ou peut-être davantage. Car bien entendu il n'a rien dit de tel. J'ai tout inventé. Il a dit : « J'aime les Clash à cause de leurs fringues ! »

Et ç'a été la même chose avec tous les fans que j'ai interviewés au cours des six soirées pendant lesquelles je les ai vus. *Personne* n'a parlé politique, même pas du chômage, et je n'allais certainement pas me mettre à leur donner des indices. Ce soir-là, j'ai eu des réponses typiques du genre : « Leur son ! Je sais pas, ça vous fait sauter en l'air ! » – « La musique, qui est excitante, et les paroles, qui sont heavy, leur allure sur scène ! » (allure qui se réduit à des zippers et des denims pour le combat instantané, ou peut-être une certaine souplesse scénique).

Comme nous étions tous encore à traînailler avant de sortir, Mick, au milieu d'un groupe de fans comme d'habitude, ne ruisselant pas d'adoration mais réellement intéressé à l'idée de les connaître, à mi-chemin de l'estrade et de la porte, le patron du club s'est mis à émettre des bruits sur « ces fichus rockers punk – on essaie d'avoir un club décent, ils arrivent et foutent tout en l'air... »

Mick l'a regardé d'un air indifférent : « Conneries. »

« Écoutez, vous autres, dégagez, on veut pas voir des mecs comme vous traîner dans le coin », et bien entendu l'autre a sa petite milice de débiles pour les chasser vers la sortie. J'ai fini par lui dire : « Si vous les détestez tellement, pourquoi ne pas ouvrir un autre genre de club ? »

Instantanément il s'en est pris à moi, ventre, haleine et menace : « Qu'est-ce que tu cherches, des ennuis ? »

« Non, je vous ai simplement posé une question. »

Vous savez, c'est comme toutes les scènes semblables auxquelles vous avez assisté toute votre vie – VOUS NE VOULEZ PAS VRAIMENT VOUS LANCER DANS JE NE SAIS QUELLE VIOLENCE DÉBILE AVEC CES GENS-LÀ, mais on finit par se lasser d'être traité comme un porc.

Quand nous sommes sortis, quelques Teds ont fait leur apparition – les premiers que j'aie vus en Angleterre, et j'ai eu la tentation d'aller les saluer, comme tout bon touriste Yankee bien débile : « Hé, z'êtes des Teds, hé ? J'ai entendu parler de vous, les gars ! Vous n'aimez rien qui soit postérieur à Gene Vincent ! Les gars, vous êtes vraiment un tas d'empaffés cabochards ! »

Mais je n'en ai rien fait – je me suis tourné vers Mick et les fans, et ils avaient l'air hésitant, à regarder dans le vague comme quand on sent la violence dans l'air et que ça ne vous plaît pas. Ils marchaient sur la pointe des pieds. Mais il est vrai que hormis certaines scènes entre eux, presque tous les punks que j'ai vus font de même ! Ils sont pires que les hippies ! Plutôt comme les beatniks.

Mais ce qui était vraiment drôle, c'est que les Teds faisaient pareil – ils se contentaient de traîner les pieds avec leurs copines, dans leurs chemises à jabot et leurs vestes en velours, et se sont mis à marmonner des généralités : « Fichus punks... de la merde... une bande de fichus freaks... » Il fallait vraiment tendre l'oreille pour les entendre. Ils avaient presque l'air gêné. C'est comme s'ils avaient dû se forcer.

Je n'avais jamais rien vu de tel aux É.U., parce qu'exception faite de certains gangs ethniques, il n'y a rien là-bas qui soit comparable aux Teds et aux Punks. On a les motards, mais même eux se réclament du contemporain. Les Teds ont l'air aussi triste que les Punks paraissent touchants et bizarrement vivifiants – ces gens savent que le temps les a dépassés, et n'ont pas entièrement tort d'affirmer que c'est la faute du temps et pas la leur. Ils se souviennent d'un superbe instant de leur vie quand tout – la musique, le sexe, les rêves – paraissait ne faire qu'un, quand ils pouvaient dire d'aller se faire foutre à quiconque tentait de les attacher à la planche à repasser, et savoir au fond d'eux-mêmes qu'ils avaient raison. Mais cet instant est passé, et ils ont la trouille, tout comme les kids des États-Unis ont presque tous la trouille de la New Wave, comme les gens que je connais flippent quand je passe les disques de Miles Davis, en me suppliant d'arrêter ça parce qu'il y a dedans quelque chose de si énorme et menaçant, émotionnellement parlant, que c'en est franchement « déprimant ».

Les Teds m'ont paru poignants, d'autant plus que leur style vestimentaire les rendait aussi absurdes, pour nous, que nous l'étions pour eux (mais de façon différente – ils ont l'air « suranné », argument tout à fait définitif). Ils avaient l'air de gens qui ont aperçu quelque chose et rongent à jamais l'os desséché de ce souvenir, mais mon gars, ce que j'ai vu, *essaie* voir de me l'arracher, petit empaffé punk... Non que les punks essaient de chercher des noises aux Teds ; mais ceux-ci, contrairement à eux, qui paient le prix social de leur attitude mais ont au moins l'arrogance de leur fraîcheur, font penser à des gens finalement pris au piège d'une société qui ne peut tout simplement accepter que quoi que ce soit se desserre.

En Amérique, vous pouvez parvenir à l'âge mûr et conserver les accoutrements de l'adolescence en n'ayant que des ennuis relativement mineurs – d'accord, le gars a toujours ses rouflaquettes son rod sa bière son durillon de comptoir, une épouse et trois enfants, et il n'a jamais grandi. Et alors ? On n'est pas censé grandir aux États-Unis. On est censé consommer. Mais en Grande-Bretagne, il semble qu'il y ait un idéal – non, une espèce de rivière à sec qu'on doit traverser, de façon à pouvoir entrer dans cette bulle endormie où vous élèverez une famille, contribuerez, à votre modeste façon, à la société, et fermerez votre gueule. Jusqu'à ce que vous soyez vieux, s'entend, quand vous pourrez devenir un « excentrique » – dire et faire des choses scandaleuses, féroces, parce que c'est ce qu'on attend de vous, vous avez traversé l'autre miroir du télescope de l'enfance.

Entre-temps, et pour quelqu'un du dehors, tout ça ressemble à un désespoir tranquille. Toute cette merde lèvres-pincées, toujours-de-l'avant. Si Freud avait raison de dire que toutes les sociétés sont fondées sur la répression, alors l'Angleterre doit être l'apex de la civilisation occidentale. On a récemment publié une conversation entre Tennessee Williams et William Burroughs, dans laquelle celui-ci disait qu'il n'aimait pas les Anglais parce que leurs bonnes manières avaient atteint un point tel qu'ils pouvaient recevoir toute la soirée pour le restant de leurs jours, mais sans que jamais personne vous dise rien de personnel, rien de *réel* sur soi. Je crois qu'il a raison. À l'heure qu'il est, on a le problème opposé en Amérique – à New York, il y a un présentateur de talk-show qui est si narcissiste que chaque mercredi il s'étend sur un divan et déverse ses angoisses sur son analyste... *à l'écran !*

Je suis frappé que vous autres sembliez être des gars qui rient au mauvais moment, qui ne cessent d'étudier l'art de la dissimulation. Une fois de plus, je comprends qu'en fait il pourrait y avoir quelque chose qui m'irrite et dont vous ne souffrez pas – ce qui, de ma part n'est certainement pas conçu comme baratin mégalo, mais signifie que vous êtes là depuis un bon bout de temps, que vous en êtes venus à faire une paix forcée avec vos maladies indigènes, alors que nous autres Américains avons sous la peau des bestioles qui nous font tous sursauter en Nervosismes Nerveux qui doivent grandement vous amuser. Mais même là il y a une différence – dans le meilleur des cas, nous reconnaissons notre maladie, et luttons constamment pour y faire face. Vous, vous êtes vraiment très forts pour balayer la poussière sous le tapis. Il n'est donc pas étonnant que, comme le dit Johnny Rotten, vous ayez des « problèmes » – je dirais plutôt : des furoncles qui éclatent.

Et maintenant, alors que je m'apprête à fermer boutique, je me sens mal à l'aise, pompeux et suffisant – je reviendrai la semaine prochaine procéder à la liquidation, la somme de ce que je vois dans tout le mouvement « punk », pour tous ceux qui auront envie d'écouter –, mais ici je m'interromps pour ce qui a l'air d'une généralisation trop vaste et monstrueusement présomptueuse, pas seulement sur les punks, mais sur tout votre pays.

Bon, que l'imbécile passe pour un imbécile, mais je vous dirai une chose : les Teds sont un fichu symptôme de la pourriture de votre société, bien plus révélateurs que les punks, parce que ceux-ci, s'ils ont beau parler ennui et No Future, offrent au moins des possibilités, tandis que les Teds sont enfermés. Vous autres enfoirés avez efficacement bouclé ces gens, qui essaient simplement de ne pas renoncer à un peu de leur passion d'origine au profit d'une homogénéisation totale dans un camp de concentration invisible. Votre mépris les coince, alors ils s'en prennent aux seuls qui soient plus vulnérables et passifs qu'eux : les punks.

Ce qu'il y a de presque saint chez les punks, c'est que pour l'essentiel ils ne paraissent pas trouver nécessaire de s'en prendre, avec une férocité comparable, à qui que ce soit – à l'exception d'eux-mêmes.

Alors, à quiconque lisant ceci et se trouvant dans une position de « statut social », de « responsabilité », de « pouvoir », contrairement au lecteur moyen du *NME*, je dirai : félicitations, vous avez créé une société de cannibales et de suicidés.

TROISIÈME PARTIE

L'histoire récente est le récit de la vaste conspiration en vue d'imposer à l'humanité un niveau de conscience mécanique et d'exterminer toutes les manifestations de cette part unique de la sensibilité humaine… que l'individu partage avec son Créateur. La répression de l'individualité contemplative est presque complète.

Les seules données historiques immédiates que nous puissions connaître, sur lesquelles nous pouvons agir, sont celles qui nourrissent nos sens par l'intermédiaire des systèmes de communication de masse.

Ces médias sont précisément les lieux où les sensibilités les plus profondes et les plus personnelles, les confessions de la réalité, sont le plus interdites, ridiculisées, réprimées…

Quelques individus, poètes, ont eu la chance, le courage ou le destin d'entr'apercevoir quelque chose de neuf à travers les fissures de la conscience de masse… la police et les journaux se sont installés, des fabricants de cinéma cinglés d'Hollywood, en ce moment même, préparent des stéréotypes bestiaux de la scène…

Combien d'hypocrites y a-t-il en Amérique ? Combien d'agneaux tremblants, craignant d'être découverts ? Quelle autorité avons-nous imposée à nous-mêmes, que nous ne soyons pas comme nous Sommes ?

Allen Ginsberg,
La Poésie, la Violence et les Agneaux tremblants

Nous sommes encore devant le club, et Mick Jones et moi parlons avec trois fans venus en stop de Douvres pour le concert. Ils sont invités à l'hôtel de cette façon plus ou moins vague dont ça se produit d'ordinaire, et Mick me regarde : « Lester, tu peux les prendre dans ta chambre cette nuit ? »

Ce sont deux filles et un garçon et ma chambre est petite, mais ils sont sympa et jusqu'à présent la conversation a été bonne alors je dis d'accord si ça ne les embête pas de dormir par terre. Nous grimpons tous dans le van et Mitch, le chauffeur, commence à râler de devoir emmener des gens en plus.

Ce n'est pas le type le plus optimiste de la planète, mais le voyage depuis Bristol a été long, et les types comme lui n'ont pas de scène sur laquelle lâcher la vapeur. Alors j'essaie de l'amadouer un peu, en lui disant qu'il est comme Neal Cassady (à cause de ces longues étendues d'autoroutes).

« Ouais, lance-t-il, et je conduis une *star*! »

Quand on arrive à l'hôtel, la mauvaise humeur ne fait que croître. Je traîne dans le lobby en essayant de trouver de la bière, alors je manque le début des problèmes. Les fans, Mickey le chauffeur, Robin, l'ami et le compagnon de voyage, Paul Simonon et Nicky Headon sont assis là, les sandwiches volent, comme d'habitude, alors au début je ne remarque pas ce qui se passe. Mais quand je me rassois, je comprends que ce sont Mickey et Robin qui jettent presque tous les sandwiches sur le fan.

Je regarde le gars, qu'on dirait couvert sur tout le corps de morceaux de tomates, d'œufs, de laitue, de mayonnaise et de pain, et qui se recroqueville dans son fauteuil dans l'humiliation la plus abjecte. Perplexe, je lui tends une bière et lui dis que tout va bien.

Mickey : « Oh que non! » Il bondit et court vers nous, cognant le fan des deux poings. Le gamin essaie de se rouler en boule. Un instant après Robin lui tombe dessus; d'abord il écrase ce qui reste du sandwich dans les cheveux et les vêtements du gars, puis il s'empare du coussin d'un des fauteuils et lui étouffe la figure dedans. Pour finir, tout le monde s'assoit, et il tombe un silence ignoble.

Je n'ai aucune envie de me faire cogner, mais il faut bien que je fasse quelque chose. Je regarde Mickey et lui dit calmement : « Pourquoi est-ce que tu te comportes en connard? »

« C'est quoi, un connard? » demande-t-il.

« Il y en a de toutes les sortes, dis-je. On en reconnaît un dès qu'on le voit. »

« Ce petit empaffé a bousillé ma veste! »

Il montre une petite tache sur son coupe-vent.

« Et alors ? Si tu te mets à jeter des sandwiches, faut s'y attendre. »

« On a pas commencé, c'est lui », dit Mickey.

« Oh », je réponds, en sachant parfaitement que c'est un mensonge.

Nouveau silence encore plus sordide. Je finis par dire : « Je suis désolé pour ta veste. Tu dois beaucoup y tenir. »

« Foutre oui ! »

« Tu les aurais cognés si c'étaient eux qui l'avaient tachée ? » dis-je en montrant Paul et Nicky, qui sont toujours assis là sans rien dire.

« Ouais. » Puis il s'en prend à moi, verbalement, en tentant de provoquer autant qu'il peut. Je ne vous infligerai pas les détails.

Au bout de quelques minutes, Robin se lève et me demande si je veux monter dans la chambre de Mick. Après tout ce qui vient de se passer, je suis encore capable de dire : « Ouais, ça a l'air sympa. » Je regarde Liz, une des deux filles.

« Tu veux monter voir Mick ? »

« Non », répond-elle.

Alors les trois fans et moi nous dirigeons vers l'ascenseur pour gagner ma chambre. Ce n'est que quand nous y arrivons que la signification de la scène me frappe. « Je crois que ce sont des hypocrites, non ? » dit le môme tout taché de bouffe. Les filles sont furieuses. Ce ne sera que le lendemain que je me rendrai compte que j'étais en train de lire *La Guerre contre les Juifs* en essayant de comprendre comment une nation entière pouvait rester là et laisser commettre des atrocités, et que pourtant j'étais assis, je ne sais comment, à *refuser de comprendre* pendant plusieurs minutes que quelqu'un juste à côté de moi était insulté verbalement et brutalisé physiquement sans raison aucune.

Le temps que nous arrivions à ma chambre, le gars est déjà en train d'excuser les Clash. « Je ne suis furieux contre personne. Ce n'est pas la faute du groupe. »

Cette fois je bouillonne : « Qu'est-ce que tu veux dire ? Ils étaient assis là et ont laissé faire ! J'étais assis là et j'ai laissé faire ! Qu'est-ce qui donne à qui que ce soit le droit de te faire des merdes comme ça ? »

Je me maudis à n'en plus finir pour ne pas avoir agi. Parce que maintenant je suis dans ma chambre, cœur battant, nerfs poussés au point de rupture pour n'avoir su prendre le rythme de la tournée, tressautant, tendu et brûlant de frapper quelqu'un en pleine figure. Je me rends compte que le *taré* d'en bas n'a fait que m'inoculer son propre poison, mais il n'y a rien que je puisse y faire, sinon essayer vainement de me calmer.

Les filles sont folles furieuses contre les Clash, le gamin admet lentement sa propre colère, par-delà une complète mortification, et nous pinaillons là-dessus à n'en plus finir jusqu'à ce que nous comprenions que ça ne nous fera aucun bien. Aussi la conversation passe-t-elle à d'autres choses. Le gars travaille dans un hôtel à Torquay, endroit vraiment prétentieux, et nous régale d'anecdotes sur les petites faiblesses et les excentricités de clients célèbres tels qu'Henry Kissinger et Frank Sinatra. Il nous raconte quels porcs sont la plupart des groupes de rock célèbres qui ont séjourné là. Les seuls qui soient pires, dit-il, ce sont les Arabes. Quand les rock stars s'en vont, les chambres sont saccagées ; même chose avec les Arabes, mais en plus les murs sont pleins de traces de balles. Ce qui, bien entendu, nous ramène directement à l'incident de ce soir.

« Ce qu'ils ne comprennent pas, dit-il, c'est que quand ils balancent de la bouffe partout comme ça, c'est quelqu'un comme moi qui doit se mettre à quatre pattes pour tout nettoyer. »

Ce qui veut dire quelqu'un comme les Clash eux-mêmes. Je suppose que je vais passer pour très moraliste à ce sujet ; et je n'entends pas que cet incident domine tout l'article, mais il ne disparaîtra pas si je ferme les yeux.

Je me souviens, la première fois que j'ai entendu parler des Clash, dans l'article que le *NME* avait publié au printemps dernier, d'avoir été un peu surpris de lire que lors de leur première tournée ils avaient saccagé (déjà ?) leurs chambres d'hôtel. Je veux dire que, même alors, ça vous paraissait un peu bizarre, après toute leur rhétorique vertueuse. Si quelqu'un vous gonfle, très bien, éclatez-le si vous voulez. Mais la destruction au hasard est si... *débile*. Et si évocatrice de la haine de soi.

Je suppose qu'il n'y a pas de différence fondamentale entre les Clash, qui bousillent les hôtels, et leurs fans, qui laissent des fragments de canettes sur les planchers des salles de concert, ce n'est jamais que le produit de la frustration, et tout le monde s'en fout. Mais il y a certaines choses qu'il faut voir comme un ensemble. J'entends par là que la nature de toute entreprise, quelle qu'elle soit, à tous les niveaux, peut être définie par ce qui tombe du sommet. Et ce qu'il y a au sommet de la plupart des groupes de rock célèbres est malade, aussi le tout reflète-t-il la maladie, jusqu'à l'emploi d'hommes de main brutaux pour tenir les fans à l'écart au nom de la « sécurité » (de qui ?). Ce qui est au sommet de l'organisation Clash semble si fondamentalement bon, moral, plein de principes, qu'il n'est pas étonnant que, exception faite de cet incident, tout ait paru aller si bien pendant cette tournée, et que tout le monde ait semblé si heureux.

Quand Led Zeppelin ou les Stones tournent, tout le monde doit souffrir en compensation de la complaisance des gros bébés d'en haut, aussi toutes sortes de petits fonctionnaires ou de badauds innocents peuvent se faire traiter comme de la merde. Mais même Led Zeppelin n'invite pas ses fans à l'hôtel pour les rouer de coups *ensuite*.

Vers quatre heures du matin, une des filles a dit au gars : « On dirait que t'as un coquard. » On commençait à voir son œil droit se décolorer. Quand ils sont partis, ça c'était transformé en un gonflement violacé d'un centimètre d'épaisseur, et de la dimension d'une pièce d'un shilling.

Je suis resté toute la nuit avec eux, en apprenant à les connaître par le biais de cette intimité agréable, transitoire, commune aux voyageurs. Nous avons échangé des adresses et des adieux chaleureux, et ils sont partis vers 7 h 30, sous une petite averse, pour rentrer à Douvres en stop. La scène avec Mickey m'avait laissé trop crispé pour que je puisse dormir, et nous étions tous censés nous montrer dans le lobby à neuf heures, pour le trajet vers Birmingham. Alors j'ai pris une douche, me suis habillé, j'ai fait ma valise et suis descendu pour le petit-déjeuner, à l'occasion duquel j'ai rencontré un type prénommé John qui remplaçait Mickey pour la journée. Ce qui était heureux, parce que j'aurais sauté dans le premier train pour Londres plutôt que de passer quelques heures de plus dans le van avec ce con. En fait, je n'ai rien dit au cours du trajet jusqu'à Birmingham. Je me disais qu'il ne servirait à rien de me lancer dans ce qui pourrait devenir une discussion prolongée avec tout le monde dans un petit espace clos. Mais l'après-midi, dès que nous sommes arrivés à l'hôtel, j'ai appelé Mick dans sa chambre et lui ai demandé si je pouvais passer. Ça me rongeait depuis que ça s'était produit, et il fallait que je me sorte ça du système. Mick, Paul et Robin étaient là, et j'ai raconté ce qui s'était passé. Ils n'ont pas paru spécialement intéressés. Quand j'ai demandé à Paul pourquoi il n'avait rien fait, il m'a répondu : « Mickey est comme ça, c'est tout, mieux vaut ne pas se mettre en travers. D'ailleurs, ça paraissait de la blague – moi aussi je me chicorne avec mes potes de temps en temps. »

J'ai insisté, et quand j'en ai eu fini, Mick a dit : « Hé bé, j'ai vraiment l'impression d'avoir eu droit à une sévère réprimande, là. »

« Ouais, a dit Robin. On aurait dit mon père. »

Je leur ai précisé que je n'entendais pas me poser en juge. Mais on voyait bien que Mick était secoué ; il adore les fans des Clash, beaucoup plus que n'importe qui d'autre dans le groupe. Après un bref silence déprimé, il a dit qu'il allait sortir marcher un peu, s'est levé et a quitté la pièce.

Dans la salle de Birmingham, l'ambiance était mauvaise. Corky, le roadie des Clash, tendait aux fans se dirigeant vers l'entrée des badges où on lisait I WANT COMPLETE CONTROL, que la police leur confisquait dès qu'ils étaient entrés. L'ambiance dans le public était atroce – ils ont mollardé Richard Hell encore plus que d'habitude, et il s'est mis à riposter en crachant aussi, ce qui était une erreur.

Quand je suis entré dans la loge, Joe Strummer m'a aussitôt fait face : « Lester, qu'est-ce que c'est que cette merde que tu sèmes ? »

« Tu veux dire à propos d'hier soir ? »

« Ouais. Ce gars était un foutu petit empaffé… »

Plutôt que de lui dire qu'il avait tort et de me lancer dans une chamaillerie juste avant le concert, j'ai quitté la pièce. Dans la salle, Mick est venu vers moi, manifestement encore préoccupé : « J'ai entendu quatre versions différentes de ce qui s'est passé hier soir, mais l'important, c'est qu'il vaut mieux que ça ne se reproduise pas. »

Plus tard, il y a eu une party dans une boîte au-dessus de la salle, et j'ai brièvement parlé à Bernie Rhodes, en lui disant que j'adorais le groupe, et que c'était Mick que j'aimais le plus. Il a soupiré : « Ouais, mais Mick est mon plus gros problème... »

Le vrai problème, évidemment, c'est de savoir comment réconcilier, de manière réaliste, l'attitude de Mick envers les fans avec la popularité croissante du groupe. Ce qui veut dire qu'en définitive il faut tracer une ligne – et qui va décider quand et où ? Sans ce contact personnel avec leur public, les Clash sembleraient aussi enclins à tomber dans une aliénation élitiste que presque tous les groupes qui les ont précédés, mais si on arrive au point où plusieurs milliers de personnes veulent entrer dans votre chambre d'hôtel, il faut trouver un moyen de gérer le problème. Certes, je n'ai pas la réponse – tout ce que je sais, c'est qu'une totale liberté d'accès est aussi peu raisonnable qu'un style de sécurité à la Zep/Stones est choquant et fasciste.

En dépit de la tension entre la police et le public, le groupe a donné un grand concert, canalisant toutes les frustrations en une crise de masse libératrice. Je n'ai pu m'empêcher de comparer tout ça, notamment à la lumière de toute la publicité donnée aux punks dans les journaux, avec ce que j'ai vu la dernière fois que je suis passé à Birmingham – en 1972, pour Slade. On m'avait prévenu de ne pas apporter mon magnéto parce que le public le bousillerait sûrement ; ce qui ne s'est pas produit, mais ils ont bel et bien fracassé tous les sièges, il y avait des bagarres partout, et Dave Hill a été blessé par un objet contondant.

D'accord, c'était le public moyen des matches de foot, et qu'est-ce qu'un peu d'authentique violence à côté d'une génération, cinq ans plus tard, qui semblerait préférer la révolte par les fringues et la coupe de cheveux ?

À propos de laquelle j'ai fait l'expérience d'une véritable révélation lors de la party qui a suivi le concert. Je rougis de le confesser, mais je dois dire que j'ai eu beau essayer, je n'ai jamais réussi à trouver les punkettes sexy. Je ne sais trop comment, ces cheveux tailladés vous refroidissent à chaque fois, en dépit de la pensée d'essayer d'embrasser quelqu'un qui a une épingle à nourrice fichée dans la bouche (à propos, je n'en ai pas vu une seule plantée dans la chair de qui que ce soit de tout mon séjour en Angleterre) – mais maintenant, en boîte, avec Don Letts aux platines, qui alterne le punk et le reggae à un volume capable de vous faire fondre la cervelle, tout un tas de punkettes se lancent sur la piste de danse, se mettent à pogoter et... ah... tout d'un coup ça commence à avoir un sens bien précis...

En fait, ce fut l'un des meilleurs moments de mon voyage. J'ai un peu essayé de danser, mais pour l'essentiel il m'a fallu me contenter de rester là à regarder, regarder, tandis qu'une fille en cuir noir dansait à la James Brown, tandis qu'Ari Up, des Slits, vêtue de toutes sortes de loques et d'un châle en filet, sautillait à grands pas autour de la piste, comme un mélange d'araignée et d'autruche en parade, et que la batteuse des Lous circulait sur la piste à genoux, puis se mettait à quatre pattes pour de bon, tandis que mes globes oculaires, puis ma cervelle, tombaient un peu plus à chaque fois.

Je suppose que vous autres moutards anglais êtes habitués à ça, mais pour un Américain comme moi c'était comme si les *Freaks* de Tod Browning dansaient le Cretin Hop en chair (pulsatile et hypnotentante) et en os. Pareillement, si quelqu'un commence à me demander quelle est la *signification sociologique* de toutes ces histoires de punk, je ne pourrai qu'en revenir à la batteuse des Lous évoluant en cercle à quatre pattes, me souvenant avec une parfaite netteté de son visage à ce moment-là : serein, *sans expression*, dépassionné, *naturel*.

C'est le même genre de truc qui me frappe le soir suivant, quand, pour ma dernière soirée sur la tournée, j'assiste au concert de Coventry avec un autre rock critic, Simon Frith. Lui, sa femme Gill et moi sommes entourés de ces étranges enfants, et la différence d'âge est d'autant plus accentuée que nous sommes trois à nous mêler aux cinglés.

Nous relevons certains détails, comme des fermetures éclair ne servant à rien, cousues en plein milieu des chemises, et je suis presque à tomber dans les pommes après six jours sur la route à raison de trois heures de sommeil par nuit, quand tout d'un coup quelque chose de très étrange me court dessus. C'est un môme qui se déplace dans la foule en pivotant mécaniquement de manière décousue, comme un robot aux circuits fusillés, qui regarde fixement quelque chose que je ne peux pas voir, et qui ne me voit certainement pas tandis que nous entrons en collision et qu'il poursuit son chemin. Quand je demande à Simon ce que ça pouvait bien être, il dit qu'ils font ça tout le temps – « Curieux, non ? » –, et quand je m'enquiers de savoir si une telle démarche pourrait être le sous-produit d'un abus d'amphétamines, il ricane : « C'est pas des amateurs de pilules. La plupart de ces mômes n'ont jamais rien pris de plus fort que la Stout. » (Contrairement à leur réputation, les Clash ne marchent pas non plus au speed, du moins sur la route.) Puis nous contemplons un instant l'armée de pogoteurs, et Simon dit : « Très tribal, non ? »

En effet. Entre les Voidoids et les Clash, les haut-parleurs diffusent « Anarchy in the U.K. », et le public tout entier, pogotant comme des fous, chante la chanson dans son intégralité. Je me dis qu'un tel spectacle doit inspirer la terreur, ou quelque chose du même genre, à un policier d'âge mûr qui regarde ; mais je me souviens ensuite de Slade faisant reprendre à son public « You'll Never Walk Alone » en 1972, et il est impossible d'échapper à la symétrie. Je suis au courant des histoires de chômage, je discerne les différences, mais je me demande jusqu'à quel point, en définitive, nous pourrons comprendre ce que veut dire tout ça.

Quand les Clash arrivent, Joe reprend un petit discours qu'il a d'abord essayé à Birmingham : « Écoutez, avant qu'on joue quoi que ce soit, nous aimerions vous demander une faveur : s'il vous plaît, ne nous crachez pas dessus. On essaie de faire quelque chose de bon et ça nous déséquilibre. » J'ai été heureux d'entendre ça, parce que, à part la nausée, les crachats, pour moi, représentent *les gens faisant ce qu'ils croient qu'on attend d'eux, plutôt que ce qu'ils pourraient vraiment vouloir faire, quoi que ce puisse être.*

Ce qui bien entendu *devrait* être ce contre quoi la New Wave se dresse.

Ou plutôt, la réciproque devrait être : de quoi s'agit-il ? Dans ce qu'il a de mieux, le phénomène New Wave/punk représente un rêve utopique fondamental et vieux comme le monde : si vous donnez aux gens la licence d'être aussi scandaleux qu'ils veulent, d'absolument toutes les façons qu'ils peuvent imaginer, *ils se montreront créatifs*, et feront en même temps quelque chose de bon. Réaliser leur propre potentiel, et se mettre enfin à faire ce qu'ils veulent vraiment faire. Ce qui présuppose également qu'ils ne veulent pas que quelqu'un d'autre leur dise quoi. Que la plupart des gens sont capables d'une certaine spontanéité, pourvu qu'ils en aient l'occasion.

En tant que tels, les punks constituent une forme de résistance passive à un ordre social rusé, mais la question demeure posée de savoir quelles alternatives ils vont proposer. Reprendre en chœur « Anarchy » et « White Riot » ne représente rien de plus qu'une démonstration de solidarité, et il y a beaucoup de gens qui pensent que tout ça n'est qu'une bande de mômes débiles portés sur les lubies. Ils ont tort, parce qu'au minimum ça revient à un acte de foi envers les potentialités de l'individu comme de la masse, ce qui compte beaucoup à une époque où nombre de voix sont prêtes à vous dire que tout le comportement humain peut être réduit à une formule.

Mais si quoi que ce soit, à part la mode et ce qui se réduit habituellement à des poses, doit finalement sortir de tout ça, alors quiconque écoute doit s'emparer des possibilités des deux mains et les accomplir lui-même. Ce sera ça, ou finir avec un nouvel ensemble de papas-mamans par procuration, comme les hippies, parce qu'en dépit de tout ce qu'ils ont pu mettre en route, c'est très exactement ce qu'étaient, disons, Charles Manson et John Sinclair.

Pour moi, le paradoxe est que les punks, de par leur douceur même, derrière tous les ricanements et les attitudes de groupe, sont des agneaux – et croyez-moi, je serai toujours avec les agneaux contre les brutes et les manipulateurs de cette planète –, mais que sont les agneaux sans bergers ? Exception faite des rastas, je ne veux pas de Jésus dans ma Terre Promise, et si je n'en ai pas trouvé une au terme de ma route avec les Clash, je l'ai bel et bien aperçue, dans la façon dont ils se comportaient avec leurs fans, envers moi, envers les gens qui travaillaient pour eux, envers les femmes, et en définitive envers eux-mêmes, et ce chaque jour. Ce qui signifie que, même si nous n'avons plus besoin de leaders, nous pourrions avoir besoin de beaucoup plus de modèles. Si c'est à cela que se réduit réellement le punk, alors peut-être avons-nous réellement le germe d'une société, ou du moins d'une sensibilité, nouvelle, qui traverse des choses telles que les classes, la race, le sexe.

Si ce n'est pas le cas, eh bien... Je me suis mis à discuter avec une fille qui connaissait Simon et Gill, et dont j'ai cru qu'elle était une élève de Simon. Elle était très fraîche, très saine, très jeune, vêtue d'une veste couverte de badges portant des noms de groupes, et très froissée que les Clash aient demandé à leur public de ne pas leur cracher dessus : « Après tout, c'est eux qui ont commencé ! »

« Mais, ai-je dit, ils jouent mieux quand vous ne faites pas ça. »

« Je m'en fous ! Je veux juste sauter en l'air ! Comme mes élèves ! »

J'ai battu des paupières : « *Vos élèves !* Attendez une seconde, quel âge avez-vous ? »

« Vingt-quatre ans. Je suis institutrice. »

Honnêtement, je n'ai pas pu m'en empêcher :

« Mais... euh... alors... qu'est-ce que vous faites ici ? Enfin, pourquoi aimez-vous les Clash ? »

« *Parce qu'ils me font sauter en l'air !* » Et elle s'est éloignée en pogotant.

New Musical Express (Londres), 10, 17 et 24 décembre 1977

Richard Hell :
La mort, c'est ne jamais devoir dire qu'on est incomplet

La vie ne vaut pas la peine d'être vécue...
L.F. Céline, *Voyage au bout de la nuit*

There's nothing to win by
This sort of an outcry...
[*Il n'y a rien à gagner / À ce genre de tollé...*]
Richard Hell, *Who Says (It's Good to Be Alive)* ?

Une fois ces principes établis, et grâce à une série d'expériences érudites, il avait réussi à jouer sur sa langue des mélodies silencieuses et des marches funèbres muettes... Il réussit même à transférer à son palais des morceaux de musique spécifiques, suivant pas à pas le compositeur, rendant ses intentions... Mais ce soir Des Esseintes n'avait aucun désir d'écouter le goût de la musique...
Joris Karl Huysmans, *Là-Bas*

Please Kill Me
Richard Hell, sur un tee-shirt

Ceci étant un article consacré à Richard Hell, il paraît manifestement approprié que je commence par parler de moi.

J'ai léché les gouttes de vin sur ses seins, puis j'ai léché son corps, puis il n'y a plus rien eu à faire. Elle a dormi, j'ai rôdé dans mon appartement tout comme quand je suis seul, cherchant des raisons d'être là où je les trouvais toujours : dans des livres, disques, magazines et médias, l'expérience du monde étant bonne pour les hippies, déjà connue de moi et dépassée.

Quand toutes ces drogues sont épuisées, je tourne incessam-
ment, ou bien je regarde dans le vide, entre un mécontentement
féroce ou une oppression rationalisée. Frapper, voilà ce dont
nous avons tous rêvé, mais aucune des vieilles cibles ne convient
plus, ergo une décennie qui me paraît être un cul de mule, mais
nous l'avalons tous et oh comme ils bourdonnent de mécontentement, et pas moyen d'entendre le moindre hurlement. En
ces temps de fascisme hédoniste, personne n'ose hurler, ou juger
ce qui est si pathétiquement suspendu en l'air, à savoir la vie
elle-même – enfin, personne jusqu'à maintenant. Ce qui veut
dire que si vous n'êtes pas fou vous êtes cinglé – nous sommes
dévorés corps et âme et personne ne se bat. En fait, pratiquement personne ne le voit, mais si vous écoutez les poètes vous
entendrez, et vomirez votre rage. Richard Hell est l'un d'entre
eux.

Essayer de vous dire pourquoi je crois, au moins en partie, à
ce qu'il dit pourrait bien être comme d'extirper le silence de mon
cœur. Il se révélera plus facile, j'en ai peur, d'expliquer pourquoi
je dois, en définitive, rejeter son programme. Je suis passionné
par sa musique, bien que je soupçonne, à l'instar de tout ce que
nous ressentons pour elle, qu'elle n'est que passion mal placée.
Je voulais écrire un livre sur la question de savoir pourquoi personne ne veut plus avoir d'émotions, et comme Hell est l'un
des rares penseurs que je respecte, j'en ai montré quelques chapitres à Richard il y a environ un an. Il a lu plusieurs fois cette
Cassandriade, avec une intensité paisible, sans ciller, puis m'a
dit : « Le fait est que les gens n'ont pas à *essayer* de ne plus rien
ressentir, ils en sont simplement *incapables*... »

Ce que je nie toujours, et je n'ai pas besoin d'en chercher
d'autre preuve que la vue de Richard Hell sur scène : se tordant,
se tortillant, se projetant en avant, se cognant dans ses guitaristes
comme un derviche blessé. Rien n'est plus éloigné de la vacuité
que ses yeux, qui lui sortent de la tête comme des ruches fra-
cassées, hurlant qu'on les laisse s'échapper d'ici, quoi que nous
comprenions par « ici ». Et nous ne comprenons pas, et c'est
pourquoi nous ne pouvons établir de liens, et voilà pourquoi
Richard Hell est, au moins pour ces instants-là, nécessaire.

Le seul problème, qui limite son caractère d'urgence, est que son intelligence, aux possibilités impressionnantes, est finalement réduite aux tourments dont elle se délecte. Je lui en veux pour ça, mais je dois quand même rendre hommage à l'intelligence d'origine. Richard Hell est un exilé qui marche dans la grand rue, un amant blessé qui aspire à être son propre juge sans merci, et marche main dans la main avec lui-même. Pourquoi croyez-vous que quelqu'un écrit une chanson disant : « I could live with you in another world » ? Ce n'est pas parce qu'il ne peut fonctionner dans celui-ci – n'importe quel idiot en est capable – mais parce que fonctionner avec l'idée que ce monde se fait de la communication est au mieux intolérable, au pire cause de violence sous la forme la plus extrême – dans le cas de Richard elle est implosive, alors que celle des Sex Pistols, disons, est explosive.

Extrait d'une interview avec Legs McNeil parue dans le magazine *Punk*, début 1975 :

R : Fondamentalement, j'ai un sentiment... le désir de sortir d'ici. Et tous les autres sentiments que j'ai viennent de la tentative d'analyser, tu vois, pourquoi je veux m'en aller... Tu vois, je me sens toujours mal à l'aise et je veux simplement... sortir de la pièce. Ce n'est pas pour aller ailleurs, pour éprouver une autre sensation ou n'importe quoi de ce genre, c'est simplement sortir d'« ici ».

L : Quand te sens-tu à l'aise ?

R : Quand je dors.

L : Es-tu heureux d'être né ?

R : J'ai des doutes... Tu as déjà lu Nietzsche ?

L : Ah ah ah !

R : Legs, écoute-moi, il a dit que tout ce qui te fait rire, tout ce qui est drôle, signale une émotion morte. Chaque fois que tu ris, il y a une émotion, quelque chose de grave, qui n'existe plus en toi... et c'est pourquoi je pense que toi, et tout le reste, êtes si drôles...

L : Oui, je le pense aussi, mais ça n'est pas drôle.

R : C'est parce que tu n'as pas d'émotions [*rire hystérique*].

Ce fut ma première rencontre avec Richard Hell, même si j'avais déjà entendu de bonnes choses sur lui. J'ai été intéressé, naturellement, parce qu'il me semblait, alors comme aujourd'hui, que les seules questions qu'il vaille la peine de poser sont de savoir si les humains auront demain des émotions quelconques, et ce que sera la qualité de la vie si la réponse est non. Si on doit vraiment se souvenir des années 70 comme de la décennie où, comme un personnage de *The Ice Age*, de Margaret Drabble, les gens ont réellement bien accueilli la déprime parce qu'elle les soulageait de l'angoisse, alors l'anxiété bouillonnante de la musique de Richard, et son inquiétant pessimisme sur la valeur ultime de la vie elle-même, sont d'une importance cruciale. Ouais, il a été dans des groupes appelés Television et les Heartbreakers, qui se sont fait connaître au sein de la New Wave, et oui, il a été le premier à porter un tee-shirt déchiré sur scène, mais tout ça n'a aucun rapport avec les questions fondamentales qu'il soulève, et le caractère lugubre des réponses qu'il leur donne.

Cela faisait longtemps que j'attendais d'interviewer Richard. En traînant au CBGB, j'étais devenu assez ami avec lui et tous ceux de son groupe, suffisamment en tout cas pour être satisfait que quand leur album, *Blank Generation*, sortit enfin, il se révèle être l'un des assauts rock les plus féroces de l'année. Mais il y avait aussi, dans sa musique et son personnage scénique, des choses qui m'inquiétaient : le sentiment que, quand il était sur scène, il chantait moins par souci de communiquer avec son public que presque totalement pour lui-même, et la dérangeante impression qu'il n'avait pas à se taillader les chairs, comme Iggy ou Stiv Bators, des Dead Boys, pour émettre une aura de souffrance, ou simplement déplaisante. C'est la même chose qui apparaît sur l'atroce pochette de son album où, intentionnellement, il réduit les yeux les plus fanatiquement pénétrants du rock à ceux d'un crapaud envapé. À un niveau peut-être moins immédiat, j'ai parcouru certains de ses livres favoris, comme le *Maldoror* de Lautréamont, célébration, d'une puissance terrifiante, du principe du mal pur, que Richard a relu régulièrement pendant une période où il croyait être un vampire, et *Là-Bas* de Huysmans, roman évoquant un homme qui, ayant goûté tous les plaisirs décadents du monde, se cloître pour se plonger, de corps et d'esprit, dans toute sensation synthétique à sa portée, ce qui finalement lui vaut un épuisement qui le mène au seuil de la mort. C'est le livre préféré de Richard : quand je lui ai demandé pourquoi, il a parlé, en termes admiratifs, de l'indépendance et de l'individualisme du héros. Une de mes amies journalistes m'a confié que Richard lui avait dit une fois que le mieux, s'il était rock star, serait la possibilité de concevoir son environnement de telle sorte qu'il ne serait jamais contraint de fréquenter quelqu'un qu'il ne voulait pas connaître, ce qui non seulement évoque l'idée de construire son propre camp de concentration, mais est exactement ce qu'ont fait la plupart des rock stars déclinantes des sixties.

À quatorze heures, j'ai appelé et laissé un message. Ce soir-là, vers minuit, il a rappelé, et quand je lui ai demandé si demain lui convenait, il m'a dit : « Qu'est-ce que tu fais en ce moment ? »

Je ne sais trop comment, il a paru de bon aloi que je traîne mon magnétophone jusqu'au Lower East Side, aux toutes premières heures du jour, pour faire une interview de lui, et d'aussi bon aloi qu'il tienne à ce que, pendant que nous parlions, la télé reste allumée, bourdonnant faiblement, dévidant une guerre de gangs avec John Garfield, des pubs pour l'album souvenir d'Elvis, et un film appelé *Le Monstre et la jeune fille*, qui nous a menés presque jusqu'à l'aube. Son appartement est un fouillis plutôt ordonné, consacré aux artefacts de ses passions intimes : quelques disques, beaucoup de livres de poésie et de cinéma alignés ou empilés, un foutoir de magazines de rock en lambeaux et de clichés de Richard et des Voidoids éparpillés sur le plancher, des photos punaisées sur les murs, de Sissy Spacek dans *Carrie*, d'Orson Welles, de la poétesse Theresa Stern, de Brigitte Bardot, ainsi qu'un agrandissement d'un vieil instantané du père de Richard, mort quand il avait sept ans.

Nous regardions la télé en discutant depuis un bout de temps, quand la conversation en est venue à un compte rendu récent, très laudatif, dont l'auteur sous-entendait que les manifestations tonsorielles et vestimentaires de Richard, comme son adoption du pseudonyme de « Hell », n'étaient que pose. Cela l'a mis en fureur : « Une partie de la forme du rock, c'est d'avoir, quand on est adolescent, le courage de ses opinions, et faire des trucs comme ça serait scandaleux et gênant pour beaucoup de gens, mais constitue une bonne part de ton attrait auprès du public parce qu'il aime voir des gens qui ont le courage de se sortir les tripes en public. Et pour moi, tout ce style de fringues et d'allure est un moyen, tout comme la combinaison de couleurs qu'on utilise dans un tableau, de communiquer. Seuls les gens qui ont la trouille, qui se sentent menacés, trouvent nécessaire de n'y voir que pose. »

J'ai demandé à Richard s'il ne se sentait pas lui-même menacé ou s'il avait la trouille (et je sais que c'est mon cas).

« Je ne me sens pas menacé par quoi que ce soit de la part des groupes de rock. Je suis avant tout un outsider, timide et solitaire, mais l'essence de ce qu'est un rocker, c'est qu'on peut créer son propre monde, en dépit de ce que tous les autres peuvent penser. Ensuite, espérons-le, ça crée un monde dont d'autres gens sont tout aussi soulagés et heureux de devenir partie intégrante. Et faire un trou dans sa chemise demande du courage, ça veut dire : "Je me fous éperdument que quelqu'un dise que je suis un con, je me sépare délibérément de ces gens-là." »

« Mais est-ce que ça n'est pas battre en retraite ? »

« C'est tout le contraire, c'est un processus d'agression. Ne pas le faire, c'est ça battre en retraite. Ça montre que non seulement tu n'acceptes pas le statu quo, mais que tu affirmes le fait que tout ce que tu peux faire a autant d'importance. Et jusqu'à quel point tu affirmes ta propre importance face à tous ceux qui veulent la nier créera un mouvement. Et c'est ce qui s'est produit. »

« Oui, mais une bonne partie du mouvement punk n'est-elle pas lancée dans la haine de soi ? »

« Je crois qu'il y a beaucoup de raisons à la haine de soi. Pour transcender quelque chose, il faut d'abord accepter pleinement le fait qu'elle existe. Je préférerais écouter la musique de quelqu'un qui se déteste et qui le dit, plutôt que celle de Barry

Manilow. Il y a un frisson à être capable de libérer tout ce truc qui avant t'aurait simplement conduit à te déchirer intérieurement. Presque tous les rockers punk sont très jeunes, et je suis sûr qu'un certain nombre d'entre eux saisiront la signification de ce qu'ils disent, et exigeront suffisamment d'eux-mêmes, en tant qu'êtres humains, pour continuer à trouver quelque chose d'autre qu'ils pourront affirmer. Sinon ils mourront. C'est le dilemme que j'affronte en ce moment même : savoir si je mourrai ou si je peux trouver quelque chose que j'affirmerai. Ça me tourmente depuis la sortie du disque. Ç'a été le moment où tout s'est mis en place : je n'ai rien pour quoi vivre. Pour moi, le rock est la frontière de la conscience, l'endroit où on fait face à la peu sentimentale question de savoir si la lutte pour rester en vie est plus importante que ce qu'on obtient en restant en vie. Qui est par définition une lutte, mais ce que je mets en question, c'est : qu'est-ce qu'il y a de bon inhérent à tout ça ? Je n'aime pas en parler parce que ça sonne sentimental, apitoiement sur soi, mais pour moi ça ne l'est pas. Je le regarde, disons, de façon très clinique. »

Je vois ça si différemment que j'ai été à court de mots. Je lui ai demandé comment d'après lui l'amour se plaçait dans ce tableau, et il a réitéré le message que « Love Comes in Spurts », et qu'en général le concept lui-même était un mensonge. Je lui ai donc demandé si ça ne pouvait pas mener à un certain narcissisme.

« Je n'ai pas le moyen de le savoir, parce que je n'ai pas d'élément de comparaison. Je ne peux connaître les autres aussi bien que je me connais. C'est le boulot de l'artiste d'être narcissiste, d'analyser constamment et de faire attention à soi pour voir comment les choses l'affectent. Une chose que je voulais rendre au rock, c'est savoir que tu t'inventes toi-même. C'est pourquoi j'ai changé de nom, c'est pourquoi j'ai fait tous ces trucs vestimentaires, de coupe de cheveux, tout. Alors naturellement, si tu t'inventes toi-même, tu t'aimes toi-même. L'idée est de créer l'image la plus idéale que tu puisses imaginer. C'est donc totalement positif. Personne n'aurait dit que j'étais beau avant que je me lance dans le rock. C'est le message ultime de la New Wave :

si tu rassembles simplement le courage nécessaire, tu peux t'inventer complètement. Tu peux être ton propre héros, et une fois que chacun sera son propre héros, chacun va pouvoir communiquer avec les autres sur une base réelle, plutôt que sur un ensemble de normes sociales transmises. Et si tu le fais, c'est beaucoup plus sain pour toi et pour le monde. »

« Les gens ont mal compris ce que j'entendais par "Blank Generation". Pour moi, "blank", c'est une ligne où on peut écrire n'importe quoi. C'est positif. C'est l'idée que tu as l'option de te créer toi-même comme tu veux, de remplir la ligne. Et c'est quelque chose qui donne à cette génération un sentiment de puissance unique. C'est dire : "Je rejette entièrement vos normes de jugement de mon comportement." Et je soutiens ça entièrement. Ça peut être utilisé politiquement de façon aussi puissante qu'artistiquement ou affectivement, au sens où on dit : "La société dans laquelle je vis m'a classifié comme étant nul", et de cette façon ça peut être accepté comme une autodescription. Ils ont été complètement rejetés. C'est comme dans *L'Homme invisible*, le bouquin de Ralph Ellison – les punks sont des nègres. Si je descends dans la rue, je ne peux pas prendre de taxi, je n'ai droit qu'à des insultes dans les restaurants, que ce soit à New York ou partout ailleurs dans ce pays. Ce qu'on classerait comme un traitement injuste des minorités raciales est précisément le même qu'on réserve aux gens qui se promènent habillés comme moi. Il est très rare que se passe un jour sans que j'aie une merde quelconque à me promener en bas de mon immeuble, où je vis depuis deux ans. »

Je lui ai demandé pourquoi, comme il me l'avait dit une fois, il considérait l'adolescence comme le meilleur moment de l'existence.

« L'adolescence est ce point de ta vie où tu es inévitablement forcé par les circonstances à faire face aux questions les plus cruciales sur la vie, point à la ligne. Et le point jusqu'auquel tu maintiens l'attitude que tu avais étant ado accroît ta capacité à opérer de manière efficace dans l'environnement que tu perçois à mesure que tu grandis, mais ça ne veut pas dire que le tumulte au-dedans de toi diminue pour autant. Je ne peux parler au nom de personne sauf de moi-même, mais je sais que je n'ai résolu aucun de ces trucs. »

« Tu ne sens pas que tu as davantage fait la paix avec toi-même que quand tu avais seize ans ? »

« Je suis pire. Je n'aurais jamais pu avoir le moindre respect pour moi-même, ni pensé un instant à mourir délibérément, à l'âge de seize ans. Maintenant je peux, de manière très dépassionnée, et plein de confiance, m'imaginer me collant un pistolet dans la bouche et appuyant sur la détente. »

« Qu'est-ce qui te retient ? »

« L'habitude, rien que l'habitude. On est tellement habitué à être vivant. Le pouvoir de l'habitude est tellement écrasant. Gertrude Stein a écrit une thèse là-dessus quand elle était en fac. Manger, c'est être accroché. Faut que tu sortes et que tu te trouves de la nourriture si tu veux vivre, comme tu sors pour te trouver de la dope si t'es un junkie, il n'y a aucune différence. Tout ce qui est nécessaire pour te maintenir dans une condition de santé est l'équivalent de la drogue. Il y a des similitudes entre être accroché à une drogue et être vivant, c'est ce que je disais dans « Who Says ? » : "Once born you're addicted / And so you depict it / As good, but who kicked it ?" » [*Une fois que tu es accroché / Et donc tu la décris / Comme bonne, mais qui l'a lancée ?*]

« Mais la différence entre ça et être accroché, c'est qu'il n'y a pas d'*alternative* à la bouffe ou à la vie ! »

« Il y a la mort. Je n'ai aucune idée de ce que ça serait, je sais simplement qu'elle me séparerait… elle rendrait vides tout un tas de choses qui pour moi sont horrifiantes, douloureuses, répugnantes. »

.
Juste pour mémoire, j'aimerais faire savoir à tous ceux que ça pourrait intéresser que je ne pense pas que la vie soit un plongeon perpétuel. Et, même si elle est authentiquement terrifiante, je ne pense pas que la fascination de Richard Hell pour la mort soit autre chose que débile. *Je* soupçonne presque chaque jour que je vis pour rien, je déprime et je me sens autodestructeur, et souvent je ne m'aime pas. Qui plus est, la proximité d'autres êtres humains me remplit souvent d'une angoisse écrasante,

mais je sens également que cette sensibilité précaire est tout ce que nous avons et, aussi simpliste que ça puisse paraître, c'est le devoir de chacun envers les potentiels de son âme d'en tirer le meilleur parti possible. Nous sommes tous jetés sur cette Terre souvent misérable, où la vie est essentiellement tragique, mais il y a des lueurs de beauté et une joie fondamentale qui de temps en temps luit au travers ; pour rappeler, à quiconque se soucie de le savoir, qu'il y a quelque chose de plus haut et de plus grand que nous. Et je ne parle pas de vos dieux en putréfaction, je parle d'un sentiment d'émerveillement devant la vie elle-même, et du sentiment qu'il existe un facteur rédempteur qu'on doit au moins *chercher*, jusqu'à ce qu'on meure de mort naturelle. Et tous les Richard Hell sont des débiles qui piétinent ce don précieux trop allègrement, et ils ne méritent pas qu'on leur accorde crédit, mais qu'on les réveille brutalement.

Ou alors qu'on les fesse et qu'on les mette au lit.

Écoutez, j'ai commencé en disant à quel point je *respectais* l'esprit et les perceptions de ce gars. Je continue, curieusement – c'est simplement qu'il peint un tableau de la moitié de la réalité totale avec une brillance exceptionnelle, et l'autre avec des traînées de crayons de couleur sur un fond de Vase Verte et de Papier Mâché Débile. En d'autres termes, il saisit très bien les *problèmes* de ce qu'est être vivant dans les années 70, mais sa solution est nulle. Et, comme le disait Eldridge Cleaver, vient un moment où nous devons tous choisir.

Selon ses propres termes, il ne transcende pas sa propre haine de soi, en fait il semblerait bien que la transcendance n'est pas ce qu'il cherche. Son tableau d'ensemble est une prophétie qui s'accomplit d'elle-même – il a conçu son monde de telle façon que les choses devraient marcher aussi misérablement qu'il l'a prévu ; c'est au mieux une satisfaction à la Pyrrhus.

Mais l'art a pour objectif de transcender – ce qui me rappelle, Richard, pourquoi ne pas vivre pour ton art à défaut d'autre chose ? Et le grand art n'est pas narcissiste, comme tu l'affirmes, mais il transcende la confusion du moi pour s'avancer et refléter de manière profonde ce monde qui continuera de tourner, que tu appuies ou non sur la détente. Dostoïevski restait-il assis là

à miauler Moi, Moi, Moi ? Et Huysmans, d'ailleurs ? Tu pourrais dire que Des Esseintes était une projection de Huysmans
lui-même, mais il y avait là une distance fondamentale, comme
chez tous les plus grands écrivains, parce que l'art ultime n'est
pas créé par contemplation nombrilique de sa propre douleur,
mais par une perception claire du fait dépourvu de sentimen-
talité que, bien que nous mourions tous tôt ou tard, toute la vie
ne le laisse pas présager.

En d'autres termes, la vie n'est pas addiction, tu mets tout
cul par-dessus tête. Être accroché est un esclavage, et je ne me
sens pas dans les fers uniquement parce que je dois continuer
à respirer et, de temps en temps, avaler un yaourt pour pouvoir
écrire ces mots. De surcroît, l'adolescence est l'un des *pires*
moments de l'existence, c'est un nuage d'ignorance et un état
de gaucherie totale, quand tout le plaisir qu'on peut prendre
semble toujours tempéré par quelque connerie débile, comme
les parents, les points noirs ou tout ce qu'on veut. Plus important
encore, il me semble qu'il y a aujourd'hui une guerre qui va bien
au-delà de le-reste-de-la-société-contre-les-punks ; c'est celle de
la défense du cœur contre toutes les forces qui conspirent pour
l'assassiner, ce que tu sais, car tu en as épinglé certaines dans
« Liars Beware ». Mais tu ne mènes pas cette guerre. Tu peux
me juger vertueusement intéressé parce que je dis ça, et condescendant à cause de ce par quoi je vais terminer ces lignes, mais
je m'en fous, parce que c'est par amour que je te dirai que, en
dépit du fait que tu es un des plus grands rockers que j'aie jamais
entendus, tu racontes des conneries. Aussi, si tu choisis de partir,
je promets de profaner cette crypte et de te botter le cul.

Gig, janvier 1978

C'est dur de vieillir sans trahir

En 1971, Bob Seger sortit sur Capitol un single qui, je crois, ne fut qu'un hit régional – mais qui était aussi un des trucs les plus forts que j'aie jamais entendus. Ça s'appelait « Lookin' Back », la musique était une suite d'accords funky et enfumés qui n'avaient pas besoin de vous faire un dessin, et les paroles étaient du genre : « They hit the street / You feel 'em starin' / You know they hate you, you can feel their eyes a-glarin' / Because you're different / Because you're free / Because you're everything deep down they wish they could be / They're lookin' back / They're lookin' back / Too many people lookin' back »[*Ils sont là dans la rue / Tu les sens regarder fixement / Tu sais qu'ils te haïssent, tu sens leurs regards furieux / Parce que tu es différent / Parce que tu es libre / Parce que tu es tout ce qu'au fond d'eux-mêmes ils voudraient pouvoir être / Ils regardent en arrière / Ils regardent en arrière / Trop de gens regardent en arrière*].

Bob Seger sort ces jours-ci un nouvel album intitulé *Stranger in Town* qui deviendra probablement disque de platine. Dans leur grande majorité, ses chansons sont encore plus introspectives que celles de *Night Moves*, ce qui je pense le rend encore meilleur, parce qu'elles évoquent l'âme de son présent, non de son adolescence, mais musicalement c'est une version « hard rock » de tout un tas de ce qui glandouille sur les ondes ces temps-ci. Ce qui, dois-je dire, lui ôte de sa liberté, et si je veux des chaînes autour de mes pédales de freins j'irai en Jamaïque.

D'un autre côté, personne plus que Bob Seger n'a le droit de brader. J'ai vécu à Détroit de 1971 à 1976, et il était franchement triste de le voir ouvrir, année après année, pour tous les groupes minables de la planète ; en 1972, il en fut même réduit (bon, il n'avait pas de fusil sur la tempe, d'accord) à monter sur scène avec chapeau haut-de-forme à la Leon Russell, avec une chanteuse ringarde en back-up. Je veux dire que nous sommes vraiment en territoire Ted Nugent : un type qui se casse le cul, les couilles et tout le reste pendant une foutue décennie entière sur le pire parcours du combattant du monde, et pas seulement parce qu'il veut être une star – en fait ce type a quelque chose qu'il désire partager avec les gens. Ce qui n'est que l'un des détails qui font la différence avec Ted Nugent. On a dit que Bob Seger était un moraliste, et je ne crois pas que vous ayez besoin de lire les paroles citées ci-dessus pour savoir que c'est vrai. Mais et ça ? « I take my card and I stand in line / To make a buck I work overtime / Dear Sir letters keep coming in the mail / I work my back till it's wracked with pain / The boss can't even recall my name /... To workers I'm just another drone / To Ma Bell I'm just another phone / I'm just another statistic on a sheet / I'm just another consensus on the street /...Hey it's me / And I feel like a number / Feel like a stranger /... in this land / I'm not a number / I'm not a number / Dammit I'm a man » [*Je prends ma carte et je fais la queue / Pour me faire un dollar je fais des heures sup / Les lettres « Cher Monsieur » s'empilent dans ma boîte aux lettres / Je me bousille le dos jusqu'à ce qu'il soit douloureux / Le patron ne se souvient même pas de mon nom / ... Pour les autres prolos je ne suis qu'un drone parmi d'autres / Pour Ma Bell un simple numéro de téléphone / Je ne suis qu'une statistique sur une feuille / Un simple consensus dans la rue / ... Hé, c'est moi / J'ai l'impression d'être un numéro / L'impression d'être un étranger / ... dans ce pays / Je ne suis pas un numéro / Je ne suis pas un numéro / Bon dieu, je suis un homme !*]

S'il semble bien qu'ici on approche du territoire rasta, et plus particulièrement des Clash, c'est parce que c'est le cas, bien qu'il faille comprendre qu'il s'agit d'un parallélisme et non d'une influence – bon dieu, Bob a grandi à *Détroit*, et je ne serais pas surpris qu'il n'ait jamais entendu les Clash. La chanson que je viens de citer est sur *Stranger in Town*. Après le succès de *Night Moves*, il aurait pu continuer à moudre une formule éprouvée :

rien n'est plus vendable aujourd'hui que les souvenirs qu'ont les gens d'une adolescence peloteuse sur le siège arrière que beaucoup d'entre eux – cf. Meat Loaf – n'ont jamais connue. Il s'y refuse sur cet album à succès pour la même raison qu'en 1971 il écrivait une chanson aussi d'actualité que celle que je viens de citer : par intégrité innée.

Il y a sept ans de différence entre « Lookin' Back » et « Feel Like a Number » : de l'aliénation et de la paranoïa hippies au sentiment que nous sommes écrasés par des institutions que nous ne comprenons pas vraiment, sauf que quelqu'un, quelque part, veut que nous croyions que les êtres humains n'ont plus beaucoup d'importance. Il serait condescendant de dire : vingt dieux, n'est-ce pas étonnant que ce rocker bouseux-voyageur de commerce à cheveux longs du Midwest réfléchisse à des concepts aussi alambiqués, parce que ces temps-ci ils font flipper tout le monde. L'acheteur moyen des albums actuels de Seger est sans doute un kid de sexe masculin qui a un boulot de merde et n'a jamais songé à tout laisser tomber, idée qui lui est en fait étrangère, aussi comprendra-t-il « Feel Like a Number » en une seconde. Mais ce n'est pas un hasard si l'album s'appelle *Stranger in Town*. Seger se sent étranger à notre société, en particulier à la version superstar rock des grandes compagnies enchevêtrées. Et ça ne veut pas dire qu'il soit une « relique » démodée, bien que lui-même soit assez gêné pour employer le terme ; ça veut dire que c'est un homme de bon sens et de sagesse. Je respecte Bob Seger plus que tous ceux, ou presque, de l'industrie musicale d'aujourd'hui.

Mais l'industrie musicale d'aujourd'hui doit être reconnue comme un ennemi *par définition*, sinon comme l'ennemi principal, de la musique et des gens qui essaient de la jouer honnêtement. Et c'est là où cet album se met à boiter. Car tandis que Bob chante avec franchise – ou peut-être devrait-on dire « avec ses tripes » – son aliénation, le sentiment de vieillir face à ce qu'il fait, etc., l'album choisit musicalement la solution de facilité *Night Moves*. Le foutu truc est homogénéisé. Seger sait qu'il a besoin de passages radio, et aussi qu'en 1971 « Lookin' Back » (par sa musique et encore plus par ses paroles) n'y a pas eu droit. Aussi, en un sens, s'incline-t-il devant la Bête. Je ne sais si je lui en veux ou non, et je n'entends certainement pas dire qu'il devrait remplacer la section rythmique de Muscle Shoals par les Voidoids moins Richard Hell. Mais la raison pour laquelle les paroles des Clash et des groupes Rastas sont à ce point pleines de beignes, c'est que la musique est aussi dure que les mots.

Une idée très répandue veut que flirter avec le chaos soit une chose dont on doive apprendre à se libérer, mais je crois que bien qu'il ne faille pas s'accrocher à son adolescence comme si c'était un état de grâce, il convient de s'accorder la latitude de délirer de temps en temps. Ce que ça a à voir avec Bob Seger devrait être évident. Il écrit toutes ces chansons sur la tension qui naît quand on veut continuer à rocker alors qu'on approche de la quarantaine, un peu comme Ian Hunter, de Mott the Hoople. Mais Hunter a toujours voulu être Dylan, alors que Bob veut simplement veiller à ce qu'un kid ait toujours quelque chose de décent à mettre dans son lecteur de cassettes pendant qu'il roule sur Woodward – avec en plus des idées sur la vie, l'identité et tout ça, si et quand vous en voulez. Seger sait par ailleurs que, pour faire passer ses aperçus à la radio afin que le môme achète ses disques, il doit en faire qui sonnent exactement comme tous ceux qui ont vendu. Et c'est peut-être pragmatique, mais c'est encore pourri. Comme je l'ai dit, je ne sais pas si je lui en veux ou non, vu qu'il est l'incarnation même du type qui a ramé pour en arriver là, mais je pense qu'il est l'un des mieux placés pour savoir que la vie est courte, qu'il est réellement vrai qu'on n'a qu'une occasion de dire ce qu'on pense, en dépit de la sagesse de tous ceux qui vous affirmeront que seuls les imbéciles s'y risquent. En ce moment, il a une chance de faire quelque chose dont quatre ou cinq personnes seulement ont déjà eu l'occasion : des disques qui évoquent honnêtement le vieillissement (ou la période de vieillissement) dans le rock, *et* de la musique qui soit à l'heure actuelle aussi stimulante que son « East Side Story » en 1966, ou « Lookin' Back » en 1971. Et je crois que s'il laisse passer cette occasion, je vais finir par avoir l'impression qu'il a platement trahi le don qui lui a été fait.

Village Voice, 5 juin 1978

Les suprématistes du bruit blanc

L'autre jour je parlais avec une amie qui traîne beaucoup avec les gens qui fréquentent le CBGB. Elle me régalait d'exemples des plaisirs qui attendent les femmes dans le métro new-yorkais : « Alors la rame s'arrête brusquement, je tombe sur mon cul au milieu du wagon, et non seulement personne ne vient m'aider mais tous ces bouins restent assis là à me rire au nez. »

« Les bouins ? ai-je dit. Qu'est-ce que c'est ? »

« Ah, tu sais bien. Les Noirs. »

« Pourquoi tu les appelles comme ça ? »

« Je ne sais pas. Ça vient de "babouins", je pense. »

Je n'ai rien répondu.

« Écoute, je sais que ça n'est pas cool, a-t-elle fini par dire. Mais être une femme dans cette ville ne l'est pas non plus. Partout où tu vas il y a des mecs qui viennent t'emmerder, et parfois ils essaient de te mettre au tapin. Et très souvent, quand ils te draguent, ils sont Noirs, et quand ils essaient de te maquer, ils sont toujours Noirs. En fin de compte on n'y peut rien, on finit par réagir. »

Parfois je pense que rien n'est simple, sauf ressentir la souffrance.

Quand on m'a demandé d'écrire cet article, j'ai dit d'accord, parce que le racisme (pour ne pas parler du sexisme, encore plus répandu mais qui est une tout autre paire de manches) de la scène New Wave américaine est quelque chose qui me préoccupe depuis longtemps. Quand j'ai dit ça aux mecs de mon propre groupe, ils se sont contentés de rire : « Ah, a dit l'un, je suppose qu'il y a du pognon à la clé. » « Qu'est-ce qui te fait croire que le racisme punk a quelque chose de particulier par rapport au reste de la société ? » a demandé un autre.

« Parce que le reste de la société ne fait pas comme si le racisme était hip et cool », ai-je dit d'un ton un peu vif.

« Ah ouais ! a ricané mon guitariste. Va donc voir dans une usine de temps à autre. Ou en prison. »

D'accord. On parle pouvoir, ou du sentiment que vous n'en avez aucun, ou du pouvoir plus ostensible que vous pouvez extirper de la peau d'une autre pauvre poire. Ça marche de la même façon partout, bien entendu, mais une des choses qui rend exceptionnelle l'attitude punk, c'est qu'elle semble prendre de la substance, ou du moins de la classe, par *abdication* du pouvoir. *Regardez-moi ! Je suis une petite épave débile ! Et j'en suis fier !* Tant de gens qui traînent au CBGB ou Chez Max m'ont toujours paru infirmes, sinon physiquement, du moins affectivement – on a affaire à des problèmes d'élocution, des bossus, des boiteux, mais surtout à une platitude spirituelle accablante. On prend l'indifférence parentale, un système éducatif merdeux, beaucoup de dope, une overdose de médias, une société qui n'a plus de valeurs, exception faite d'une emphase hystérique sur la perfection physique, et on finit avec ces petits nullards : la seule rébellion existante, comme *Life* le disait autrefois des Beatniks. Richard Hell nous a donné le slogan « Blank Generation », bien qu'à l'en croire il n'ait pas voulu parler d'une foule avec le dynamisme d'un écran télé pourri d'électricité statique, mais plutôt d'un tas de gens finalement libérés par l'effondrement de toutes les valeurs, poussés à se réinventer eux-mêmes, à faire de leurs vies des proclamations artistiques. Malheureusement, un aussi grand rêve utopique, qui certainement n'en est pas à son premier tour de piste ici, n'est rien d'autre qu'un rêve, parce que les gens, dans leur grande majorité, préfèrent suivre. Il ne vous reste que la compassion, à part l'argument que c'est mieux que les bars pour célibataires. Quand les Ramones apportent sur scène ce panneau où on lit « GABBA GABBA HEY », ça veut dire en fait « On vous accepte ». Une fois dépassé le blindage des colliers de chiens, du cuir noir et des affectations sado-maso, on trouve quelques-uns des gens les plus gentils, ou du moins les plus inoffensifs, du monde. Exception faite de la légende Sid Vicious, presque toute leur violence est dirigée contre eux-mêmes.

Alors, s'il s'agit d'un tel troupeau de petits agneaux blancs, pourquoi certains d'entre eux en veulent-ils aux petits agneaux noirs ? Richard Pinkston, un ami black que je connais depuis le temps de Détroit, me dit : « Quand je vais au CBGB, j'ai l'impression d'être à Berlin-Est. La culpabilité "libérale" ne me dérange pas si ça me permet d'aller au restaurant, même si je sais que le gars me hait farouchement. Mais là-bas, c'est comme s'ils *se donnaient du mal* pour être aussi insultants qu'ils peuvent, alors c'est plus ouvert et ils sont plus libres. C'est un mode de pensée semi-pègre. »

Richard Hell et les Voidoids sont l'un des rares groupes inté-grés de la scène (« intégré », quel mot débile). J'ai entendu dire que quand il a formé son groupe, il a eu droit aux engueulades de certains milieux à cause d'Ivan Julian, guitariste rythmique noir originaire de Washington DC et qui a autrefois joué avec les Foundations, ceux qui ont fait « Build Me Up Buttercup ». Je crois que ça révèle quelque chose sur le genre d'individu qu'est Richard de savoir qu'il a dit à ces gens-là d'aller se faire foutre, et qu'aujourd'hui encore il n'est pas très désireux d'en parler. « Je ne me souviens de rien de particulier. Je pense simplement que presque tous les gens qui disent des trucs comme ceux dont tu parles sont à ce point indignes de mépris que ça n'a aucun effet vraiment puissant. Il y a parmi les musiciens plus de jalou-sie professionnelle que de racisme quel qu'il soit, il y a tant de coups de dents sur n'importe quelle scène, c'est comme des filles parlant godasses. De toute façon, tous les musiciens sont de telles merdes que ça n'y changerait rien, parce que tu t'attends à ce qu'ils racontent les pires saloperies possibles sur ton compte. »

J'ai appelé Ivan – celui qui avait eu des problèmes au comp-toir des débiles. « Ah, j'ai été d'abord attiré vers cette scène par le simple fait que beaucoup de gens avaient plus ou moins en commun des attitudes sociales et musicales. Personne ne m'a jamais rien dit en face, mais j'ai surpris des conneries. Beaucoup de gens ne sont jamais que des connards ignorants. Je ne crois pas qu'il y ait plus de racisme au CBGB, où je suis allé tous les soirs pendant la première année qui a suivi mon arrivée ici, que partout ailleurs à New York. Un tout petit peu moins, peut-être, parce que New York me paraît un million de fois plus raciste que DC, ou le Maryland et la Virginie où j'ai grandi. Là-bas, il y a du racisme, avec de francs meurtres près de l'endroit où je vivais, mais ici c'est beaucoup plus insidieux. On a quatre ou cinq extrêmes différents, autant de cultures qui ne peuvent se supporter. C'est un peu comme quand on a tourné en Europe, j'ai été étonné du racisme entre les gens appartenant à deux parties différentes du même pays. Ils m'acceptaient, mais l'un pour l'autre ils étaient des nègres, mon vieux. Et au CBGB c'est un peu la même chose, parfois. Les mutants peuvent apprendre à se haïr les uns les autres et à avoir des préjugés. Comme le disait Mingus dans *Moins qu'un chien* : il y a quarante ou cinquante ans, dans le ghetto, plus on était clair de peau mieux c'était. Après ça on tournait au coin de la rue et, si on était un peu pâle, comme Mingus, on tombait sur des mecs qui vous traitaient d'"empaffé couleur de merde" et qui étaient prêts à vous botter le cul. Ce que je veux dire, c'est que, quoi que les gens puissent avoir en commun, ils continuent à rester à part. Il y a des gens sur cette scène, comme disons cette fille dans un groupe qui n'est qu'une salope raciste à grande gueule – c'est évident que nous ne voulons rien avoir en commun, alors je reste à distance d'elle et réciproquement.

« Je vais te dire un truc : les managers, les gens des compagnies de disque et autres merdes sont bien pires. Des gens comme Richard Gottehrer, qui a produit notre album, ou Seymour Stein et beaucoup d'autres gars de Sire Records. Ils étaient *totalement* condescendants, ils nous parlaient différemment, comme si on était un môme ou quelque chose comme ça. J'ai entendu toutes sortes de clichés d'un niveau… du genre être invité chez quelqu'un pour manger du poulet frit. »

Ça m'a rappelé aussitôt ce jour où j'étais dans le bureau d'une Blanche d'une intelligence et d'une éducation certaines, qui avait une certaine influence dans les milieux musicaux, et la question raciale était venue dans la conversation : « Je les aimais beaucoup plus quand c'étaient de simples *Nègres*. Depuis qu'ils sont devenus *Noirs*... » Elle a froncé le nez avec irritation.

« La haine raciale ? dit Bob Quine, le guitariste des Voidoids. Sûr, ça nous donne quelque chose à faire sur scène, Richard et moi : *The Defiant Ones*[39]. »

Mais l'aisance et la sagesse des Voidoids ont quelque chose d'anormal sur la scène new-yorkaise. Comme l'attitude punk en général, elle est percluse de haine de soi, ce qui fait toujours réfléchir, et chaque fois que l'on conclut que l'existence pue, et que la race humaine, pour l'essentiel, se réduit à un tas de merde, on a le terreau parfait pour le fascisme. En fait, beaucoup de gens au-dehors pensent que le punk est fasciste, mais c'est uniquement parce qu'ils ne voient pas au-delà de certains clichés, symboles et accessoires qui (je *crois*) n'ont pas vraiment tant d'importance. Ron Asheton, des Stooges, portait sur scène des croix gammées, des Croix de Fer et des bottes militaires, mais je ne me souviens pas qu'aucun débile d'extrême droite ait jamais aimé la musique qu'il faisait avec Iggy ou, plus tard, avec son propre groupe, qui s'appelait New Order, ce qui n'a pas exactement enchanté beaucoup de gens.

Au cours des trois dernières années, l'héritage vestimentaire de Ron nous a valu une sous-culture internationale dont, au premier regard, les membres auraient pu facilement être pris pour des nazillons. Ce qui, pour la grande majorité, n'est pas le cas. Seuls des gens aussi niais que les Ramones sont toujours accusés de l'être pourraient être scandalisés quand ils chantent « I'm a Nazi schatze », ou nous disent que la première règle est d'obéir aux lois allemandes, avant de faire suivre tout ça par « Eat kosher salami ». J'ai traîné avec les Ramones, et ils traitent chacun de la même façon, quels que soient sa race et son sexe – ceux qu'ils détestent eux, ce ne sont pas les Juifs, les Noirs ou les gays, ou autre, mais certains connards à chevelure à piquants qui la semaine dernière en étaient encore aux vannes du *Rocky Horror Picture Show* et sont passés à l'héro en amateurs, puis aujourd'hui traînent autour du Max's et se brisent les couilles à vouloir être décadents.

Alors vous n'avez pas du tout à essayer d'être raciste. C'est un petit caillot de venin lové en chacun de nous, Blancs et Noirs, goys et Juifs, prêt à frapper quand nous nous sentons pris dans la tourmente, dépréciés, brutalisés. C'est pourquoi il doit être surveillé, rendu tabou et contenu, par la société comme par l'individu. Mais il y a une différence entre la haine et un peu du vieux glaviot sur l'autorité : dans le punk, les croix gammées sont, fondamentalement, un autre moyen pour les kids d'exaspérer leurs parents et peut-être la presse, et les uns comme les autres méritent qu'on s'en irrite. Au point que si la plupart des têtes de porc-épic ont la moindre idée de ce que tout ça voulait dire au début, ça n'allait pas plus loin que la volonté de choquer. « C'est une attitude, dit Ivan. Une façon vraiment immature d'être dangereux. »

Peut-être. Sauf qu'au bout d'un moment, cette reprise négligente, voire ironique, des totems du racisme rejoint le vrai poison. Vers 1970, il y avait un furoncle appelé Wayne McGuire qui ne cessait d'écrire des articles dans quelque chose qu'il appelait « Aquarian Journal », du magazine *Fusion*, et où il suggérait, entre inepties pseudo-nietzschéennes remâchées et médiocres ellipses à la Céline, que le Velvet Underground représentait une sorte d'étape mystique dans la destinée de la race aryenne, et tentait même de relier leur musique aux idées de Mel Lyman, qui fut l'un des prototypes de l'actuelle moisson de cult-daddies sans cervelle.

D'une façon moins systématique, on a eu de petits affleurements comme Iggy braillant : « Ce soir, notre titre suivant, destiné à toutes les dames israélites dans la salle, s'intitule "Rich Bitch" ! », sur le pirate *Metallic KO*, enregistré live en 1974, ainsi que la revue *Creem*, mon vieux territoire, dans laquelle, à peu près à la même époque, j'étais plutôt fier d'écrire (dans un article sur la phase « soul » de David Bowie) des trucs du genre : « Comme nous le savons tous, les hippies blancs, et les beatniks avant eux, n'auraient jamais existé s'il n'y avait pas eu toute une sous-culture générationnelle rongée par le désir de n'être rien de moins que les *nègres* les plus vils et les plus méchants possibles... Depuis l'année dernière ou à peu près, tout le monde se promène en faisant comme si les pédés dominaient le monde, alors qu'en réalité ce sont les *nègres* qui contrôlent et dirigent tout, comme toujours et comme ça aurait toujours dû être. »

Je m'imaginais que tout ça était dans la grande tradition Lenny Bruce désamorçons-ces-épithètes-en-les-balançant, et à Détroit je ne voyais aucun inconvénient à participer à des fêtes avec des gens comme David Ruffin ou Bobby Womack ; je me bourrais la gueule, tripotais les nanas, et improvisais des blues du genre « Sû' que j'aime'ais êt' un Nèg' / J'au'ais une plus g'osse bite ! », et bien entendu tout le monde riait. Il m'a fallu des années pour me rendre compte quel connard j'étais, sans même parler du fait que j'ai eu de la chance de sortir de là sans me faire abî-mer ma petite peau blanche.

Je suis sûr que beaucoup de ces gens étaient ravis de voir ce kid blanc complètement bourré se rendant tout à fait ridicule, une sorte de télé humaine à côté de ses pompes, mais aujour-d'hui encore je me demande combien m'ont haï à ce moment-là. Parce que Lenny Bruce avait tort – peut-être que dans un monde meilleur que celui-ci ce genre de vannes reviendrait à nettoyer les tuyères des avions, et entre amis chez qui un certain lien de confiance mutuelle est fermement établi, des vannes raciales dans la bonne humeur peuvent faire partie du vocabu-laire d'affections bien comprises. Mais au-delà commencent les problèmes – quand vous êtes incapable de vous rendre compte que, si inoffensives que soient vos intentions, il n'y a aucune raison de croire que n'importe quelle merde vous sortant de la bouche sera comprise ou accueillie dans la bonne humeur. Il m'a fallu beaucoup de temps pour découvrir ça, mais ces mots sont *mortels*, mon gars, et vous ne devriez pas les balancer pour faire de l'effet. À le dire comme ça, ça paraît presque trop simple et trop évident, mais il est peut-être bon d'énoncer, de temps en temps, quelque chose de simple et d'évident, surtout dans cette citadelle de la sur-réflexion journalistique. Si vous êtes Noir ou Juif ou Latino ou gay ces petites épithètes vernaculaires sont des balles qui vous déchirent les tripes, puis qui suppurent et brûlent, comme un vrai bombardement qui vous tombe dessus où que vous alliez. Ivan Julian m'a dit que chaque fois qu'il entend le

mot « nègre », qu'il soit prononcé par un Noir ou un Blanc, il a
envie de tuer. Une fois que j'étais bourré, j'ai dit à Hell que la
seule raison pour laquelle les hippies avaient existé, c'était à cause
des nègres, et quand j'en ai parlé à Ivan alors que je préparais
cet article, je lui ai dit : « Tu ne te souviens sans doute pas... »
« Oh que si ! » a-t-il lancé. Et c'était il y a deux ans, un simple
petit lapsus ostensiblement inoffensif. Une vie entière comme
ça, et vous avez des raisons pour essayer de toutes les façons,
même si c'est seulement en convainquant une personne à la fois,
de balayer ces mots de la face de la Terre. Tout comme Hitler,
Idi Amin et autres ennemis de la race humaine.

Une autre raison de se débarrasser de tous ces petits barbillons
verbaux, c'est que peu importe comment *vous* les concevez, vous
ne pouvez les prononcer sans risquer d'être mal compris par un
autre connard raciste ; il se peut que votre ironie soit sa tasse de
haine. Des trucs comme les articles de *Creem* et l'exhibitionnisme mondain représentaient une réaction contre la contre-
culture hippie, et ce que beaucoup d'entre nous considérions
comme son pieux refus de se mouiller face aux questions d'identité raciale et sexuelle, des questions que nous étions tout prêts
à régler au bulldozer. Nous croyions que rien ne pouvait être pire,
plus prétentieux et hypocrite que les hippies et le masochisme
libéral dans le side-car duquel ils étaient montés, aussi avions-
nous adopté une irresponsabilité sans nuances, moitié facétieuse
moitié hostile, qui nous paraissait représenter un nouveau genre
de cool, comme Mark Jacobson l'a fait remarquer dans un
article de *Voice* sur Legs McNeil. J'avais l'habitude de dire en
riant : « Je ne fais pas de distinctions, j'ai des préjugés contre *tout
le monde* ! » Je croyais que ça donnait un mélange agréablement
charismatique d'humour noir à la Lenny Bruce et de misanthropie W.C. Fieldsienne, ignorant commodément l'incapacité
délirante, presque psychopathe de Lenny à résoudre les contradictions entre son idéalisme et son exhibitionnisme puéril et
scatologique, comme le fait que le racisme de W.C. Fields était
aussi réel et vil que celui de n'importe qui, ou même davantage.
Mais en 1976, quand je suis arrivé à New York, j'ai découvert
qu'une sorte de pont avait été franchi par beaucoup de gens qui

me paraissaient être mes pairs dans l'émergence de cette génération du Mouvement de Libération des Crétins.

Il y avait des trucs que, même moi, je devais reconnaître comme parfaitement répugnants. Je l'ai noté la première fois où j'ai donné une soirée. La rédaction du magazine *Punk* est venue, tout comme des membres de plusieurs des groupes les plus connus du CBGB, et quand j'ai fait ce que je faisais toujours à Détroit – passer des disques soul pour que tout le monde puisse danser –, j'ai commencé à entendre : « Lester, pourquoi est-ce que tu passes toute cette merde de disco nègre ? »

« C'est pas de la merde disco nègre, ai-je grogné, c'est *Otis Redding*, bande de connards ! » Mais ils ne voulaient pas en entendre parler, et aujourd'hui je me demande si je n'aurais pas creusé ma propre tombe, ou du moins aidé à contribuer à leur laideur et au schisme entre nous. Le responsable musical de la présente revue a pour théorie que l'une des choses les plus importantes dans la New Wave, c'est que pour une bonne part c'est de la musique presque purement blanche, et que cela représente une rupture brutale avec le rock du passé, presque universellement dérivé du blues. Je ne suis pas forcément d'accord – c'est ignorer l'influence reggae qui court dans des musiques aussi diverses que celle des Clash, de Pere Ubu, de Public Image Ltd. et de Police, sans même faire état des licks à la Chuck Berry qui sont au cœur du jeu de Steve Jones. Mais il y a au moins un grain de vérité dans tout ça – exception faite des spasmes James Brown/Albert Ayler des Contortions, la plupart des groupes de SoHo sont aussi blancs que John Cage, il y a une évolution du son, du rythme et des attitudes qui va des Velvets aux Ramones et à leurs enfants en passant par les Stooges, et elle nous éloigne de plus en plus des poses Noires à la Mick Jagger, que Lou Reed et Iggy partagent, mais pas Joey Ramone. Je respecte Joey pour ça : il a le courage d'être lui-même, surtout au sacrifice de tout un tas de défenses macho. Joey est un kid Américain blanc de Forest Hills, et en tant que tel ses influences culturelles ont été blanches, des « Jetsons » à Alice Cooper. Mais rien de tout cela n'annule le fait que presque toute la plus grande et la plus profonde musique que l'Amérique ait produite a été, sinon entièrement noire, du moins le produit d'un métissage. Comme le dit Pinkston : « On ne peut pas comprendre le rock sans comprendre d'où il vient. »

On peut toutefois réduire les questions musicales à de simples affaires de goût. Quelque chose de plus difficile à négliger est passé dans l'air en 1977, quand j'ai commencé à connaître de petits chocs comme celui-là : j'ouvre un exemplaire d'un fanzine punk de Floride intitulé *New Order*, et je lis un article de Miriam Linna, des Cramps, Nervus Rex et aujourd'hui Zantees : « J'adore les Ramones [*parce que*] c'est la célébration de tout ce qui est Américain – tout ce qui est adolescent, merveilleux, blanc et citadin... » On peut toujours dire que « blanc » s'est glissé dans cette phrase un peu comme Ornette Coleman déclarant *This is Our Music*, sauf que le même numéro montrait un cliché pleine page de Miriam et d'un de ses petits amis posant fièrement avec cuir, lunettes noires et pistolet, devant le quartier général de l'United White People's Party, sous un panneau portant trois emblèmes : « DIEU » (une croix), « PATRIE » (étoiles et rayures), « RACE » (croix gammée).

Désolé, Miriam, je ne peux aller si loin dans les affectations de crétinisme pavlovien sans gerber. Je me souviens du gars du Parti nazi américain se voyant demander, dans *California Reich* de PBS : « Et les six millions de Juifs ? », et répondant : « Ah, d'après ce que j'ai entendu dire, il n'y en a eu que quatre millions et demi, mais j'aurais aimé qu'il y en ait six », et j'imagine que tu trouverais ça aussi follement drôle. Sans doute aurais-je fait de même à une époque. Si aujourd'hui ça fait de moi un nullard, très bien, ça veut dire que toi et quiconque veut prendre son pied par procuration avec le Pouvoir Blanc pouvez rester loin de moi.

Plus récemment, j'ai entendu des histoires comme celle d'un membre de Teenage Jesus and the Jerks hurlant : « Hé, bande de foutus nègres ! » à l'intention d'une foule de kids noirs devant le Hurrah, un soir, et je ne suis nullement navré de rapporter que ça lui a valu les pires emmerdements. Quand j'ai dit ça à Richard Hell, il l'a réduit à rien : « Il croit qu'en disant ça il fait partie de quelque chose – qu'il va adhérer à un club où on l'accueillera à bras ouverts, il essaie de se faire accepter. Ça n'est pas réel. Je suis peut-être naïf, mais je crois que c'est ça, le racisme : ça n'est pas dirigé vers une cible, mais destiné à impressionner un autre crétin. »

Il a peut-être raison : et alors ? James Chance, des Contortions, avait l'habitude d'aller chez Bob Quine en le suppliant de lui passer ses disques de Charlie Parker. Et voilà que dans une interview de *New York Rocker*, James nie les qualités magiques de la musique noire comme étant « un simple tas de conneries nègres ». Pourquoi ? Parce que James veut être célèbre, et faire les poches d'Albert Ayler ne suffit pas. Mon dieu mon dieu, n'est-il pas *scandaleux* ? (« Il a trouvé le truc », a déclaré Danny Fields en étouffant un bâillement, quand *Soho Weekly News* a mis James en couverture.) Et félicitations à Andy Shernoff, des Dictators, qui ont si bien marché qu'ils s'appellent maintenant les Rhythm Dukes, et qui remporte le concours Pété Comme Un Coing du magazine *Punk*, pour avoir décrit « Camp Runamuck » comme l'endroit « où on garde les Portoricains jusqu'à ce qu'ils apprennent à être humains ».

Attention, j'aime autant que les autres me foutre de la gueule du monde. Aussi ce sera donc Nico, qui a chanté « Deutschland Über Alles » au CBGB le mois dernier, et qui a été assez naïve pour expliquer à Mary Harron, dans une interview récemment parue dans *New Wave Rock*, pourquoi elle avait été lourdée par Island Records : « J'ai fait une erreur. J'ai dit dans le *Melody Maker*, à je ne sais plus quel interviewer, que je n'aimais pas les nègres. C'est tout. Ils ont pris ça de façon si *personnelle*… pourtant c'est une race tout à fait différente. Je veux dire, Bob Marley ne ressemble pas à un nègre, non ?… C'est un archétype du Jamaïcain… mais avec les traits des Blancs. Je n'aime pas leurs traits. Ils sont tellement semblables à des animaux… ce sont des cannibales, non ? »

Ha ha ha, ces connasses boches débiles ne sont-elles pas adorables ? Et puisqu'on parle boches et connerie, mon vieux copain Legs McNeil a ce groupe qui s'appelle Shrapnel et qui est très occupé à rééditer la Seconde Guerre mondiale sur scène, avec plaques d'identification, fringues militaires de surplus, casques qui leur tombent sur les yeux comme de grandes mèches, et chantent des chansons avec des titres du genre « Combat Love ». Personnellement, je ne trouve pas ça choquant (disons à peu près autant que « Hogan's Heroes »), ils sont trop jeunes pour se souvenir du Viêtnam – c'est marrant. Tout leur spectacle est un cartoon (ça n'est pas un hasard s'ils ouvrent avec le thème de « Underdog »), et sacrément bon, en plus. Musicalement aussi, ils sont au niveau : de féroces querelles de guitares sous pression qui pourraient un de ces jours les mettre à égalité avec le MC5, combinées avec un jeu de scène qui pourrait les rendre aussi populaires que Kiss. Le seul problème, qui m'a laissé des sentiments si mitigés que je sais à peine quoi leur dire, c'est que les paroles de certaines chansons ne sont que lavasse raciste. L'autre soir, assis au premier rang au CBGB, je les ai vus donner un des concerts les plus forts de tous ceux que j'ai vus cette année, tandis qu'un môme, assis juste à côté de moi, ne cessait de réclamer en hurlant : « Hey Little Gook ! Hey Little Gook ! » Bob Christgau, qui les déteste et les considère comme « proto-fascistes » m'a dit qu'ils avaient aussi des paroles du genre « Renvoyez tous les espingouins [*spics*] à Cuba ». Quand j'en ai parlé à Legs, il a paru réellement vexé : « Non, m'a-t-il juré, c'est "renvoyez tous les espions [*spies*] à Cuba". »

« D'accord, ai-je dit (Christgau ne le croit toujours pas), et "Hey Little Gook" ? »

« Ah, laisse tomber, a-t-il répondu, c'est juste comme un film de la dernière guerre où ils parlent de "boches" et de "bridés", des trucs comme ça. »

Je lui ai dit que je pensais qu'il y avait une différence entre recourir à de tels mots dans un contexte dramatique, et s'en servir dans une chanson pour provoquer des rires à peu de frais. Mais la vérité est que j'étais plus perdu que jamais. Tout ce que je savais, c'est qu'en additionnant ce genre de trucs, on se rendait compte que certains que nous pensions connaître, et même en qui nous croyions, avaient franchi une ligne pendant que nous regardions ailleurs. Ou alors ils avaient toujours été de l'autre côté, et nous n'avions jamais pris la peine de regarder jusqu'à ce que nous marchions dessus. Et parfois vous vous rendiez compte que vous-même aviez dérivé au-delà cette ligne. J'étais chez Bleecker Bob[40] l'autre soir, ivre et défoncé, quand un couple de Noirs est entré demander un truc disco. Bob ne l'avait pas, évidemment, quelques minutes ont passé, et revenant, à travers ma brume, à ma période Détroit, j'ai dit quelque chose sur tel ou tel groupe, ou telle ou telle musique, où il était question « des nègres ». Quelques minutes supplémentaires se sont écoulées. Puis Bob m'a dit : « Lester, tu sais quoi ? Quand t'as dit ça, ils étaient juste derrière toi. »

J'ai regardé autour de moi et ils étaient sur le trottoir, à regarder la vitrine. Accablé, je me suis précipité dehors et j'ai commencé à bredouiller : « Écoutez... quelqu'un vient de me dire ce que j'avais dit... et je sais que ça ne veut rien dire pour vous, je ne réclame pas l'absolution, mais je voudrais simplement que vous sachiez que... Je me doute un peu... à quel point c'était complètement, complètement *atroce*... »

Je les ai contemplés d'un air impuissant. Le type s'est contenté de sourire, suintant le mépris. « Oh, d'accord, mon gars... c'est dans ta tête... » *J'ai déjà eu affaire à un million de connards dans ton genre, et j'en rencontrerai encore un million – alors qu'est-ce que tu veux que ça me foute ?*

Je suis rentré dans le magasin en titubant, en ayant l'impression d'être une vraie merde, un parfait hypocrite, comme si je m'étais surpris à être tout ce que j'affirmais mépriser. Bob a dit : « Lester, écoute, t'en fais pas, laisse tomber, ça arrive à tout le monde » et, ultime ironie, m'a vendu un album de reggae dont je me suis demandé comment j'allais l'écouter.

S'il n'y a rien de plus venimeux que le racisme, il n'y a rien de plus pathétique que la culpabilité libérale. Même en racontant l'histoire ici, j'ai l'impression d'être un con, comme si je m'attendais à une quelconque expiation pour quelque chose qui ne peut être aboli, ou comme si un tel récit pouvait apprendre quelque chose de neuf à qui que ce soit. D'une certaine façon, Bob avait raison : j'ai simplement ajouté une grosse cuillère de souffrance à celle qui existe déjà dans le monde, rien de plus. Il y a très certainement quelque chose d'intéressé, presque à vomir, dans le dévidage de confessions comme celle-là dans les pages de journaux comme le *Voice* – c'est là précisément le genre de truc qui a contribué à la réaction punk. Mais ça illustre un fait de base : comment vous pouvez vous retrouver facilement et brusquement emprisonné et suffoqué par le fait même d'être libéré du jargon, du dogme et de l'hypocrisie – du moins tel que vous pensiez y être parvenu. Que parfois – d'ordinaire ? –, vous découvrez que vous ne savez pas comment tracer la ligne, jusqu'à ce que vous vous retrouviez plusieurs kilomètres au-delà, en plein champ de mines. C'est comme de vouloir que la célébration d'un désordre violent qu'étaient les Sex Pistols prenne fin par Sid et Nancy, et de comprendre pourtant le lendemain que vous voulez toujours entendre Sid chanter « Somethin' Else », et aller voir *The Great Rock'n'Roll Swindle*, et pas seulement parce que vous voulez mieux comprendre toute l'histoire, mais aussi prendre votre pied. Ce sont des contradictions qui refusent d'être résolues, ce qui peut-être est ce à quoi la vie se réduit pour l'essentiel.

Mais c'est de nouveau contourner la question. La grande majorité des gens, je crois, ne pense même pas à tracer la ligne : ils semblent traverser la vie en réagissant au hasard, comme le chauffeur de taxi qui m'a dit que le rapport sur l'usine nucléaire Three Mile Island que nous écoutions à la radio n'était qu'un tas de conneries monté par la presse pour vendre du papier ou nous tenir à l'écoute. Et peut-être que si on continue comme ça (en partant bien entendu du principe que nous ne fondrons *pas* tous), rien ne vous explosera à la gueule. Mais il se peut aussi que vous finissiez pas imploser. Beaucoup de gens qui traînent au CBGB sont déjà furieux contre moi à cause de cet article, et pour l'essentiel les arguments se résument à des trucs du genre Pourquoi ne pas la fermer y a pas vraiment tant de racisme ici et tout ce que tu vas faire c'est nous créer de nouveaux problèmes juste au moment où l'affaire Sid Vicious vient d'éclater. J'ai mentionné l'expérience de Pinkston et me suis entendu répondre qu'il était parano. Tout comme les gens de Harrisburg, qui ne voulaient pas perdre leurs boulots, et qui croyaient réellement qu'il serait sain de rester dans le coin une fois les femmes enceintes et les enfants évacués, ces mômes ne croiront pas que de tels trucs existent avant que ça ne leur arrive. Bon dieu, beau-coup d'entre eux sont Juifs, et ils n'y croient toujours pas, même s'ils connaissent les quartiers où leurs parents ne peuvent pas s'installer.

Quand j'ai commencé à écrire cet article, je m'inquiétais à l'idée de pouvoir provoquer des cassages de gueule de punks par des gangs noirs. Je me rends compte maintenant que tout le monde s'en fout. Presque tous les Blancs pensent que le sujet même du racisme est fastidieux, et quiconque cherche quelqu'un à piétiner le trouvera, articles de magazines ou pas. Parce que rien ne pourrait rendre la fureur des basses classes plus forte qu'elle ne l'est déjà, et que rien, sauf une bombe à hydrogène sur la tronche, ou une brutale baffe raciste en pleine poire, ne fera pen-ser personne ou presque aux problèmes des autres, ils ne pensent qu'aux leurs. Et c'est là que vous franchissez la ligne. Au moins, quand vous permettez au poison qui est en vous d'entrer en éruption, ça peut s'arranger ; peut-être est-ce pire quand vous refusez de reconnaître son existence même. En d'autres termes, quand vous acquiescez par passivité ou indifférence. Bon dieu, la plupart des gens *vivent* de l'autre côté de cette ligne.

Il existe en Angleterre quelque chose qui s'appelle Rock Against Racism (et maintenant Rock Against Sexism), effort de simple décence par beaucoup de gens qu'on croirait trop jeunes et trop naïfs pour commencer à comprendre les contradictions. Conne-ries yuppies mises à part, ça ne pourrait jamais se produire à New York, ce qui est profondément attristant, non parce qu'on préférerait penser que le rock peut sauver le monde, mais parce que, puisque le rock est voué à rester dans votre vie, vous espé-reriez le voir atteindre un point où il ne pourrait accroître la cruauté et l'exploitation qui existent déjà dans le monde. Dans un endroit où chacun est séparé des autres par des murs, comme nous le sommes en Amérique aujourd'hui, tout ce que vous pou-vez faire est d'essayer de commencer simplement, humblement, et en définitive de façon privée. Vous sentez que de telles choses ne devraient pas avoir besoin d'être dites, que des articles comme celui-ci ne devraient peut-être même pas être écrits. Vous pou-vez penser, comme je le fais du sexisme des paroles des Stranglers et des Dead Boys, que les gens et les choses dont j'ai parlé ici sont si débiles qu'ils ne méritent pas qu'on y réfléchisse sérieusement. Mais diriez-vous la même chose à l'artiste disco noir qui s'est vu refuser l'entrée du Studio 54, bien qu'il ait eu un hit au Top Ten qu'ils étaient sans doute en train de passer dans ce foutu endroit au même moment, le portier/videur expliquant à un ami blanc de l'artiste : « Je ne laisserai pas entrer ce type – il m'a l'air d'un négro comme les autres » ? Ou discuterez-vous plutôt la différence entre le Chic Raciste et le Cool Raciste ? Si c'est le cas, faites en sorte que ce soit dans l'usine, ou la prison, la plus proche.

Village Voice, 30 avril 1979

Sham 69 est innocent!

C'est la vérité! Il n'y a eu qu'un seul Sex Pistols! Et il n'y a qu'un Ramones! Parfois nous sortons dans des clubs qui s'appellent discothèques rock! On s'emmerde! Ça coûte des fortunes! Faut qu'on soit parmi les gens! Plusieurs sexes en cuir noir nous poussent! C'est des ordures! Qu'est-ce qu'on a! Qu'ils aillent se faire foutre! On ne répond même pas!

En Angleterre ils le font! C'est pourquoi Sham 69 a des problèmes là-bas! La moitié de leurs fans sont des punks et l'autre moitié des skinheads néonazis! Ils se poussent mutuellement! Ensuite ils se bourrent le pif! C'est dégoûtant! On en parle dans les journaux! Le groupe s'est séparé une fois à cause de ça! Puis il s'est reformé! Leur leader Jimmy Pursey a eu l'audace de se faire appeler Joe Public! Pochetron! Qu'il aille se faire enculer! Je l'aime! Dans toutes ses interviews au *New Musical Express* il paraît si sincère! Et alors! Kiss était aussi bon que ce groupe! Le premier album de Sham sur Sire sonnait comme des chutes de studio des Ramones avec par-dessus une mélopée footballistique de kids traînant dans les pubs! Il était super! Je crois! Pour ainsi dire! C'est mieux que des n'importe quoi comme les Members! Au moins Jimmy Pursey a de la personnalité! Il chante pour le groupe! Il tombe la chemise! Quand il saute sur la scène et hurle il y a une grosse veine ou un muscle qui dépasse sur le côté gauche de son cou! Whaouh! Ses yeux sont exorbités! Il s'emmerde! Moi aussi! Qui n'en est pas là! Mais la merde pue pas pareil ici! Nous avons tous nos causes! Il n'est jamais allé sur la 14ᵉ Rue! Il parle! «Anyway who gives a damn? / I'm

doin' the best that I can ! » Et alors ! Des tas d'anglophiles qui
s'emmerdent dans le public ! Ils ont eu deux rappels quand
même ! Tout le monde a deux rappels aujourd'hui ! Que les
rappels aillent se faire foutre ! Qui paie pour ça ! Qui est Tout
le Monde ! Vous et moi ! Qu'ils aillent se faire foutre ! Même
Halston 'n' Andy sont tout le monde !

Rappelez-vous l'été 77 les médias freaks de N.Y. essayant de
se surpasser mutuellement en blablatant « le punk est mort » eh
bien ah ah ah C'EST LE TRUC LE PLUS HIP BANDE DE
SÉDATIFS ! Parce que tous les bons groupes sont morts il y a
deux ans ou luttent en solitaire pour percer pouce par pouce
dans l'Amérique profonde comme Patti et les Ramones ! Ils y
arriveront peut-être ! Tous les autres sont de gros poissons dans
une petite mare ! Pas de tripes ! Qu'ils aillent se faire foutre !
Jimmy Pursey a une nouvelle chanson intitulée « Les otages
sont innocents » ! Quels otages ! Dis-nous la vérité, Jimmy ! Le
tatouage sur *Fantasy Island* m'a tout l'air d'être un otage ! Ou
peut-être qu'il veut parler des Dix de Wilmington ! Qui c'est,
merde ! On s'en branle ! George Davis est innocent ! Slade aussi !
Qui c'était, merde ! Ils n'ont jamais compris que des hurlements
footballistiques anglais ne pourraient pas remplir les salles de
concert américaines ! C'est vous dire si ce groupe est débile !
Et d'autant plus arrogant ! Encore du blabla de Jim en scène
mercredi soir ! « Il est temps que les jeunes de seize ans aient
quelqu'un de seize ans pour prendre la parole en leur nom ! Vous
n'avez personne comme ça ! C'est pour ça qu'on est là ! Bruce
Springsteen est OK mais il en a trente ! » Ouais Jim il a perdu
son innocence ! C'est pas comme toi ! Il a pas des paroles comme
« What's it all about / Money, work it out ! »

Exact ! C'est pourquoi Alice Cooper est le père du rock des
seventies ! Il savait ! C'est aussi pourquoi le nouvel album de
Sham 69, *The Adventures of Hersham Boys*, sonne comme Alice
à l'époque « Under my Wheels » ! Jimmy a eu peur de son propre
pouvoir ! Comme Alice ! Quels hommes c'étaient ! C'étaient des
géants, à cette époque ! Et maintenant ils ont tous deux fini
par faire des albums surproduits les kids-sont-tous-unis qui boucanent et boucanent ! J'achèterai celui-là comme j'ai acheté

Killer! Sauf qu'il n'est pas aussi bon! Et alors! C'est neuf ans plus tard et tout le monde s'en fout! Sauf Alice parce qu'il est lessivé! Maintenant! Et Jimmy! Parce que comme Alice il a eu peur de lui-même ou de son public et a préféré choisir le dessin animé! C'est donc de la franche branlette! Ça vaut mieux sans doute que le prochain album de Kiss! Mais Kiss était un meilleur groupe quand ils fumaient! Et ils n'avaient rien à dire! Et ces gars-là non plus! Alors ne les laissez pas vous entuber! Achetez leur album! Il est passionnant! Achetez tous les albums de tous les nouveaux groupes anglais en colère! Et ils puent en plus! Si vous payez, ça vous sera égal! Si ça ne vous est pas égal vous déserterez les armées de Kiss et de Sham! Mais vous vous en foutez! Moi non plus! Alors achetons!

Village Voice, 17 décembre 1979

Veille de Nouvel An

Ces temps-ci, chaque fois qu'on se pointe, quelqu'un dit : « Les années 80 arrivent ! » Comme si, au premier coup de minuit du Nouvel An tout allait être *différent* ! Et quand on leur dit : « Arrête, tu sais bien que tout va continuer à sombrer lentement », ils deviennent franchement *furieux* ! Casseur de baraque ! Aucun sens du devoir social ! C'est vrai que je suis antisocial ! Mais tous les gens que je fréquente aussi. Il y a quelques mois, quand le Bells of Hell, notre bar favori, a fermé, nous sommes tous restés dans nos appartements au lieu de chercher un nouveau point d'eau (laissant peut-être entendre que, comme le buffle, nous sommes voués à disparaître bientôt). J'ai dit ça à mon psy et il a répondu : « Vous êtes pathétique. »

À une autre occasion, comme je m'étais plaint que j'avais comme des hallucinations à propos d'autres gens parce que je ne les voyais jamais, parce que je ne faisais que rester au lit, couvertures sur la tête, parce que je croyais fermement à la citation des puissants Ramones comme quoi il n'y avait « rien à faire et nulle part où aller », si bien que je voulais simplement qu'on me donne des sédatifs, mon psy a suggéré que j'appelle tous mes amis dans leurs petites cellules séparées et que je voie si nous ne pouvions trouver un moyen de nous rapatrier dans la race humaine et aimer ça. J'ai donc mené ce plébiscite, et quand je suis revenu il a dit : « Alors, quel est le consensus ? », et j'ai répondu : « Le consensus est : "Pourquoi être avec les gens ? De toute façon, c'est presque toujours des merdes !" »

Je suppose que vous me trouvez négatif. D'accord, si c'est le cas, vous devriez aller dire à *Mère* qu'il y a quelque chose qui ne va pas avec la matrice! Ah, je vous ai bien eus! D'ailleurs, à mesure que les années 80 se précisent, je soupçonne que ma minorité antisociale deviendra une majorité, et que nous aurons une anti-société! Imaginez un peu ça! Will Rogers[41] dans le rôle du hors-la-loi ultime! Et quel meilleur moment, pour inaugurer cette ville fantôme, que la veille du Nouvel An! Congédiez l'ancien, saluez l'ancien! Et de plus en plus ancien. Je vous le demande, avez-vous déjà connu une veille de Nouvel An qui vous ait plu? Bien sûr que non! Pourquoi? Parce que vous avez persisté dans cette folle illusion que, Dieu sait comment, les choses sont censées aller mieux, ou que la nature cyclique du yin-yang fait que la Terre est supposée se renouveler, ou une autre connerie du même genre! La connerie ne se renouvelle même pas. Et les trottoirs? Cette peinture écaillée, ce plâtre qui s'effrite, cette plomberie à refaire? Un propriétaire renouvelable? Foutre non!

Ceux qui existent encore peuvent aller dans deux directions : (a) la stase ou (b) le déclin. Et la veille du Nouvel An est la plus grosse déprime, parce que nous sortons tous avec ce genre d'espérances, nous nous bourrons complètement, et ne pouvons supporter d'être les uns à côté des autres parce que nous avons passé l'automne précédent, et le début de l'hiver, à nous plonger de plus en plus profondément dans *TV Guide*, et maintenant voilà qu'on attend de nous que nous jouissions positivement de ces petites boules d'humanité hideuse. Aussi d'horribles scènes s'ensuivent-elles, BIEN ENTENDU.

La première veille de Nouvel An dont j'aie un souvenir précis fut sans doute la première pour laquelle j'étais assez âgé pour me cuiter. J'ai préféré me défoncer à la noix de muscade. Tous mes amis se sont beurrés, cependant, et sortant de ce club d'ados plein d'un lumpen déprimé réduit à de mornes whisky-cocas, nous avons roulé sans but autour d'El Cajon, finissant inévitablement dans la queue chez Jack in the Box où, tandis que des gens vomissaient dans toute ma voiture, j'ai dit : « Bienvenue à 1967. » On aurait dû savoir sur-le-champ que les trucs hippies ne marcheraient pas.

1968 : Je suis allé à une soirée où tout le monde buvait beaucoup trop de vodka trop vite, et se pelotait mutuellement, ou
essayait, pendant que Donovan évoquait des anges gras à grand
renfort de trilles. Je n'ai vu qu'une personne vomir : ma copine,
sur son fute taille basse flambant neuf. (Je lui avais dit un peu
plus tôt, à propos dudit vêtement : « T'as l'air d'une pute de
Tijuana. » J'étais un mec mignard et velouté.) Je carburais à la
Marézine et ne cessais de voir de petits hommes armés de haches
et de marteaux tailader des démons pygmées, bredouillants et
nus, dans les revers de veste des autres. Quand je suis rentré, j'ai
halluciné que toutes sortes de gens entraient dans ma chambre,
et je tendais les mains vers eux en hurlant : « Ne vous dissolvez
pas ! Ne vous dissolvez pas ! » Ce qu'ils faisaient, bien sûr. Puis
j'ai cru voir un ami à moi se profiler derrière le store, en chuchotant depuis le jardin : « Lester ! Lester ! » J'ai sauté hors du
lit et remonté le store d'un coup sec, pathétiquement reconnaissant d'avoir un peu de compagnie humaine. Il n'y avait rien,
que la rue vide et des feuilles qui couraient.

Je suis allé aux toilettes pour pisser, et j'ai halluciné qu'à travers une fissure dans la porte, ma mère reluquait ma bite d'un
seul œil énorme. Puis je suis retourné au lit et j'ai rêvé que des
flics des stups, en costumes gris acier, étaient stationnés à des
endroits stratégiques dans tout mon lycée, me surveillant à travers des lunettes noires Silva-Thin qui pivotaient lentement. Je
n'ai pu regarder personne dans les yeux pendant les deux premiers mois de 1968.

1969 : Moi et un tas de copains roulons dans la caisse d'un
mec. On a bu de la bière un moment en pure perte. Un gars qui
s'est plus tard engagé dans la marine, où il est devenu expert en
démolition sous-marine (il m'exhortait à m'enrôler avec lui :
« C'est vraiment marrant de faire sauter tout ça ! »), a dit : « Sortons
nous trouver un peu de *chatte*. » Personne n'a rien dit d'autre.
Pour finir, nous sommes tous rentrés, trop déprimés pour nous
sentir bourrés, et nous sommes endormis. Toute la soirée aurait
pu être racontée (ou nous être infligée) par Robbe-Grillet.

1970 : Veille de Nouvel An passée à me bourrer à la bière et
à regarder la télé chez les parents de ma copine, en m'esquivant

périodiquement pour aller au motel d'amis portés sur la seringue, parce que je voulais acheter de l'héro, que je n'avais jamais essayée. Finalement ils étaient là et m'en ont vendu un peu. Quand je suis revenu chez ma copine, j'ai couru aux toilettes et j'ai tenté de la renifler. N'étant pas encore initié aux billets de banque roulés, j'ai placé le truc sur un miroir tenu au-dessus du lavabo selon un angle précaire, l'ai balancé à deux centimètres de mon nez, puis ai émis un puissant bruit de klaxon. Rien ne s'est passé, sauf que plus tard j'ai bu un peu de gnôle, je suis rentré et j'ai écrit pour *Rolling Stone* une critique (jamais publiée) d'un pirate de Dylan. Le lendemain, j'ai frimé devant tous mes amis : « Hier soir, j'ai rédigé une critique de disque sous *héro* ! » Être trop nul pour ingérer cette merde fut la seule fois où j'ai eu de la chance une veille de Nouvel An.

1971 : Je suis resté à la maison et j'ai lu la Bible. Non, c'est un mensonge. En fait je suis allé au drive-in avec ma copine – défoncé (enfin, moi) à la vodka et aux pilules pour la thyroïde de sa mère, totalement incapable de me concentrer sur le double programme *Je bois ton sang* (avec Ronda Fultz, Jadine Wong, et quelqu'un simplement présenté comme étant « Bhaskar ») et *Je mange ta peau* (William Joyce, Heather Hewitt), ce qui de toute façon aurait été impossible quelles que soient les circonstances, en pensant toute la nuit que le lendemain matin j'allais faire comme Jack Kerouac et sauter dans ma voiture en bouffant du speed d'une main, tout en effleurant le starter de l'autre, et que je roulerais roulerais roulerais jusqu'à ce que je plonge à travers les brisants de lumière William Blakéens sur les proues dorées des Montagnes Rocheuses. Bien entendu, je n'en ai rien fait, et me suis réveillé avec une gueule de bois un peu floue, ce qui est sans doute tout aussi bien : j'aurais pu finir par être John Denver[42].

1972 : Nouvel An passé ivre mort et déprimé jusqu'au fondement chez ma mère en Californie. Appelé mon ami Nick à New York et grogné misérablement, à travers plusieurs kilomètres de whisky : « Je crois que je deviens alcoolique. » Il n'a rien voulu entendre, parce qu'il s'apprêtait à passer le premier de l'an en allant de la 99ᵉ Rue à Broadway, pour boire un coup dans chaque bar, jusqu'à ce qu'il arrive, sur la 3ᵉ Rue, dans le tout dernier, St. Adrian Cᵒ, aussi appelé Broadway Central Bar, étant une annexe d'un asile de nuit appelé Broadway Central Hotel. Il a rappelé le lendemain : « Désolé, Les, je suis trop déprimé pour discuter. »

1973 : Suis allé à une soirée avec mon ex-copine-amour-d'enfance (celle au pantalon taille basse vert), sa sœur et son beau-frère. Tous les autres ou presque étaient des *swinging singles*, ou essayaient. J'ai dansé d'assez près avec celle qui nous invitait. Mon ex-copine est devenue furieuse contre moi parce que je me frottais contre ladite friponne, et s'en est quelque peu offusquée. Je parie que Gore Vidal n'a jamais rien écrit d'aussi subtil que : « Qu'esse ça peut te foutre ? Tu me baiseras pas ! » Elle a pleuré. Plus tard, dans la voiture, par une sauvage frustration sexuelle atrocement imbibée, j'ai planté un de mes ongles dans son poignet jusqu'à ce qu'il saigne. Elle m'a dit que j'étais une poule mouillée. En effet.

1974 : De retour en Californie, séjournant dans l'appartement déserté, mais meublé, de mon ex-copine, sans que ma mère soit au courant, elle vit avec un homme d'affaires de quarante-cinq ans qui, quand il est à côté de vous dans un bar, garde toujours, serrée dans sa pogne, une poignée de dollars, de façon à pouvoir les balancer tout en gardant l'air hautain. Vous voyez le genre. Alors je suis là à savourer l'appartement vide, à rester allongé en écoutant *Raw Power* et *Berlin* en permanence, quand j'ai cette brillante idée ; je vais emporter ces disques de rock sordide à la soirée de gens mariés/célibataires/quoi qu'ils pensent être de ce soir, et *les passer à fond*. ÉPATÉS ILS SERONT LES ENFOIRÉS ! Alors je les prends et on y va et toute la nuit je ne cesse de les poser sur la platine en pompant l'air à tout le monde bien qu'ils soient aussi fascinés, la pièce est par moments *silencieuse*, voire figée, ce qui est peut-être compréhensible vu qu'on est dans une banlieue californienne, tout le monde est fringué jusqu'aux plombages avec toutes sortes de *chaînes* et je ne sais quoi, corsages sans manches mexicains avec sceau de la Yardley sur le côté, de grandes boucles d'oreilles en cerceaux, tous les gars ont des rouflaquettes si tranchantes qu'ils saignent, et voilà que Lou nous arrive porté par le vent : « Caroline says... as she gets up off the floor... "Why is it that you beat me?... It isn't any fun..." » [*Caroline dit... en se relevant... « Pourquoi est-ce que tu me bats?... Ça n'est pas drôle... »*]

Pendant ce temps tous les mecs traînaillent en se demandant comment aborder la Dolce Vita à travers le miroir. Moments glaciaux, tous mauvais. Lèvres de givre, lunettes de soleil frigides.

« C'est pas moi qui suis frigide, c'est mes Foster Grant! »

« C'est pas moi qui suis impuissant, c'est mon Cuir Anglais! »

« Alors, échangeons! »

« Whaouh, d'accord!

« Hé, c'est marrant, toute cette décadence jusqu'au cul! »

Hélas, ça ne s'est jamais passé comme ça. Je n'ai pas pu me souvenir de cette veille de Nouvel An, et j'ai dû concocter quelque chose. Mais les anecdotes qu'on invente le lendemain sont toujours meilleures que ce qui s'est réellement produit.

1975 : Pour une fois raisonnable, j'ai descendu un peu de speed et de valium, suis allé au bureau, qui était désert, et y ai passé la nuit à écrire un article pour le numéro de février de *Creem*. Dévotion au devoir? Non. Fuite devant la Géhenne.

1976 : Je sortais depuis deux mois avec cette fille qui traînait autour de Détroit en faisant semblant de prendre des photos. Elle avait décidé que j'étais pédoque depuis une soirée en oct/nov : lors d'un concert de Barry White, nous étions derrière les Ohio Players, le pire groupe de première partie de la planète, et elle dit, à propos du bassiste, « Il a un beau cul », je me redresse un peu pour voir et elle me jette un regard bizarre et puis voilà. Enfin quoi qu'il en soit cette défoncée et moi continuions à sortir, mais ceinture. J'étais timide et gauche, et elle, ah, je suppose que ses appareils se seraient mis en travers. Bref arrive la veille du Nouvel An, tout le tremblement, et voilà-t-y pas que le foutu magazine *Creem* loue toute une suite dans cet hôtel, rien que pour, ah, *distraire* tous les gens importants qui pourraient se trouver passer, disons les disc-jockeys du coin, ou Martin Mull. Pour je ne sais quelle raison débile j'aimais bien cette fille, je ne sais pas, en fait si je sais : par-devant elle ressemblait à quel-

qu'un que j'avais aimé et qui s'appelait Judy, et par-derrière à
quelqu'un que j'aimais pour de bon mais qui à l'époque ne
voulait pas me voir, nommée Nancy. Aussi MEA CULPA
MUHFUH etc. De toute façon, j'en suis venu à découvrir que
la seule raison pour laquelle elle était venue avec moi à cette sau-
terie, c'est que je me trouvais travailler dans le *même magazine*
que ce mec nommé Charlie Auringer pour lequel TOUTES les
nanas de l'endroit bichaient, simplement parce qu'il était là, tout
le temps, tellement indifférent, des globes oculaires aux snow-
boots, ce genre de truc. Quand je l'ai vue SE SERVIR de moi
pour arriver jusqu'à Charlie, ça m'a fait chier. Et j'ai fait ce que
tout autre Rasta honnête et vertueux aurait fait : m'éclipser en
bas et me bourrer jusqu'à l'inconscience. Mais je n'étais pas le
seul, et vers minuit elle et moi avons miraculeusement terminé
côte à côte, à cette table en bas à côté de la scène, avec assez de
ballons pour envoyer en l'air Steve Martin, du papier crépon
partout, Flo and Eddie courant partout en pinçant tous les culs
qu'ils pouvaient trouver, EXACTEMENT comme dans cette
chanson des Fugs, « Dirty Old Man », des confettis qui tombent,
et moi et Lee Anne (car c'était son nom) tous deux en petits
chapeaux haut-de-forme ringards, si mignons, v'là minuit, blam,
extinction des feux.

Je glisse mon bras imbibé sous ses épaules et entreprends de
l'embrasser. Elle détourne la tête, lèvres pincées.

« Hé ! Je te sors tout le temps ! Je t'aime bien ! On fait des trucs
ensemble ! Garçon et Fille ! Et tu ne m'embrasses même pas
le jour du Nouvel An ! ! ! ! ! ? ? ! ! ! ! Qu'est-ce que c'est que cette
merde ? »

« T'as mauvaise haleine », répond-elle.

Ça ne pouvait que s'améliorer. Ayant finalement gagné le
cœur de la Nancy ci-dessus mentionnée, nous nous installâmes
à New York où nous mourûmes de faim Pieds Nus dans le Parc
et nous serrâmes l'un contre l'autre unis contre cette ville tout
en suivant Donny et Marie chaque jeudi soir. La veille du Nouvel
An, nous regardâmes Jimmy et Rosalynn Carter. Leur bal juste
avant l'entrée en fonction officielle. Nous versâmes des larmes
de concert quand Loretta Lynn chanta « One's on the Way ».

Nous ressentîmes un certain espoir pour la société. Nous étions jeunes, idéalistes, amoureux. Nous étions des comas diabétiques ambulants, trop assommés pour nous trouver un service de diabétologie au cas où toute la guimauve sentimentale que nous avalions nous serait remontée dans les canaux lymphatiques. Six mois plus tard, elle me quitta afin d'écouter les Sex Pistols en paix.

Après cela, je connus une ou deux liaisons mineures, tout en demeurant ivre la plupart du temps, et en prenant pratiquement résidence au CBGB, où je jouais le rôle de l'artiste/marginal bukowskien dans ze grandiose sitcom. Ça m'a valu quelques femmes super – du genre à s'asseoir en tailleur sur votre plancher après être tous deux restés toute la nuit debout défoncés à la mauvaise dope, et qui ne baiseront pas avec vous, mais qu'il est parfaitement possible d'amener à vous décrire, en détail, leurs diverses tentatives de suicide, ainsi que leur *Weltanschauung* post-existentielle, d'une extrême complexité, dérivée de Richard Hell et d'innombrables auditions du cher Sidney gazouillant « My Way », attitude philosophique qui se réduit à La vie ne vaut pas la peine d'être vécue et tout pue mais se suicider demande trop d'efforts qu'esse t'as d'autre à boire ?

Tôt ou tard il devint apparent que toutes les femmes partageant mes goûts musicaux pouvaient être décrites, des kilomètres à l'avance, comme des muettes bossues complètement cramées, des reposoirs à dope à demi retardées portées à d'abondants tics faciaux. Je ne cherchais pas pour autant quelque chose sorti de *Fascinating Womanhood*. Je peux préparer un soufflé aux épinards aussi habilement que Régine elle-même, mais je sentais vraiment qu'il pouvait y avoir une faible possibilité que quelque chose existât quelque part entre ces deux avant-postes du tu-as-raison-passe-moi-le-flingue-je-veux-me-faire-sauter-le-caisson-d'abord. En fait, j'étais aussi mûr que Lil' Abner[43] en pleines rougeurs, et suis tombé amoureux, à la Noël 77, de la première d'une succession de femmes qui, comme moi, s'activaient dans divers secteurs des médias et n'allaient pas finir par faire avorter une bouteille de vodka brisée sur les marches du CBGB. C'étaient des femmes qui avaient du raffinement et un cachet urbain.

Certaines prenaient des taxis chaque fois qu'elles allaient quelque part ! Je remarquai également une propension à l'emploi de ce qu'elles appelaient en riant « mon domestique pédé », faisant de menues plaisanteries sur l'utilité de ses compulsions imaginaires d'origine infantile quand il était question de récurer le carrelage de la salle de bains. La première avec qui je sortis avait même un portier, qui me prenait pour un voyou et me détestait farouchement parce qu'aucun mec de trente ans sans boulot ne se promène tout le temps en vete de cuir noir, et il se pourrait bien qu'il ait eu raison.

Pour ce qui est de mon nouvel amour, à peine avions-nous fini de glousser nos fantasmes de « lune de miel » dans cette baignoire en forme de cœur des Poconos, que la Réalité, cette salope (et qui devrait être flinguée avec une extrême mauvaise foi), s'interposa. Il lui fallut exactement une semaine pour qu'il devienne clair, bien qu'à travers d'épais silences, que nous n'avions absolument rien de commun, que c'était en fait l'attraction magnétique irresponsable d'opposés polaires. Je n'écoutais rien d'autre que des galettes de bruit perçant anomique, tandis que sa forme préférée de loisir coincé était de regarder d'interminables téléfilms sur des occultistes courbés d'un air sinistre dans d'obscurs hameaux de Nouvelle-Angleterre. Ce n'était la faute de personne et nous n'y pouvions rien à part passer le mois suivant à nous torturer mutuellement. Notre veille de Nouvel An : en nous réveillant nous avons découvert que nous étions sur son sofa, dans un silence de plus en plus profond, pour regarder les Royal Canadians de Guy Lombardo jouant « Auld Lang Syne », sans même rendre hommage aux révolutionnaires interpolations de Jimi. Puis la grosse boule est tombée sur ces idiots enthousiastes avec la lenteur d'une météorite sénile. C'est la seule fois de ma vie où j'ai observé ce qui est, me dit-on, un rituel très populaire (bien que je sois un grand fan de la Bûche de Noël), et ce sera certainement la dernière, attendu qu'il s'agissait d'une des quatre ou peut-être cinq expériences les plus sinistres de mon existence. Nous n'avions même pas de quoi boire, alors que nous avions de l'argent. Je crois que nous étions tellement partis que nous avons oublié de picoler, la marijuana, inutile de le dire, ayant sans doute été beaucoup plus mortelle que d'habitude. J'avais l'impression d'être une corde de mi dérivant quelque part dans les gouffres inférieurs du deuxième album de Dire Straits.

Le lendemain, je suis allé à un dîner avec cinq de mes plus vieux amis, et personne, absolument personne, n'a été capable de trouver un mot à dire. Meilleure citation de l'après-midi : « Est-ce que quelqu'un connaît une bonne histoire drôle ? » (parole proférée à table, portant le silence à la limite de la catatonie).

1979 : Le Nouvel An semblait bien se présenter. J'avais beaucoup d'argent, je me suis défoncé à la bière et aux amphés, et suis allé à la soirée d'un copain au moment exact où on m'avait dit que les choses devaient décoller. Le seul problème, c'est que personne d'autre n'était encore arrivé, il n'y avait que le mec, sa copine, un cousin venu de Buffalo ou par là, et nous nous sommes assis pour siroter des bières tièdes, nos ondes alpha réunies rebondissant sur le front de Randy Mantooth dans *Emergency One !* Une heure environ d'une terreur de ce genre, et les amphés m'ont poussé à quitter ma chaise et à descendre à mon bar favori, aujourd'hui fermé, les Bells of Hell, où j'ai brillamment réussi à lever cette femme que je n'avais jamais rencontrée, après que Phil, le barman, fut venu me dire : « Est-ce que tu te rends compte que depuis une demi-heure, chaque fois que tu dis quelque chose, une fois sur deux c'est relatif à l'homosexualité ? Lester, quel est ton problème ? » Elle, encore moins que moi, n'avait semblé remarquer si tels étaient les faits, mais j'étais juste assez bourré pour un peu de culpabilité libérale, aussi ai-je bredouillé ce truc vraiment vitreux comme quoi l'été dernier j'avais eu une relation mortelle avec une *autre* vierge des médias qui était notoirement une hétéro folle des pédés, si bien que je n'entendais pas avoir des préjugés contre qui que ce soit, mais que peut-être j'avais réellement un ressentiment précédemment informulé… Naturellement, tout ceci eut un effet réellement salutaire sur le vrai-amour-naissant-quisaitpt'êtben à mes côtés. J'ai pris son numéro et me suis cassé.

Plus tard, je suis allé à une soirée où j'ai rencontré cette fille de type socialiste britiche qui m'a donné son numéro, écrivant en bas du bout de papier : « Je t'ai trouvé sympathique. » Bien entendu, je l'ai appelée et nous nous sommes vus pendant environ trois mois, discutant avec gravité des Clash contre *The Guardian*, par-dessus des dîners japonais. Nos rapports physiques sont allés jusqu'à un baiser sur la joue et un bonsoir comme elle se rendait à sa station de métro pour rentrer à Brooklyn ou en Islande, j'ai oublié où. Mais plus tard, lors de la même veille du Nouvel An, j'ai vraiment eu du bol en revenant aux Bells, où cette inconnue d'une trentaine d'années, totalement comateuse, et qui travaillait pour UPI, s'est accrochée à moi, à ma profonde indifférence manifeste, et au grand embarras de toute la tablée. J'aurais pu lui dire d'aller porter ailleurs ses cajoleries somnolentes, mais j'étais trop nul. Pour finir, je me suis levé pour partir. Je venais juste de franchir la porte quand j'ai entendu ces pas qui me suivaient sur le trottoir :

« Attendez... »

J'ai attendu ; je suis galamment resté immobile pour soutenir la débile, jusqu'à ce que je puisse lui appeler un taxi. Entre-temps, je lui ai fait un sermon avec ma plus belle voix à la Bill Cosby : « Écoutez : vous êtes vraiment sotte. Vous ne me connaissez pas. Je pourrais être David Berkowitz, l'Étrangleur de Boston, Richard Speck avec de nouvelles lentilles de contact. Vous devriez vraiment être plus prudente. » Je vous jure, il y a des fois où je me demande si je ne suis pas Juif, et mère juive, en plus.

Quand je l'ai mise dans le taxi, elle m'a dit : « Vous ne me ramenez pas ? »

D'accord, c'est ça, me suis-je dit, comme Richard Burton quand il regarde le chèque qu'il a touché pour *The Medusa Touch*, et je suis monté. Tout au long du trajet vers sa carrée chicos à la Laura Mars de l'East Side, elle n'a cessé de délirer sur la veste en cuir que je portais.

« Vous êtes membre d'un club de motards ou quoi ?

« Foutre non, ai-je dit en riant. Je suis un tâcheron des médias, comme vous. »

Elle n'a pas saisi la plaisanterie. Quand nous sommes sortis au coin de sa rue (où, croyez-moi, je n'avais *aucune intention*, en dix purgatoires, de payer), elle a continué là-dessus, et s'est obstinée dans cette bouillie pour chats jusqu'à ce que, furieux, je ne finisse par ôter ma veste et par la lui jeter.

« Hé, prenez ce foutu truc s'il n'y a que ça qui vous intéresse... »

« NON, non... »

Là-haut dans sa turne c'était le royaume des projos. En guise de dernier pour la route elle a bu un Grand Marnier, tandis que j'optais pour un Pinch à l'eau plus prolétarien. Je me suis lancé dans la routine habituelle et elle m'a repoussé, chialant de façon incohérente sur un type qu'elle aimait et qui travaillait pour Reuters à Bangkok. Elle a essayé de l'appeler. Il n'était pas là. Nous avons traîné dans sa cuisine un moment, et soudain, je ne sais comment, d'après la façon dont elle se comportait envers moi et mes vêtements, j'ai eu pour la première fois de ma vie le sinistre sentiment que peut-être, peut-être, celle-là voulait que je la baffe un peu, ou beaucoup ou dieu sait quoi après ça. C'était après m'être remémoré la scène de *City of Night* dans laquelle le client jette le tapineur hors de chez lui, furieux, parce que ce supposé camionneur baraqué comme un bœuf a commis l'impardonnable gaffe de laisser entendre que lui aussi avait lu D.H. Lawrence. J'ai eu le sentiment qu'on attendait quelque chose de moi, mais jusqu'alors je n'en avais pas eu la moindre idée, et je doute qu'elle non plus. Elle a continué à me provoquer verbalement, des petites vannes bizarres venues de la quatrième dimension, partant du fait que j'étais à peu près aussi baraqué qu'un prof de fac sédentaire depuis trente ans. Ce discours alternait avec des bredouillis d'ivrogne exorbités.

Au bout d'un moment, tout cela est devenu fastidieux, en dépit de son attrait tératologique, alors je me suis promené et j'ai examiné sa collection de disques. Le seul album en sa possession que je pouvais vaguement aimer était *Surrealistic Pillow*. Je l'ai passé. Ça sonnait sympa. Nous avons de nouveau fini sur le sofa où elle a recommencé à bavasser à voix haute. Il me semble me rappeler lui avoir dit à un moment que cela m'importait peu que nous fassions l'amour ou non, surtout vu les effets dissuasifs du speed et de la gnôle en moi. Plus tard j'ai pris sa tête entre mes paumes et forcé ses yeux vitreux à regarder droit dans les miens, et j'ai dit d'un ton dramatique mesuré : « Tu sais ce que je vois quand je regarde dans tes yeux ? Une terreur nue, absolue. » Quel connard j'étais. Un peu plus tard j'ai grogné : « T'as de la dope ? » Je commençais réellement à aimer jouer le rôle. Elle a sorti cette fiole de pilules analgésiques rescapées d'une précédente mésaventure, m'a demandé quel emploi je pouvais bien vouloir en faire. J'ai répondu que quand j'avais une gueule de bois vraiment mauvaise, c'était le seul truc qui arrangeât les choses. Elle a alors décidé que peut-être finalement elle ferait mieux de les garder, m'en a donné deux et a fourré la fiole dans son sac à main, ce qui était intéressant. Près de cinq minutes plus tard, elle est tombée dans les pommes, roulée en boule fœtale sur le sofa tandis que le soleil perçait à travers les rideaux. Qu'est-ce qu'on en a à foutre, me dis-je, je vais donner à cette garce la série B qu'elle veut : je l'ai volée. J'ai fouillé dans le sac à main à la recherche des pilules, me suis même retrouvé un instant à contempler son portefeuille ; soit je n'ai pas pu aller aussi loin, soit je me suis rendu compte à quel point toute cette charade était débile, je me suis emparé du Pinch en me dirigeant vers la porte, redescendant juste d'un pas lourd un peu plus méchant dans mes bottes de chieur. Manifestement aussi dur et aussi mûr que pendant la soirée, en 1973, du fameux plantage d'ongle. J'aurais voulu pouvoir appeler Dotson Rader pour un Badge du Mérite. Dans la rue, j'ai appelé un taxi, le chauffeur était un Noir d'âge mûr. J'ai dit : « Bon dieu, mon vieux, je suis content de retrouver enfin un être humain ! Je peux vous raconter une histoire ? »

Sûr, il dit, alors j'ai roté tout le récit de ce merdier, couronnant le tout par la déclaration qu'une fois rentré je l'appellerais et lui dirais qu'elle était une cinglée azimutée à la Goodbar et tout ça, je t'ai piqué tes pilules et ta gnôle, bébé, mais tu m'as volé un peu de mon *âme*.

Quand j'en ai eu terminé, le chauffeur, qui n'avait pas cessé de hurler de rire, s'est tourné et m'a dit : « Ah, merde, mon vieux, pourquoi se faire chier ? 'coutez, v'là c'qui faut faire. Attendez deux heures de l'après-midi, téléphonez et dites d'une voix vraiment calme et polie : "J'ai juste appelé pour voir si tu allais bien." Puis quand elle aura répondu, dites-lui d'aller se faire foutre et raccrochez. »

J'ai compris aussitôt qu'il avait raison, et que j'étais encore en train de monter à cheval sur un plateau quelconque d'Hollywood. Quand je suis rentré, j'ai bu son Pinch, repris du speed, écouté les Clash au casque en ressentant la colère vertueuse de nous autres minorités ouvrières bottées-dans-l'allée. Puis j'ai fait son numéro. Elle n'était pas là. Deux jours plus tard, quand j'ai raconté l'histoire à un copain, il s'est contenté de rire et de dire : « Bon, t'as laissé une pocharde t'emmener chez elle, et alors ? » J'ai donc été un Partenaire Violent pour Une Nuit, quelque chose que je pourrai raconter, près de l'âtre, à mes petits-enfants aux yeux exorbités, alors allez vous faire foutre, vous êtes jaloux parce qu'on ne vous prend jamais pour Sonny Barger. Toutefois j'ai bel et bien appris une leçon précieuse, qui m'a enseigné que ce que ces hippies appellent le karma existe pour de bon. Au cours de la soirée du Premier de l'An, vingt-quatre heures plus tard, quelqu'un a volé ma veste en cuir dans le vestiaire des Bells.

Je suis donc assis là, voyant une veille du Nouvel An à venir qui va ouvrir la porte à une décennie entière toute neuve, qui sans aucun doute regorgera de petites surprises allant au-delà de l'habituel répertoire de la dépression économico/spirituelle, des erreurs de parcours romanesques vers l'entropie, des sauts réconfortants dans l'autisme, etc. Je crois que je pourrais appeler une de ces punkettes philosophes déjantées et lui demander si elle veut passer avec une paire de lames de rasoir, on fait moitié moitié. Ou m'enrôler dans l'armée Nouvelle et demander à être stationné au Groenland septentrional. Ou même repartir à Détroit et demander à Lee Anne de m'épouser pendant que je retournerais travailler à *Creem*, à la salle du courrier. Les possibilités sont infinies. Je ne crois pas que cet article va faire beaucoup de bien à mon standing auprès des dames new-yorkaises, au Nouvel An comme toute autre nuit. Mais c'est cool, aussi ; je pourrais épouser ma mère. Si elle veut bien de moi. Allez-y, montrez votre dégoût pour mes facéties avec la gnôle, traitez-moi de misogyne, de misanthrope. Mais n'appelez pas trop tard pour ma Super Piaule à Placard ! Chacun d'entre vous s'est comporté avec la même vilenie rustaude pendant une nuit ou l'autre du Nouvel An, ou plusieurs, ou toutes. Et vous allez recommencer cette année. L'événement semble tout simplement faire ressortir le pire qui est en nous : haine de nous-même, qui vient sans doute de ce que nous refusons d'admettre que nous avons un an de plus, et encore davantage de dettes, mais n'avons rien accompli, et qu'en fait nous avons toutes les chances de régresser ; haine du reste de la race humaine parce qu'ils ont notre numéro dans ce département, incluant tout spécialement des femmes si vous êtes un homme et vice-versa, parce que c'est juste comme une guerre entre gangs de quartier, « beating up the kids from Spain » tous les week-ends, comme le disaient les Dictators. Quiconque est de l'autre côté du mur vous donne quelque chose à faire, sous forme de brisage de crânes, peu importe à quel groupe spécialisé ils appartiennent, ils sont tous interchangeables quand on y vient. Ces temps-ci, il y a beaucoup de fureur qui flotte dans l'air, et la veille du Nouvel An est simplement un meilleur prétexte pour lui donner libre cours. Bien entendu, ça veut dire que vous allez finir vous-même transformé en chien sous-humain rampant et salivant, mais c'est la moitié du plaisir. Les seules alternatives à ces histoires de « dignité humaine » sont la vieille scie sur le franchissement de la Date Fatidique, l'isolement total (qui de toute façon est toujours une bonne décision), ou peut-être, ce qui serait le plus raisonnable, SIMPLEMENT ACCEPTER LE TRUC ET AGIR COMME DES ANIMAUX RÉPUGNANTS TOTALEMENT ABJECTS. Et peut-être que si nous sommes assez ivres nous aurons des comas si totalement vierges et si remarquablement durables que nous ne nous souviendrons jamais de toutes les choses répréhensibles que nous nous sommes faites et dites les uns aux autres, d'où absence de culpabilité. Ou c'est ça, ou nous finirons enfin par nous tuer mutuellement. Encore que ce puisse être un rêve d'optimiste aveugle. Si c'est cela, on pourra mettre sur pied une expérience alternative de démocratie participative dans laquelle nous accepterions tous de stocker au préalable, si bien qu'en nous réveillant le Jour de l'An, nous aurions fait en sorte que le lit soit entouré d'un millier de bouteilles de whisky, que nous puissions commencer immédiatement, avant qu'un seul de ces fichus souvenirs abominables puisse s'infiltrer. Et qui plus est, que personne ne se lève, d'une mer à l'autre, que personne ne se lève mais continue comme ça sur ou sous les couvertures, c'est vous qui voyez, jusqu'au Nouvel An 1990. Nous avons travaillé si dur à faire naufrage après avoir dégradé tout ce à quoi nous avons pu tenir, et méritons un bon repos puritain. Comme le répondit Gore Vidal à Tennessee Williams, qui disait avoir dormi pendant toutes les années 60 : « Tu n'as rien perdu. »

Village Voice, 31 décembre 1979

Otis Rush agressé par un iceberg

C'est très bizarre. Parfois, il faut absolument que vous en ayez absolument marre de tout ce qui vous entoure, jusqu'au fond, et *tout particulièrement* de tout cet excès minable vendu déguisé en son parfait contraire, avant de pouvoir en revenir à ce que vous éprouviez au départ. Ces derniers temps, je me suis mis à penser que la question n'est pas que toute la musique du moment ne soit que lavasse sans valeur ; c'est que neuf fois sur dix, reconnaissons-le, ce n'est même plus distrayant. Alors un ami m'appelle, sachant que comme d'habitude je déteste tout, et me dit : « Écoute, si j'étais toi, je laisserais vraiment tomber la bibine et j'irais à Record City acheter cet album d'Otis Rush. C'est vraiment du brutal ! »

Otis Rush. Qui est donc Otis Rush, merde ? Otis Spann, Otis Rush, blues bavasseur, encore une vieille connerie sur trois accords et un minable enfoiré qui pleurniche. Mon fichu appartement est déjà plein de disques de blues. ET EN PLUS j'ai le blues moi-même, la vie ne vaut manifestement pas la peine d'être vécue – même ça, c'est un cliché –, la musique pue, les gens sont au mieux des unités concaves, mais chaque fois que je discutais au téléphone avec mon pote, l'album d'Otis Rush passait en fond sonore. Pour finir, j'ai pris un peu d'argent, assez pour faire semblant d'avoir la latitude de me montrer aventureux durant une heure ou deux, il n'y avait certainement rien d'autre à acheter, alors, avant tout pour qu'il la ferme, je suis allé à Record City et j'ai acheté *Groaning the Blues : Original Cobra Recordings 1956-58* par Otis Rush sur le label Flyright.

Est-ce que quelqu'un parmi vous est éveillé ? Bon, que ceux qui le sont *réveillent à coups de pied* ceux que je viens d'endormir et leur disent d'écouter, parce que cet album n'a pas quitté ma platine depuis deux semaines, et si l'objectif d'une critique de disque est avant tout de nous permettre à tous de faire des achats plus judicieux, alors vous devriez tous faire comme moi et devenir les fiers propriétaires de cet album, fondamentalement prévisible, de blues chicagoan des année 50, avec des titres aussi brûlants que « She's a Good 'Un », « Jump Sister Bessie », « Checking On My Baby », « Sit Down Baby », « Baby Baby Baby », « Baby to Baby », « Baby Me », « Me Baby », « Love That Woman », « Keep On Loving Me Baby », « My Baby Is a Good 'Un » (non, ce n'est pas le même titre, enfin je ne crois pas), « I Can't Quit You Baby », et bien d'autres choses encore.

Pourquoi ? Parce qu'Otis Rush, qui ai-je cru comprendre a enregistré des trucs moins distingués à peu près chaque fois qu'il est entré en studio depuis (bien que certains jurent par *Cold Day in Hell*), avait cette fois apporté avec lui quelque chose, une sorte d'explosion dorsale de fureur et d'amour. Cet album est la même vieille histoire. Il est aussi tonnerre et éclairs, grands fracas et grognements quand la Terre se fissure et que nous n'avons plus de sol qui soit nôtre. Et je ne plaisante pas. Cet album est primal, élémentaire, violent, à bout de nerfs, frustré au-delà de toute limite, et c'est l'un des grands albums de guitare (Stratocaster) à avoir été publiés de notre temps. Il n'a aucune signification, sinon que ce type avait une vie apparemment très déplaisante, et voilà qu'il veut se venger de l'univers, et il y parvient chaque fois qu'il assaille son instrument. Et croyez-moi, c'est le terme qui s'impose. En 1958, Otis Rush (échangeant des riffs avec Ike Turner sur « Double Trouble », le titre, pas de plaisanteries à la Eric Clapton, s.v.p.) extirpait le genre de lignes, déchiquetées à s'en péter le nœud, qui pousseraient les gens à dire qu'Hendrix était un génie quand, dix ans plus tard, il les tira de beaucoup plus de technologie. La guitare taille, de manière erratique, férocement, apparemment au hasard, des explosions scintillantes qui entrent en collision tête la première avec les paroles. Rush est un fils de pute dans la dèche, ça ne lui plaît pas du tout, et dans une chanson (« Checking On My Baby »), on entend réellement un saxo rire de sa misérable condition. Le chant est aussi farouche que n'importe lequel des Grands Garçons du voisinage, mais c'est à ce jeu de guitare qu'on revient sans cesse. C'est au-delà du blues, au-delà du rock, certainement voisin de propositions atonales trop lascives pour une publication familiale telle que celle-ci. Ça sonne comme des icebergs géants couverts de sang, qui frémissent pour s'écraser mutuellement dans la nuit la plus profonde et la plus longue d'un de ces interminables hivers du Midwest, et si vous ne croyez pas qu'il y a des icebergs dans le Midwest, c'est que vous n'y êtes jamais allé. Cet album est un chef-d'œuvre. Il ne parle de rien d'autre que de la souffrance, la haine, l'exorcisme, l'impossible ; et si j'étais vous, je l'achèterais dès que possible pour plonger dans la futilité fondante de « Double Trouble ». C'est mieux que de se suicider. De combien de disques actuels pouvez-vous dire ça ?

Village Voice, 3-9 décembre 1980

Penser l'impensable sur John Lennon

On se demande toujours comment on réagira à ce genre de chose, mais je ne peux dire que j'aie été vraiment surpris quand NBC a interrompu le *Tonight Show* pour annoncer que John Lennon était mort. J'ai toujours pensé qu'il serait le premier des Beatles à mourir, parce qu'il était toujours celui qui vivait le plus sur le fil existentiel du rasoir, soit en plongeant genoux en avant dans l'aventurisme de gauche, ou simplement en la fermant pendant cinq ans après avoir décidé qu'il n'avait vraiment plus grand-chose à dire ; mais j'avais toujours imaginé que ce serait de sa propre main. Qu'il soit simplement la dernière célébrité en date à se faire descendre par un probable psychotique ne fait que souligner la banalité qui entoure sa mort.

Écoutez : je ne crois pas être insensible ou acariâtre. En 1965, John Lennon était l'un des types les plus importants de la planète. C'est simplement qu'aujourd'hui je me sens profondément éloigné du rock et de ce qu'il a signifié, ou aurait pu signifier, éloigné des hommes et des femmes comme moi et de leurs rêves ou de leurs aspirations.

Je ne sais pas ce qui est le plus pathétique, des gens de ma génération refusant de laisser leur adolescence sixties mourir de sa belle mort, ou des plus jeunes qui s'emparent pour l'avaler du moindre lambeau, de la moindre rognure d'un rêve que quelqu'un a déclaré terminé il y a dix ans. Peut-être sont-ils plus tristes, parce qu'au moins mes pairs peuvent avoir un quelconque souvenir nostalgique des cendres depuis longtemps refroidies sur lesquelles ils soufflent en s'agenouillant, tandis que les kids qui doivent faire avec des trucs comme *Beatlemania* se voient vendre une facture de marchandises.

Je ne peux pleurer John Lennon. Je ne connaissais pas le gars. Mais je sais qu'une fois que tout est dit, il n'était rien de plus – un gars. Le refus de ses fans de jamais le laisser simplement être fut, en définitive, presque aussi « léthal » que son assassin (s'il vous plaît, laissons tomber les histoires d'assassinat « politique », et ne l'appelons pas « un martyr du rock »). Avez-vous suivi les émissions spéciales à la télé mardi soir ? Avez-vous vu tous ces gens dans la rue devant l'immeuble Dakota, où Lennon vivait, chantant « Hey Jude » ? D'après vous, qu'est-ce que le vrai John Lennon – cynique, sarcastique et ricanant, plein d'humour méprisant, iconoclaste – en aurait pensé ?

Dans ce qu'il avait de mieux, John Lennon méprisait la sensiblerie bon marché, et avait dû apprendre à la dure qu'une fois que vous avez laissé votre empreinte sur l'Histoire, ceux qui en sont incapables vous sont si reconnaissants qu'ils la transformeront en cage rien que pour vous. Ceux qui choisissent de falsifier leurs souvenirs – se languissant de sixties imaginaires qui, pour commencer, ne se sont jamais vraiment passées *comme ça* – insultent l'Éden rétroactif qu'ils adorent.

Aussi, en cette époque de prêchi-prêcha sur les icônes absolues, à vous révulser les boyaux, j'espère que vous supporterez assez longtemps mes propres pontifications pour me laisser écrire que les Beatles étaient certainement bien plus qu'un groupe de quatre musiciens talentueux qui pourraient même avoir été les meilleurs de leur génération. Ils étaient l'Essentiel de tout un moment. Mais leur génération n'était pas la seule de l'Histoire, et continuer à faire tourner les lanternes vides de ces rêves comme ci ou comme ça est une entreprise aussi futile que d'essayer de faire passer les textes de Lennon pour de la poésie. C'est ce moment – et non l'homme John Lennon – que vous pleurez, si du moins vous pleurez – et, en définitive, c'est vous-même.

Vous souvenez-vous de l'autre gars, un de leurs vieux potes, qui a dit une fois : « Don't follow leaders » ? Eh ben il avait raison. Mais ceux qui se sont emparés de ces paroles pour les transformer en banderoles violaient le slogan en lui-même. Et ils continuent aujourd'hui encore. Les Beatles ont ouvert la voie, mais avec un clin d'œil. Il se peut qu'ils aient été plus populaires que Jésus, mais je ne crois pas qu'ils voulaient être la religion du monde entier. Cela aurait dégradé, et rendu de mauvais goût, ce qu'ils avaient de particulier et de merveilleux. John Lennon ne voulait pas ça, sinon il n'aurait pas fait retraite pendant la seconde moitié des années 70. Et d'abord, ce qui est arrivé lundi soir est simplement la forme la plus extrême de toutes les forces qui l'ont conduit à le faire.

Il disait, dans certaines de ses dernières interviews : « J'ai compris, pendant ces cinq ans, que quand je disais que le rêve est terminé, j'avais rompu physiquement avec les Beatles, mais que mentalement j'avais toujours ce gros truc sur le dos : ce que les gens attendaient de moi. » Et : « Nous étions les mecs hip des sixties. Mais le monde n'est pas comme les sixties. Le monde entier a changé. » Et : « Produisez vos propres rêves. C'est tout à fait possible de faire tout ce qu'on veut… l'inconnu est ce qu'il est. Et en avoir peur, c'est ce qui amène tout le monde à courir dans tous les sens en poursuivant des rêves, des illusions. »

Adieu, baby, et amen.

Los Angeles Times, 11 décembre 1980

Guide raisonnable pour horrible bruit

Christgau appelle ça du « skronk ». J'ai toujours opté pour
« horrible bruit », plus évident. Guitares et voix humaines en
sont les vecteurs de base, bien qu'au fil des années pratiquement
tous les instruments aient été mis en œuvre, ainsi que la vais-
selle cassée (cf. le premier album de Pere Ubu, *Sentimental
Journey*), les couvercles de poubelle raclés et les bidons d'huile
transformés en bongos (les Stooges du début), sans même mentionner les cartouches de phonos, les cure-dents, les nettoie-
pipes, etc. (John Cage, *Variations II*). Vous ne pouvez sans doute
pas supporter ça, mais ce truc a ses adeptes (dont moi) et son
esthétique (si vous tenez à l'appeler ainsi).

Voyez ça comme ça : il y a parmi nous beaucoup de gens dont
la force vitale est représentée au mieux par le tressautement
livide d'un nerf torturé, ou même par une crise d'angoisse de
grande ampleur. Je ne souscris pas à 100 pour cent à un tel point
de vue, mais je le comprends et je l'ai vécu. D'où le cri perçant,
le miaulement, le grincement noueux de tronçonneuse, le hurlement et le sifflement qui décapite, que des gens aventureux,
ou affectivement abîmés, peuvent réécouter comme autant
d'accès mielleux d'affirmation irréfutable. Et l'on pourrait, si
l'on a de telles inclinations, aller beaucoup plus loin que ça :
dans son livre fondamental, *The Tuning of the World*, sous le titre
« Bruit sacré et silence profane », le compositeur R. Murray
Schaffer nous apprend qu'au Moyen-Âge, auquel, après tout,
nous sommes en train de revenir, « un certain type de bruit,
que nous pourrions aujourd'hui appeler Bruit sacré, était non

seulement absent des listes des sons interdits que dressent de temps à autre les sociétés, mais en réalité invoqué tout à fait délibérément pour rompre l'ennui de la tranquillité ». Ou, comme Han Shan l'a une fois conseillé à Kyoto à l'un de ses acolytes zen au lieu de battre le morveux à coups de canne, « si tu te sens tendu et préférerais vraiment plonger dans le mysticisme, essaie de boire cul sec deux litres de café et de mettre la face 1 du premier album des Clash (édition ang.) à fond les potards, aigus au max et surtout pas de basses ». Si vous avez d'autres kôans à résoudre, adressez-vous à Wild Man Fischer.

La question dans tout ça, bien entendu, est que ce hideux boucan est *libérateur* : « suivre le courant », comme le dit Jerry Brown dans son livre *Thoughts* (City Lights, 1975), est toujours un plan d'action plus judicieux que de se planter directement sur le chemin de l'express de la 7ᵉ Avenue, que dépeignent si bien « Sister Ray » et le premier album des New York Dolls. Je suis également fermement convaincu qu'une raison de la popularité du rap, comme de la disco ou du punk avant lui, est qu'il est parfaitement exaspérant pour ceux d'entre nous dont ce n'est pas la tasse de boucan ; plus d'une fois ses fans sont venus à hauteur d'une cabine téléphonique sans porte que j'occupais, posant leurs énormes radios sur le trottoir à quelques centimètres de mes pieds, et restant à me regarder en souriant. Ils n'avaient aucune intention de téléphoner, mais il m'est difficile de leur refuser une telle impolitesse allègre, et comment le pourrais-je, après m'être promené dans toute la ville avec un magnétocassette, lui aussi fortement audible, émettant du free jazz, *Metal Machine Music*, « Theme » de Public Image, « Rated X » de Miles Davis ou *Musique électro-acoustique* de Xenakis, qui aux dires du compositeur est pour partie la peinture sonore d'un bombardement en Grèce ? Tout ceci est donc de bonne guerre, même compte tenu des différences de goût.

Ce qui s'étend également aux questions de cadre et de décor. Je déjeunais une fois avec deux amies près de St. Mark's Place, et un son familier a commencé à sortir du juke-box. Il m'a fallu quelques secondes pour l'identifier, mais on ne pouvait se tromper à la voix : « Hé, ai-je dit, c'est Lydia et les Jerks dans "Orphans"! » Une de mes amies a ri : « Eh ben les gars, bon appétit! » Mais elle n'avait rien remarqué avant que j'attire son attention, et dans le contexte ça n'avait *pas l'air du tout* plus boucanifère que le « Helter Skelter » des Beatles l'ayant immédiatement précédé. Bien entendu, vient ensuite la question de la Muzak, et de savoir si vraiment le thème de *Docteur Jivago* peut bénéficier à votre digestion. Ou si le punk et le heavy metal sont fondamentalement le même son, ou si le punk et la disco sont également oppressants. Mais il est vrai qu'en 1975, quand Patti Smith a rendu compte dans *Creem* du *Velvet Underground Live 1969*, elle a dit l'aimer précisément parce qu'il était oppressant, ce à quoi je souscris, au moins en partie. Chacun a ses petites bizarreries, comme le montre le fait que certaines personnes aiment réellement écouter la radio! Alors peut-être puis-je témoigner en mon nom propre en citant quelques-unes des Géhennes d'abominable barouf qui au fil des ans m'ont permis de me rendre compte au mieux que j'étais vivant.

• The Stooges, « L.A. Blues », sur *Fun House* (Elektra). Après nous avoir assaillis pendant une demi-heure avec six titres comportant le saxo ténor très « sanglier percé de balles » de Steve Mackay, les visionnaires d'Ann Arbor laissent tout le truc exploser et se liquéfier sur lui-même dans cette offrande arythmique de 1970, chargée de couvertures enflammées de feed-back, Mackay soufflant à s'en faire péter la cervelle et disparaissant à jamais, et le nommé Pop miaulant, feulant, soupirant et se léchant les griffes.

• The Germs, « Forming/Live » (single What?). Après ce début en 1978, tout est allé de mal en pis pour Darby et C°. Ils ne savaient encore pas jouer les coups de tête dans les murs – clonés sur les Ramones et plutôt standard – de leur album, aussi durent-ils chanceler sur une guitare et une rythmique qui sonnait comme du Malt-O-Meal traîné de la salle à manger à la télé, tandis que Darb débitait des âneries – on savait qu'il avait atteint le refrain chaque fois qu'il répétait : « Pull my trigger / I'm bigger than... »

• *A Taste of DNA* (45 t. American Clave, 1981). L'instrument principal du DNA nouveau, bien meilleur, n'est ni la guitare douze cordes d'Arto Lindsay, qu'il râcle et cogne mais sur laquelle il ne joue jamais d'accords, ni son épiglotte implosant avec laconisme. C'est la basse de Tim Wright, qui n'est même pas privée de mélodie. Et selon moi Ikue Mori enfonce Sunny Murray. Je souhaiterais qu'Ayler soit encore vivant pour jouer avec ces gars-là (ne riez pas, Ornette a bien failli jouer sur « Radio Ethiopia ») – si jamais quelqu'un savait ce qu'était le « skronk » (mot qui semble tout droit sorti de son biniou), c'était bien *lui*.

• *The Sounds of the Junkyard* (Folkways). Enregistré live, bien sûr, et beaucoup plus apaisant que vous ne pourriez le penser, bien qu'avec des titres comme « Brûler une vieille voiture », on sache que ça ne peut pas rater.

• Yoko Ono, « Don't Worry Kyoko, Mummy's Only Looking for a Hand in the Snow » (face B du single de Lennon, « Cold Turkey », et face 2 du LP *Live Peace in Toronto*, Apple 1969-70). Intéressant, non seulement pour le riff de guitare blues-baratté-en-feed-back de John, mais pour montrer à quel point Yoko était, vocalement, en avance sur son temps (mais écoutez « Black Is the Color » de Patty Waters sur un LP de ESP au début des années 60), et puis aussi pour la correspondance lyrique avec « Orphans » de Lydia Lunch.

• *Teenage Jesus and the Jerks* (45 t. Migraine, 1980). Si, comme le dit Christgau, « Arto est le roi du skronk », alors le travail à la slide guitar de Lydia lui donne certainement le droit d'en être la reine. Quand j'étais en sixième, les mômes de mon quartier aimaient s'amuser en attachant la tête d'un chat à un pare-chocs de hot-rod, la queue à un autre, avant d'éloigner lentement les voitures, ce qui donnait à peu près le même bruit qu'ici. À moins que ce ne soient les corrections d'écoles catholiques adminis-trées par des religieuses, la nostalgie ne rend pas compte du gémissement « Baby Doll » passionné de Lydia. Si vous voulez simplement faire un essai, que ce soit celui-là – rien de plus mor-tellement strident n'a jamais été enregistré.

• Jad Fair, « The Zombies of Mora-Tau » (45 t. Armageddon, 1980). Jad est la moitié d'un demi-japonais, et avec son frère David a fait 1/2 J. de *trois disques* que je n'ai jamais réussi à écouter jusqu'au bout. Un précédent 45 tours contenant d'aussi grands moments que « School of Love » était super, mais celui-ci pourrait être encore meilleur à cause de la façon dont Jad intègre une guitare-DCA atonale à des vocaux d'un infantilisme quartier blanc à la sous-Jonathan Richman, lesquels, à mesure qu'ils avancent en bavassant, racontent bel et bien de petites histoires (« And I said, "Dr Frankenstein, you must die", and I shot him », et on entend l'arme KABLOOIE !) Il se peut que ce soit un genre de composition tout nouveau, ou au moins une retombée de l'école de paroles « I walked to the chair / Then I sat in it » à la Lou Reed.

• Lou Reed, *Metal Machine Music* (RCA, 1975). On ne trouve plus beaucoup celui-là, mais il a provoqué un vrai chahut quand il a sauté sur les Rocky Horror Fans de *Transformer*/*Sally Can't Dance* : deux disques, une heure de feed-back suraigu filtré à travers diverses pièces d'équipement high-tech. Sonnait super dans les faubourgs du Midwest, mais un tantinet inutile à New York City.

• Blue Cheer, *Vincebus Eruptum* (Philips, 1968). Il se peut que ces mecs aient été le premier véritable groupe heavy metal, mais ce qui compte ici n'est pas de savoir si Leigh Stephens a donné naissance au grognement macho avant Mark Farner (tous deux l'ont piqué à Hendrix), mais si les overdubs de guitare sous-sous-sous-sous-hendrixiens de Stephens se plantent l'un sur l'autre de façon si nulle qu'ils n'en deviennent pas du coup proches d'une atonalité aussi authentique que vivifiante.

• *The Mars EP* (Infidelity, 1980). Avec Teenage Jesus, DNA et les Contortions, ce groupe fut représenté sur ce grand moment qu'est le 33 tours *No New York* (Comment ça, vous n'en avez pas d'exemplaire ? Vous êtes *malade* ou quoi ?). En ce qui me concerne, ce morceau de barouf psychotique, au-delà des paroles, et souvent de toute instrumentation discernable, est leur chef-d'œuvre absolu – en dépit de « John Gavanti », leur version du *Don Giovanni* de Mozart, que personne n'a jamais pu écouter en entier. Ce n'est pas de la musique « industrielle » mais *humaine*, et si les humains en question ont l'air dans un sale état, qu'est-ce que ça peut faire ? Vous en êtes là vous aussi. Tandis que ça grince, grimace et graillonne, vous ne pourrez nier qu'ils récoltent ce qu'ils ont semé. Meilleur titre : « Scorn ». Meilleure rumeur : quelqu'un a laissé tomber dans l'eau les bandes d'origine, produites par Arto Lindsay. Et accidentellement, en plus.

Village Voice, 30 septembre-6 octobre 1981

IMPUBLIABLE

Fragments, 1976-1982

Extrait de notes sur le Metal Box *de PIL,* 1980

Extrait de *Tous mes amis sont des ermites,* 1980

Compte rendu de Lost Highway : journeys & arrival of american musicians *de Peter Guralnick,* 1980

Extrait de notes pour un compte rendu de Lost Highway *de Peter Guralnick,* 1980

Extrait de *The Scorn Papers,* 1981

Extrait de *Maggie May,* 1981

Fragments

n'écoutera pas la voix de la raison. Pourtant, je pense avoir peut-être trouvé une solution. J'ai appelé une compagnie cinématographique locale du Michigan, qui sort des imitations cinoche d'American International (le dernier truc était *L'Attaque des Wolverines*), et nous allons faire de Mongo la vedette d'un *snuff movie* qui, d'après ce qu'on m'a dit, va balayer le circuit des cinés de quartier encore mieux que le kung-fu et la blaxploitation l'année dernière. Je ne crois pas qu'on le regrettera, mais au cas où, j'ai loué un remplaçant pour répondre par « non » à toutes les questions. En fait, j'ai même cessé de répondre au téléphone.

DRING
« Lester ? »
« Non. »
« Il est là ? »
« Non. »
« Vous savez quand il rentrera ? »
« Non. »
« Vous pouvez prendre un message ? »
« Non. »
« Ce n'est pas un répondeur ? »
« Non. »
« Bon, dites-lui simplement que Van Morrison a appelé : j'ai des problèmes pour trouver les paroles de mon prochain album, et je sais à quel point Lester est bon en ce domaine, comme ce couplet qu'il a donné à Ted Nugent : "D'abord avec les dents

j'lui ai tranché un des tétons / Et puis j'lui ai fourré *Kiss Alive* en plein dans le con / Comme c'était plutôt dur de trouver kekchoz au niveau / J'y ai fourré *Metal Machine Music* après en espérant qu'ça ferait réglo". Vous connaissez ça ? »

« Non. »

« Bon, d'accord, prévenez Lester dès que vous le verrez, okay ? Parce que je suis au désespoir : je n'ai pas réussi à faire un album depuis *Veedon Fleece*, et même quand il passait ça existait à peine, je suis un peu préoccupé, pas vraiment tendu, tout au plus de vagues appréhensions, voyez ? »

« Non. »

« Bon, d'accord, faut que j'y aille, transmettez simplement mon message à Lester. »

« Non. »

« À propos, quel est votre nom ? »

« Idi Amin. »

Le peuple juif n'existe pas. Il n'a pas existé avant Hitler, c'est un mythe entièrement créé par ses propagandistes pour dissimuler le fait qu'il a tué 6 millions de Témoins de Jéhovah.

Hip hip hourrah. Un vote en faveur de la haine. N'est-ce pas mieux, maintenant, que toutes les cartes soient visibles, plutôt que du temps des glorieuses années 50 et 60 quand ils avaient un million de chiffons pour essuyer leurs branleurs. Je suis fier d'être vivant. Et je suis jeune ! Je connais assez de suicides d'adolescents ! Même pas des maquereaux ! Faut du courage pour être maquereau, de nos jours ! Je ne veux pas de scénarios. Qui lira vraiment ça, qui en fait s'en souciera, vous voyez que l'équation existentialiste a peut-être changé (a) je vivrai (b) peut-être que personne ne lira ceci, naan, ça a toujours été comme ça, les femmes et la dope faisaient ressentir ça différemment, assez de mensonges. Assez. Mais continuer ! Hé mon gars, tu n'as que trente ans ! Mort ! Cramé ! Lessivé ! Fini ! Un peu de bois flottant ! Et de ce bois flottant ton salut ! Dans un grain de ce bois. Dans un bout de ce manque d'à-propos. Si tu peux te décider à le décrire, tu pourrais redevenir un écrivain. Tu pourrais être un écrivain.

Qui est écrivain ? Je ne crois pas à Maldoror. Burroughs a écrit *Le Festin nu* à près de cinquante ans. Sors ça de ta peau. Tu es jeune. Oui, toi. Tu es mort. Mais tu l'as choisi. C'est le temps de rocker. En dépit de tous les courants, lubies, des bouts d'argent fendillés ou tombant comme neige du grand cirque, je pense qu'il y a des choses là-bas, encore, disons, hé disons, c'est le temps de rocker.

Pas moyen d'y échapper : j'avais faim, ce qui signifiait que je devrais quitter l'appartement. La rue était vide mais pas tout à fait neutre : l'allumage des réverbères a suffi à me porter sur les nerfs. Un petit fragment d'intelligence noire à couvercle te regarde. D'un autre côté, le deli était plein de corps : cinq en tout. Je suis entré quand même. Je l'ai senti à l'instant même, et me suis recroquevillé pour éviter tout contact. Me suis arrêté un instant pour regarder les rayonnages de noix et de fruits secs. *Pourquoi je fais ça ?* J'ai raisonné. *Je n'ai pas la moindre idée de si je veux ça ou pas. Mieux vaut s'en tenir à ce que je sais vouloir.* Alors je me suis dirigé vers l'arrière, ai jeté un regard au rayon des boissons gazeuses. Il y avait là une punkette bouffie. Il fallait que je la dépasse. Je n'ai rien dit. Ma peau avait la chair de poule. Puis j'ai contemplé fixement les yaourts. *Tu sais que c'est ce que tu vas acheter.* J'ai pensé. *Prends-en.* Il ne m'a même pas fallu aussi longtemps que ça pour prendre Pêche et Pina Colada. Puis, cependant, il m'a fallu rester immobile à l'entrée pendant une éternité tandis que l'un des deux hommes derrière le comptoir, un type moyen-oriental qui avait l'air d'être le père de l'autre, mettait dans des sacs les achats de la punkette. Tout ce qu'elle achetait contenait du sucre blanc, sauf les cigarettes. Barres Heshey. Froot Loops. J'ai détourné le regard. Elle m'a regardé. J'ai regardé encore plus loin. À côté, il y avait deux gars ayant la trentaine. On n'aurait pas pu dire s'ils faisaient la queue ou non. Je crois qu'ils se contentaient de glander. « Excusez-moi », ai-je sifflé. Ils n'ont rien répondu. Je les ai détestés. Quel genre de mec peut traînailler dans un deli plus petit que mon séjour ? Je ne voulais pas le savoir. Pendant que j'attendais, j'ai écouté la musique assourdissante venue du plafond. On aurait dit des restes squelettiques de robots concassés les uns contre les autres pendant qu'un larbin cocaïné pince votre notochord tout en miaulant des trucs à propos d'une femme qu'il affirme être le démon. Pour finir la punkette a pris son sac et elle est partie. « C'est tout? » a demandé papa Hamid. « Oui », ai-je répondu. « Un dollar trente cents », a-t-il dit. J'ai compté treize pièces de dix cents dans ma paume glacée et les lui ai tendues. Je m'attendais à ce qu'il vérifie, mais il les a jetées dans le tiroir-caisse avec un fracas qui a giclé comme une araignée à travers tout mon système nerveux. Serrant fébrilement contre ma poitrine mon yaourt enveloppé dans son petit sac brun, je me suis dirigé vers la porte. Une fois de retour sur le trottoir presque neutre, j'ai expiré involontairement, ce qui s'est transformé en rire pendant que mes épaules s'affaissaient. *Dieu du ciel*, j'ai pensé. *Qu'est-ce qui arrive à tous ces gens?*

Acheté *The Ice Age* de Margaret Drabble. Et je l'ai lu rapidement – j'avais rarement passé d'aussi bons moments avec un bouquin depuis *La Nausée*. Ça parle de gens qui accueillent avec plaisir la dépression, parce que ça les soulage de l'angoisse. Notre époque! Soyons francs, nous sommes incapables de coopérer, nous nous haïssons.

Si nous sommes tous à ce point séparés, que pouvons-nous faire? Ah, geler! Je veux dire, c'est une alternative viable. Avez-vous déjà vu quelqu'un s'asseoir et expliquer que le suicide est « une alternative viable »? Moi oui. Ce qui est hilarant. Je ne crois pas aux alternatives viables. Je crois aux impasses.

Juste à côté de *The Ice Age*, il y avait *Ice!* que j'ai acheté aussi et que j'ai lu en une soirée. C'est un thriller de chez Bantam sur la façon dont le Nouvel Âge Glaciaire va venir nous congeler tous, je crois que c'est une version plébéio-prolo plus grossière de l'aliénation. Drabble fait l'inverse – le sien vient de l'intérieur, celui-là de l'extérieur, où est la différence? Mais la semaine dernière, je suis chez mon kiosquier favori quand tout d'un coup voilà un autre *Ice*. Sans point d'exclamation, cette fois. Un roman complètement différent par un auteur complètement différent sur le même sujet : comment notre monde doit

inévitablement, et bientôt, succomber à des frigidités polaires.
Aussi indubitablement que le démontre la publication de ces deux
livres, mais ce n'est pas intéressant ici, ce qui est intéressant c'est
que deux romanciers séparés écrivent deux livres séparés nous
disant de laisser tomber, et ils ont même structuré les deux
foutus ouvrages de la même façon : chacun commence à la première page du premier chapitre, et prend fin à la dernière page
du dernier chapitre par un torrent de dégueulis pseudo-cosmique :
« Le grand univers continue de tourner » et tout ça. Comme si,
pour commencer, nous avions besoin de ça ! C'était déjà de la
merde quand Melville se lançait là-dedans, et c'est toujours de
la merde aujourd'hui ! et le grand univers continue de tourner
– pourquoi diable pensez-vous que nous lisions des romans ?
Pour préserver l'illusion qu'il ne tourne pas !

Quand on appelle R.Q. au téléphone, dans au moins 50 pour
cent des cas, il dit aussitôt : « Peux pas vous parler, désolé,
merci ! » d'une voix étranglée accompagnée d'un petit rire réti-
cent, et il raccroche.

P.N. a un répondeur automatique Phone-Mate, qu'il laisse
branché vingt-quatre heures sur vingt-quatre, pour filtrer tous les
appels dont il ne veut pas. Vous composez son numéro, entendez
une sonnerie, puis la bande : « Ici P– N– sur répondeur. Je suis
occupé pour le moment, mais si vous voulez laisser un message
attendez le bip sonore. » La voix semble sortir d'un vide éthéré et
vaporeux, et il y a un étrange retard prolongé entre le dernier mot
du message et le bip. Parfois, quand je viens juste de l'entendre
et dis qui je suis, il décroche tout de suite. Souvent il n'en fait rien.
Cette dernière option peut durer pendant des semaines.

V.B. dit de ne jamais l'appeler avant onze heures du matin.
Puis il me faut laisser sonner une fois, raccrocher et recomposer
le numéro, ou laisser sonner deux fois, raccrocher et recomposer
le numéro. Je ne peux jamais me rappeler quoi. De toute façon,
souvent elle ne répond pas, soit parce que le téléphone est décroché, soit parce qu'elle ne peut imaginer avoir envie de parler à
qui que ce soit. Jusqu'à une date très récente, elle était chez elle
presque vingt-quatre heures sur vingt-quatre.

N.T. laisse son téléphone décroché presque tout le temps. Le moyen le plus sûr de perdre son amitié est de donner son numéro à quelqu'un sans le lui avoir demandé d'abord. Comme R.Q., il figure dans le bottin sous un autre nom que le sien.

J.R. laisse sa copine répondre au téléphone neuf fois sur dix, et ne sort presque jamais de chez lui, surtout depuis qu'il s'est acheté un poste couleur 60 centimètres et un assortiment très étendu de jeux vidéo.

J.M. répond presque toujours au téléphone, mais tous ses amis rient de son habitude de répondre à votre question de savoir s'il aimerait sortir ou venir chez vous, en disant : « Non, pourquoi ne viens-tu pas ici ? » Il le nie.

W.G. avait l'habitude de picoler et de traîner dans les environs de St. Mark's Place chaque fois qu'il quittait son appartement ; comme nous tous ou presque, il avait découvert que l'alcool lui rendait plus facile de côtoyer des êtres humains autres que lui-même. En ce moment il essaie de ne pas boire, alors il ne sort plus du tout. Nous sommes amis depuis bientôt neuf ans, et je ne me souviens pas lui avoir parlé au téléphone plus d'une fois ou deux. Je crois qu'il en a un.

R.W. vit à Détroit, dans une petite maison au bout d'une rue bousillée du ghetto. Il dit qu'on l'a finalement diagnostiqué comme étant « agoraphobe ». Peur de la place publique. Il s'est fait couper le téléphone plusieurs fois. La dernière fois que je lui ai rendu visite, il avait laissé pousser les buissons devant sa maison, jusqu'à ce qu'ils recouvrent complètement son porche.

Ce sont les meilleurs amis que j'aie au monde. Je n'ai pas le téléphone, et considère comme une névrose mineure le fait que mon appartement est si épouvantablement tenu que pratiquement plus personne ne veut me rendre visite. Je suis plus sociable que mes amis – pourquoi, je n'en ai pas la moindre idée. Je vais les voir. Alors nous avons des conversations comme celle-ci :

R.Q. : « Reconnais-le, la race humaine ne vaut rien. Tu sais que c'est vrai ! »

L.B. : « Non, je pense simplement qu'ils ne savent pas. Ils veulent bien faire. »

R.Q. : « Ils ne veulent rien du tout. Ce ne sont même pas des êtres humains. »

Ou encore :

N.T. : « Je souhaiterais vraiment pouvoir trouver un moyen de vivre sans avoir jamais à quitter la maison. »

L.B. : « Pourquoi ? »

N.T. : « Je ne supporte pas d'être avec les gens. T'inquiète pas, tu n'en fais pas partie. »

L.B. : « Mais comment veux-tu être écrivain sans avoir jamais d'expériences ? »

N.T. : « Sers-toi de ton imagination ! »

Malheureusement, je soupçonne que ça commence à prendre le chemin de mes émotions.

J'ai de plus en plus l'impression d'être Tom Sawyer à son propre enterrement. Un jour, j'ai même écrit ma propre nécrologie : « Il était prometteur... » Puis je me suis dit : « Merde, je ne peux même pas me suicider ! Voilà à quoi j'aurais droit en guise de pierre tombale : *Il a écrit un livre sur Blondie !* »

J'abandonne ! J'abandonne ! Mais je ne vous abandonne pas (vous lecteurs). Et je ne suis pas seul ! Je ne suis pas le seul écrivain qui vous respecte ! Alors NE LISEZ PERSONNE QUI NE VOUS RESPECTE PAS ! Oh, désolé, ça veut dire ne plus lire du tout. Non, non, lisez Dostoïevski (selon moi je ne suis pas aussi bon que lui et ne le serai jamais, je sais, alors on s'en fout) – MAIS SOYEZ VOUS-MÊMES, VOULEZ-VOUS ??? ÉCRIVEZ VOS PROPRES MAGAZINES, MERDE !

Ahhhhh, ça ne sert à rien. Rien du tout, rien du tout. Nous pouvons nous haïr nous-mêmes, mais si nous aimons suffisamment, nous serons rachetés, et non plus diminués. Comment puis-je ne croire que cela, et continuer à tracer des mots sur le papier ? Le papier devrait rester où il est, sinon. Là d'où il venait. Vous savez. Non ? Alors, ne me demandez pas, je ne sais pas non plus. Suis-je en train de devenir le Joan Baez masculin. Alors cessez de lire. Et dites-le moi, s'il vous plaît. Je n'ai pas de réponses, pas de Grand Tableau, pas d'avenir, rien, excepté un appel : PENSEZ PAR VOUS-MÊMES. Vous refusez ? Hmm-mmmm, j'y suis allé un peu fort, je sais. Pour le moment, je vais m'assommer et revenir à un état d'esprit plus raisonnable. Et peut-être déchirer tout ça.

Inédit, 1976-1982

Extrait de notes
sur le Metal Box *de PIL*

Enterré tout au fond de *The Great Rock'n'Roll Swindle*, des Sex Pistols, un des plus grands albums jamais enregistrés, Johnny Rotten chante à San Francisco : « Belsen was a gas I heard the other day / In the open graves where the Jews all lay / Life is fun and I wish you were here / They wrote on postcards to those held dear » [*Belsen c'était le pied ai-je entendu l'autre jour / Dans les fosses dans lesquelles les Juifs gisaient tous / La vie est marrante et j'aimerais que vous soyez là / Écrivaient-ils sur des cartes postales à ceux qui leur étaient chers*]. À la fin de la chanson il se met à glapir : « On s'en fout ! Belsen c'était le pied ! Tuez quelqu'un ! Tuez-vous ! On s'en fout ! S'il vous plaît quelqu'un ! Tuez quelqu'un ! Tuez-vous ! » Puis il y a un instant de silence et la foule hurle. C'est l'une des choses les plus terrifiantes que j'aie jamais entendues.

On se demande ce qu'ils pouvaient avoir exactement comme raison de brailler ça. Et on se demande ce qu'on pourrait affirmer exactement en réécoutant ça sans arrêt. À un certain niveau, Johnny Rotten/Lydon est un insecte bourdonnant sur les ruines qu'une civilisation a entassées sur elle-même, ce qui je suppose justifie sa présence ici et maintenant, à un autre il n'est qu'un trafiquant de plus, vendeur de nihilisme de supermarché, avec tout ce que ça entraîne – racisme et sexisme de bas étage, etc. Je ne suis toujours pas à l'aise avec « Bodies[44] ». Mais il est vrai que je ne l'ai jamais été, ce qui est peut-être la question. Mais je dois dire que je me demande si c'est le cas. Après quoi je cesse de me poser des questions sur tout ce qui se trouve au-delà de la *puissance* de cette musique.

Dans la vie, les choses ne font jamais ce qu'elles devraient. Dans le rock elles font toujours ce qu'elles doivent. C'est pourquoi le rock est fasciste.

Je suis entouré de psychotiques. Parfois je me soupçonne d'en être un. Ensuite certains disques sortent et je sais que je ne suis pas seul.

L'homme à la radio : « Je ne suis pas ici pour vous apprendre à penser. »

Moi non plus. Je suis ici pour vous pousser à acheter tout ce qu'a fait PIL.

Je ne voudrais pas avoir la prétention de dire que le public de San Francisco voulait mourir, mais cela ne demande aucun courage aujourd'hui. C'est peut-être pour cela que John Lydon/Rotten a quitté les Sex Pistols immédiatement après cette dernière soirée. Vous ne pouvez dire qu'un certain nombre de fois à quelqu'un quelque chose en bon anglais avant de vous rendre compte qu'il ne remarque pas l'ironie là-dedans ; les cons n'écoutent pas les paroles. Ils ne voient qu'un reflet d'une conception fausse du moi, et une passion qui l'est aussi, alors on cesse d'essayer de communiquer. Si les gens veulent penser que « Belsen » est une plaisanterie de mauvais goût, c'est leur problème. Alors Rotten/Lydon s'est replié en Angleterre, où il a formé Public Image Ltd., dont, des deux côtés de la Mare, bien des gens ne se sont pas privés de me dire que c'était également une sacrée blague.

Mais il est vrai, comme les Sex Pistols l'ont prouvé de façon concluante, que les gens, en général, n'écoutent pas non plus la musique.

Je me fous éperdument de John Lydon. Je le soupçonne d'être un petit merdeux prétentieux. Qu'il bavasse dans le *NME*. D'un autre côté, je pense qu'il sait ce qu'il fait, et PIL en est la preuve. Parce que *The Metal Box* est l'un des disques les plus forts que j'ai entendus ces dernières années. Le premier album de PIL n'était qu'un grand « Allez vous faire foutre » à tous ceux qui achetaient les Pistols sur la foi de la pochette et n'écoutaient jamais les paroles et cet album poursuit la tradition, de son emballage à sa musique – mais même le premier effort de PIL contenait « Theme », qui est un des meilleurs arguments contre le suicide que je connaisse.

Les premiers mots de ce nouvel album sont : « Slow motion ». Comme disait Jean Malaquais : « Ne me comprenez pas trop vite. » Je crois que ça pourrait être la devise de Lydon. Ce groupe ne donne jamais de concerts – ce qui a pour résultat qu'ils passent tout leur temps à travailler en studio sur ce truc-là, comme le montre le fait qu'il y a trois versions différentes de « Death Disco », leur deuxième single, et deux, radicalement divergentes, de « Memories », leur troisième. Une, celle du 45 tours, est un réquisitoire assez direct, non, plutôt une déblatération contre la culture de la nostalgie. J'ai lu dans le *NME* qu'elle visait le « Mod Revival » en Angleterre, mais il faut dire que je ne crois plus tout ce que je lis dans le *NME*. Savoir si cela s'applique à *Happy Days*, *Grease* et toutes ces falsifications proliférantes de ce dont moi, et tout le monde, savons avoir fait l'expérience autrefois dans ce qu'il est aujourd'hui si pratique d'appeler « Les fifties » ou « Les sixties », comme si la vie était mesurée, ou vécue, en décennies arbitraires ; quand les livres d'histoire seront vendus comme des BD, en ce qui me concerne je serai toujours à écouter Lydon : « You make me feel ashamed / Enacting attitudes / Remember ridicule ? / It should be clear by now / Your words are useless, full of excuses, false confidence / Someone has used you well / Used you well » [*Tu me fais honte / À décréter des attitudes / Tu te souviens du ridicule ? / Il devrait être clair désormais / Que tes paroles sont inutiles, pleines de prétextes, de fausse confiance / Quelqu'un s'est bien servi de toi / Bien servi de toi*].

Puis, dans la version de l'album, tout le son se déplace vers des domaines nouveaux carrément brûlants. C'est quelque chose que, de ma vie, je n'ai jamais entendu faire en plein milieu d'un titre, et tandis que les sillons commencent à se consumer il reprend : « I could be wrong / It could be hate / As far as I can see clinging desperately / No personality dragging on and on and on and on / I think you're slightly late / Slightly late... »

[*Je pourrais me tromper / Ce pourrait être la haine / Pour autant que je voie s'accrochant désespérément / Aucune personnalité à s'éterniser s'éterniser s'éterniser / Je crois que tu es un peu en retard / Un peu en retard...*]

Il y a peu de morceaux de musique qui (vers suivant : « This person's had enough of useless memories » [*Cette personne a suffisamment de souvenirs inutiles*]) expriment aussi complètement ce que je ressens en tant que citoyen humain de ce – appelez ça comme vous voulez. Je n'entends pas glorifier un tel sentiment, c'est simplement la solitude, et je suppose qu'il n'y a que quelques personnes dont l'aliénation corresponde à celle de tout le monde. Peut-être que quelqu'un d'autre le trouve autre part. Pour moi, je parierais dix ans d'écriture sur cette merde de *Blank Generation* et de *The Metal Box*. Un peu comme *On the Corner* et *Get Up With It* de Miles Davis ont eu droit aux acclamations de critiques de jazz qui ne les ont jamais réécoutés depuis, et qui ont été rejetés par les fans. La raison est la même : c'est de la musique négative, en tout cas de la musique glauque, venue de l'autre côté de quelque chose que je ressens mais que *je* ne veux pas franchir, mais si vous êtes dans le même état d'esprit alors peut-être pouvez-vous au moins affirmer cette musique, qui sait que rien ne peut être affirmé jusqu'à ce que presque (c'est moi qui le dis, pas eux) tout ait été nié. Ou bien vous pouvez rire hystériquement de tout ça, comme un pote à moi qui a tenté de se suicider à deux reprises. Quand je lui ai passé « Theme » et lui ai demandé : « Tu peux apprécier ça ? », il a ri encore plus fort. « Sûr, a-t-il dit. Comme tout le monde ! »

Inédit, 1980

Extrait de
Tous mes amis sont des ermites

Je l'ai appelée. En plein milieu de la conversation, elle a demandé : « Qu'est-ce que tu as envie de faire en ce moment ? » J'ai répliqué automatiquement, du même ton qu'on pourrait dire « J'aimerais bien un sandwich au thon sur pain de seigle » : « Je veux baiser. » Une seconde de silence, puis, tout aussi négligemment, elle répond : « D'accord. Viens donc. » J'y suis allé à toute vitesse. Elle m'accueillit à la porte en combinaison noire peu soignée, cheveux en bataille, sans maquillage, pieds nus, à demi endormie, affectivement neutre envers le reste du monde. J'ai pensé que je n'avais jamais rien vu d'aussi sexy de ma vie. En particulier dans cette vieille combinaison noire miteuse. Je ne pouvais croire que j'allais tenir dans mes bras quelque chose d'aussi magnifique, un tel bout de feeeemme, une telle Déesse-Mère primitive, une création aussi juteuse et pleine de sève du Seigneur Tout-Puissant Qui Vit Au Paradis Ou En Enfer, peu m'importait, et en plus elle avait de la cervelle ! J'y étais arrivé. La vie ne pouvait être plus belle ! Comme le chantait Swamp Dogg : « If I die tomorrow / I've lived tonight ! » Vachement vrai ! Qui donc se préoccupait que la civilisation occidentale s'enfonçât dans l'entropie, ou se dirigeât vers Armageddon, je suis incapable de décider quoi ? Toute ma philosophie n'était que charabia, et d'abord la civilisation occidentale n'était qu'un seau de merde ! Tout le monde s'en foutait ! Je voulais baiser cette femme dans la boue d'un fossé tandis qu'au-dessus sifflerait un déluge de balles entre Palestiniens et Israéliens chauffés à blanc ! Je voulais l'emmener dans les Everglades, la jeter dans le marais et lui faire des choses sordides jusqu'à ce qu'elle hurle comme un putois pris dans une clôture électrifiée : « Encore ! Encore ! Encore ! Stop ! Stop ! Non, n'arrête pas ! Mange-moi ! Tue-moi ! Brise-moi ! Baise-moi ! » Et alors je la pousserais si profondément dans la boue, la vase verdâtre et la surabondance tropicale que nos visages nos cheveux nos bouches y seraient presque enterrés, et nous ferions l'amour comme des reptiles rampant en glissant plus bas encore que le caniveau nos ventres hurlants battant ensemble dans la boue dont toute vie a jailli avant que nous, les médias, les plans de carrière journalistiques new-yorkais ou n'importe quoi d'autre aient valu moins que merde ! Les alligators viendraient traîner, nous jetteraient un regard, feraient demi-tour et repartiraient à toute allure ! Des mocassins d'eau effrayés, en aval de la rivière, auraient peur de mourir de nos morsures ! Car nous sommes la mort aussi bien que la vie ! Nous sommes la fièvre de la jungle, le béri-béri, des Mau-Maus avides l'un de l'autre, après nous irons chasser quelques missionnaires à la machette pour en faire des barbecues ! Nous ne faisons plus qu'un avec le limon primordial ! Ça enfonce l'Upper East Side, y a pas à chier ! Ensuite je l'extirpe de la vase et je l'emmène en jet non-stop au Cambodge, où je veux la baiser au sommet d'une pile d'os blanchis, de montagnes de crânes, de centaines de carcasses pourrissantes ! Je veux sentir la mort tout autour de moi, c'est comme ça que je me sens vivant rien qu'à la regarder, et ÊTRE DEDANS… ouais, je veux la mort d'une mer éblouissante à l'autre, par montagnes bouchant l'horizon, je veux hurler d'une joie de chien fou dans le puits d'un ossuaire fumant ! À la Prison Makindye, Kampala, Ouganda ! Sur trente centimètres d'organes crachés par les morts ! Je veux qu'Idi Amin nous voie ! Ça fait un bout de temps qu'il est là, je sais, mais il n'a jamais vu ça ! Pourrait apprendre des choses ! Je veux baiser la mort, je veux qu'elle sache que ça n'est pas de la merde, je peux essayer, grâce à ce que je tiens dans mes bras en ce moment et vais emmener dans la chambre, à qui je vais faire don de mon corps et mon âme en plein centre de son corps, en plein centre d'*Elle*. Je le signale : en ce moment est la réfutation définitive, absolue, inattaquable qui tue la mort à jamais !

Inédit, 1980

Compte rendu de
Lost Highway : journeys & arrival
of american musicians
de Peter Guralnick

Ces temps-ci, ce n'est pas souvent que quelque chose vous fait ressentir un respect authentique, et encore moins du patriotisme (non chauvin). Mais ce sont deux des mots les plus pertinents qui me viennent à l'esprit quand je songe au nouvel ouvrage de Peter Guralnick, *Lost Highway*. Comme le précédent, *Feel Like Going Home*, il a pour sujet les pères de la musique américaine – ici, vingt et une figures séminales de ce qui sont aujourd'hui les arts presque perdus du blues, du rhythm'n'blues, de la country, et du rock'n'roll d'origine.

On repose le livre en ayant l'impression que son sujet est vaste, qu'on vient de lire l'histoire des géants qui marchaient parmi nous, inspirés par les rêves et les possibilités vraiment fécondes d'un genre d'endroit où n'importe quel kid pouvait grandir pour devenir Elvis Presley. D'où le patriotisme. Ce qui rend encore plus étrange de dire que c'est le cas, de toute façon, parce que la façon dont ces hommes ont été enterrés par ces rêves mêmes est le thème principal du livre, Elvis n'étant que l'exemple le plus évident. Ernest Tubb, Hank Snow, Bobby Bland, Waylon Jennings, Hank Williams Jr., Howlin' Wolf, Merle Haggard, Charlie Rich et les autres, moins connus, dont il est question ici ont probablement perdu quelque chose d'eux-mêmes dans la vie épuisante des musiciens sur la route – ce qui est sans doute résumé au mieux par un ami d'Ernest Tubb : « Je crois qu'Ernest mourra à l'arrière de son fichu bus de tournée... »

En un sens très réel, c'est un livre qui parle d'un groupe d'hommes vaincus, le succès ou l'échec commercial ne semblant pas faire de différence. Comme Guralnick, le lecteur est frappé par la façon dont la poursuite du succès distord gravement, inévitablement, le cœur même de leur être, comme la musique elle-même. Pour paraphraser Little Richard, ils ont tous eu (ou non) ce qu'ils voulaient, mais ont presque invariablement perdu ce qu'ils avaient.

L'étonnant est qu'un livre sur la défaite puisse être aussi beau. Cela vient en partie de ce que Guralnick comprend si bien, et exprime si éloquemment, les forces qui ont fait mordre la poussière à tant des plus grands artistes américains. Mais c'est aussi parce qu'il ne perd jamais de vue le rêve qui les a tous lancés sur cette autoroute aveugle. Nous voyons ainsi Ernest Tubb, par exemple, partir dès le premier Appel – « La pensée d'être un musicien professionnel ne lui vint jamais à l'esprit, explique Guralnick... Jusqu'à ce qu'il entende le premier Blue Yodel de Jimmie Rodger, sorti en 1927 sur le label Victor, alors qu'il avait treize ans. De ce jour, il sut exactement ce qu'il voulait être » – pour se retrouver victime de la récente « schizophrénie culturelle » de Nashville, dans laquelle le présent ne peut plus se réconcilier avec un passé qu'il a toujours vénéré, nominalement du moins.

La « schizophrénie culturelle » est en fait un thème récurrent de l'ouvrage : urbain et rural, blanc et noir, les réalités de la route contre les chansons célébrant la vie domestique et familiale. « Tous étaient totalement cinglés », dit, admiratif, un familier d'Elvis, de Jerry Lee Lewis et du reste des géniteurs du rockabilly sur Sun Records, le label de Sam Phillips. « Je crois que chacun d'eux a dû arriver de nulle part par le dernier train – enfin, c'était comme s'ils étaient venus de l'espace. » Des années plus tard, Johnny Cash chantera « I Wish I Was Crazy Again » avec Waylon Jennings, et Jerry Lee Lewis aura un hit avec « Middle Age Crazy ». Ce qui, toutefois, était « cinglé », « dingue » ou « bopcat » se réduisait en fait à une confluence raciale historiquement inévitable : « Je me souviens qu'un disc-jockey m'a dit qu'Elvis Presley était si country qu'on ne pouvait le passer après 17 heures, dit Sam Phillips. Et d'autres disaient qu'il était trop noir pour eux. » Il y a des scènes où des danseurs

blancs et noirs se retrouvent de chaque côté d'une salle de
danse, séparés les uns des autres, et abattent littéralement les
barrières en dansant ; Stoney Edwards est peut-être l'exemple
le plus extrême de ce melting-pot racial qu'est la musique américaine ; classé chanteur country « noir » n° 2 derrière Charley
Pride, il déclare : « J'ai grandi sans savoir si j'étais Noir, Indien
ou Blanc... Je ne vois rien dans mon avenir qui puisse égaler la
souffrance que j'ai subie... Je n'ai jamais vraiment été accepté
par personne avant de me mettre à chanter de la country. »
Plus chanceux (ou plus entêté), Big Joe Turner, qui refusa de
chanter chez Count Basie, parce qu'il aurait dû cesser de hurler
le blues pendant les parties de cuivres. Guralnick écrit à son propos : « Il resta un homme libre. Quand le boogie-woogie connut
le déclin, Big Joe Turner se fit connaître comme *shouter* de blues.
Quand le rock'n'roll devint en vogue, il fut un rock'n'roller. Et
tout cela, comme il l'explique lui-même, sans jamais changer de
style. »

Et en fait, les figures qui, dans cet ouvrage, s'en sortent le
mieux (ce qui veut dire : les plus heureux) sont celles qui
possèdent une volonté indomptable, comme Big Joe Turner,
ou Howlin' Wolf, rescapé à soixante-trois ans d'un accident de
voiture qui le projeta à travers le pare-brise, et qui repartit aussitôt sur la route et tourna, pour le reste de ses jours, avec de
graves problèmes rénaux, s'arrêtant à l'hôpital dans chaque ville
où il jouait, afin de subir une dialyse. D'autres développèrent
une stratégie pour continuer à y croire, comme Merle Haggard,
dont Guralnick écrit : « Toute sa carrière, en fait, peut être vue
comme une série de retraits délibérés [*quitter le plateau de l'*Ed
Sullivan Show, *abandonner une production télévisée d'*Oklahoma],
de reculs instinctifs devant l'évident, et de redéfinitions de son
rôle central d'outsider... Peut-être est-ce cela qui lui permit de
créer le stupéfiant ensemble d'œuvres qui représente la "carrière"
de Merle Haggard. » Pour des gamins de la cambrousse en quête
d'un rêve américain fuyant mais tangible, et qui – inévitablement mais sans l'avoir fait exprès – se sont chemin faisant
coupés de leurs racines, l'accommodement ne marche pas, tout
simplement.

L'exemple le plus triste, dans ce livre, est peut-être Charlie Rich, qui fut d'abord un des *bopcats* du Sun Records d'origine avec son « Lonely Week-ends » dans les années 50, connut des années d'alcoolisme et d'obscurité, eut un nouveau hit au milieu des années 60 avec « Mohair Sam », presque une farce, le fit suivre par une chanson qui lui tenait vraiment à cœur mais fut un échec, et qui est depuis un homme profondément perturbé et méfiant, bien qu'au milieu des années 70 il soit de nouveau sorti de l'obscurité avec « Behind Closed Doors ». Aujourd'hui, apparemment contre tout espoir, il est vénéré comme étant le Renard Argenté, une véritable institution country, avec un enchaînement de succès (singles et albums) rarement interrompu.

Et pourtant nous comprenons sa tristesse (et Guralnick réussit ce qui est quasiment impossible, nous faire ressentir de la sympathie pour les problèmes de quelqu'un de plus riche et de plus « arrivé » que nous) quand nous le voyons se rendre au Village Vanguard, à New York, pour se heurter à l'hostilité raciale et à un groupe de jazz-fusion qui n'a rien à voir avec le jazz qu'il connaît et qu'il joue – ainsi que plus tard, quand sa femme, qui l'a soutenu pendant des décennies d'échecs et de réussites, dit :

> Je crois que c'est presque une tragédie de perdre son enthousiasme pour quelque chose qui vous convenait... Ça se transforme en business, et ça ne fait que détruire votre créativité... Parfois je souhaite qu'il soit simplement à jouer gratuitement quelque part, rien que du piano ou alors avec un petit groupe, de façon à ce qu'il puisse apprécier la musique.

« J'ai fait ça pendant vingt ans », proteste doucement Charlie. Son large visage mélancolique a toujours quelque chose d'un peu blessé. Il est à la fois plus mobile et plus avenant dans ce chagrin intime, que dans les innombrables sourires et grimaces contraintes qu'il a appris à faire pour les apparitions et les pubs télé. « Quand j'ai commencé à travailler pour ces petits clubs de Memphis, je pouvais jouer tout ce que je voulais pour dix ou quinze dollars la soirée. Puis quand je suis venu à Sun Records, c'était dans l'idée que je ferais à peu près n'importe quoi, du moment que je pouvais rester proche de la musique. Je pensais que je pourrais travailler en studio, faire un petit truc, et jouer mon jazz chez moi... Vous savez, quand on a une femme et une famille, il faut bien faire un petit sacrifice... Mais vient un temps où vous travaillez à quelque chose depuis si longtemps, si longtemps, si fort, que vous en arrivez à un point où vous commencez à avoir la trouille. Et vous commencez à penser, qu'est-ce que je ferai quand j'aurai soixante-cinq ans ? Je ne veux pas jouer au Nightlighter Club quand j'aurai soixante-cinq ans. Ce qui aurait très facilement pu être le résultat final. Et qui peut toujours. »

Lost Highway est un livre de vies, de vies réelles en Amérique, vies à la plus fois plus grandes que nature et humaines, totalement humbles. Peut-être en sortirez-vous en disant, comme Guralnick dans son introduction : « J'adore toujours autant la musique, mais j'ai une confession publique à faire : je ne veux plus être une star du rock. » Pourtant, il ne cesse de nous présenter des scènes sur la route si étranges et envoûtantes (Hank Williams Jr., adolescent, conduisant la voiture même dans laquelle son père est mort, après l'avoir fait réparer et améliorer), ou si touchantes (Stoney Edwards avouant : « Je n'ai jamais rien connu de plus excitant que de fabriquer mon whisky de baignoire »), qu'elles font que le voyage en vaut la peine. Et quand il est terminé, vous pourriez bien vous retrouver à penser, comme Felton Jarvis, producteur de Presley, le dit en apprenant sa mort : « C'est comme si quelqu'un était venu me dire qu'on ne trouvera plus de cheeseburgers nulle part. » Ou vous pourriez en conclure, s'agissant de ces gens, de l'Amérique, et même de vous-même, ce que Guralnick conclut à propos de Cowboy Jack Clement, légendaire cinglé/producteur de Nashville : « Peut-être que c'est le voyage, et non l'arrivée, qui compte. »

Los Angeles Herald-Examiner, 15 avril 1980

Extrait de notes
pour un compte rendu de
Lost Highway *de Peter Guralnick*

Sam Phillips. Un reclus. Le rêve de P. G. de rencontrer Sam, ses fantasmes, pendant les années 50, avec ses amis : comme les autres mômes rêvent d'être Président, le base-baller Joe Namath, ou de guérir le cancer, « mes amis et moi avions bâti des fantasmes très élaborés non seulement sur Elvis, mais sur l'homme qui avait été le premier à enregistrer Elvis, Jerry Lee Lewis, Carl Perkins... » À mesure qu'il interviewait davantage de gens ayant enregistré chez Sun Records avec Sam Phillips, et bien qu'ils se soient plaints des taux de royalties, le fantasme enflait, « ne faisait que nourrir la vision que j'avais de ce génie machiavélique des coulisses, qui avait découvert tant de talents exceptionnels d'une génération, et semblait en avoir tiré le tout meilleur pendant qu'ils étaient encore sur son label ». Il réussit finalement à rencontrer son Machiavel. 1978, la station radio de S. P., WWEE à Memphis. Ne promet qu'une interview de quinze minutes, parle pendant des heures... P. G. particulièrement frappé par le contraste entre toutes les photos qu'il a vues de Sam jeune, « un homme d'affaires aux cheveux bien coiffés, avec un sourire espiègle, presque rusé, les yeux un peu bridés de Jerry Lee Lewis », et le choc de voir pour de bon Sam plus âgé : « un prophète de l'Ancien Testament en chaussures de tennis, avec des cheveux longs et une longue barbe roussâtre adaptés au ton et au langage oraculaires, avec les cadences d'un prêcheur sudiste... Je me rendis compte, pendant qu'il parlait, qu'il parlait à tous les fantasmes que j'avais eus sur lui », et qu'en racontant l'histoire de Sun Records à Memphis dans les années 50, « il racontait l'histoire d'un seul homme, et d'un seul groupe, qui avaient fait l'Histoire ».

Sam dit à P. G. : « Ma mission était de tirer de quelqu'un ce qui était en lui, de reconnaître ce qu'il avait d'unique, puis de trouver la clé pour l'en faire sortir. »

Liste des gens qui auraient facilement pu dire la même chose : Charles Manson, Captain Beefheart, Lee Strasberg, Alfred Hitchcock, Joseph Staline. De toute évidence, Sam Phillips est un chaman. Il l'était, il l'est toujours. Chez le chaman, le pouvoir du don est volatil, il est fonction de la nature de celui qui le possède : s'il a été maltraité très jeune, s'il a un mauvais fond, ou si c'est simplement un psychopathe, prenez garde ; s'il est fondamentalement sain et motivé par des impulsions humanistes ou aimantes, ses effets sur ceux qui l'entourent, dont les talents varient énormément – bien qu'ici cela n'ait aucune importance –, peuvent souvent produire des événements, des moments, des occasions, des chimies personnelles qui sont, au sens le plus strict du terme, absolument magiques ; et si nous avons de la chance, ils sont enregistrés.

Comme Sam lui-même vous le dira : « Je crois que ma plus grande contribution a été d'ouvrir une zone de liberté chez l'artiste lui-même, de l'aider à exprimer ce que *lui* pensait être son message. Pour ce qui est de l'ego – ces gens, malheureusement, n'en avaient pas. Ils avaient un désir – mais en même temps, traiter avec quelqu'un qui a rêvé, rêvé, rêvé... Traiter avec eux dans des conditions où ils avaient si peur d'être de nouveau repoussés – il fallait quelque chose de purement instinctif de la part de quiconque extirpait les aspects révélateurs de ces gens. Il y fallait de l'humilité. Je me fiche que ça ait été moi ou quelqu'un d'autre. »

Une qualité que j'ai remarquée chez les rares authentiques chamans que j'ai eu la bonne fortune d'observer de près : ils ne s'attardent pas en beuglant à quel point ils sont le Messie – certains de leurs disciples, si. Les vrais Maîtres font leur boulot et s'en vont. Pensez à Sam Phillips comme à un paratonnerre – et reconnaissez que ce qui s'est passé dans ses studios au cours des années 50 n'était pas seulement une histoire de Brillant

Producteur et de Péquenots Talentueux qui auraient eu la bonne idée de piller la musique noire et de la vendre sous forme d'idole blanche pour matinées théâtrales, ou même un simple événement marquant dans l'histoire du rock. C'en fut un dans l'histoire de la culture occidentale : cette bande de bouseux dans cette petite pièce minable, certains à moitié illettrés, a changé le cours de l'histoire mondiale. Et ils en furent tout aussi choqués eux-mêmes, à la possible exception de Sam, que le fut le raciste sudiste fanatique obsédé par le métissage, distribuant ses prospectus six mois plus tard, prévenant tout le monde que ces rythmes de la jungle primitive allaient finir par mettre enceintes à distance les jeunes filles, provoquant une épidémie de p'tits gamins noirs, même si presque tous les pères, trop défoncés pour dire « oui », étaient putativement blancs.

C'est en juin 1951 que Sam Phillips enregistra ce que nombre d'archivistes/d'autorités tombent d'accord pour qualifier de premier hit rock'n'roll, « Rocket 88 » de Jackie Breston (Sam le sous-loua à Chess, ça parlait d'un hot-rod), et en six mois il avait lancé le label Sun. Guralnick : « Au cours des deux ans qui suivirent, l'équipe de Sun se composa presque exclusivement d'artistes noirs » – leur premier hit fut de Rufus Thomas –, des chanteurs de blues comme Joe Hill Louis, Dr Isaiah Ross (censé guérir la *Boogie disease*), Howlin' Wolf, « dont Sam Phillips se souvient… non seulement comme du bluesman le plus accompli qu'il ait jamais enregistré… mais comme de l'*individu* le plus exceptionnel qu'il ait rencontré au cours de toute sa carrière ».

La plus grande controverse relative à la légende de Sun est centrée sur la décision de Phillips (« non sans beaucoup d'introspection », assure Guralnick), à l'été 1954, dans le sillage de la première grande percée d'Elvis, d'abandonner largement (totalement ? Guralnick n'est jamais très précis) « sa clientèle noire ». Comme le dit Winston « Burning Spear » Rodney, artiste de reggae, dans une chanson intitulée « Days of Slavery » : « Ils se servent de nous / Jusqu'à ce qu'ils nous renvoient ».

La fameuse remarque de Sam, avant Elvis, comme quoi si seulement il pouvait trouver un blanchot qui chante comme un moricaud, a été répétée si souvent, dans tant de contextes

– Guralnick compris – qu'elle doit comporter une part de vérité –, et puis quoi ? Sam l'explique à Guralnick de la façon suivante : « Selon moi, ce que je faisais n'était pas d'abandonner le Noir... mais quand j'ai commencé [*en 1950*], il n'y avait personne qui enregistrait de la musique noire, et à cette époque [*1954*], Atlantic, Specialty, Chess et Checker enregistraient tout un tas de bonne musique noire, et j'ai eu l'impression qu'ils pouvaient très bien s'en charger. Et ce que j'essayais de faire avec les Blancs, c'était élargir la base, convaincre davantage de radios de passer ce genre de musique, lui donner une plus vaste diffusion. Je savais que c'était difficile pour nous tous. Le Blanc sudiste disposait d'une forme d'expression de ses racines dans la country music du Grand Ole Opry, mais nous n'avions pas ça pour le Noir – et pourtant, sans ces gens, il n'y aurait pas eu pour nous d'idée qui ne soit pas sans grands embarras. »

Des paroles orgueilleuses, que je soupçonne d'être un peu insincères. L'interprétation de Guralnick ne me paraît guère plus crédible, bien que compréhensible vu sa vénération pour son héros : « Ce qu'il cherchait depuis le début, c'était ce caractère unique qu'il avait découvert chez Howlin' Wolf, la même *différence* qu'il prise aujourd'hui encore. » Guralnick consacre ensuite la majeure partie d'un long paragraphe à insister sur l'importance que Sam accorde à l'*Individu*, son mépris du *conformisme*, chargé de citations du genre : « On peut être un non-conformiste sans être un rebelle. Et on peut être un rebelle sans être un paria. Croyez à ce que vous croyez, et ne laissez *personne*, peu importe qui, vous détourner de cette voie. » Sans aucun doute, ici Sam Phillips est victime de son propre mythe, pour ne pas dire de sa propre hype. C'est intéressant, surtout ce qui touche le fait d'être un non-conformiste sans être un rebelle, et un rebelle sans être ostracisé, mais c'est aussi beaucoup de rhétorique creuse, avec les sentiments élémentaires de laquelle nous pouvons tous être d'accord – pure arnaque à un niveau très réel, tout ça va si bien avec la crinière à la Moïse et la barbe de prophète. Je veux dire, merde, qui peut dire quelles étaient les motivations « réelles » de Monsieur Sam Phillips ? Ne pourraient-elles pas avoir été aussi confuses, imprévues, et même contradictoires, que tout ce que n'importe qui d'autre aurait pensé, puis serait allé faire ailleurs, à un autre moment ? Est-ce qu'on s'assoit toujours avec un *plan* tracé à la règle et un code moral en dix points affiché sur le mur derrière, avant de partir en guerre pour une Cause bien définie et tout le tremblement, sans jamais dévier d'un pouce ? Je ne sais même pas pourquoi j'écris tant de lignes alors que je suis censé donner un compte rendu d'ouvrage de quinze cents mots, alors je peux commencer à imaginer comme il a dû être facile à Sam, et à tous ceux qui l'entouraient, de se sentir un tout petit peu *défoncé* quand il est devenu évident qu'Elvis Presley allait devenir l'être humain le plus important à tomber sur la planète depuis Jésus-Christ.

Mais ce que je ne voyais pas, c'est que Sam parlait d'Elvis : « On peut être un non-conformiste sans être un rebelle. Et on peut être un rebelle sans être un paria. » À un autre endroit du livre, Guralnick se souvient que lui et ses amis : (a) attendaient de voir à quoi Elvis ressemblerait quand il sortirait de l'armée ; (b) et ont dû voir et écouter à quoi il ressemblait bel et bien quand il est sorti de l'armée. Alors qu'ils auraient dû savoir, d'après l'attitude qu'il avait en y allant. Imaginez que Chuck Berry y soit allé à sa place : « D'accord, bande d'empaffés, vous pouvez me couper les cheveux, mais vous allez en chier ! » Ou Jerry Lee : « D'accord, enrôlez-moi, j'en ai rien à foutre, j'peux botter les culs aussi bien que l'enfoiré d'à côté. » On pense à ce fameux cliché, datant de la fin des années 40, montrant Robert Mitchum arrêté pour possession d'herbe. *L'armée ?* Rien à battre. La vie est pleine de petites emmerdes, ça va faire deux ans de conneries, rien à cirer, je serai toujours une star en sortant, oh bon, bourrons-nous la caisse avant les classes... Pas Elvis. Elvis était *un petit garçon à sa maman* ! Elvis avait *le sens du devoir* ! Elvis a toujours été un débile. Mais il avait quelque chose, d'à la fois physique et mystique, qui l'a fait entrer automatiquement dans le royaume de l'au-delà, bien plus loin que n'importe lequel de ses contemporains, infiniment plus que Mick Jagger, qui dès le début a travaillé si *dur* pour être scandaleux que le regarder suffisait à vous épuiser. Les Beatles étaient quatre mecs quelconques, ou plutôt trois, avec en plus un bibliothécaire nommé Paul.

Regardez *A Hard Day's Night* à la télé, et il devient évident que toute l'histoire est sans aucune importance, une fois extraite de son contexte hystérique immédiat. Que les Beatles aillent se faire foutre avec leurs chansons, leur côté mignon et les comparaisons avec les Marx Brothers : il est PARFAITEMENT ÉVIDENT que l'être humain le plus rock de tout le film est le foutu grand-père de Paul ! Cette vieille limace rusée ! Il a plus d'énergie que les quatre chevelus réunis ! Et *l'esprit* en plus ! C'est un vrai anarchiste !

Les Beatles n'étaient rien. Les Rolling Stones c'était, et c'est toujours, je crois, quelque chose. Dylan, bon, mais le rock des sixties, en général, a été surestimé, comme d'ailleurs les sixties elles-mêmes. Les Sex Pistols ressemblaient cent fois plus à un coup de pied dans le cul d'une culture flageolante que les Beatles. Mais *Elvis*... la seule explication crédible est qu'il venait d'une autre planète, comme dans *Superman* ou le Nouveau Testament. Elvis n'a jamais eu à bouger un muscle, même du visage – du premier jour jusqu'à la fin ou presque, il a toujours eu cette *aura*.

Il y a toujours eu quelque chose de surnaturel en lui. Elvis était une force de la nature. À part ça, ça n'était rien d'autre qu'un étron. Un gros péquenot débile à peine plus futé que sa mule, qui un jour est sorti de derrière sa charrue afin d'enregistrer un disque pour sa manman adorée, et n'est jamais revenu, ce que d'ailleurs il aurait sans doute oublié de faire même s'il n'avait pas été battu en neige. Pourquoi l'enveloppe physique de quelqu'un ne serait-elle pas capable de contenir simultanément ces deux apparentes polarités ? Surtout s'il vient de l'espace. Sans même essayer, ou s'en rendre compte, Elvis a provoqué plus de trouble ou de chahuts d'enfer que les Beatles, les Stones et les Sex Pistols réunis. C'est pourquoi certains ont eu l'idée, pas entièrement fausse, que c'était un subversif. Il l'était, mais comme la Nova Police de Bill Burroughs, sa devise aurait pu être : « On fait notre boulot et on s'en va[45]. » Supposez qu'il soit sorti de l'armée et ait tenté aussitôt de redevenir un chieur ? N'aurait-il pas fini en pathétique autoparodie à la Jagger ? C'est plus que certain. En termes d'offense et de bizarrerie pures, il était fichtrement plus doué pour chanter des trucs comme

« Do the Clam ». Qui est du niveau de la version Sid Vicious de
« My Way ». Enfin, à dire vrai, on ne peut pas le passer aussi souvent, mais il vient du même endroit : *nulle part*. Mais nulle part,
c'est irréfutable. Nulle part, c'est le zen. Et Elvis était parfait,
comme Sid à sa façon. C'était parfait qu'il soit démobilisé pour
enregistrer une nouvelle version de « O Sole Mio », un peu de
la même façon qu'il était parfait que les Sex Pistols se séparent
à la fin de leur première tournée américaine. Les deux attitudes
témoignent d'une grande intégrité, aux fondements similaires :
on fait notre boulot et on s'en va. S'étant soumis à la cryogénie
dès l'instant où il était entré dans l'armée, Elvis s'est révélé plus
malin qu'aucun d'entre nous ne l'aurait jamais cru : il devint
Éternel.

Peut-être Sam Phillips savait-il tout cela dès le début. À son
apogée, Sun Records était comme le rock punk dans ce qu'il avait
de mieux, la promesse et le principe de la démocratie américaine
mis en œuvre là où ils devaient : Je peux/vous pouvez le faire
aussi. N'importe qui le peut. Tout ce qu'il y faut, c'est l'esprit et
une tonne de culot. Un quart de siècle plus tard, apparemment,
la majorité des gens ne comprend toujours pas ce fait fondamental et d'une évidence cristalline (ou, si c'est le cas, refuse de
l'accepter). Ce n'est pas une question de technique. Ce n'est pas
une question de virtuosité, vingt-cinq ans à l'académie Juilliard,
contrepoint contrapuntique, le recours au 6/8 dans un contexte
marqué par des influences latinos. *Ce truc n'est pas du jazz.* C'est
comme de jouer aux billes : agates, œil-de-chats, billes d'acier.
Comme ces motos qui font le saut de la mort : combien de
temps faut-il pour apprendre à démarrer et à en conduire une ?
Que quelqu'un d'autre répare le moteur s'il tombe en rade.
C'est de la gadoue. Chez Sun, tout le monde venait de chez les
rednecks. Le fondement de la culture américaine, c'est de
prendre n'importe quel vieux tas de boue et de le faire briller
avec plus de reflets qu'un diamant à facettes. Toute autre
approche est d'inspiration européenne, qu'elle aille se faire
foutre – ce continent est mort depuis un siècle. Sid Vicious a été
la seule fois en cent ans où il est revenu à la vie. Tandis que le
principe américain, ce sur quoi ce pays a été réellement fondé,

est le *mouvement*. L'énergie, et s'en servir pour aller plus loin, plus haut, plus bas, aller quelque part, peu importe où. Selle ton cheval et vas-y. Guralnick évoque le vieux producteur de Sun, Jack Clement : ses amis s'inquiètent parce qu'il est cinglé (c'est le seul homme dont j'aie entendu dire qu'il a dans son living-room un arbre muni d'une balançoire, de façon à pouvoir s'y balancer en regardant dans le vide et en réfléchissant à de nouvelles formes de folie). Certains soupçonnent qu'il « continue à parler par peur de ce que le silence pourrait révéler » ou, comme le dit Guralnick : « Peut-être que c'est simplement le voyage qui compte, et non l'arrivée. »

Une fois les frontières franchies, et une fois que des salopards blancs européens, des déchets chassés de partout, ont massacré les propriétaires d'origine et pris résidence d'une mer à l'autre, tout était terminé, plus d'endroit où aller sinon en haut, vers la Lune, comme nous l'avons fait, et quand nous sommes arrivés là-haut nous avons joué au golf, en bon connards que nous sommes, chose que, j'en suis sûr, Elvis doit avoir adorée, ou du moins approuvée, des balles de golf sur la Lune n'étant pas sans rapport avec des sandwiches au beurre de cacahuète et à la banane écrasée trois fois par jour, alors je suppose que nous irons sur Mars, sauf que nous avons déjà découvert qu'il n'y a pas là-bas de formes de vie cauchemardesques à la H.G. Wells, en fait il n'y a rien du tout, aussi pourrions-nous tout aussi bien aller en Europe, qui est foutrement moins chère, mais non, Elvis n'en a jamais rien fait, sauf pour l'armée qui de toute façon n'était pas une idée à lui, mieux vaut continuer à tourner en rond ici. Tout le monde devrait se détendre. Le rock est mort quand Elvis est mort, même si quelqu'un a oublié de prévenir Joey Ramone, qui chante « Nothin' to do and nowhere to go / I wanna be sedated », ce qui dans ses dernières années fut le problème d'Elvis résumé en un mot, ou plus précisément en une capsule de gélatine, les paroles pleines de sagesse comme on en lit dans les biscuits chinois étant amorties par suffisamment de méthaqualone pour endormir tout le continent africain mais pas Elvis, non, lui restait au lit couvertures sur la tête à devenir de plus en plus gras et plus éthéré même dans sa corpulence crasse (« il semblait ne plus avoir l'habitude de l'air », écrit Guralnick – *de l'air* – ce qui évoque on ne peut mieux le héros du *Là-Bas* de Huysmans, qui après avoir goûté tous les plaisirs sensuels et décadents de la société se retire dans une petite chambre où il se plonge dans des efforts encore plus raréfiés de stimulations artificielles, ouvrant un soir près de dix-sept flacons différents de parfum et se mettant à les renifler, allant d'une odeur exotique à l'autre parfois successivement parfois à la file parfois entièrement différentes de celles qu'il a essayées quelques minutes auparavant parfois répétant, ou revenant à certains motifs olfactifs qui le branchent tout particulièrement, frappant la note comme disaient les Allman Brothers, pensant à tout cela qui me paraît être une complaisance parfaitement putride et masturbatoire comme à une « symphonie d'odeurs » qu'il est en train de composer mais finalement c'en est trop, il succombe sous les parfums, il est malade, son cerveau tourne à vide, tout son système réagit violemment à une telle surcharge, alors il court vers la fenêtre, l'ouvre toute grande, respire avidement l'air frais du printemps, comme un homme qui se noie crevant la surface, et... s'effondre sur le sol en un misérable tas, impuissant et à demi mort parce qu'il n'avait pas prévu que son système était devenu si acclimaté ou ajusté aux stimuli artificiels que ceux d'origine, « naturels », le jettent dans le chaos, la panique et la maladie, ce qui revient à dire que quand il a ouvert la fenêtre pour respirer, il y avait dans l'air une bouffée des fleurs printanières nouvelles, des pétales mouillés de rosée flottaient, et après qu'il se fut simplement exposé à la plus minime trace desdits pétales, ils l'ont écrasé comme un rouleau compresseur, ont ébranlé son système, provoquant la dissolution de ses nerfs, en bref, la plus faible bouffée de la nature même – ou plutôt TOUT PARTICULIÈREMENT – sous sa forme la plus pure, la plus immaculée, l'a affecté comme un pur poison injecté dans les veines, et a bien failli le tuer avant que le livre soit terminé, et quand je l'ai lu ça m'a rappelé plus que tout Elvis bien que ce bouquin m'ait été recommandé par Richard Hell qui disait que c'était le meilleur truc qu'il ait jamais lu et quand je lui ai demandé pourquoi il m'a répondu que c'était parce qu'il admirait tellement le protagoniste pour

son individualisme son originalité son intégrité et tout ça :
CONSTRUISEZ VOTRE PROPRE MONDE ET SOYEZ,
personne n'est heureux mais au moins peut-être N'EST PLUS
ALIÉNÉ parce que comment l'être quand il n'y a personne aux
environs bien entendu vous n'êtes sans doute plus humain non
plus ou alors vous perdrez bientôt tout ce qui peut subsister de
nerfs de sang et de moelle comme ce vieux Elvis cireux que nous
avons tous vu à ce concert télé spécial sinistre qui je crois était
typique de ses dernières apparitions sur scène mais il est vrai
que MadameTussaud n'est pas un mauvais endroit où accrocher son chapeau pour l'éternité et être une momie c'est en un
sens vivre à jamais comme disait le Colonel Parker quand un
journaliste lui a demandé ce qui allait se passer maintenant
qu'Elvis était mort : « Oh, fiston, rien, ça sera juste comme
quand il était à l'armée ! »), si bien que même au summum du
grotesque il y avait encore chez Elvis quelque chose de l'infini,
quelque chose, une fois de plus, d'origine extra-terrestre, et ce
même jusqu'à toutes les indignités post-mortem qu'ils ont infli-
gées à son pauvre cadavre pour, allez savoir, se venger de toutes
ces années au cours desquelles tout le monde se demandait ce
qu'Elvis pouvait bien foutre de ses journées et personne ne
savait – alors maintenant qu'il a été démythifié un max puisque
nous avons lu dans les torchons quotidiens comment il est mort
en tentant de sortir un petit étronounet de plus assis sur le trône
(bon dieu, c'est encore plus fort que Lenny Bruce, nu à côté des
toilettes, avec une aiguille dépassant de son bras bleu ! bon
sang !) et l'autre nuit à la télé j'ai vu Geraldo Rivera[46] qui est
manifestement un parfait exemple d'asticot simplement il est
impossible de dire sur le corps de qui il prolifère et tout en espérant que le malheureux présentateur allait dire audit asticot
est-ce que nous n'en sommes pas tous là il fallait voir ce ver
interroger le pauvre vieux toubib grec qui a rédigé toutes ces
ordonnances pour Elvis et Jerry Lee et tout le monde en ville et
qui est désormais un homme fini si j'en ai jamais vu un il a même
été question de déterrer le cadavre d'Elvis et de faire analyser
son estomac en quête de traces de drogue sur les deux dernières
années ce qui m'a amené à fantasmer. Pouvez-vous imaginer

quelque chose de plus passionnant que de fourrer votre main et votre avant-bras à travers le trou dans les entrailles pourries d'Elvis pataugeant dans tout ce qui peut en rester mélangeant les intestins avec le revêtement stomacal tandis que vous y fouillez en quête des fragments de pilules accusatrices suffisantes pour valoir à ce pauvre médecin suant 20 000 ans à Sing Sing et ajouter une coupure de presse de plus à la brochette d'actes humanitaires héroïques de Geraldo, actes accomplis uniquement par volonté de révéler la VÉRITÉ au grand public il a le droit constitutionnel de savoir, jusqu'au plus infime détail à gerber qu'ils auront en temps voulu tandis que vous sortez le bras des entrailles d'Elvis mort en serrant triomphalement quelques miettes de Percodan, Quaalude, Désoxyne, etc. etc. etc., puis une fois à l'abri des caméras vient le vrai pied qui met fin à tous les pieds vous vous fourrez ces petits morceaux de pilules écrasées dans la bouche et vous les avalez et vous vous défoncez avec des drogues avec lesquelles non seulement Elvis lui-même s'est défoncé mais les pilules elles-mêmes se sont accumulées en lui vieillissant peut-être comme le bon vin et en plus bien entendu elles sont toutes gluantes de petits fragments de l'intérieur en désintégration du pelvis d'Elvis

SI BIEN QUE VOUS EN ÊTES ARRIVÉ
À *BOUFFER* LE ROI DU ROCK !

ce qui doit être le fin du fin en termes de souvenirs, fétichisme, psychofanatisme, mentalité de collectionneur, ou même simple adoration de héros en général. Notez que je laisse de côté la nécrophilie et la coprophagie – ici il nous faut certes faire des distinctions assez délicates, tracer des lignes subtiles, mais à ceux qui sont assez insensibles pour ne pas les percevoir je dirai simplement que qualifier cet acte de quelque chose comme « nécrophilie » serait de mauvais goût et s'il y avait une chose qu'Elvis a toujours incarnée c'est le bon goût et le maintien des normes les plus hautes que l'argent puisse acheter alors allez vous faire foutre, vous êtes jaloux, allez déterrer Sid Vicious et bouffez-le, mais si c'est ce que vous faites gardez-m'en un bout s'il vous plaît parce que si possible j'aimerais juste un petit

morceau disons de 8 x 8 cm de son flanc parce que tout ce que
je veux c'est manger la chair sous la peau puis dessécher l'épi-
derme lui-même qui n'a pas beaucoup de goût et le glisser dans
la pochette de mon exemplaire de l'album *Sid Sings* à titre de
souvenir à montrer à mes petits-enfants et peut-être le sortir et
l'enrouler autour de ma queue une fois de temps en temps
quand je me masturbe parce qu'un peu plus de friction aide toujours à mener à bien la branlette et parfois j'ai découvert que
quand je ne peux littéralement pas décharger parce que je suis
trop aliéné de tout y compris de ma propre bite si je prends un
bout de peau séchée d'une rock star morte – je vous échange un
Al Wilson[47] en aussi bonne condition qu'on peut l'être en étant
mort en tout cas contre un Jim Morrison je me fous quel bout –
ça semble vraiment marcher.

Mais je digresse. Se branler avec un bout de l'avant-bras
criblé de piqûres de Sid ne peut même pas être qualifié de jeu
d'enfant comparé à l'exquise sensation d'avaler ces pilules et
de saigner grâce à Elvis. Je veux dire, moi aussi j'ai lu *The Blood
of a Wig*, de Terry Southern, mais ça a été écrit avant l'âge de la
célébrité, comme Marisa Berenson l'a déclaré à *People* quand ils
l'ont mise en couverture : « Mon ambition est de devenir une
sainte. » *Mon* ambition à moi est de devenir un parasite des
saints, ce qui ne devrait pas être trop difficile, enfin ils sont censés devenir plus saints par la mortification physique et tout ça,
non ? Et de surcroît je sais qu'Idi Amin avait pour habitude de
se nourrir de la chair et de boire le sang de feu ses ennemis tout
en sermonnant leurs têtes coupées alignées sur son bureau relativement aux inconvenances qu'ils avaient commises de leur
vivant alors je n'ai pas besoin d'aller chercher *Le Rameau d'or*
rien que pour prouver à tout le monde que je sais déjà (parce
que c'est simple bon sens) que si je mange un petit bout d'Elvis
(l'hôte, ou bien est-ce mélanger des métaphores mythologiques ?)
alors je prends certaines de ses qualités du temps où il vivait et
se promenait ou restait au lit couvertures sur la tête selon les cas,
et quand je serai défoncé avec ces pilules elles me brancheront
sur le trip Elvis définitif car je verrai tout ce qu'il a vu et pense-
rai ce qu'il pensait peut-être jusqu'aux dernières secondes ultimes

avant qu'il passe l'arme à gauche et si tout ça marche suffisamment bien ce qui a toutes les chances d'être le cas puisque j'entends me montrer âpre au gain quand on m'offre la chance de
ma vie et ramasser une énorme boule pourrie de sa carcasse
voyons les choses en face il n'en n'aura plus jamais besoin et je
vais bouffer le fond de son cœur comme je compte bien le faire,
oh, ALORS JE SERAI ELVIS ! Je ferai plusieurs dizaines de films
insupportables, plus une vingtaine d'albums supplémentaires
inaudibles ! Je ferai du karaté de façon à pouvoir faire sauter les
globes oculaires de mon proprio la prochaine fois qu'il montera
ici pour se plaindre que je n'ai pas payé le loyer depuis trois mois !
Comme je suis sûr qu'il va venir se plaindre à Elvis de quelque
chose d'aussi minable que le loyer de toute façon ! Même chose
pour Master Charge, Macy's, tous ces connards qui me pourchassent pour de l'argent que je n'ai pas et dont ils n'ont pas
besoin : entendez – sérieusement, pouvez-vous imaginer *Elvis*
avec son chéquier et une pile de factures impayées, se tapant
toute la lugubre routine mensuelle, puis équilibrant son compte
en banque ? Il sortirait plutôt acheter une voiture pour une
domestique de couleur qu'il rencontrerait pour la première fois !
Car évidemment à la fin Master Charge déchirerait la facture en
disant : « M. Presley vous êtes un véritable humaniste et comme
c'est aussi notre cas nous voulons vous dire que nous nous sen-
tirions honorés que vous fassiez des dettes chez nous, autant
que vous voudrez. »

Voyons, maintenant, qu'est-ce que je peux faire d'autre ? Ah,
des concerts. C'est plutôt fastidieux, pourtant, vu que tout ce
que j'ai à faire (tout ce qu'il m'est PERMIS de faire si je ne veux
pas insulter la mémoire d'Elvis en rompant avec la tradition)
c'est de rester là à tenir un micro, à chanter sans émotion la guimauve à la mode, tout en essuyant de temps à autre la sueur qui
me coule sur le front avec une série de mouchoirs cachés dans
les manches de ma veste Château Blanc Planté de Clous, puis
de jeter le petit chiffon contaminé à la femelle qui dans les premiers rangs aura marché sur le plus de dos, poché le plus d'yeux
et brisé le plus de bras et de jambes pour tenter de s'approcher
au plus près de ma Divine Présence. Comme toute ma carrière

l'a montré, c'est la main sur la tombe de ma mère que je crois
qu'il faut récompenser une obstination agressive mise au service d'une noble cause. Et pourtant, tout ça, ah, ne croyez-
vous pas que c'est un peu, heu, *morne* ? Je veux dire, combien de
mouchoirs pouvez-vous jeter avant de commencer à devenir
catatonique ? Au moins Sid Vicious montait sur scène avec
FILEZ-MOI UN FIX écrit en lettres de sang sur le torse et
cognait les gens du premier rang sur la tête avec sa basse s'il
n'aimait pas la marque des canettes de bière qu'ils lui jetaient.
C'est Sid qui a dû se marrer le mieux.

Voyons, il FAUT bien qu'il y ait quelque chose d'autre. Bon,
d'accord, d'accord, je peux rester assis à bouffer des pilules toute
la journée, mais N'IMPORTE QUI peut faire ça. Pas besoin
d'être Elvis pour être assommé en permanence, si c'était le cas
tout le monde à Washington Square Park serait/aurait été Elvis.
Ce qui de toute évidence ne peut être vrai, il ne peut y en avoir
qu'un, le King, moi, même pas « et », à moins que je ne décide
de m'accorder un peu de schizophrénie, mais attendez, je ne
peux même pas être schizophrène parce que je suis déjà catatonique et même s'il était possible d'avoir deux variantes de la
même maladie simultanément je ne pense pas qu'il faille se
montrer trop gourmand en ce domaine. Dieu sait qu'il y en a
suffisamment qui traînent et il y a chaque jour de plus en plus
de gens qui veulent en avoir une, n'importe laquelle, rien que
pour le changement d'atmosphère. J'ai peut-être claqué sur le
trône mais je ne souffre pas de rétention anale.

Bon. Merde. Je pensais qu'être Elvis allait être *marrant*, et
me voilà coincé UNE FOIS DE PLUS *nothing to do and nowhere
to go*, sauf que maintenant je suis bourré de sédatifs au-delà de
mes rêves les plus fous, et ça ne semble pas avoir la moindre foutue importance. En fait, c'est juste comme d'être éveillé. Je crois
que je pourrais prendre un de mes fusils sur le râtelier et tirer
sur quelques postes de télé. Prenons voir *TV Guide* et voyons
qui je pourrais vouloir flinguer. Hmmm, 6 h 55 vendredi soir. Il
me reste cinq minutes pour savoir qui bousiller, Carol Burnett,
Oscar ou Felix dans *The Odd Couple*, le présentateur de *New
Jersey News* ou celui de *Tic Tac Dough*. Il y a tout un tas de jour-

naux télévisés qui s'achèvent, mais qu'ils aillent se faire foutre, je peux les tuer un autre jour. Ah, je ne peux pas tuer Carol, Oscar ou Felix parce que j'aime toutes ces émissions, et tuer quelqu'un d'un journal télévisé du New Jersey semble être s'abaisser un peu, à quoi bon, tandis que pour ce qui est de *Tic Tac Dough* le présentateur est aussi antipathique qu'un autre, si je flinguais ce mec, quel qu'il soit, ça n'aurait rien du pied, d'ailleurs si je le tuais les autres pourraient être jaloux à cause de la publicité et se mettraient à me pourchasser, et alors je serais obligé de tuer Monty Hall et Bill Cullen et Bob Eubanks et Hugh Downs et Chuck Barris et... ah, laissez tomber, vous voyez bien que ça serait sans espoir. Sans doute aurais-je à peine soufflé sur la fumée du canon tandis que le dernier s'effondre derrière son bureau que connaissant ces fichues chaînes je regarderais dans le *TV Guide* de la semaine prochaine et je verrais trente-cinq nouveaux venus dont je n'aurais jamais entendu parler avant tous trépignant d'impatience à l'idée de se faire massacrer avec de nouvelles émissions et tout ça. Rip Taylor est quelqu'un qu'il ne me gênerait nullement de tuer, ça c'est sûr. Si seulement le *$ 1.98 Beauty Show* passait. Mais ce n'est pas le cas. En fait, je ne sais même pas quel jour on est. Peut-être qu'ils l'ont supprimé pendant que j'avais le dos tourné, ce qui n'est pas franchement impossible vu qu'il l'est (mon dos) d'ordinaire. Peut-être qu'Elvis de son vivant était quelqu'un de mauvais, et qu'il a été envoyé en Enfer et non au Paradis – je veux dire, je ne vois nullement sa mère aux environs ici, ou le frère qui est mort. Alors il va falloir que je passe le reste de l'éternité sans jamais avoir l'occasion de tuer Rip Taylor. Attendez, et pas seulement ça, mais considérant le genre de vie que Rip a sans doute mené il sera envoyé ici dès qu'il va crever de je ne sais quoi, et IL va passer le reste de l'éternité à ME torturer. Bon dieu, ça devient de plus en plus sinistre de seconde en seconde. Il est maintenant 7 h 10, ce qui veut dire que côté meurtre j'ai le choix entre Walter Cronkite, David Brinkley et/ou John Chancellor, celui ou celle que je pourrai choisir dans l'équipe de *M*A*S*H*, Frank Reynolds, ce gars qui présente *The Dating Game* ou une des candidates – ah-AH! « Célibataire n° 2, est-ce que... » BLAM! Et puis tout le monde dans *Happy Days*, Fonzie, hmmm, il y a deux ans peut-être, maintenant ça n'en vaut plus la peine, même chose pour *The Dating Game*, en fait : on aurait pu vouloir tuer la Célibataire n° 2 en 1971, quand on regardait l'émission tous les jours, mais merde, je ne l'ai pas regardée depuis si longtemps que je ne me souviens même pas quel est/était le nom du présentateur – Jim Quéquechose. Ou *Over Easy* : Hugh Downs, Chita Rivera et sa fille. Tout ça est d'un monotone. Prévoyant le prime time, je me vois confronté, soit à Bill Bixby soit à Lou Ferrigno dans *Hulk*, sauf que j'ai toujours plus ou moins aimé ces gars-là pour dieu sait quelle raison et je parie (non : je *sais*) qu'Elvis les aimait aussi ; Shirley Jones ; une non-entité quelconque dans un truc qui s'appelle *B.A.D. Cats* ; toute l'équipe de Chicago Black Hawks, des Flames (quelle que soit la ville dont ils viennent), des New York Arrows, ou du Summit Soccer Team, là-bas à Houston – mais merde, ne m'étant jamais beaucoup intéressé aux sports, je ne saurais pas qui tuer en premier alors je crois qu'il me faudra tuer les deux équipes du premier match sur lequel je me brancherai ; le seul invité dans l'émission de Merv Griffin dont j'aie entendu parler est le Dr Linus J. Pauling ; attendez, oui, ça me fouette un peu le sang, à 8 h 30 je peux tuer *Dick Cavett*, et Mary McCarthy aussi, ça dépendra de mon humeur à ce moment-là. Le seul problème est que mon humeur est désormais si noire que je n'ai plus envie de tuer qui que ce soit, même Dick Cavett, que je veux tuer depuis des années. Je semble n'avoir plus aucune volonté, dans n'importe quel domaine ou direction. J'ai dit catatonie ? Je dirais maintenant autisme. Les deux peut-être. Quelque part au loin dans le canyon à la Bob Lind de mon esprit, j'entends Paul Simon chanter « I am a rock / I am an island », mais ça n'a aucune signification, aucune impression émotionnelle, qu'elle soit positive ou négative. C'est comme le néant, mec. Et le néant c'est l'ennui. Je pense que peut-être je me sens davantage un légume qu'un rocher. Un brocoli, disons. Dans un soufflé surgelé. Voyons : je ne peux pas manger. Je ne peux pas dormir. Je ne peux pas me défoncer. Je ne peux pas écouter de musique (tout sonne pareil, d'ailleurs j'ai fait les meilleurs disques de tous les temps, alors à quoi bon ?). Je ne peux pas regarder la télé parce qu'il n'y a rien et d'ailleurs si c'était le cas je n'ai pas la volonté de me lever, d'allumer le poste et peut-être même (frisson) de devoir changer de chaîne. Je ne peux pas tuer. Je ne peux ni chier ni pisser. Je ne peux pas me bourrer parce qu'Elvis ne se bourrait jamais parce qu'il s'était toujours souvenu de ce que disait sa maman sur l'alcool qui rendait papa si méchant mais elle n'a jamais parlé de *downers* parce que c'est des médicaments. Et je ne peux absolument pas lire, sauf peut-être un texte complètement obscur sur les arts martiaux.

Il reste quelque chose ? Ah ouais, le sexe ? Ah, quand je regarde ma suite palatiale dans le Palais de César, ici à Vegas, puis lorgne par la serrure dans le couloir, je vois, oh merde, il doit y avoir au moins cinquante nanas à gros nénés qui ont toutes l'air de sortir des pages centrales ou des Dallas Cowgirls ou de *Drôles de Dames*. Autrefois je me branlais sur *Playboy* de temps à autre, tous les soirs en fait, même sur celles du genre hôtesse-de-l'air-en-plastique, avant que je sois Elvis. Une fois je me suis même branlé sur une photo de Farrah Fawcett-Majors. À l'époque ça me paraissait vraiment écœurant ; c'était le pied. Maintenant je pourrais baiser, ou me faire sucer par, n'importe laquelle de ces nanas et je n'ai pas la moindre parcelle d'inclination physique. Je me sens aussi sexy qu'un navet. Je veux dire, je crois que je pourrais *m'astiquer*, mais à quoi bon, merde, voyez ? D'ailleurs, qu'est-ce qu'Elvis a à prouver ? Ce que je ne peux comprendre, c'est pourquoi, alors que j'aimais vraiment me polir le chinois sur des clichés d'elles dans les magazines, j'avais même mes favorites qui me branchaient toujours tandis qu'il y en avait d'autres que j'évitais à cause de leur façon de poser ou tout simplement parce qu'elles n'étaient pas mon type, c'était juste comme des petites amies mais en plus solitaire, ce que je ne peux comprendre c'est pourquoi, maintenant qu'elles sont toutes là bien en chair, je pourrais même me branler sur elles sans les toucher comme si j'avais une sorte de blocage, ou envoyer chercher un exemplaire de *Playboy* – elles me paraissent toutes semblables. La dernière fois que ça c'est produit, c'était en 1973, quand tout le monde, dans les téléfilms, s'était mis à ressembler à Stefanie Powers période post-*Girl from U.N.CL.E.*[48]

Mais Elvis ne reste pas là à réfléchir à des conneries psycho-sociolo-théoriques, ça c'est sûr. À quoi pense-t-il? Ça me dépasse. À rien, je crois. Rien du tout. À lui-même, peut-être. Mais ce n'est rien. C'est comme cette chanson de Billy Preston : « Nothing From Nothing Leaves Nothing ». Bon dieu, Billy Preston, voilà un mec à la coule, je parie qu'il est en train de bien prendre son pied en ce moment même, où qu'il soit. Je me demande si c'est ce que ressentait Don Gibson quand il a écrit « Oh, Lonesome Me ». Mais je n'écris pas de chansons. Je me contente de les chanter. Quelquefois. Mais comment les chanter quand vous ne savez pas ce que veulent dire les paroles parce que vous n'avez plus de sentiments ni d'expériences, ou que les uns et les autres sont équivalents – comment vous dire « interprète » quand vous avez, euh, oublié la langue? Alors je crois que je ne suis plus un chanteur non plus. Bah, peut-être qu'il y a une certaine consolation là-dedans : ça ne partira qu'en dernier. Maintenant je peux me transformer en mire télé. Tiens, ouais : ça a l'air peinard. Et si c'est le cas je vais signer. Sauf que je ne pense pas que je vais reprendre les programmes à six heures du matin, ou à quelque heure que ce soit, d'ailleurs. Je vous chanterais bien l'hymne national, mais je ne suis plus chanteur, vous vous souvenez? Je suis désolé. Attendez une minute, non, je ne le suis pas; vous êtes aussi responsables que moi de ce casse-tête sans issue, car vous avez fait de moi la plus grande star du monde, vous avez cru en moi, vous avez accroché sur moi tous ces faux espoirs que je n'aurais pu satisfaire même si j'avais compris ce que vous vouliez, comme ce connard de Peter Guralnick et ses amis : ils me prenaient pour quoi, un branleur ou quoi? Même en laissant l'armée en dehors de tout ça, qu'est-ce que des gens comme ça voulaient que je fasse? Continuer à chanter du rhythm'n'blues? Pour finir par répéter les mêmes riffs éculés, comme Chuck et Jerry Lee et Bo Diddley et tous les autres vieux restes des fifties? Pour pouvoir faire la première partie des Clash? Laisse tomber, mec. Et allez vous faire foutre, tous les autres, vous les « vrais fans » qui avez acheté n'importe quelle merde sortie par RCA avec mon nom dessus, et avez fait en sorte de l'aimer ou dit que vous l'aimiez ou fait semblant.

Having Fun With Elvis on Stage, avec moi en train de bavasser et de répéter WELLLLL pendant près d'une heure, j'aurais honte d'un album comme ça si je n'étais pas au-delà de la honte depuis si longtemps que je ne me souviens même plus quel effet ça faisait. Vous pensez me rendre hommage mais c'est la *Pire insulte possible*. Je préférerais que vous me disiez que c'est de la merde, parfois, ou même tout le temps. N'importe quoi. Mais vous dites que vous adorez tout, sans discrimination, simplement parce que c'était moi ou qu'il y avait mon nom dessus – bon, ça revient à dire que vous ne vous êtes jamais intéressés à la musique, et ce dès le premier jour. Vous ne pouviez pas, sinon vous vous seriez plaints quelque part, peut-être du temps de *Harum Scarum*, je ne sais pas, elles se ressemblent toutes pour moi aussi. Mais si ça ne vous intéressait pas que j'essaie ou pas, alors pourquoi diable aurais-je dû ? Vous autres rock critics et vous « profonds penseurs », vous vous serviez de moi, vous projetiez sur moi je ne sais quel fantasme de rébellion. Je ne me suis certainement jamais rebellé contre rien, jamais. Quand j'étais à l'école, je m'habillais de façon marrante et je me coiffais un peu différemment, mais ce n'était pas de la rébellion, comme le disait Sam, c'était juste... *moi*. C'était juste une façon de dire que j'existais, je crois. Après que j'ai commencé à devenir célèbre, j'ai *senti* que ça partait dans le sens opposé – je ne sais pas quand, je ne peux pas situer un jour précis, tout ce que je sais c'est que tout d'un coup, à un certain point, bien avant l'armée, j'ai commencé à cesser d'être moi. Parce que bon, partout où je regardais je commençais à me voir moi. Il y avait tant de moi aux environs que ça a commencé à avoir l'air de *Playboy*. Ouais, j'étais encore et toujours le chef de la bande, mais la question n'est pas là. La question, c'est que quelque chose que j'avais commencé à faire pour montrer aux gens que j'existais a commencé à effacer mon existence, un petit peu plus à chaque fois, jour après jour. Je sentais que ça s'écoulait, régulièrement, calmement... et rien qui vienne le remplacer. Et je savais que jamais il n'y aurait rien. Peut-être que si j'avais été malin j'aurais dû partir et me faire sauter le caisson comme Johnny Ace[49] et alors il n'y aurait plus eu que quelques disques et tous les critiques auraient été contents et les fans n'auraient rien remarqué et je serais une légende. Mais j'en étais une quand même, j'en suis toujours une, plus que jamais. Merde, je ne pouvais même pas me suicider! Pas pour de vrai, parce que ça n'aurait pas été pour une des raisons réelles qui font que des gens se suicident tous les jours. Ç'aurait été cynisme, mauvaise foi, essayer de prouver quelque chose quand je n'avais rien à prouver. Je ne veux pas que vous pensiez que j'ai honte de moi-même. Je ne ressens *rien* pour moi-même, ni pour qui que ce soit non plus, en fait. Une dernière chose. Ce que j'éprouve, c'est le désir que vous me laissiez tous tranquille. Allez pomper l'air à Engelbert Humperdinck. Ou à Gig Young, si vous voulez quelqu'un qui soit mort. Ne venez pas traîner aux environs avec votre *National Enquirer*, ou avec vos Peter Guralnick, vos Greil Marcus, sans même parler de vos Geraldo Rivera. Ne venez pas traîner du tout. Parce que pendant vingt ans j'ai été rien, et la plupart d'entre vous n'étaient pas capables de s'en rendre compte. Ensuite je suis mort, et vous vous êtes surpassés en inventant de nouveaux moyens d'achever le boulot et de laisser certains humilier mon cadavre, lui pisser dessus, l'insulter, le dégrader, le démythifier, le couvrir de mensonges, le priver du moindre lambeau d'intimité ou de la dignité humaine la plus élémentaire. Je suis sûr que vous en trouverez d'autres, et ça ne m'emmerde même pas, parce que vous êtes simplement comme ça, comme j'étais : c'est votre version de *Having Fun With Elvis on Stage*. C'est cool; j'ai été là. D'ailleurs je trouve encore un peu de réconfort à l'idée qu'il y a quelque chose en moi, une qualité bizarre, que vous n'avez toujours pas été capables de comprendre, tous autant que vous êtes. Moi non plus, d'ailleurs. Je crois que j'étais quelque chose. Le seul problème c'est que quand j'étais quelque chose, ça n'était pas moi, et que quand j'étais moi, je n'étais rien. Oh, bon. La vie est comme ça. Écrivez toutes les merdes que vous voudrez. Je ne les lirai pas. Je débranche.

Les effets combinés des drogues et des organes corporels décomposés se dissipèrent près de trente-six heures plus tard. Je sortis d'un sommeil profond, guère troublé, en me sentant désorienté, pas dans mon assiette, vaguement déprimé, affectivement engourdi, mais relativement sain d'esprit et de corps. Au bout de deux jours, j'ai même réussi à écouter de nouveau de la musique, y compris ses albums. Une seule chose avait changé. S'ils exhument de nouveau le corps, je ne crois pas qu'ils devraient s'occuper de drogue (*Je* n'en prendrai certainement plus aucune sortie de l'estomac d'Elvis!). Je crois qu'ils devraient l'emmener chez le taxidermiste pour le faire empailler, comme Trigger, le cheval du Lone Ranger. Je pourrais dire quelque chose du genre « pour le placer sur les marches de la Maison Blanche », mais ce serait spécieux. Le problème est que, si je *sais* qu'il devrait être empaillé et exposé quelque part, je ne sais absolument pas où. Car je crois qu'en réalité il n'était plus chez lui nulle part, non? Non?

Inédit, 1980

Extrait de
The Scorn Papers

Cher *East Village Eye* : jusqu'à présent, j'ai appris dans vos pages, à différents moments, que Richard Hell et John Holmstrom avaient inventé le punk, sans doute aussi à des moments différents. Je me suis donc dit que je pourrais tout aussi bien mettre mon grain de sel : j'ai inventé le punk. Tout le monde le sait. Mais je l'ai volé à Greg Shaw, qui a aussi inventé le power pop. Et il l'a volé à Dave Marsh, qui a bel et bien vu une fois Question Mark and the Mysterians sur scène. Mais il l'a volé à John Sinclair. Qui l'a volé à Rob Tyner. Qui l'a volé à Iggy. Qui l'a volé à Lou Reed. Qui l'a volé à Gene Vincent. Qui l'a volé à James Dean. Qui l'a volé à Marlon Brando. Qui l'a volé à Robert Mitchum. Le regard qu'il a sur cette photo quand il s'est fait gauler pour une histoire d'herbe ! Et il l'a volé à Humphrey Bogart. Qui l'a volé à James Cagney. Qui l'a volé à Pretty Boy Floyd. Qui l'a volé à Harry Crosby. Qui l'a volé à Teddy Roosevelt. Qui l'a volé à Billy the Kid. Qui l'a volé à Mike Fink. Qui l'a volé à Stonewall Jackson. Qui l'a volé à Napoléon. Qui l'a volé à Voltaire. Qui l'a volé à un poivrot anonyme dont il avait fouillé les poches alors que l'autre était étendu en plein coma dans les caniveaux de Paris, vous autres écrivains savez ce que c'est quand on attend ses chèques de droits d'auteur. Le poivrot l'avait volé à sa mère, une sorcière édentée qui avait joué ses tours jusqu'à ce qu'elle soit trop vieille et trop laide, sur quoi elle devint couturière, sauf qu'elle n'était pas très bonne, ses mains paralysées tremblaient si fort que toutes ses coutures étaient mal faites, et les Parisiennes élégantes voyaient leurs robes tomber en plein milieu des rues. Ce qui explique comment est arrivée l'histoire de Lady Godiva. C'était aussi une punk, elle l'a volé à la sorcière pour se venger. Et le cheval de Godiva le lui a volé. Peu de temps après cela, le cheval fut conduit à une bataille au cours de laquelle il fut tué, mais pas avant que le Major qui le montait ne lui ait volé le punk. C'était un féroce alcoolique enclin à de longues périodes d'inconscience durant des semaines et même des mois, aussi oublia-t-il qu'il l'avait volé. Il oublia même qu'il l'avait. Oublia ce que c'était ou ce qu'il signifiait. Mais un soir, en pleine stupeur alcoolique, il trahit l'immémorial Secret du Punk, aussi inestimable que le Graal, à un autre alcoolo qui avait meilleure mémoire. Quand le Major reprit ses esprits, l'alcoolo en question, pickpocket et plus généralement petit voleur, mentit et dit au Major, que lui-même, le pickpocket, avait été le propriétaire du punk mais que cette nuit-là, alors qu'il était dans les vapes, le Major le lui avait volé. Le Major le crut. Mais plus tard il s'enivra et de nouveau oublia tout du punk. Il pourrait donc s'être perdu dans l'une des crevasses de l'Histoire, et John Holmstrom vendrait des doublages d'aluminium au porte à porte, Richard Hell ramasserait du foin dans une ferme du Midwest où il serait ouvrier agricole EN CE MOMENT PRÉCIS, et moi-même, créateur du punk comme je ne devrais pas avoir à vous le rappeler, ne serais pas rock critic et parfois musicien, à l'irritation de beaucoup de gens et au grand plaisir de quelques personnes éclairées, mais plutôt une huile quelconque au siège social des Témoins de Jéhovah à Brooklyn. Au lieu de rendre compte de Devo pour le *Voice*, je serais l'auteur de l'article « Ressorts – le métal miracle ! » paru dans la revue *Awake!* en 1978. Et ça aussi, ça serait quelque chose dont je pourrais être fier.

Inédit, 1981

Extrait de
*Maggie May**

Des années plus tard, parcourant oisivement sa collection de dix mille albums, il se décida pour l'édition originale mono du *Down and Out Blues* de Sonny Boy Williamson, parue sur Chess, la glissa sur la platine, puis se rencogna dans le trône de pacha qui lui tenait lieu de fauteuil, réfléchissant à l'ironie de la chose : le poivrot en loques, lamentable, sur la pochette du disque, et ce qu'il pourrait bien faire d'une gamine de quatorze ans si elle ouvrait les jambes devant lui en suppliant qu'il la baise. Ledit poivrot aurait mieux à faire, gloussa-t-il intérieurement. Après tous ces mannequins en cire de *Vogue*, les Bardot en herbe, les Sophia Loren de l'année prochaine, et celles qu'on ramasse à l'heure de fermeture ; pour certaines, il avait été si bourré que jamais il ne pourrait dire avec une certitude absolue si... non, pas question. En ce moment même, il préférait siroter son brandy centenaire et écouter Sonny Boy balancer les mêmes vieilles paroles entendues pour la première fois quand il vivait de patates à l'eau, que de baiser *quoi que ce soit*. Sonny Boy était plus bandant que Brooke Shields ne le serait jamais. Mieux valait rester assis là, à crever de faim, en cajolant son désespoir jusqu'à ce qu'un peu de répit survienne. Quand il arriva, ce n'était pas celui qu'il avait en tête. Ce qui voulait tout dire.

------

* Le présent texte de fiction a été inspiré par la chanson de Rod Stewart et Martin Quittenton « Maggie May », et non par la vie ou les activités de qui que ce soit. Rien n'y est basé sur des circonstances ou des événements authentiques, ou ne tente d'imputer des actes, des motifs ou des intentions à des personnes réelles.

C'était en 1966. Elle était là, Parfaite Souillon, installée sur ce tabouret de bar, hideuse et vulgaire comme seuls les alcooliques bien bousillés peuvent l'être, la quarantaine, à supposer qu'elle soit encore vivante, mais paraissant toujours entière, avec quelque chose d'un peu coriace qui le surprit, qui l'excita, mais *il* s'en était d'abord tenu là, abandonné par un ami qui, contrairement à lui, avait encore assez d'argent pour continuer à boire. Il l'avait regardée, elle l'avait regardé, et un pacte avait été scellé conséquemment sans qu'aucun mot ne soit proféré des deux côtés – maintenant est-ce le véritable amour, ou quoi ? Ça ressemblait davantage à un arrangement mutuellement profitable perçu à travers une brume alcoolisée. Il marcha vers elle, se glissa sur le tabouret à côté du sien, elle lui jeta un regard – ses cheveux, ses vêtements, son air de chien battu – et sut immédiatement qui réglerait les consommations. Elle lui demanda ce qu'il voulait, il commanda un rhum et une pinte de Guinness. Il voulait courtiser l'inconscience ou du moins l'inexplicabilité avant d'avoir l'occasion de réfléchir à ce dans quoi il pourrait se retrouver. Il but si vite qu'elle-même en fut un peu surprise, riant et lançant d'une voix traînante quelque chose du genre : « Je ne peux quand même pas avoir l'air *aussi* moche – bon dieu, je reviens juste des toilettes. Ou bien l'Art est-il vraiment *à ce point* souffrance ? » Elle rejeta en arrière sa crinière cuivrée, ouvrit ces lèvres si pleines et rit de nouveau, un vrai rire bruyant, sain, cette fois, sans rien d'effacé ou de doucereux. Il était sa chose, elle le savait, et son allure de roué sans le sou à la Henry Miller, au nom alors encore sulfureux, vivant d'expédients et de ses Manières À Part Avec Les Dames, ne semblait pas lui permettre de beaucoup sauver la face, ni devoir trop entamer son propre cynisme. Il était tout simplement trop pathétique, n'importe qui aurait pu l'acheter pour un repas, mais elle était la seule à le vouloir, par pure bienveillance prostitutionnelle, faute de mieux – et puisque désormais il lui appartenait de la queue aux nageoires, il pourrait tout aussi bien avoir une vue équivalente de sa nouvelle propriétaire ; elle était belle. Fichtrement belle. Plus, en fait, au moins pour lui à ce moment, que tous ces fichus ersatz de Twiggy allant d'un pas léger dans Carnaby Street en plein trip dexédriné, avec des petits amis membres de groupes dont les premiers albums venaient juste d'entrer dans le Top 100 aux États-Unis, le genre de fille qu'alors on voyait partout, et il en avait baisé suffisamment pour savoir qu'elles ne lui plaisaient pas vraiment, parce que l'anorexie ne semblait pas pouvoir lui enflammer les fusibles, quarante-cinq kilos d'Everybird et de bavardages speedés, n'ayant jamais lu, dans leurs existences collectives, de livre autre que *Les conseils de beauté de Jean Shrimpton*, ayant encore moins d'âme que la mère de Malcolm Muggeridge, assises là en attendant que quelqu'un arrive, mais suffisamment branchées sur la Scène pour connaître le nom qu'il serait hip de laisser tomber la semaine suivante. Quand il les baisait, il se disait toujours qu'il allait se retrouver avec des bleus violacés sur chaque hanche, trophées de guerre de « l'horrible broyage d'os » qu'il devait endurer parce qu'un pédé de la télé leur avait dit qu'on ne pouvait *jamais* être *trop* mince.

Et maintenant, à côté de lui, était assise une pute d'âge mûr, pocharde aux yeux rougis et exorbités, au sourire paillard à travers des dents pourries, qui commençait juste à engraisser pour de bon. Il se mit à avoir une sérieuse érection, et se demanda un instant s'il avait une sorte de Fixation à la Mère, puis se dit qu'il s'en foutait. Il durcit encore en décidant de tenir bon, et tant pis pour l'inceste. Il la regarda bien en face, elle fit de même : ses tétons lui parurent de taille 38, et commençaient à s'affaisser – mais c'était bien, c'est comme ça que marche la nature, non ? des globes qui se dressaient fièrement hors d'une robe plutôt décolletée, même pour le quartier, et comme le reste, ces seins pouvaient schlinguer, ils gardaient un soupçon de cette tendresse laiteuse, opulente, crémeuse, potelée et enfantine de fille d'écurie, et les contemplant extatique et bien dur il ne put s'empêcher de se demander intimidé quelle sorte de secrets païens pouvaient se dissimuler dans les profondeurs de l'entre-deux. Il y avait certainement *quelque chose* là-dessous, il n'y avait qu'à creuser sous la cuirasse pour déterrer des trésors inconnus (les Twiggy, bien entendu, n'avaient pas l'ombre d'un néné, et s'en montraient maniaquement fières), peut-être des bijoux et des muscs rapportés tout droit des repaires narcotisés de l'Orient mystique, où elle avait passé son adolescence à attendre en tremblant les exigences d'un cheikh trop gras, si défoncé, et tellement pourvu question baise, qu'il ne l'avait jamais seulement approchée, aussi pour se venger avait-elle pillé son sanctuaire et chouravé ses rubis, ses opales, ses amulettes, ses blocs de haschich et d'opium les plus précieux, les cachant dans l'endroit le plus pratique, et bien que son maître ne l'eût pas surprise à voler il découvrit bel et bien qu'elle avait braqué sa tanière d'opiomane et, pour la punir, botta son ample cul, la chassant de sa flotte de tentes vers les sables en fusion du Sahara, mer chauffée à blanc où elle aurait rôti comme un pigeon si elle n'avait pas été prise en stop par des missionnaires, dont le chameau la déposa dans les faubourgs de Tanger, où elle vendit son essence virginale à un escroc ricain d'esprit plutôt lourd et qui schlinguait, mais jouissait vite, de toute façon, mais après qu'il fut mort d'une overdose d'absinthe elle lui fit les poches, récoltant non seulement de quoi rester à l'écart des rues et des bars pendant un moment, mais aussi un billet pour Londres avec Croisière de Luxe, au cours de laquelle elle eut une brève liaison avec le fils d'un célèbre Américain exilé, ou du moins c'est ce qu'il affirmait, mais ensuite il s'excusa de ses passions plutôt pâlottes en expliquant que le Cher Vieux Papa lui avait légué une préférence palpable pour les culs de petits garçons. Elle n'en crut pas un mot et tous deux se prirent le pied de leur vie à s'enivrer comme d'anciens combattants de la guerre des Boers pour l'anniversaire de la Grande Bataille, oubliant toute idée de sexe pour l'occasion. Débarquant sur le sol natal de William Blake, elle fila tout droit vers l'endroit le plus crade du centre de Londres, louant une chambre pourrie qu'elle décora d'une reproduction de la célèbre *Boîte avec deux pêches dans le ciel* de Man Ray, scotchée sur un mur, qui la réconfortait toujours.

Pour lui, et vu ses connaissances, Man Ray aurait tout aussi bien pu être une star du porno gay. Il ne savait pas que ladite lithographie valait vingt-cinq livres. De son côté, elle n'avait jamais entendu l'interprétation qu'Otis Rush donnait de « Double Trouble » sur un 78 tours d'origine du label Cobra, dont il se trouvait être l'heureux propriétaire. De toute évidence, c'était une rencontre bénie des dieux, surtout quand, baissant les yeux, il se rendit compte qu'il était ravi au spectacle d'une péremptoire ondulation de lard autour de sa taille. Ce hula-hoop de graisse – il sut que désormais il n'y avait plus de retour en arrière possible, aussi ses globes oculaires glissèrent-ils bientôt vers le bas pour s'humecter à la vue de deux jambes plus que souples dans des bas résille noirs, croisées sous le rebord de cette mini-jupe, toute cette perspective sensationnelle s'effilant, dans l'hommage le plus sublime à l'œuvre de Jéhovah, sous forme de deux chaussures de cuir verni aux talons aiguille capables de fendre en deux un cul de cochon. Et, ce qui était assez étonnant, elle ne voulait personne d'autre que LUI – maigre excuse de dandy raté !

Désormais, ils avaient pratiquement consommé une semaine de gymnopédies orgiaques rien que par les yeux, alors elle paya et ils se cassèrent. Ils *coururent* vers l'immeuble, remontèrent les escaliers, franchirent la porte, où, en définitive, elle songea à s'arrêter pour demander : « Tu aimes mon Man Ray ? »

« Qu'est-ce que c'est ? Une réclame pour une pièce de pédales ? »

Charitablement, elle ignora cette idiotie, préférant lui faire un croche-pied et le pousser vers l'arrière, dans son lit crasseux, dont les draps et les couvertures n'avaient pas été lavés depuis des semaines parce qu'elle était trop occupée par le vin pour se souvenir d'eux, aussi empestaient-ils comme des chèvres malades, mais étant ivre et de surcroît consumé de désir il ne s'en soucia guère, aussi commencèrent-ils à jouer à ce que Shakespeare, qui quand il le voulait pouvait être aussi crapuleux que, disons, Texas Alexander, appela une fois « la bête à deux dos ». Description judicieuse, dans ce cas précis, car le duo entreprit de copuler comme des porcs qu'on a enfermés séparément pendant tout l'hiver, ou des chiens de fourrière où régnerait la ségrégation sexuelle (mesure de contrôle des naissances de chiots réellement tentée une fois aux États-Unis, d'où il résulta une cambuse pleine de Rovers rampant toute la journée dans la pièce en laissant des petits pipis sur tous les planchers, tandis que dans une autre les femelles ainsi emprisonnées et privées se lançaient dans une telle tempête de glapissements yip-yap et de hurlements piteux qui n'étaient pas sans rappeler le crissement de la craie sur un tableau

noir que toute l'idée fut abandonnée du jour au lendemain et
un plein camion de Fidos pantelants importé pour les Dames,
en vue d'une orgie canine de première bourre, rien que pour
qu'ils la ferment) (ça s'est produit à Keokuk, Iowa, au cas où
vous vous demanderiez où, pour commencer, on trouverait des
gens assez débiles pour avoir concocté un tel projet), ils avaient
faim, et ils se bâfrèrent un moment, côté bas-ventre s'entend,
limant à fond les potards, non sans répandre plus d'Eau de
Cramouille Clapotante et Provoquant Plus d'Inondations que
des baisades entières avec les Twiggies n'en occasionnaient – elle
s'en vint battre contre les murs crasseux et s'infiltra à travers les
couvertures putrides, un rampant ruisseau tombant du lit sur le
plancher sous la porte, descendant trois étages pour parvenir
dans la rue où elle se mêla sans qu'on le remarque à des crachats
tuberculeux, non que les deux amants en question aient pris
garde à des détails aussi mineurs attendu qu'à ce moment ils
étaient trop occupés à se manger l'un l'autre, à une épaisseur
de cure-dent du franc cannibalisme, après quoi ils le firent en
levrette et s'agitèrent si puissamment qu'ils faillirent bien briser les colonnes du lit, les ressorts dans le même temps jouant
simultanément au moins cinq quatuors à cordes différents de
Bartok et l'« Extrait du journal d'une mouche », ce qui amena
un veuf de quatre-vingt-neuf ans vivant dans la pièce voisine de
l'autre côté du mur lequel était à peu près aussi épais que la couverture d'un exemplaire du *Journal de Mickey* vers 1948 à envi-
sager sérieusement de tenter de descendre l'escalier, tour de force
qu'il n'avait pas accompli depuis une décennie et demie, afin
que conséquemment il parvienne dans la rue et voie si lui-même
pouvait s'offrir le dernier petit bout de java qu'il connaîtrait
jamais sauf que même en tenant compte de l'escalier il pensait
encore en termes de prix de la Seconde Guerre mondiale ce qui
signifiait qu'il ne pourrait pas s'offrir grand-chose au-delà d'une
branlette rapide dans un vieux mouchoir tout en matant à
travers un trou un ou deux petits films granuleux, passant en
boucle, de (disait la pancarte sur la porte) lesbiches mexicaines
se broutant mutuellement ce qui aurait encore été meilleur que
rien (j'ai essayé une fois sur la 42e Rue et c'était super, mais

ensuite je me suis senti dégueulasse et ne suis jamais revenu) sauf que Papa ne l'avait plus eue en porte-drapeau depuis que les Rosenberg avaient cramé alors qu'est-ce qu'on en a à foutre.

Quand ils en eurent fini en levrette ils s'allongèrent un moment pour se reposer haleter et réfléchir à ce qu'ils pourraient bien oublier d'essayer. Feuille de rose ? Ils en discutèrent mais convinrent finalement que ce n'était pas leur style. Sado-maso tempéré ? Ah, tous les deux étaient fatigués. Ils essayèrent donc quelque chose de vraiment osé, vraiment avant-garde, au-delà de toutes les frontières connues du *trash* : ils se serrèrent l'un contre l'autre pour se tenir chaud et s'embrassèrent, avec une folle passion mais aussi doucement et tendrement, parfois, mais à peine, broutant les lèvres de l'autre (qui pouvaient *vraiment* réactiver les pustules de plaisir dans leurs deux corps), pendant près de vingt minutes. Ils s'embrassèrent. Comme des gamins, ce qu'il était, en fait, et ce qui lui donnait à elle le sentiment de renaître, le meilleur sentiment qu'elle ait connu depuis des années, sinon de toute sa vie. Quand ils furent pleinement rechargés ils baisèrent de nouveau, séance longue, lente et langoureuse dans la bonne vieille Position du Missionnaire et quand ils jouirent enfin c'était comme si une immémoriale rivière primitive était libérée tête la première entre eux deux tandis qu'ils se tordaient dans un lent enchevêtrement glissant du OUI venu du cœur à TOI et aucun autre... C'était presque une sorte d'expérience, ah, *religieuse*, mystique, d'une certaine façon, élémentaire sans aucun doute, la fusion hébétée de deux principes attirés l'un vers l'autre et pourtant se combattant toujours et partout, qui ne confluent et ne se conjoignent peut-être qu'une fois dans toute une existence, extase dont on se souvient toute sa vie parmi toutes les manières de baiser de haut en bas et chaque point d'eau entre les deux, mais c'était l'une des rares fois où quiconque est assez chanceux pour obtenir ce qui, réellement, authentiquement, à un niveau intangible, certainement au-delà de la verbalisation, *compte*... ce que vous continuez à chercher chaque fois que vous vous allongez, et que le soupçon les nerfs ou le souvenir d'un ancien amant qui n'était pas aussi enragé ou assommé par la dope ou la franche haine ou la simple

fatigue totale ou dieu sait quoi d'autre, semble se placer chaque
fois entre vous et ce truc... et le Véritable Amour n'a *rien* à voir
avec ça, à un niveau ce n'est rien d'autre que chimie pure, bien
qu'à un autre un degré élevé de confiance mutuelle affichée aide
puissamment, et finalement c'est peut-être de la chance aveugle :
CETTE FOIS.

Quand ce fut terminé, ils restèrent allongés, silencieux, pendant plus d'une heure, perdus dans des rêves entremêlés, épuisés au point de ne plus pouvoir bouger. Pour finir il se redressa
et dit : « Comment tu t'appelles ? »

Elle le regarda en silence pendant une bonne minute avant
de répondre : « Merci beaucoup, CONNARD. En ce qui me
concerne, ça suffira. Tu ne sauras jamais, précisément à cause
de ça. Maintenant rhabille-toi et fous le camp. »

Ce qu'il fit, certes un peu penaudement. Il aurait voulu
s'excuser, mais il se sentait si, ah, perplexe et perdu, qu'il n'avait
aucune idée de la façon dont il pourrait commencer à essayer.
Il savait avoir fait quelque chose de stupide, de hideux et d'irréfléchi, mais en fait ça ne voulait rien dire, c'était simplement le
résultat de son inexpérience, ce dont il fut d'autant plus mortifié, jusqu'à ce qu'il estime que mieux valait se resaper et s'en
aller faute de quoi il allait finir là complètement paralysé. De
toute sa vie, il ne s'était jamais senti être autre chose qu'un petit
garçon, tout comme elle ne s'était jamais sentie qu'exploitée,
baisée puis baffée, remise à ce que n'importe quel connard de
mâle aurait été sûr de penser être sa vraie place, pour la seule
raison qu'elle était pauvre et seule. À ce moment, elle le détestait, comme elle détestait tous les hommes, et rien au monde
n'aurait pu la faire changer d'avis.

Quand il fut rhabillé, il trébucha sur le lit, manquant se
casser une jambe et s'étaler sur le plancher, mais non, il se remit
sur pied, bien que se sentant trop minable et honteux pour se
redresser entièrement, aussi traversa-t-il la pièce un peu voûté,
hésitant devant la porte. Il se tourna légèrement, mais eut peur
de la regarder.

« Va-t-en. » C'était la voix du caniveau quand il heurte un
poivrot en plein visage. Sauf qu'il n'était plus ivre. Il ressentit

jusqu'à la moindre goutte de dégoût, de mépris, d'irrévocabilité. Malade jusqu'au fond des tripes, avec la démarche chétive de quelqu'un qui sort d'un accident de voiture en titubant, il tourna la poignée de porte et sortit. Elle tourna le visage vers le mur, graisseux et taché par endroits et, là où elle regardait, presque noir, en raison de la poussière et des vies de tant de gens qui s'y étaient accumulées, des gens presque tous dans la dèche, pendant tant d'années, et elle pleura très fort, des larmes convulsives, amères, qui semblaient jaillir en gros blocs comme une falaise pulvérisée par... quoi? Un connard de trop? Un âge mûr solitaire sans vraies perspectives? La sensation soudaine que ça pourrait bien être le résumé complet de sa vie, car c'était tout ce qu'elle avait réussi à rassembler en plus de quatre décennies, et au nom du ciel que pouvait-elle attendre? Et pour commencer, qui voudrait d'une pute quinquagénaire si exigeante question services (pas de sado-maso, pas de douche, rien de vraiment tordu)? Ou se retrouver au rez-de-chaussée d'un nouveau boulot « straight » quelconque... Ouais, ouais, sûr. Même les serveuses devaient montrer la liste de leurs précédents emplois. Et à dire vrai, elle ne pouvait montrer qu'une succession d'hommes : deux mariages ratés, d'innombrables amants, la plupart aussi indifférents que celui-là, ou pires, diverses formes marginales d'emplois (go-go dancer, serveuse dans un bar topless, pute, salon de massage, call-girl... ça se réduisait à la même chose), pas de contact avec la famille depuis des dizaines d'années, même pas d'animal de compagnie, pas de bibliothèque ni de collection de disques rassemblée au fil des années et que désormais elle pourrait se présenter comme une sorte de preuve qu'elle ne savait pas ce que... rien. L'alcoolisme. Une vie entière à se duper soi-même, à croire qu'elle était une écolière en java quand tout le monde savait qu'elle était mariée, travaillait, ou les deux. Si mal équipée pour la vie réelle, se dit-elle, qu'elle ne saurait même pas comment se suicider correctement. Elle se planterait, pas de doute là-dessus. Elle posa son visage à l'endroit où les deux murs se rencontraient, tandis que de nouveaux sanglots s'arrachaient de ses tripes comme de gros rochers. Dans la pièce d'à côté, quelqu'un alluma une radio qui passait une chanson atrocement pleurnicharde : on ne voulait pas être obligé de l'entendre.

Il descendit jusqu'à la rue en titubant, encore choqué, parvint à retrouver le chemin de chez lui, s'assit et tenta de tout mettre en ordre. D'un côté, tout était si simple, d'un autre c'était un saut trop brutal depuis une hauteur trop grande, jusqu'à des profondeurs trop atroces. Plus le fait de savoir qu'il avait blessé quelqu'un, et il savait vaguement à quel point, et c'était la personne qu'en ce jour il n'aurait pour rien au monde voulu blesser. De nouveau il se sentit envahi par des sentiments d'impuissance et de haine de soi. Il resta assis comme ça des heures, bougeant à peine une articulation, presque en transe, tandis que l'obscurité tombant sur la ville entrait dans la pièce. Pour finir, vers dix heures du soir, il se leva et alluma la lampe. Puis il se rassit. Il savait qu'en se punissant ainsi, à des extrémités aussi masochistes, il ne faisait que reconfirmer, à n'en plus finir, sa conviction même d'être immature qui, à part la peine qu'il avait infligée, avait inspiré de tels sentiments. Mais il était assez jeune, assez mâle et assez égoïste pour être plus soucieux de se fouetter et de transformer tout ça en un grandiose mélodrame, que de ce qu'elle devait traverser. *Bon,* pensa-t-il à contrecœur une heure ou deux après avoir éteint, *au moins ça te fera une chanson.* Ce qui bien entendu l'accabla encore plus de honte. Il s'endormit dans son fauteuil et connut un sommeil agité. Il rêva qu'il était un chien reniflant les jambes des femmes qui passaient, qui étaient toutes classieuses, à la mode, magnifiques, et levant les yeux il vit leurs visages ricanants : « Va pisser sur quelqu'un d'autre, pauvre bâtard débile. » L'une d'elles lui donna un coup de pied, et il s'éloigna en boitillant. Personne dans les rues ne le regardait, même pas les enfants qui mendiaient. Il n'était qu'un clébard errant bouffé par la gale.

Elle ne dormit pas. Elle resta assise sur son lit toute la nuit, et le lendemain matin, après que la dernière larme fut sortie, en regardant fixement absolument rien. En début d'après-midi, elle bougea un membre. Puis un autre. Elle se rassembla physiquement, un peu à la fois. Pour ce qu'elle allait faire, guère besoin de cervelle. Pour finir, elle jeta un coup d'œil dans son portemonnaie. Six Livres. Elle le referma, se leva en le tenant toujours en main, et sortit sans prendre la peine de fermer la porte à clé.

Elle descendit l'escalier, puis la rue, vers un autre bar. Des tas de ringards y glandaient, et bientôt elle serait une fois de plus sans un sou. Elle s'installa sur un tabouret et commanda un verre. Puis un autre. Puis un autre.

Quand il se réveilla, il se sentit raide et brûlé par le soleil, eut l'impression d'être une momie assise dans un fauteuil. Il se souvenait de tout, et le dégoût de soi-même ne s'était pas apaisé, mais au moins maintenant il était capable de prévoir et de mettre en œuvre un plan d'action. Pour dieu sait quelle raison il se faisait davantage confiance que la veille au soir, mais à peine. Il quitta son appartement et se dirigea tout droit vers le bar où ils s'étaient rencontrés. Ne l'y trouvant pas, il sortit et descendit la rue, cherchant dans chaque troquet jusqu'à ce qu'il parvienne au carrefour. Puis il fit demi-tour et procéda de même de l'autre côté. Sans jamais boire.

Trois heures plus tard, il entra dans un petit rade mal éclairé dans une rue latérale, la vit, hésita, puis s'approcha gauchement. Elle lui tournait le dos, les yeux plongés dans son verre de vin. Debout derrière elle, il dit : « Je suis… *tellement*… tellement *navré*… je ne voulais pas… enfin, je veux dire… je ne savais pas… » Plus il parlait pire c'était. Avec toute la dignité de la vieille alcoolique qui sait qu'elle est ivre et s'en fiche éperdument parce que contrairement à ce que disent les films il y a toujours des choses bien pires dans le monde, à savoir presque tout le reste, elle fit demi-tour pour le regarder. D'une voix aussi morte que possible, elle psalmodia : « Tu-as-un-sacré-culot. » Elle le dévisagea ; il ne put soutenir son regard. Elle devint presque méchante : « Hier ne suffisait pas ? Je ne vais certainement pas te donner le plaisir de te frapper. Bien que je doive dire que tu n'es qu'un minable morveux, et l'un des mâles les plus nuls que j'aie jamais rencontrés. Mais tu sais quoi ? Tu n'es même pas le pire. Ne te fais pas d'idées. Tu n'es qu'un crétin de plus. Maintenant, va te vautrer dans les souffrances de quelqu'un d'autre. Je suis sûre qu'il y a une candidate dans le bar. » Elle régla ses consommations, en prenant soin de laisser un pourboire, prit son sac à main et s'en fut.

Il ne la revit pas pendant deux semaines. Elle se sentit mieux après leur confrontation, mais se surprit elle-même en comprenant qu'elle aussi était navrée pour lui, il ne savait vraiment pas ce qu'il faisait. En fait, c'était bel et bien un môme. Elle ne faisait qu'extirper de lui une vie entière de fils de pute. Encore qu'il ne donnât pas l'impression de pouvoir devenir aussi expert que les autres en véritable brutalité. C'était tout simplement que, dieu sait comment, même en sentant son égoïsme, elle ne pouvait s'empêcher d'être touchée, enfin un peu, par sa confusion, son attitude réellement repentante, bien que masochiste, et par sa propre tendance à lui accorder le bénéfice du doute. *Pourquoi ?* ne cessait-elle de se demander. Pour finir par conclure : *Peut-être parce que tu n'as, en ce moment, absolument rien d'autre à faire de ta vie.* Ce qui, une fois énoncé, était une raison aussi dérisoire de ne rien faire du tout que les siennes à lui. *Et puis merde,* pensa-t-elle. Elle se tapa son propriétaire et un ou deux autres qu'elle chassa de sa mémoire dès que ce fut terminé, et se remit à boire, allant lentement d'un bar à l'autre à son rythme sans méthode.

Depuis que, dans le bar où il était entré pour la chercher, elle lui avait dit de s'en aller, il n'avait pas osé regarder une femme en face. Il resta chez lui plusieurs jours, puis finit par appeler un copain et lui raconta toute l'histoire. « Allez, allez, répondit l'autre en riant, c'est rien qu'une pute. Sois pas si poire ! » « Va te faire foutre ! », rétorqua-t-il.

Aussi cru qu'eût été son ami, il était sorti de là en sachant une chose : elle n'était pas plus parfaite que lui, et il ne l'avait placée sur un piédestal qu'au nom de son propre masochisme. Qu'elle soit réellement ou non une prostituée n'était pas pour lui une question de jugement moral. S'il avait soupçonné que oui, c'était un prétexte secret pour la romantiser. Lentement, sans trop savoir comment, sans l'avoir revue, il en vint à la considérer comme un être humain. Comme tout cela se mettait en place, sa colère contre lui-même emprunta une perspective plus adaptée. Pour finir, il vit que même ses excuses rampantes – *surtout* elles, d'une certaine façon – étaient, en leur fond, égoïstes. Elle avait raison. Cela faisait un bout de temps désormais qu'il avait pris l'habitude de traiter les femmes avec une indifférence négligente – comme de la merde. C'était un truc qui marchait assez souvent, mais lui garantissait de se retrouver toujours avec le même type de femme – et pour finir, seul. Maintenant qu'il avait rencontré quelqu'un pour qui il pourrait avoir de l'affection, il l'avait exploitée d'une façon sans doute encore pire – pour apaiser sa culpabilité vis-à-vis de toutes celles qu'il avait maltraitées, pour se mettre à leur place, pour savoir quel effet ça fait d'être traité de façon tout aussi minable. Il sentait également que, s'ils pouvaient démêler tout cela, il pourrait y avoir une possibilité de... quoi? Quelque chose de plus que ce à quoi il était habitué. D'un autre côté, il se pourrait que cela se réduise à un effet du hasard, la preuve : dès l'instant où ils avaient tenté de communiquer verbalement, tout s'était cassé la gueule. Il se demandait parfois s'il ne valait pas mieux tout oublier, ou y voir une leçon et continuer sa vie. Mais peu à peu il en vint à comprendre que d'une façon ou d'une autre il ne pensait pratiquement jamais qu'à elle. Ce qui pouvait signifier que ce n'était qu'une simple amourette d'adolescent particulièrement tordue, mais il devait le découvrir, voir, et au moins essayer de lui parler de nouveau. Pour le meilleur ou pour le pire.

Elle levait le coude depuis suffisamment de temps pour avoir depuis longtemps cessé de tenir le compte des jours. Dans un bar, elle rencontra par hasard un type avec qui elle avait vécu, du genre relativement décent, qui lui donna un peu d'argent. « Prends un peu plus soin de toi, dit-il d'un ton égal, mais sincèrement soucieux. Tu es quelqu'un de trop bien pour partir comme ça. » Elle lui demanda ce qu'il pouvait bien en avoir à foutre. « Rien, je crois, reconnut-il, sauf que nous avons été amants autrefois, et que si j'ai assez tenu à toi pour vivre et coucher avec toi, il doit en rester quelque chose. Tu vois ce que je veux dire? Je ne sais pas si je t'ai aimée. Mais j'avais de l'affection pour toi, ça continue, et peut-être pour toujours. Je ne sais pas ce qu'il t'est arrivé, je ne crois pas que je veuille savoir, mais fais-moi une faveur et essaie de te sortir de cette dégringolade. Tu sais bien que c'est un truc de trouillarde, et jamais je n'aurais pu être attiré par quelqu'un de lâche. Tu es toujours la même et moi aussi. Je ne veux rien de toi, sauf peut-être que tu montres un peu du cran qui m'a attiré vers toi au début. Je veux dire, qu'est-ce que tu en as à foutre ? Pourquoi te tuer pour un connard quelconque ? Pourquoi lui donner ce plaisir ? Tout ce que je te dis, c'est : COMMENCE – mets un pied devant l'autre, et continue. Les choses iront mieux, ni aujourd'hui ni demain, mais peu à peu. Tu verras. Moi aussi j'ai touché le fond. » Il avait ri : « Sinon, liquide le roman-feuilleton avec un peu de classe. Trouve-toi un flingue chez le prêteur sur gages le plus proche et FAIS-TOI SAUTER LE CAISSON ! »

Ils se regardèrent longuement. Puis ils rirent au même instant – un rire ni bruyant ni cordial, loin de là, mais sincère. C'était la première fois qu'elle riait depuis... ah, ouais, depuis tout ça. « Je te prêterai même l'argent nécessaire », ajouta-t-il. Ils rirent de nouveau. Le sens de l'humour du gars, son baratin, la façon dont il lui avait fait honte de pleurnicher et de satisfaire un crétin de plus, plus le fait de savoir qu'au moins une personne au monde tenait vraiment à elle sans traîner de casserole, tout cela la fit sortir de tout le truc.

« Baisons », dit-elle.

« Non. Pas aujourd'hui. Rien de personnel. »

« D'accord », répondit-elle, et elle cessa de boire.

Ils s'enlacèrent et s'embrassèrent légèrement – sans tendresse ni passion. Puis ils partirent chacun de son côté. Elle n'avait pas la moindre idée de ce qu'elle allait faire d'elle-même. Il suffisait de se sentir bien, de nourrir une résolution quelconque, si vague fût-elle. Elle revint dans son appartement et réfléchit pendant le reste de l'après-midi aux options disponibles. Peu nombreuses, certes, mais combien la plupart des gens en avaient-ils ? Et puis merde. La première chose était de prendre des décisions fermes, la seconde de s'y tenir. Mettre sa vie en ordre. Elle prit un crayon, du papier, et dressa une liste.

(1) Arrêter de picoler. Et s'en tenir là.

(2) Ne baiser avec personne pour de l'argent.

(3) Ne baiser avec personne dont tu n'aies pas envie.

(4) Trouver un boulot normal.

(5) Plus d'apitoiement, quoi qu'il arrive.

Cela suffisait. Il lui fallut trois jours pour décrocher de la gnôle. Elle trafiqua un formulaire de demande d'emploi et se trouva un boulot de merde à classer des papiers dans un bureau. Boulot temporaire qualifié de permanent. C'était l'enfer. Mais elle se contenta de faire comme toujours quand elle baisait pour de l'argent : tout oublier et laisser jouer Bach et Mozart. Morceau par morceau, jour après jour, elle reconquit son amour-propre. Et se fit même des amies au boulot, enfin si on peut dire. Bien entendu, aucune d'entre elles n'était de ces gens à qui on peut vraiment *parler* – c'étaient des femmes qui pensaient toutes qu'être secrétaire allait les mener quelque part, ou voulaient simplement se marier, et parlaient en termes pleins de banalité de leurs vies, de ce qu'elles venaient d'acheter, ou prévoyaient/ espéraient acheter. Elle se fit un ami, ce qui dura exactement une semaine et demie, jusqu'à ce que pendant le déjeuner il la drague avec une grossièreté pleine de gaucherie, et quand elle déclina poliment, il se mit à tirer la tronche. Après cela, il cessa de lui parler. Qu'il aille se faire foutre. Elle se rendit compte un jour qu'elle était célibataire depuis deux mois. Le soir, elle lisait ou écoutait la radio, du moins ce qu'elle pouvait en supporter, c'est-à-dire pas grand-chose, ou regardait la télé, du moins ce qu'elle pouvait en supporter, c'est-à-dire pas grand-chose, pour l'essentiel les nouvelles et des vieux films. Elle repensait à sa propre existence. Elle n'avait pas été si bien que ça, en fait la majeure partie avait été un franc cauchemar. Mais ensuite elle pensait aux femmes avec qui elle travaillait, à leurs vies, avec ou sans hommes, à quoi ces vies se réduisaient, jusqu'à présent ou même à l'avenir : elles étaient si craintives qu'elles auraient tout aussi bien pu ne jamais naître. Elle vivait mieux avec ses cauchemars. Elle avait appris diverses choses. Quand cette pensée lui vint, elle ne put s'empêcher d'éclater de rire.

Pendant ce temps, il restait assis chez lui, à penser à elle quand il ne ressassait pas ses propres problèmes, ou ne combinait pas les deux mentalement. Il était toujours résolu à la retrouver, mais elle semblait avoir disparu des bars. Personne ne semblait avoir la moindre idée de l'endroit où elle se trouvait. Un jour, il pensa : *Je me demande si elle est morte*, et un frisson glacé le parcourut. Il écrivait toujours des chansons, mais aucune sur elle. Il n'était pas encore prêt – ou il avait peur. Elles ne parlaient de rien de précis. Il savait qu'il stagnait, mais il lui fallait faire quelque chose de sa vie et de sa musique, et il ne savait pas quoi.

Des mois passèrent. Un jour, tournant au coin de la rue en plein centre de Londres, il faillit bien lui rentrer dedans. Ils furent tous deux stupéfaits puis, malgré eux, éclatèrent de rire. Le temps n'était plus aux mélodrames, quels qu'ils soient. « Bien, bien, dit-elle calmement – un peu trop calmement, pensa-t-elle. De tous les fantômes de cette ville ! Comment vas-tu ? Tu baises toujours des nanas de façon à pouvoir leur enfoncer la tête dans la boue cinq minutes après ? »

Elle fut surprise de prononcer ces mots sans méchanceté. D'une certaine façon, ils paraissaient presque obligatoires, et elle savait, dieu sait pourquoi, qu'elle voulait lui parler. De quoi – elle n'en avait aucune idée.

Il rougit. C'est à ce moment qu'elle comprit pourquoi elle voulait lui parler ; et pourquoi elle se sentait vraiment idiote de lui avoir tenu le petit discours qu'elle venait d'achever. « Je... » commença-t-il. Toujours adolescent. Ils se regardèrent. « Allons prendre une tasse de thé », dit-elle.

Ils s'assirent dans un restaurant non loin de là et se contemplèrent un peu plus longuement. Elle trouvait tout cela franchement comique ; tout en sachant à quel point elle savourait son pouvoir, ce sentiment de contrôler totalement la situation face à un homme, pour la première fois de sa vie. L'idée d'y renoncer ne lui plaisait guère. Au moins elle savait qu'elle ne voulait pas jusqu'à cet instant même. *Mais qu'est-ce que tout ça voulait dire ?* Elle n'avait aucun désir de le blesser, et se sentait au contraire d'humeur plutôt badine. Mais, en dépit de ses souvenirs, cela semblait être une sorte de moquerie inutile. Je veux lui parler, se répéta-t-elle. Si seulement elle avait su par où commencer.

Il s'en chargea : « Je me suis comporté comme un parfait crétin. Pardonne-moi. »

« Arrête. » Elle s'irritait déjà.

« Non, non, il faut que tu m'écoutes. Je t'en prie. J'ai eu tort et je t'ai blessée. Et ensuite j'ai encore aggravé mon cas. »

« En effet. »

« Ah, au moins je peux te dire que maintenant je le sais. »

« Félicitations. » Elle se montrait trop cool, trop sèche, c'était un moyen de surcompenser et elle le savait. Ce qu'elle ignorait, c'était pourquoi. Ce qui signifiait que d'un seul coup elle n'était plus aux commandes. Et étant donné cet état d'esprit, il ne restait qu'un vrai foutoir : deux personnages de bandes dessinées essayant des ballons. Non, c'était là un cynisme forcé. Elle ne savait plus ce qu'elle ressentait, à l'exception d'une chose : elle était en pilotage automatique depuis ce qui semblait être une éternité. C'était comme deux bébés dans un parc avançant en trébuchant l'un vers l'autre, mais même Ça était plus que tout ce qu'elle avait pu éprouver envers quelqu'un d'autre depuis si longtemps que… elle était fascinée, attirée, et ignorait pourquoi. Elle ne cessait de se répéter que tout ça était idiot – qu'elle devrait simplement se lever et s'en aller.

« J'ai beaucoup pensé à toi. »

Elle ne répondit pas. Elle avait pensé à lui aussi peu que possible.

« Et cela fait des mois que j'essaie de te trouver. Pas pour te demander l'absolution, mais… tu m'as fait comprendre certaines choses sur moi-même. Quand tu n'étais pas là. Je crois que ça a l'air un peu égocentrique, mais… »

« Ouais, surtout si on considère que m'humilier a été ton moyen d'accéder à la Totale Illumination. » Elle s'irritait de nouveau. « Écoute, je sais que tu es jeune. Mais j'ai eu affaire à trop d'abrutis dans ma vie. Ça aurait pu avoir moins d'importance pour quelqu'un d'autre, surtout une fille de ton âge. Peut-être que ça n'en aurait eu aucune. Les gens ont beaucoup ce genre d'attitude ces temps-ci. Je… »

« Moi non plus. Peut-être que tu veux dire que je n'ai rien à t'offrir. Indépendamment de tout ce que tu pourrais avoir à m'offrir. »

« Eh bien, pour commencer, je pourrais te donner quelques idées sur la façon de ne pas traiter les femmes comme de la merde. Il se pourrait que la prochaine que tu baiseras apprécie. »

« Qu'est-ce que tu veux que je te dise ? Tu m'as coincé. J'ai tout foutu en l'air. Je ne peux même plus m'excuser. Je ne peux dire qu'une chose : accepterais-tu d'aller dîner et au cinéma vendredi soir ? »

« Et pourquoi diable devrais-je faire ça ? »

« Franchement, je n'en sais rien. Si j'étais toi, peut-être que je dirais non. Je pose une question. Tu peux dire non. »

« Aller dîner et au cinéma – comme c'est merveilleusement *adolescent*. » Elle n'ignorait pas que c'étaient des sarcasmes creux, histoire de gagner du temps.

Il finit lui aussi par le comprendre : « Alors arrêtons de jouer au plus fin : quelle est ta réponse ? »

Elle le regarda : « Oui. »

Maintenant, aucun des deux n'avait plus la main. « Qu'est-ce que ça veut dire ? » demanda-t-il simplement, sincèrement.

Elle soupira : « Je te jure que je n'en ai pas la moindre idée. Autrement, je serais ravie de t'en faire part. »

« Peut-être que c'est bien. Comme ça. »

« Qu'est-ce qui est bien ? »

« Je n'en sais rien. »

« Cette conversation est absurde et le thé est froid. Il faut que je m'en aille, je suis en retard sur ma pause café. » Elle prit ses affaires et se leva. « On se voit vendredi soir. Tu sais où j'habite. Généralement, après six heures je suis chez moi, sinon, je ne suis pas très exigeante sur l'heure. Ne viens pas débouler en pleine nuit, jamais. J'ai connu ça trop souvent. Et *surtout*, ne débarque pas ivre, jamais. Je crois qu'il vaut mieux que je te le dise. Ça ne m'embête pas d'aller dans les bars, mais ne t'attends pas à ce que je me bousille à quoi que ce soit en ta compagnie. »

« Okay. »

Elle sortit. Il but un peu de thé. Il était bel et bien froid. Elle lui avait laissé la note. Il paya, laissa un pourboire et s'en fut.

Elle eut du mal à se concentrer sur son travail. C'était tout simplement qu'il était *si ennuyeux*. Comme Bach et Mozart, en définitive, quand il fallait les écouter de tête. Et elle était là, la quarantaine, sortant le vendredi soir avec un adolescent rocker. Elle n'aimait même pas le rock.

Le jour venu, il fit son apparition à 18 h 10 précises : « Qu'est-ce qui t'a retenu ? » demanda-t-elle.

« Hein ? »

« Rien. Alors, quel est le programme ? Quel est le film ? Quel est le repas exotique que tu nous a prévu ? Un restaurant étranger, j'espère ? Et suis-je censée baiser avec toi en fin de soirée pour te récompenser ? »

Il ne répondit rien. Il paraissait blessé. Elle regretta aussitôt sa dernière phrase. « Écoute, ce que je voulais dire, c'est que JE M'EMMERDE COMME UN RAT MORT. JE TRAVAILLE DANS UNE MORGUE. Tu es jeune, vous êtes tous censés connaître les derniers pieds à la mode. Eh bien, MONTRE-M'EN QUELQUES-UNS ! JE SUIS AU DÉSESPOIR. »

Il ne se rendit pas compte qu'elle plaisantait : « Tu travailles à la morgue ? Vraiment ? »

« Non. Si seulement ! C'est celle des papiers défunts – ordonnances, assignations, testaments, vieux procès, à n'en plus finir. Avoir affaire à des cadavres représenterait un gros progrès. »

« Oh. »

Il était nerveux. Elle aussi, mais pas de la même manière. De toute évidence, chacun voulait obtenir de l'autre quelque chose de différent. Dieu sait pourquoi, aucun des deux n'y parvenait. Elle décida de recourir à une méthode plus directe. La plus directe.

« Qu'est-ce que tu veux de moi ? »

Il ne répondit qu'au bout de quelques instants : « Je ne suis pas vraiment sûr, sinon… je crois que ça a plus ou moins un rapport avec – ne ris pas – *l'âme*. »

« Moi, rire ? Je suis flattée. Mais c'est vrai que ces temps-ci j'accepte à peu près tout. L'âme. Et pourquoi moi ? »

« C'est beaucoup plus difficile de répondre à ça. Peut-être parce que… tu es le genre à plaisanter sur ton boulot en le décrivant comme une morgue, ou à souhaiter que c'en soit une, ou peut-être que c'est simplement que… je crois que tu veux tirer quelque chose de tout ça – je parle de tout ce qui nous entoure, la vie, le boulot, tout ça – que tu n'obtiens pas. Et tu ne cesseras pas de lutter. » Il rit : « Ou bien, tu ne te *plaindras* pas tant que tu ne l'auras pas eu. Ou au moins découvert ce que c'est. »

« Et si rien ne me manquait ? Et s'il n'y avait rien qui puisse manquer ? »

« Tu n'es pas le genre à te satisfaire d'une bonne réponse quand j'ai enfin réussi à en trouver une, hé ? Tu veux la pousser au niveau supérieur d'impossibilité. En fait – il rit de nouveau – je ne serais pas surpris si tu te révélais complètement impossible. Peut-être... » Il la contempla longuement, sans plaisanter, et tous deux le savaient. « Peut-être que c'est ça chez toi. Peut-être qu'après tout c'est comme ça que tu prends ton pied. Tu prends ton pied en veillant à ce que tout reste impossible. Et je n'entends même pas quelque chose d'aussi banal que toi et moi. Je parle d'une volonté résolue, consciente ou pas, de futilité considérée comme un mode de vie. »

Elle n'était pas prête à ça. C'était trop près du centre exact de ses peurs les plus fondamentales. Elle ne put qu'avouer : « Tu as raison, je suis dans absolument rien. En attendant de mourir. Alors qu'est-ce qu'un jeune mec intelligent et talentueux comme toi fait avec quelqu'un comme moi ? »

« Je ne sais pas exactement, pas encore. Pourquoi le saurais-je ? Peut-être que je suis d'accord avec toi. Peut-être que je pense que tu ne veux pas croire à tes propres arguments. Mais je ne voudrais pas transformer tout ça en séminaire de philosophie. Je vais te dire : je ne suis pas amoureux de toi... »

« C'est une bonne chose... »

« ... J'aime simplement être avec toi. Et je pense que désormais j'ai gagné le droit de te poser au moins une question. Pourquoi diable est-ce que tu veux fréquenter des gens comme moi ? Un gamin débile qui ne sait pas ce qu'il veut, qui adore, et même qui chante et qui écrit, de la musique que tu détestes – comme tu l'as dit l'autre fois, nous n'avons absolument rien en commun. Alors pourquoi as-tu dit oui ? Et pourquoi est-ce que j'ai l'impression que toute cette conversation tourne en rond ? QU'EST-CE QUE TU VOIS EN MOI, HEIN ? »

« Je… franchement, je ne saurais dire. Quand tu seras aussi vieux que moi, tu comprendras mieux, je ne veux pas avoir l'air condescendante, je veux dire que 99 pour cent des hommes, du moins ceux que j'ai rencontrés, sont des merdes à 100 pour cent. Les chances n'ont pas l'air bien fameuses, étant donné mon âge, mon boulot, ma situation financière, mon statut marital, le nombre d'enfants que j'ai offerts à notre avenir social en pleine expansion, mon histoire côté gnôle et le reste – de quelque façon qu'on regarde tout ça, mieux vaut ne pas parier sur moi. Je te dis la vérité, j'espère que tu en seras touché. »

« Et tu laisses délibérément de côté toute l'émotion. »

« C'est parce que je n'en ressens plus aucune. »

« Mensonge. »

« Oh que non. Je n'ai plus rien ressenti depuis très, très longtemps. Je chasse tout. Vous autres mômes pouvez vous permettre de flanquer de l'émotion partout – nous autres les vieux, et surtout les femmes, sommes plus à court. Et je ne suis à ma place nulle part. Je ne l'ai jamais été, je ne le serai jamais. De ton côté, tu as toute une "génération" pour soutenir toutes les conneries dans lesquelles tu te plantes. Tu as de la chance, mais je ne suis pas jalouse. Tu finiras de deux façons : comme moi, ou comme les gens avec qui je travaille. Dans un cas comme dans l'autre tu seras malheureux. Cette histoire de "génération" est juste une arnaque pour essayer de vous vendre quelque chose. Je le sais, j'ai déjà vu les mêmes phrases clinquantes. Mais le dernier mot, c'est que je suis désespérée. Et C'EST BIEN POURQUOI – ici elle appuya presque encore plus fort – JE PASSE VENDREDI SOIR AVEC TOI AU LIEU D'ÊTRE SEULE AVEC UN LIVRE OU LA RADIO OU LA TÉLÉ QUE JE N'ALLUME JAMAIS. »

« Ainsi donc tu es désespérée. Comme des millions de gens, mais ils ne sont pas avec moi, contrairement à toi. Comment ça se fait ? »

Elle se sentit prise au piège : « Parce que… je suis juste assez narcissique pour voir un peu de moi regardant en arrière, quand je te regarde, et ça me plaît. Je veux un béni oui-oui… »

« Ah, arrête… »

« Bon, bon, d'accord, je veux un miroir. Ou quelqu'un qui partage quelques-uns de ces sentiments que tu qualifies de futiles. Je veux parler, même si nous ne faisons que creuser un grand trou qui ne mènera nulle part, comme je le soupçonne fortement. Je meurs d'envie de parler comme ça depuis plus longtemps que tu ne peux l'imaginer. La plupart des gens ne font jamais ça, et quand je commence à... »

« Je sais. »

« Ils deviennent bizarres. »

Il la regarda droit dans les yeux : « C'est parce qu'ils ont peur de toi. Parce que le simple fait que tu soulèves les questions menace les fondements mêmes de leurs vies, de ce pour quoi ils vivent, et pourquoi. »

« Et N'ESSAIE pas de nier que je te fous la trouille... »

« Oui, mais c'est différent... »

« Et alors ? Peut-être qu'on a tort et eux raison. Peut-être qu'on devrait la boucler et aller acheter quelque chose. »

« D'accord. Qu'est-ce que tu veux ? »

« Absolument rien de ce qui est à vendre, au moins pas à des prix que je puisse me permettre. Deux mois sur la côte espagnole, ça serait sympa. Et *toi* ? Il y a *sûrement* un nouvel album de rock que tu *meurs d'envie* d'acheter. »

« Je l'ai déjà acheté, le jour de sa sortie. »

« Bon, une chaîne neuve, alors. »

« Les vieilles sont meilleures, du moins pour le genre de musique que j'écoute d'habitude, et j'en ai déjà une. »

« Une guitare neuve. »

« J'en ai déjà deux. »

« Des cordes. »

« Trente-quatre pence la pièce. »

« Un ampli. »

« Quand j'aurai davantage de blé. »

« Des fringues. »

« Pourquoi ? Dès qu'on s'y est mis, ils changent la mode, si bien qu'il faut tout recommencer. »

« Ça sonne exactement comme quelque chose que je pourrais dire. »

Il sourit : « Ça répond peut-être à ta question de savoir pourquoi on devrait être ensemble. »

« Ou pourquoi nous devrions rester en permanence très loin l'un de l'autre. »

« Reconnais-le : nous sommes deux snobs. »

« Nous n'aimons rien ni personne… »

« C'est pourquoi rien ni personne n'est assez bon pour nous… »

« Du moins c'est ce que nous *pensons*… »

« Et nous voilà à faire semblant de croire que nous avons raison et eux tort… »

« Alors qu'en fait nous savons à quoi nous en tenir… »

« Et si ça n'était pas le cas ils nous le feraient savoir bientôt. »

« Tu préférerais passer le reste de ta vie en prison ou à l'asile ? »

« C'est dur de répondre. Laisse-moi réfléchir. Ni l'un ni l'autre. »

« C'est exactement ce que j'allais dire. »

« Mais qu'est-ce qui va se passer quand on en sera au point… »

« Attends, je sais déjà ce que tu vas dire… »

« Toujours… »

« Alors en fait, on n'a plus besoin de parler ? »

« Je crois qu'il va nous falloir attendre pour voir. »

« Ce sera ou ça, ou nous rendre compte que nous ne pouvons nous supporter, et aller chacun de notre côté. »

« D'accord. Nous sommes donc tombés d'accord sur toutes les choses que nous DÉTESTONS – à tel point que nous n'avons même pas besoin d'en parler… »

« Ouais… »

« Bien, et les choses que nous *aimons* réellement ? »

« Oui, quoi ? »

« Ah, QUELLES SONT-ELLES ? Enfin, *je veux une liste précise.* »

« Impossible. »

« Pourquoi pas ? »

« Devine. »

« Nous n'aimons pas assez de choses pour que ça tienne sur les doigts d'une main, encore moins sur une feuille de papier. »

« Encore juste. »

« Pourtant il y a une chose... »

« Ouais ? »

« Eh bien... j'hésite un peu à parler de ça... »

« POURQUOI, bon dieu ? »

« Parce que... euh... »

« Tu parles de ce que je pense que tu parles ? »

« Euh... »

« En effet. Après tout ce que nous avons traversé. »

« Ouais, mais il faut que tu voies ça comme ça : quand le reste de l'expérience humaine est parfaitement sans valeur, et que nous tombons d'accord à tel point que nous pouvons à peine discuter, il ne reste qu'UNE CHOSE. »

« Hmmm... et qu'est-ce qui se passe si ça s'épuise aussi ? »

« Ça ne sera pas le cas. »

« Pourquoi ? »

« Fais-moi confiance. »

« Pourquoi ? »

« Tu n'as rien de mieux à faire. »

« Ça c'est vrai. »

« Hé... »

« Quoi ? »

« Baisons. »

« Je croyais que tu ne demanderais jamais. »

À partir de ce soir-là, on aurait dit qu'ils mesuraient le temps davantage en termes de quand et de combien ils devaient être séparés, que quand ils se voyaient. Ils devinrent si sensibles aux formes de pensées de l'autre que la conversation devenait parfois réellement presque superflue. Et pourtant, curieusement, c'était tout ce pour quoi ils vivaient. Ou du moins c'est ce qu'ils pensaient. C'est ce qu'il pensait. Il n'eut jamais le moindre doute à ce sujet.

Au bout de quelques mois, elle se mit à réfléchir. Ils étaient *beaucoup trop* semblables. Les amants apportent à leur relation quelque chose d'inattendu, une tension, qui la fait courir, mijoter, changer. La leur était plus du genre frère et sœur. Ce qu'elle ne lui dit jamais, mais que de plus en plus elle trouvait de moins en moins vertigineusement érotique. C'était tout simplement trop nunuche. Et pourtant il était là, plus heureux que, de sa vie, elle n'avait vu quelqu'un l'être. Elle se sentait coupable d'avoir des réserves, et ne pas les exprimer les aggravait encore. Elle lui cachait beaucoup de choses, de plus en plus à dire vrai, avec le temps. Elle ne pouvait supporter l'idée qu'il soit malheureux. Si les choses continuaient ainsi elle allait finir par périr d'ennui, à en devenir folle. Elle commençait à avoir l'impression d'être sa mère, précisément parce qu'elle comprenait et pas lui. Tandis que lui avait celle d'être un AMANT satisfait à 100 pour cent, voire franchement son époux.

Une chose était claire, ils ne communiquaient pas. Lui pensait que si. Il vivait dans un rêve qu'elle avait le pouvoir de briser en un instant, d'un seul mot. De sa vie, jamais elle n'avait connu quelque chose de plus injuste. Et le plus injuste dans tout ça, c'est que ça n'était la faute de personne. Pas de traître de mélodrame, pas de prétextes, rien, et elle devenait folle. Il fallait que quelque chose cède. Il n'y avait pas de solution, sauf la mort. Et elle n'était pas prête à mourir. Il était plus sain que tous ceux qu'elle avait pu connaître. Et pourquoi pas ? Comme il l'avait dit si souvent, répétant la formule jusqu'à ce qu'elle ait envie de hurler, elle le « complétait ». Le complétait. Était-ce seulement honnête envers lui, à supposer que ça soit vrai ? Quel genre de vie pourrait-il mener, quand tous deux étaient si aliénés, la différence cruciale étant qu'elle avait eu plus de quarante ans pour s'y faire, et même le considérer avec un certain détachement forcé, tandis que lui, étant un enfant des années 60 avec tout ce que cela impliquait, pensait qu'il n'y avait aucune raison pour se faire à quoi que ce soit ? Pourquoi ne pourraient-ils pas simplement être heureux ? Pourquoi n'était-ce pas la question ? Ne s'étaient-ils pas trouvés l'un l'autre ? Elle avait envie de hurler : *Mais nous ne sommes pas censés être heureux.*

Elle y réfléchissait en permanence. Comment pouvait-il ne rien remarquer ? Était-il devenu sénile ? Peut-être toute sa génération était-elle sénile, avec leurs Beatles, les drogues, et une notion du bonheur considéré comme droit inaliénable, non comme un répit occasionnel qui vous tombe dessus pendant que vous cherchez un moyen de tout foutre en l'air. Elle était tout simplement trop prise dans ses habitudes. Alors qu'il pouvait se plier à tout, et ne s'en privait pas. Ce qui était l'une des principales raisons pour lesquelles elle commençait à avoir l'impression d'être sa mère. Qui était-elle, merde, pour remodeler et redéfinir son existence ? Et pourtant, c'était, apparemment, très exactement ce qu'il voulait. Quoi d'autre, de son point de vue ? C'était à vous donner la nausée. Autrefois ils étaient semblables ; maintenant tous deux étaient elle. Une seule suffisait, pourtant.

Un jour, elle s'assit et dressa la liste des solutions possibles :

(1) *Me suicider. Alors il serait libre.* Inacceptable. La vie avait beau être dépourvue de sens, elle n'avait aucune intention de se flinguer tant que ce ne serait pas absolument nécessaire. D'ailleurs, comment savoir s'il ne se tuerait pas de chagrin immédiatement après, devenant son ombre, même dans la mort ?

(2) *L'affronter. Lui dire qu'elle ne pouvait plus supporter ça. Ensuite lui demander conseil.* Le problème, c'est qu'elle soupçonnait qu'il n'en aurait pas à donner. Il avait extériorisé sa propre vacuité à tel point qu'il pensait qu'elle-même était parfaite. Parfaite. Vous parlez d'une vanne. Une divorcée de quarante-six ans, alcoolique par intermittence, sujette à des dépressions chroniques, convaincue que la vie est vide et dépourvue de sens, quelqu'un ne s'intéressant à rien, aucune compétence, un boulot de merde, ex-pute, pas d'enfants, qui désormais entretenait une relation manifestement malsaine avec un gamin de vingt ans de moins qu'elle, la moitié de son âge. Peut-être avait-elle laissé s'enclencher tout ce foutoir simplement pour se protéger du fait qu'elle n'avait jamais eu d'enfant. Maintenant, elle avait un fils ! Avec qui elle baisait. Qui l'imitait de toutes les façons possibles. Que le Seigneur nous vienne en aide. Si c'est ça la perfection, donnez-moi un pays plein de mécréants, de mutants, de psychotiques et d'infirmes.

(3) *Exiger qu'ils rompent.* Lui briser le cœur. Le priver de sa seule raison de rester en vie. LUI FAIRE DU MAL. Ainsi qu'à elle, pas de doute là-dessus. Renvoyée au bureau, aux papiers,

à des hommes visqueux faisant des propositions hideuses par-dessus des chili con carne? Ou même Bach et Mozart? Plutôt se flinguer. Dans ce cas *elle* n'aurait plus de raison de rester en vie. Et pourtant, dieu sait pourquoi, elle avait compris avant lui. Comment? Elle ne pouvait s'en souvenir.

(4) *Se contraindre à s'intéresser à quelque chose qui serait certain de l'éloigner d'elle.* Un culte? Une croisade anti-rock? Politique de droite? Jesus Freak? La Chambre de Commerce? Fascinante Féminité? Plutôt apprendre à jouer de la basse (comme il le lui avait bel et bien demandé, bon dieu!) et se joindre à son fichu groupe de rock. Et elle détestait sa façon de chanter comme ses chansons. Plutôt mourir.

(5) *Le tuer.* Au moins, si elle savait s'y prendre, jamais il ne saurait ce qui l'avait frappé, jamais il ne connaîtrait le malheur pour le restant de ses jours. Mais elle n'en avait pas le droit. D'ailleurs, cela lui briserait le cœur, elle se tuerait d'abord. Et d'abord elle ne pouvait supporter l'idée de la prison ou de l'asile.

(6) *Disparaître purement et simplement.* Jouer la fille de l'air. D'une certaine façon, cela semblait être le moyen le plus lâche de s'en sortir. Et il y avait toutes les chances pour qu'ils finissent de nouveau ensemble.

Un mot suffit à la décider. Elle se réveilla un matin, tourna la tête, le regarda dormir si heureusement à côté d'elle, un bras passé autour de son corps nu, une main enserrant un de ses seins, et elle pensa : *Je suis son gourou.* GOUROU. C'était la fin. Être le « gourou » de qui que ce soit, c'était plus qu'elle ne pouvait en supporter, quelles qu'en soient les conséquences. La vie fonctionnait vraiment drôlement. Rien n'avait changé. Rien qu'un mot. Mais il faisait toute la différence. Pour elle c'était comme « Hitler » ou « Nègre », ou l'un de ces mots de passe qui font naître une fureur inquiétante dans le cœur humain. Plutôt assassiner de sang-froid un plein car d'écoliers que d'être le « gourou » ne serait-ce que d'un seul individu. Rien que de le regarder là, sur l'oreiller, lui donnait envie de vomir.

Mais que faire? Elle sortit furtivement du lit, se rendit à pas de loup dans la cuisine, et réfléchit devant une tasse de café. Six moyens possibles d'en sortir, aucun qui soit satisfaisant, peut-être pourrait-elle inventer une combinaison d'adieux qui marcherait. Oui. Elle s'habilla, veillant à ne pas faire de bruit, qu'il continue à dormir pendant qu'elle complotait, puis se rendit en voiture chez le liquoriste, où elle acheta un demi-gallon de Johnnie Walker Black. Revenant à la maison, elle se mit à le mélanger moitié moitié avec le café. Le but à toute allure. À la troisième tasse, elle avait pondu quinze projets supplémentaires, dont chacun était plus incongrûment impraticable que le précédent. Quand il se réveilla, elle était plus soûle qu'elle ne l'avait été depuis des années ; cassée, bourrée, un vrai désastre. Elle se regarda dans le miroir : ouais, ça a marché. Elle avait l'air d'avoir *cinquante* ans. Encore une semaine comme ça et elle en paraîtrait cent. Comment vouloir baiser ça, et encore moins l'idolâtrer ?

Il entra dans la cuisine et battit des paupières, encore endormi mais visiblement choqué : « Qu'est-ce que tu FAIS ? »

« Comment ça, qu'esse qujfais ? Je m'*mmmarre,* vlà cqujfais. Quessa peutfout' ? »

Elle savait que ça ne suffirait pas. Il se mit à l'interroger : « Il y a quelque chose qui ne va pas ? »

« OUAIS YA QUEKCHOZ QUI VA PAS MERDE ! LA VIE C'EST DLA MERDE VLASKI VA PAS ! J'AI AISSÉYÉ DLAIMER MAIS C'EST DES CONNERIES. JVAIS PICOLER JUSKA CQUJE CLAQUE. »

Bon dieu, que c'était ringard. Mais il y croyait. N'y avait-il donc aucun abîme dans lequel le respect qu'elle avait pour lui pourrait sombrer ?

« Mais… mais… tout allait si bien… »

« OUAIS – C'EST CQUE *TU* PENSAIS. J'AI *DÉTESTÉ* ÇA DEPUIS LDÉBUT. » Ça, ça n'était pas complètement faux. « CHUIS TOUT BÊTEMENT TROP PRISE DANS MES HABITUDES. CHUIS PAS JEUNE COMMTOI À VOULOIR VIV. JVEUX MOURIR. »

« Mais POURQUOI ? Tu m'as MOI, CHACUN a L'AUTRE. »

« LA BELLE AFFAIIIRE. » Mieux valait alléger un peu la charge utile. « Nous ne sommes que les MIROIRS l'un de l'autre. Nous étions deux IN… INVIDI… IN-DI-VI-DUS… 'TNANT ON N'EST PU QU'UN… tas… à peine HUMAIN… »

Il se mit à pleurer. Rien à foutre. « Mais nous avons *tant* partagé – tant *d'idées*, nous avons tant fait l'amour, nous nous sommes mutuellement enrichis de TANT DE FAÇONS… »

« OUAAAIS, SPOUR ÇA QUJVEUX MOURIR, CONNARD… c'est pu TOI ou MOI… c'est NOUS… reconnais-le. ON EST CHIANTS COMME LA MORT. Tveux boire un coup ? »

« NON. Je veux… bon dieu, d'un seul coup je ne sais plus… » Il était temps de faire monter les enjeux avec un peu d'obscénité : « JTERENDS UNPTI SERVICE CÔTÉ BAIIISE ? » – levant sa robe et baissant sa culotte, déchirant celle-ci ce faisant, écartant les jambes aussi abjectement qu'elle put – « ÇA TDIRAIT UN PEU DMINOU ? VAZY MEC – LÈCHE-LE MOI… » ou alors – dans ce qu'on peut faire de pire dans le genre Mae West – « FILE TON BRAQUEMART, MON GRAND, JVEUX UN GRAND COUP DTON AMANITE ET CHUIS LÀ ! »

Il était bien près de vomir. Elle aussi, d'ailleurs. De toute évidence ce projet réclamait les mesures les plus extrêmes. Elle partit en courant, sauta dans la voiture et fonça à 150 km/h vers une maison minable bien connue pour être le repaire des Hell's Angels du coin, qu'elle invita chez elle pour une partouze collective. C'était s'exposer à de sérieux problèmes, mais tout valait mieux que d'être Baba Ram Dass. Quatorze d'entre eux la suivirent en rugissant. Quand ils arrivèrent, elle s'allongea au milieu du salon, releva sa robe et hurla : « ALLEZ LES MECS… PREMIER ARRIVÉ PREMIER SERVI ! »

Ils n'avaient plus trop l'air enthousiaste – mais voilà que, comme un parfait imbécile, il voulut tenter de protéger son Honneur Virginal et récolta une bonne bagarre à coups de poings. Ils le réduisirent en purée, l'un d'eux exigea d'elle une pipe qu'elle refusa, des sirènes se firent entendre au loin, et tous disparurent si vite qu'on se serait cru au cinéma. Elle le conduisit à l'hôpital, où il resta trois semaines d'affilée, pendant lesquelles elle engagea une pute après l'autre, pour qu'elles se rendent là-bas déguisées en infirmières afin de le séduire. Cela ne marcha pas jusqu'à ce qu'elle agrémente son jus d'orange d'une triple dose d'acide : ce jour-là, elle lui envoya trois filles différentes, de quoi cramer sa petite cervelle en baisant suçant et tringlant par tous les orifices. Elle feignit ensuite d'arriver alors que la troisième était encore à la tâche : « QU'EST-CE QUE ÇA SIGNIFIE ? JE CROYAIS QUE TU M'AIMAIS ENCORE ? » « MAIS JE T'AIME, JE T'AIME » – et bon sang de bonsoir voilà que de remords son obélisque se flétrit. La pute sort à pas lents, l'air dégoûté, pendant qu'il s'humilie et la supplie de lui pardonner jusqu'à ce qu'elle se souvienne de la toute première fois, au tout début, et qu'elle ait envie de gerber. Mais elle sort un exemplaire de *The Plain Truth* de Garner Ted Armstrong, et se met à le sermonner à pleins poumons, saupoudrant abondamment son dégueulis incohérent de larges extraits de ladite publication, comme quoi si SEULEMENT IL VOYAIT LA LUMIÈRE DE JÉSUS-CHRIST NOTRE SEIGNEUR il oublierait à jamais tout de ces foutues bonnes femmes. Il est au bord de la catatonie. De son côté, elle descend du Johnnie Walker Black, tout en grondements sacrés mêlés de délires scatologiques, toujours à pleins poumons, jusqu'à ce que la moitié du personnel de l'hôpital leur tombe dessus et la flanque dehors immédiatement.

Elle se voit même interdire l'accès des lieux jusqu'à ce qu'il soit sorti. Elle veille donc à ce que chaque jour un messager lui apporte des exemplaires de *The Plain Truth*, de *The Cross and the Flag : Communism, Hypnotism and the Beatles* de Gerald L.K. Smith, de la presse des Témoins de Jéhovah et des Hare Krishna, et lui envoie de nouvelles putes en tenues d'infirmières, des dealers déguisés en médecins, qui lui refilent tout ce qu'on peut trouver dans la rue, de l'acide au speed en passant par le Placidyl et la méthadone, ainsi que des inconnus gluants qui le régalent de récits sur les pieds d'enfer qu'elle est censée prendre avec eux depuis qu'on lui a interdit d'entrer dans l'hôpital.

Le temps que ses os brisés soient guéris, il est bon pour le cabanon, mais elle le ramène en petite voiture à la maison, et tout ce qu'il trouve à dire, c'est : « Il faut qu'on parle. » Enfin.

Alors ils s'assoient dans la cuisine. Il se penche par-dessus la table, la regarde droit dans les yeux, et dit : « J'ai compris une chose, à l'hôpital : tu as raison. Je ne sais pas à quoi tu joues, mais quoi que ce puisse être, je ne me suis jamais senti aussi

bien, côtes brisées et tout. Comme disait Aleister Crowley :
"Rien n'est vrai, tout est permis." Aussi, à partir de maintenant,
nous serons des libertins. »

C'est plus qu'elle n'en peut admettre. Tout le truc se retourne
contre elle. Il n'y a qu'un moyen d'en sortir : trouver un moyen
d'en faire une rock star, lui donner un hit, qu'il parte en tournée, alors peut-être sera-t-elle libre… Alors elle sort un as de sa
manche : « J'ai beaucoup lu le *NME* pendant que tu étais là-bas,
surtout les petites annonces, et on dit ici qu'un groupe a perdu
son chanteur et en cherche un autre, un individu dynamique,
individualiste, pour percer aux États-Unis. Je pense que tu pourrais peut-être… »

« Pourrais. Le problème, c'est qu'un Angel a marché sur ma
pomme d'Adam, et que ma voix est une vraie merde. »

« Bon dieu, écoute, fais-toi une faveur, vas-y, essaie quand
même. Qu'est-ce que tu as à perdre ? »

La réponse est évidemment : rien. Ce qu'elle a à perdre, c'est
un albatros de fort calibre ; il est engagé et le reste appartient à
l'histoire, ou ce qui passe pour tel. Il finit par être l'une des plus
grosses superstars de la planète, tandis qu'elle retourne vers les
bars et reste en vie grâce aux chèques qu'il lui envoie de temps
en temps.

Et maintenant, après qu'elle s'est donné tant de mal pour lui,
et en a pratiquement fait ce qu'il est aujourd'hui, vous penseriez
qu'il pourrait être plus reconnaissant, mais ce n'est pas le cas.
Un jour, il débarque avec un acétate, l'air un peu penaud, et dit :
« J'ai pensé qu'il serait juste que tu sois l'une des premières à
écouter ça… »

Elle ôte *La Passion selon Saint Matthieu* de la platine et y
balance ce cercle de plastique qui n'a même pas d'étiquette.
Qu'est-ce que c'est ? D'après VOUS ?

Quand c'est terminé, elle l'enlève très calmement, le lui rend,
se verse un nouveau plein verre de Johnnie Walker, et dit d'un
ton aussi cool que possible : « Eh bien, je dois certainement
reconnaître que tu as bouclé la boucle : du fils de pute à l'écer-
velé, puis au type rééduqué plutôt sympa, ce qui je crois ne t'a
jamais convenu, dans la mesure où toute ta personnalité a disparu

dans la mienne et où tu es devenu une simple adjonction à mon apathie, tout droit jusqu'à ton statut actuel de fils de pute qui sait exactement quelle grosse bouse il est et qui, je n'en doute nullement, veut s'en nettoyer. »

« Oui, et c'est à toi que je le dois. »

« Ah, pas exactement. Bien que ce soit là une pensée touchante. Je ne sais pas trop à qui tu le dois, mais je t'en prie, laisse mon nom en dehors de tout ça, et contente-toi de m'envoyer un chèque de temps en temps… »

« C'est comme si c'était fait. » Il glisse l'acétate dans sa pochette et se casse dare-dare, un peu nerveusement si vous voulez mon avis. Et alors ? Vous aussi vous seriez nerveux si vous deviez traverser la vie en vous inquiétant à l'idée que quelqu'un pourrait tout révéler n'importe quand. Bien entendu, elle ne le fera pas, parce qu'elle s'en fout éperdument tant qu'elle n'a pas à l'écouter, et il continue à lui envoyer ce qui, après tout, constitue sa part de droits d'auteur pour avoir, euh, « inspiré » son plus gros hit. Tant qu'il le fait, et qu'elle la ferme en public, il est heureux, elle est heureuse, l'industrie du disque est heureuse, et tout va pour le mieux dans le meilleur des mondes.

Elle en rit encore, évidemment. « Ouais, le pauvre gars… le seul type ayant un vrai potentiel que j'aie jamais connu. Le problème, c'est que s'il avait dit la vérité dans cette chanson débile, non seulement personne ne l'aurait achetée, mais de surcroît, au lieu d'être dans le Championnat du Monde des Casanova de Banlieue, il serait aujourd'hui simple employé dans une banque de South Kensington. Sa vie sexuelle serait plus satisfaisante, comme elle l'a été ici un moment, et je suis sûre qu'il s'en souvient. Je crois qu'en définitive tout ça se réduit à une question de priorités : préférez-vous être le navire ou la cargaison ? Il a fait son choix, j'ai fait le mien, et j'espère que vous en ferez tous autant. Santé. » Et sur ce, elle lève de nouveau son verre.

Inédit, 1981

SANS TITRE

Extrait de notes sans titre

LESTER BANGS : Toute ma vie a tendu vers cet acte mystique d'Unicité, d'usure ou d'expiation ou d'une impulsion obscure et perverse. J'ai claqué cinq dollars et soixante-quinze cents pour un exemplaire de *Sucking in the Seventies*.

PAUL NELSON : *VRAIMENT ? Encore un Greatest Hits des Stones, sauf que cette fois il est minable ? POURQUOI ?*

Je n'en sais rien.

Tu aurais pu appeler Atlantic pour en avoir un exemplaire.

Je sais, mais pour dieu sait quelle raison je ne voulais pas, mis à part la volonté de ne *jamais* parler avec aucun de ces gens-là ou presque. Mais c'était quelque chose d'autre. Ça me rongeait depuis des jours de savoir que tôt ou tard j'allais sortir le pognon pour cette merde. Je me gausserais de moi-même une fois sorti de la boutique, d'un air entendu. Finalement, un vendredi après-midi, j'ai marché jusqu'à la 8ᵉ Rue, et je l'ai acheté.

« Bought it⁵⁰ » au sens de la chanson de Warren Zevon ?

Ah, ça faisait du bien, c'est sûr. J'ai tout particulièrement apprécié l'allure réfléchie avec laquelle je m'y suis pris. Je veux dire, je plaisante, mais, si tu réfléchis vraiment à ce que ça représente, c'est complètement *pourri*, et l'innocuité assumée de la chose la rend encore pire, un peu comme être accroché au valium peut être plus insidieux que l'héroïne. J'ai su que c'était une merde à l'instant même où je l'ai vu. Les Stones aussi, évidemment, sinon pourquoi l'appelleraient-ils comme ça, bien que je n'imagine pas qu'ils se soient attendus à perdre des ventes. Mais cette fois ils nous ont vraiment mis le nez dedans, encore plus que d'habitude, c'est encore pire que *Jamming with Edward*, et de loin – tu te souviens de la petite lettre aux acheteurs que Jagger mettait avec celui-là ? Non, je crois que je voulais m'abaisser de manière un peu administrative et minable, ce à quoi, bien entendu, on s'attend toujours avec les Stones, sous une forme ou sous une autre. Il y avait quelque chose de ritualisé dans la façon dont j'y ai pensé toute la semaine, avant de prendre un plaisir méthodique à y aller et à le faire. J'étais chez Bleecker Bob et j'ai regardé les titres, certains des choix qu'ils avaient faits, comment ils étaient agencés, si bien qu'on savait déjà que jamais on ne pourrait écouter une face entière, il faudrait se lever à chaque fois en plein milieu et déplacer le bras pour éviter quatre petites minutes d'irritante nullasserie que de toute évidence ils avaient fait exprès de mettre là pour embêter leur monde au maximum – j'ai entendu parler de gens qui paient pour être battus et fouettés, mais peux-tu imaginer où nous en sommes arrivés pour que des gens fassent la queue et *paient* pour se faire embêter ?

Bon sang, tu te fais de sacrées illusions. Tu penses trop. Crois-tu honnêtement que les Rolling Stones consacrent plus de cinq minutes, et sans doute n'est-ce même pas eux mais un quelconque larbin de la compagnie, à réfléchir à ce qui va être sur l'album ?

Sûr.

Je pense que tu essaies de faire comme si c'était Metal Machine Music.

Non, non, écoute : nous parlons de ce qui est la relation essentielle entre un artiste et son public, comment tout ce processus est lié au jeu réciproque de leur addiction à leur propre ego et de notre monde de junkies consommateurs, et à la façon dont cette relation change de nature de toutes sortes de manières très intéressantes. J'admets que je suis plus pervers que la plupart des gens – enfin, peut-être. Mais peut-être pas. Le fait est que quand le disque sort, si tu es un fan, tu trouveras un moyen de l'aimer. C'est un peu comme de s'offrir un lézard venimeux comme animal de compagnie. Après ça, il ne peut faire que deux choses : se flétrir sous l'inadaptation évidente de ton environnement aux lézards venimeux jusqu'à se dessécher et mourir ;

ou prospérer sur tes détritus jusqu'à ce qu'il devienne suffisamment grand et fort pour te mordre un jour. Mais quand ça arrive, tu ne meurs même pas : tu fais simplement semblant ! En fait, tu attendais ça depuis le début ! Parce que maintenant tu peux frimer devant ceux que tu fréquentes et dire que tu as chopé sa maladie ! Ce qui, bien entendu, te confère aussitôt un certain statut social. Tu ne vas pas te transformer en lézard venimeux, mais au moins tu peux te dire que tu lui ressembles un peu plus.

Pendant cinq ans, une partie de mon travail à *Creem* a consisté à interviewer une rock star différente chaque mois de l'année, ce qui, à douze stars par an pendant cinq ans, nous donne soixante Héros Culturels en tout, plus tous ceux qui se sont trouvés passer en coulisses ou dans le coin ! Whaouh ! Quelle éducation !

Je me souviens être allé au concert avec Rod Stewart et les Faces dans une limo surpeuplée où nous buvions en échangeant des anecdotes, en riant à l'idée que 90 pour cent des autres stars étaient des abrutis crétinoïdes. Des gens comme Ian Anderson, qui m'a dit que John Coltrane n'était qu'un branleur qui ne jouait que de la gadoue, ou Carl Palmer, selon qui Charlie Mingus était un bassiste minable doublé d'un imbécile. Ce que certains de ces mecs connaissent question musique est vraiment étonnant, c'est moi qui vous le dis ! Ian Anderson m'a ainsi informé que le jazz était « un canular perpétré aux dépens du public ». Mais à dire vrai, à un niveau vraiment fondamental, chaque musicien, ou peu s'en faut, que j'ai rencontré était tout aussi nul. C'est une chose d'exiger l'excellence musicale si vous êtes Duke Ellington ou Charlie Mingus, d'ailleurs d'un strict point de vue de bureaucrate, je suis tellement fatigué de répéter d'une année sur l'autre à des connards bornés que tout ça n'a strictement rien à voir avec le rock. Cette notion n'a pas commencé avec le « rock punk ». Je ne sais pas trop de quand ça date. Ça n'a pas d'importance, de toute façon. Par exemple, je sais que quand John Lee Hooker a commencé, personne ne pouvait jouer de batterie derrière lui tant ses rythmes étaient excentriques, et tout le monde les considérait comme impossibles à suivre et simplement et manifestement faux, si entraînant que soit l'interprète. Tous ceux, ou presque, qui valent un pélot ont été soumis à ça tôt ou tard (plus tôt s'ils ont de la chance et que les gars se mettent à la page plus tard, plus tard, et encore plus tard). C'est arrivé au Bird, à Ornette, Coltrane, Miles, Cecil Taylor, Bob Dylan, Phil Spector, Jim Morrison, le Velvet Underground, les Stooges, les Dolls, les Ramones, les Sex Pistols, les Clash, Richard Hell and the Voidoids, Television, le Patti Smith Group, Suicide, le MC5, et les Faces – tout ça de mon vivant, pour ne donner que les noms les plus évidents qui se déversent de mon crâne. Tous autant qu'ils sont. De nos jours tout le monde et son frère traîne dans le coin en psalmodiant les mots sacrés « Velvet Underground », et tout groupe au nihilisme de camelot incapable de jouer, ou de faire quoi que ce soit avec classe, se colle l'étiquette « le nouveau Velvet ». Voilà longtemps que je soupçonne que les gens qui répètent sans arrêt « Velvet Underground » sont EXACTEMENT LES MÊMES que ceux qui en 1967-68 les auraient traités, comme ça se disait alors, de Pédés Ne Sachant Pas Jouer, et que de surcroît aucun de ces connards qui se poussent du col, en fait, ne s'assoit pour *écouter* par *plaisir* « Sister Ray ». J'ai fini par me mettre à examiner la collection de disques des gens, de façon routinière, quand j'entre chez quelqu'un, à sortir leur exemplaire de *White Light/White Heat* (bien sûr, TOUT LE MONDE l'a, parce que ça fait tellement hip), et à sortir le disque de sa pochette. Ouais. Pratiquement aucun de ceux que j'ai rencontrés n'a jamais beaucoup passé le foutu machin. En fait, presque tous les exemplaires que je mate chez les gens ont l'air *vierge*, comme s'ils les avaient passés mettons une fois, juste après l'achat, peut-être même pas en entier, avant de ranger le truc en rayon.

Apparemment, personne n'a jamais pris la peine d'informer les neuf dixièmes des musiciens que la musique parle sentiment, passion, amour, colère, joie, peur, espoir, désir, ÉMOTION EXPRIMÉE DANS CE QU'ELLE A DE PLUS PUISSANT ET DE PLUS DIRECT SOUS QUELQUE FORME QUE CE SOIT, plutôt que de savoir s'il y a un couac dans cette troisième mesure là-bas. Franchement, je ne m'attendrais pas à ce que les musicos soient capables de se rendre compte de ça eux-mêmes, comme on pense qu'absolument tout le monde le pourrait, parce que le fait est que neuf dixièmes de la RACE HUMAINE n'ont jamais pensé, et ne penseront jamais, par eux-mêmes, à quoi que ce soit. Que ça soit la musique ou les Reaganomics, disons, tout le monde ou presque préfère s'asseoir et *attendre* que quelqu'un qui paraît posséder une autorité quelconque, même si savoir où ils l'ont dégotée est rarement clair, se pointe et informe tout un chacun de ce que devrait être leur position. Puis ils s'accordent tous pour dire que c'est parole d'évangile, et se liguent pour persécuter toute minorité qui pourrait se trouver en désaccord. C'est là l'histoire de la race humaine, très certainement celle de la musique, et peu importe que ce soit Papa-Maman en 1955 écoutant Perry Como et vous disant que cet Elvis n'était qu'un insignifiant nègre braillard en loques descendu des collines, ou tous les mômes avec qui je suis allé au lycée qui se croyaient tellement hip parce qu'ils achetaient les albums des Doors mais qui, en même temps que l'Oncle Frank Zappa (méprisable savate que les crétins appellent « compositeur » au lieu de dire « arnaqueur », un vrai tas d'entrailles humaines vivant, à supposer que ça puisse exister), regardaient de haut les Kingsmen, plus tard les Count Five et Question Mark and the Mysterians. En 1966, quand j'étais dans un groupe d'ados qui se produisait au bowling local, je jouais chaque soir de l'harmonica sur quatre ou cinq titres : « Goin' Down to Louisiana », « Blues Jam », « I'm a Man », « Psychotic Reaction » et j'ai oublié quoi d'autre, et j'ai noté à l'époque que ces mecs ADORAIENT JOUER « I'm a Man » et faire semblant d'être Jeff Beck, mais grognaient toujours quand on devait venir à bout de « Psychotic Reaction », et bien que je n'aie eu aucune connaissance technique de la musique, il semblait fort qu'elles fussent atrocement proches d'être LA MÊME CHANSON (d'accord, ajoutez un peu de « Secret Agent Man » dans « Psychotic Reaction »). Je jouais exactement la même partie dans les deux. Mais il était sous-entendu que « I'm a Man » était des tout-puissants Yardbirds, ou (si les mecs étaient vraiment hip) de Bo Diddley

papa du rock-blues pétant, vertueux et d'une authenticité au-
dessus de tout soupçon, qui avait d'ailleurs rempli ses albums
de certains titres d'un mérite musical éternel (« Yakky Doodle »,
« Say Man », etc.), mais qui étaient les Count Five, merde ? Rien
qu'une bande de péquenots boutonneux de San Jose, à peu près
comme le groupe dans lequel je jouais, voilà qui, alors qu'ils
aillent se faire foutre. Ce qui, bien entendu, signifiait que mes
collègues musiciens se considéraient comme des nuls, mais je
n'ai jamais pris la peine de soulever la question.

En 64-65, j'ai vu une fois les Kinks passer en direct dans le
show télé *Shindig*, et je peux vous assurer qu'à l'époque Dave
Davies ne savait absolument pas jouer – quand on en est arrivé
aux solos dans leur hit « All Day and All of the Night », il a
trébuché et s'est complètement planté. C'était un peu gênant.
Puis il y a eu l'époque, en 65, où j'ai vu les Byrds ouvrir pour
les Stones à San Diego. Bon dieu, ils étaient atroces. Rien qu'à
cause de ça, je n'ai pas voulu acheter leur premier album pendant six mois. Vocaux, rythmes, solos de guitare, harmonies,
tout ce que vous voulez – ces mecs-là auraient été incapables de
faire tenir une chanson debout quand bien même leur vie en
aurait dépendu. Des années plus tard, j'ai découvert qu'en fait
McGuinn était le seul qui ait joué sur le premier album en
question, les autres étant tous des tâcherons standard de L.A.
spécialistes des sessions bien payées, les meilleurs qu'on puisse
s'offrir, certes, Louie Shelton ou des gens comme ça, mais des
tâcherons quand même. Alors, comment se fait-il que cet album
soit devenu un classique qui sonne presque aussi frais aujour-
d'hui qu'au jour de sa sortie ? Ça me dépasse. Tout ce que je sais,
c'est que quand les Dark Ages, mon petit groupe de bowling,
devaient jouer « Psychotic Reaction » chaque soir, ils le jouaient
précisément comme ça, comme quelque chose qu'ils « devaient »
faire, se contentant d'y aller à toute allure pour faire plaisir au
public, parce que c'était un hit. Ils avaient la même opinion de
« 96 Tears ».

En 1968, j'ai logé un moment avec certains d'entre eux, et un
soir, juste avant d'aller me coucher, j'ai passé le « Dreamy Side »
de *Oldies But Goodies Vol. 1* (sur Original Sound). Le lendemain,

j'ai demandé au bassiste des Dark Ages si ça lui avait plu. Il a
répondu en rigolant : « Ouais, t'as mis ce truc juste au bon
moment : ça m'a endormi aussi sec ! » Ça n'était jamais que du
wap-doo-wap classique, mais vous savez, je crois que le vrai cheveu dans la soupe c'était les notes de pochette de *Freak Out*,
dans lesquelles Zappa grimaçait à l'idée de « devoir jouer "Louie,
Louie" dans des groupes de bar minables », ou quelque chose
comme ça – je crois que ça a perverti une part énorme de la
réflexion des gens. Bien entendu, tout ce que ça veut vraiment
dire (à moins, je l'accorde, et comme c'est possible à la lueur de
Cruisin' with Ruben and the Jets, que Zappa n'ait réellement aimé
« Louie, Louie », et qu'on l'ait mal compris), c'est que Frank
et tous les gars du groupe avaient cette mentalité Vieil Habitué
des Séances Lassé/Tâcheron de Bar, cette humeur morose que
Fogerty a si bien capturée dans « Lodi », point auquel la vache
enragée une fois mangée, l'inutilité finale de tout ça rend le
musicien incroyablement fatigué, amer, et par-dessus tout arrivé
au point, autrefois impensable, de détester réellement la musique
elle-même, de quelque genre qu'elle soit. Pour commencer, les
Mothers avaient l'air d'une bande de types comme ça – (un peu
plus vieux, se déplumant ici et là, etc.) – et pour un Jeff Beck il
y a dix millions de vieux requins lassés qui ont fini par cesser de
s'intéresser à quoi que ce soit et se contentent de ramasser leur
chèque. Vous penseriez que quiconque ayant cet état d'esprit
laisserait les pareils des Sex Pistols s'en tirer ? Laissez tomber.
Ils les haïssent d'autant plus, parce que c'est ouvertement que
les punks ou dieu sait quelle forme ou époque N'ONT PAS
PAYÉ LEURS DETTES ; il serait peu naturel, ou bizarrement
christique, que ces gars-là ne les détestent *pas*. Entre-temps,
vous auriez dû voir les têtes de mes compagnons de chambrée
de 68 qui riaient du wap-doo-wap mais passaient du Cream
chaque jour, alors que je mettais *White Light/White Heat,* ce qui
m'arrivait quotidiennement. Ils me firent savoir qu'ils pensaient
que j'étais un pédé honteux. Sinon, pourquoi écouterais-je ce
genre de merde ?

   Je ne m'en allais pas fourrer mes préjugés dans la gorge de tout
le monde. Je me suis donc contenté d'endurer Cream, chaque

foutue journée que Dieu faisait, *Spoonful* et tout le reste de ce gros-truc-gros-tas-de-merde. Et on pourrait penser qu'il aurait été juste qu'ils endurent le Velvet, Count Five, *Oldies but Goodies*, les Fugs, les Godz et j'ai oublié quel autre boucan atroce j'aimais à la folie. Mais ils ne m'accordaient pas la même part d'abjection. Ma musique était « mauvaise », la leur était « bonne ». Et peut-être est-ce pourquoi j'ai fini par faire ce que j'ai fait de ma vie jusqu'à présent, ce que Bob Quine a résumé un jour qu'il m'avait appelé : « Je t'ai percé à jour. Chaque mois tu sors et achètes délibérément le disque de boucan immonde le plus atrocement minable, nul, inaudible, scandaleux, exaspérant, crispant et crétinisant que tu peux trouver, puis tu t'assois et tu rédiges un compte rendu dans lequel tu expliques au monde entier pourquoi c'est tout simplement merveilleux et pourquoi tous devraient partir l'acheter en courant. Comme tu es bon écrivain, les autres sont convaincus – jusqu'à ce qu'ils rentrent chez eux et mettent le disque, et c'est là qu'ils se mettent à souffrir. Ils le jettent sous l'évier ou je ne sais où et jurent que tu ne les y reprendras plus jamais. Mais le mois suivant ils ont oublié, mais pas toi, alors tout le processus se répète, avec un autre truc encore plus immonde de barouf hideux... Tu sais, je dois reconnaître que c'est une noble tâche à laquelle consacrer sa vie. »

Ça me poursuit. Depuis 1969. Mais avec l'unique réserve que *j'aime* réellement toutes ces galettes de bruit horrible, et que je me les passe par plaisir, il m'est venu à l'idée que peut-être la seule raison pour laquelle tout ça est devenu ma vie est que l'incident traumatique d'origine remonte à ces hippies : depuis ce jour j'essaie de me venger de ces connards.

Héros culturels. Lou Reed et moi nous sommes amusés un moment à nous provoquer l'un l'autre en public, bien qu'il soit également vrai qu'à l'époque il était pour moi ce que Dylan avait été en 1966 ou quelque chose comme ça – *Numero Uno.* THE MAN. J'ai appris des choses passablement déplaisantes sur lui, et me suis fait mépriser et traiter publiquement, à plusieurs reprises, comme une misérable groupie, alors que j'étais pratiquement son foutu attaché de presse, réussissant à intéresser encore à lui beaucoup de gens (du moins c'est ce qu'ils m'ont dit au fil des années) à un moment où, sinon, ils auraient été prêts à le faire passer par profits et pertes. J'irai jusqu'à dire que je pense que les articles que j'ai écrits sur Lou au milieu des années 70 étaient tous, d'un point de vue artistique, meilleurs que les disques, tous les disques, qu'il faisait à l'époque.

Mais en fait ça n'est ni ici ni là. Ce dont il est question, c'est que finalement, et factuellement, je ne pense pas que Lou Reed soit si méchant que ça. Quand, en 1975, au cours de cette prétentieuse, mais en fait très drôle, interview-castagne, il m'a dit que j'étais autrefois un bon écrivain mais que désormais je me gaspillais à baratiner en prenant des poses, il m'a fait une faveur que 99 pour cent de mes « vrais » amis n'avaient, ça c'est sûr, jamais su me faire, parce que c'était la vérité, et si quelqu'un n'avait pas claqué des doigts devant moi et proféré quelques mots bien sentis, le genre d'autoparodie (pour ne pas parler d'autodestruction) dans lequel je tenais à me spécialiser alors, de façon à pouvoir être Charles Bukowski Jr. ou dieu sait qui, m'aurait finalement détruit en tant qu'écrivain et en tant qu'individu. Vu la façon dont ça s'est passé, je ne vois que trois personnes environ qui à l'époque aient pris la peine de me le signaler. L'une était ma copine. L'autre était Lou Reed. Et la troisième était un photographe qui m'a confié qu'il avait raison de m'avoir dit ça la veille au soir.

La plupart du temps, le code de la tournée est d'encourager chez le jeune « génie » le pire comportement possible ou imaginable. Les mêmes gens qui me charriaient chaque jour lors de ces scènes bouffonnes étaient dans des chambres d'hôtel et parlaient de moi comme si je n'étais pas là, comme si j'étais un tel débile que je ne méritais pas d'être inclus dans la race humaine. Mais j'ai eu de la chance. À l'époque où Lou Reed m'a dit tout ça, j'étais engagé environ quatre fois plus dans l'autopromotion proto-punk infecte à la Legs McNeil, qu'à définir les sujets sur lesquels j'étais ostensiblement censé écrire chaque mois. C'étaient des articles amusants – en fait, il y a beaucoup de gens qui pensent aujourd'hui encore que c'est à *Creem* que j'ai écrit les meilleurs trucs que je ferai jamais, et que depuis que je me suis installé à New York je suis devenu un moraliste de plus en plus amer, lâchez-moi-les-baskets, amusant à l'occasion, mais un vieil *has-been* de plus en plus aigri. Qu'ils aillent tous se faire foutre. J'ai eu de la chance : cette connerie est devenue ma vie alors que j'étais incrusté dans l'environnement nettement, mais relativement, flippant de *Creem*, aussi, une fois que je me suis réveillé, j'ai fini par comprendre, et je peux dire que bien que j'aie fait mon temps, comme tout le monde, je pense encore avoir un avenir.

Inédit, 1981

NOTES DU TRADUCTEUR

[1] Célibataires passant d'un(e) partenaire à l'autre.

[2] Chanson de Herman's Hermit.

[3] Tâcheron britannique spécialisé dans la dénonciation apocalyptique du rock et de la contre-culture considérés comme résurgence de l'esprit païen et/ou manipulation du communisme athée.

[4] Héros de *L'Attrape-Cœurs* de J.D. Salinger.

[5] Célèbre critique de cinéma.

[6] Bagnoles trafiquées de manière plus ou moins aberrante pour en faire des sortes de voitures de course.

[7] *Vers une contre-culture* de Theodore Roszak, et *Le Regain américain* de Charles A. Reich. Deux ouvrages pionniers de la contre-culture et de l'écologie.

[8] Dernières paroles du « Vieux de la Montagne », le fondateur de l'ordre des Haschichins.

[9] Le Président Lyndon B. Johnson.

[10] Groupe spécialisé dans la location de parkings et qui, dans les années 70, tenta de racheter Atlantic.

[11] Célèbre (enfin, à l'époque) figure de l'extrême gauche étudiante.

[12] Penseur radical, d'origine anglaise, qui joua un certain rôle dans la guerre d'Indépendance américaine, puis lors de la Révolution française.

[13] Île située à une vingtaine de kilomètres des côtes sud du Massachusetts. C'est un lieu de villégiature huppé.

[14] Candidat démocrate à la Présidence en 1968.

[15] Immigrants mexicains illégaux.

[16] Ce texte date de 1973 !

[17] Album de Don McLean. Gros succès à l'époque.

[18] Présentateurs d'un show rock télévisé.

[19] Célèbre pièce de théâtre d'Eugene O'Neill.

[20] Concurrent « teenage » de *Creem*.

[21] Revue mondaine de type « Mademoiselle Âge Tendre ».

[22] Le futur réalisateur de *Spinal Tap* était alors le héros adolescent d'un feuilleton télévisé.

[23] Chanteur américain des années 50 en qui on a souvent vu le chaînon manquant entre Frank Sinatra et Elvis Presley.

[24] Acteur noir des années 30, qui a joué d'innombrables fois le rôle du Brav' Nèg' sympa mais plutôt débile, le tout à grand renfort de roulements d'yeux et de mines terrifiées.

[25] Le général Von Stüpnagel : chef suprême des troupes allemandes en France pendant la Seconde Guerre mondiale.

[26] Feuilleton télé américain (en français *Papa Schultz*, sur M6).

[27] Parolier d'Elton John.

[28] La *Magna Carta*, imposée à Jean Sans Terre en 1215 sous menace de guerre civile, a constitué depuis la charte fondamentale des libertés publiques anglaises.

[29] « Oh pardon me *suh*, it's furthest from my mind, I'm just lookin' for HAW HAW HAW. » Citation alcoolisée d'un vers de « Waiting for the Man ».

[30] Images de Guy Pellaert, textes de Nik Cohn.

[31] Quartier général de la revue *Creem*, mais aussi des Stooges, du MC5 ou des Amboy Dukes.

[32] Célèbre homme de télé, dont le *Tonight Show* fut pendant trente ans (1962-1992) regardé par l'Amérique entière.

[33] Village vietnamien dans lequel, le 16 mars 1968, un détachement de soldats américains commandé par le lieutenant William Calley se livra à un véritable massacre, tuant près de 500 civils, pour la plupart des femmes et des enfants.

[34] Universitaire (sociologue) et sénateur démocrate, « libéral » au sens américain du terme.

[35] Allusion à un vieux titre du Pink Floyd, « Take Up Thy Stetoscope and Walk ».

[36] « How Much Is That Doggie in the Window », hit de 1953 repris en français par Line Renaud.

[37] Clive Davis, un moment PDG de CBS avant d'en être viré. C'est lui qui avait signé Janis Joplin, etc.

[38] Citation envapée de « I'm the Walrus ».

[39] Litt. « les farouches » : titre d'un film de Stanley Kramer où Tony Curtis et Sidney Poitier incarnent deux bagnards évadés.

[40] Célèbre disquaire new-yorkais de Bleecker Street.

[41] Comédien et humoriste des années 30.

[42] Chanteur folk des années 60 et 70 fortement nunuche.

[43] Personnage-titre d'une célèbre BD de Al Capp.

[44] Chanson anti-avortement (!) des Sex Pistols.

[45] De fait, la devise d'Elvis était *Taking Care of Business*.

[46] Sorte de Thierry Ardisson local.

[47] Guitariste fondateur de Canned Heat.

[48] Le feuilleton *Des agentes très spéciales!*

[49] Mort en 1954 en jouant à la roulette russe, juste avant de monter sur scène.

[50] « Bought it » a en argot le sens de « passer l'arme à gauche ».

TABLE DES MATIÈRES

CATALOGUE
octobre 2006

Corinne Aguzou
La Révolution par les femmes

Les Alligators souriants – Voix d'écrivains
(disque compact hors commerce)

J.G. Ballard
La Foire aux atrocités
Millénaire mode d'emploi

Lester Bangs
Psychotic Reactions & autres carburateurs flingués
Fêtes sanglantes & mauvais goût
Lester Bangs : mégatonnique rock critic, biographie, par Jim DeRogatis

Samuel Beckett
Solo, par David Warrilow (disque compact)

Mehdi Belhaj Kacem
Cancer
1993
Vies et morts d'Irène Lepic
L'Antéforme
Esthétique du chaos
Society
L'Essence n de l'amour (coédition Fayard)
Événement et répétition
L'Affect
eXistenZ

Pierre Bourgeade
Les Âmes juives
Warum
L'Éternel Mirage
L'Horloge
Les Boxeurs
Les Comédiens

Arno Schmidt
Histoires
Vaches en demi-deuil
Tina ou de l'Immortalité suivi de
Arno à tombeau ouvert, par Claude Riehl
Le Cœur de pierre
On a marché sur la Lande
Cosmas ou la Montagne du Nord
Goethe et un de ses admirateurs

Patti Smith
La Mer de Corail
(photographies de Robert Mapplethorpe, Lynn Davis et Edward Maxey)
Corps de plane, écrits 1970-79
Piss Factory 96 (disque compact hors commerce)

Laurence Sterne
La Vie et les opinions de Tristram Shandy

★   ★
★

Composé
par Tristram
à Auch
et achevé d'imprimer
par l'Imprimerie Floch
à Mayenne
en septembre 2006
pour le compte
des Éditions Tristram
B.P. 110
32002 - Auch cedex

Dépôt légal : septembre 2006
N° d'impression : 66527
ISBN 2-907681-11-7
Imprimé en France